IAN RANKIN

Die Kinder des Todes

GOLDMANN – IHRE NR. 1

In dem beschaulichen Küstenstädtchen South Queensferry erschüttert ein Blutbad die Öffentlichkeit: In einer Schule hat der ehemalige Elitesoldat Lee Herdman zwei Jungen erschossen, einen schwer verletzt und anschließend sich selbst getötet. Es gibt eigentlich nur eine offene Frage: warum? Die Suche nach der Antwort führt John Rebus und seine Kollegin Siobhan Clarke in das Herz einer kleinen Gemeinschaft und ihrer verlorenen Kinder. Eine zweite Spur reicht weiter in die Vergangenheit des Täters, dessen Schicksal Rebus nicht mehr loslässt. Selbst ehemaliges Mitglied der Special Air Forces, versucht er, sich in die Psyche Herdmans zu versetzen, um dessen Tat zu begreifen. Und damit ist er nicht allein: Ermittler der Royal Army schalten sich in den Fall ein, angeblich, um ähnliche Taten in Zukunft zu verhindern. Doch dann zeigt sich, dass ein paar ehemalige Kollegen Herdmans sowie eine Hand voll Jugendlicher aus Queensferry tiefer in den Fall verstrickt sind, als zunächst vermutet. Und die Frage nach den Hintergründen eines vermeintlichen Amoklaufs verwandelt sich in ein komplexes Rätsel, dessen Lösung so überraschend wie schockierend ist …

Ian Rankin

Die Kinder
des Todes

Roman

Aus dem Englischen
von Claus Varrelmann

GOLDMANN

Die Originalausgabe erschien 2003
unter dem Titel »A Question of Blood «
bei Orion Books, London

FSC
Mix
Produktgruppe aus vorbildlich
bewirtschafteten Wäldern und
anderen kontrollierten Herkünften
Zert.-Nr. SGS-COC-1940
www.fsc.org
© 1996 Forest Stewardship Council

Verlagsgruppe Random House FSC-DEU-0100
Das FSC-zertifizierte Papier *München Super* für Taschenbücher
aus dem Goldmann Verlag liefert Mochenwangen Papier.

1. Auflage
Taschenbuchausgabe Dezember 2006
Copyright © der Originalausgabe 2003 by John Rebus Limited
Copyright © der deutschsprachigen Ausgabe 2004
by Wilhelm Goldmann Verlag, München,
in der Verlagsgruppe Random House GmbH
Umschlaggestaltung: Design Team München
Umschlagfoto: Visum/buchcover.com/Doublepoint Pictures
Redaktion: Katharina Gerhardt
AB · Herstellung: Str.
Druck und Bindung: GGP Media GmbH, Pößneck
Printed in Germany
ISBN-10: 3-442-46314-9
ISBN-13: 978-3-442-46314-5

www.goldmann-verlag.de

In Memoriam –
dem CID von St. Leonard's

Ita res accendent lumina rebus

Anonymus

Es gibt keine Aussicht auf ein Ende

James Hutton,
Naturwissenschaftler, 1785

Erster Tag

Dienstag

1

»Völlig klare Sache«, sagte Detective Sergeant Siobhan Clarke. »Herdman ist schlicht und einfach ausgerastet.«

Sie saß neben einem Krankenhausbett in Edinburghs erst kürzlich eröffneter New Royal Infirmary. Der Gebäude-komplex befand sich am Südrand der Stadt, in einer Gegend namens Little France. Er war für eine beträchtliche Summe auf einer Wiese errichtet worden, doch es gab bereits Klagen über die schlechte Raumaufteilung im Inneren und den Parkplatzmangel draußen. Siobhan hatte nach einer Weile eine Lücke für ihr Auto gefunden, nur um danach festzu-stellen, dass sie für dieses Glück würde bezahlen müssen.

Das hatte sie Detective Inspector John Rebus erzählt, nachdem sie sich an sein Bett gesetzt hatte. Rebus' Hände waren komplett verbunden. Als Siobhan ihm etwas lauwar-mes Wasser eingeschenkt hatte, hatte er den Plastikbecher mit beiden Händen zum Mund geführt und vorsichtig ge-trunken, während sie ihn dabei beobachtete.

»Sehen Sie?«, hatte er anschließend vorwurfsvoll gesagt. »Keinen Tropfen verschüttet.«

Aber dann hatte er die Vorführung vermasselt, indem er den Becher bei dem Versuch fallen ließ, ihn auf dem Nacht-tisch abzustellen. Der Becher landete mit der Unterkante auf dem Boden, prallte ab, und Siobhan schnappte ihn sich noch in der Luft.

»Gute Reflexe«, lobte Rebus.

»Nichts passiert. War ja leer.«

Danach machte sie absichtlich, wie ihnen beiden klar war,

Konversation, verkniff sich die Fragen, die sie ihm eigentlich unbedingt stellen wollte, und berichtete ihm stattdessen über die Bluttat in South Queensferry.

Drei Tote, ein Verletzter. Ein ruhiges Küstenstädtchen, wenige Kilometer nordöstlich der Stadtgrenze gelegen. Eine Privatschule für Jungen und Mädchen im Alter von fünf bis achtzehn. Sechshundert insgesamt, jetzt zwei weniger.

Die dritte Leiche war der Todesschütze, der seine Waffe anschließend gegen sich selbst gerichtet hatte. Wie Siobhan gesagt hatte, eine völlig klare Sache.

Abgesehen von der Frage nach dem Warum.

»Er hatte dieselbe Vergangenheit wie Sie«, sagte sie nun. »War ein Ex-Soldat, meine ich. Man nimmt an, dass sein Motiv etwas damit zu tun hat: Hass auf die Gesellschaft.«

Rebus fiel auf, dass sie ihre Hände inzwischen tief in den Taschen vergraben hatte. Er vermutete, sie hatte sie zu Fäusten geballt und es noch nicht einmal bemerkt.

»In der Zeitung stand, dass er eine Firma gehabt hat«, sagte er.

»Er besaß ein Motorboot, hat Wasserskiläufer damit gezogen.«

»Und doch hatte er diesen Hass?«

Sie zuckte die Achseln. Rebus wusste, dass sie sich wünschte, sie würde am Tatort gebraucht, würde irgendetwas tun, um ihre Gedanken von der anderen Ermittlung abzulenken – einer internen und zudem einer, in deren Mittelpunkt sie selbst stand.

Sie starrte an die Wand über seinem Kopf, so als sehe sie dort etwas Interessantes.

»Sie haben mich noch gar nicht gefragt, wie es mir geht«, sagte er.

Sie schaute ihn an, »Wie geht es Ihnen?«

»Bin kurz vorm Lagerkoller, trotzdem danke der Nachfrage.«

»Sie sind doch erst seit gestern hier.«

»Mir kommt's länger vor.«

»Was sagt der Arzt?«

»War noch keiner bei mir, jedenfalls nicht heute. Egal, was er sagt, ich haue nachher hier ab.«

»Und was dann?«

»Wie meinen Sie das?«

»Sie können nicht arbeiten.« Erst jetzt musterte sie seine Hände. »Wie wollen Sie Auto fahren oder einen Bericht tippen? Oder einen Telefonhörer halten?«

»Das schaffe ich schon irgendwie.« Er ließ den Blick schweifen, denn nun war er derjenige, der Augenkontakt vermied. Seine Zimmergenossen waren ausnahmslos Männer etwa in seinem Alter und mit demselben fahlen Teint. Alle hatten sie der schottischen Lebensart Tribut zollen müssen, so viel war sicher. Einer von ihnen hustete, weil es ihn nach einer Zigarette verlangte. Ein anderer sah aus, als habe er Atemprobleme. Lauter Vertreter der übergewichtigen, fettlebrigen Masse männlicher Mitbürger. Rebus hob eine Hand, kratzte sich mit dem Unterarm die linke Wange und spürte dabei seine Bartstoppeln. Er wusste, sie hatten dieselbe graue Farbe wie die Wände dieser Krankenstation.

»Ich schaffe das schon«, wiederholte er in die Stille hinein, senkte den Arm und wünschte sogleich, er hätte ihn nicht angehoben. Ein glühender Schmerz stach in seine Finger, als das Blut in sie zurückfloss. »Hat man schon mit Ihnen gesprochen?«, fragte er.

»Worüber?«

»Tun Sie doch nicht so, Siobhan …«

Sie sah ihn an, ohne zu blinzeln. Als sie sich auf dem Stuhl vorbeugte, tauchten ihre Hände aus ihren Verstecken auf.

»Ich habe heute Nachmittag noch einen Termin.«

»Bei wem?«

»Der Chefin.« Bei Detective Superintendent Gill Templer

11

also. Rebus nickte, zufrieden, dass noch keine höhere Dienststelle mit der Angelegenheit befasst war.

»Was werden Sie ihr erzählen?«, fragte er.

»Es gibt nichts zu erzählen. Ich habe mit Fairstones Tod nichts zu tun.« Sie schwieg, und eine weitere unausgesprochene Frage schwebte zwischen ihnen in der Luft. *Können Sie das von sich auch behaupten?* Sie schien darauf zu warten, dass Rebus etwas sagte, aber er blieb stumm. »Sie wird wissen wollen, was mit Ihnen los ist«, fügte Siobhan hinzu. »Wieso Sie hier sind.«

»Ich habe mich verbrüht«, sagte Rebus. »Das hört sich blöd an, aber so war's.«

»Ich weiß, dass Sie gesagt haben, es sei so gewesen...«

»Nein Siobhan, es *ist* so gewesen. Fragen Sie den Arzt, wenn Sie mir nicht glauben.« Er sah sich erneut um. »Immer vorausgesetzt, Sie entdecken ihn irgendwo.«

»Vielleicht sucht er immer noch einen Parkplatz.«

Ein reichlich müder Witz, aber Rebus lächelte trotzdem. Sie hatte ihm signalisiert, dass sie ihn nicht weiter bedrängen würde. Sein Lächeln drückte Dankbarkeit aus.

»Wer hat in South Queensferry das Kommando?«, fragte er, um das Thema zu wechseln.

»DI Hogan, glaube ich.«

»Bobby ist ein guter Polizist. Wenn es überhaupt möglich ist, den Fall schnell abzuschließen, wird er das schaffen.«

»Ziemlicher Medienrummel, nach allem was man so hört. Grant Hood ist für die Pressearbeit abgestellt worden.«

»Das heißt, er fehlt uns in St. Leonard's.« Rebus wirkte nachdenklich. »Ein Grund mehr, dass ich mich rasch zurückmelde.«

»Vor allem, falls man mich vom Dienst suspendiert...«

»Das wird man nicht. Sie haben es doch selbst gesagt, Siobhan – Sie haben mit Fairstone nichts zu tun. So wie ich es sehe, war es ein Unfall. Und jetzt, da etwas Wichtigeres passiert ist, wird die Angelegenheit vielleicht eines natürlichen Todes sterben, wenn ich so sagen darf.«

»Ein Unfall«, wiederholte sie seine Worte.

Er nickte langsam. »Also machen Sie sich bloß keine Sorgen. Es sei denn, natürlich, Sie haben den Mistkerl tatsächlich um die Ecke gebracht.«

»John...« In ihrer Stimme lag ein warnender Unterton. Rebus lächelte erneut und brachte ein Zwinkern zustande.

»Sollte ein Witz sein«, sagte er. »Ich weiß nur allzu gut, wem Gill den Tod von Fairstone anhängen will.«

»Er ist verbrannt, John.«

»Und das bedeutet, ich habe ihn umgebracht?« Rebus hielt beide Hände hoch und drehte sie hin und her. »Verbrühungen, Siobhan. Nichts anderes, bloß Verbrühungen.«

Sie erhob sich. »Wenn Sie das sagen, John.« Dann stand sie vor ihm, während er die Hände senkte und den peinigenden Schmerz zu ignorieren versuchte, der ihn schlagartig durchströmte.

Eine Krankenschwester näherte sich und kündigte an, sie werde seine Verbände wechseln.

»Ich wollte sowieso gerade los«, sagte Siobhan zu ihr. Und dann zu Rebus: »Mir ist der Gedanke zuwider, Sie könnten sich zu einer derartigen Dummheit hinreißen lassen, und dabei glauben, es geschehe mir zuliebe.«

Er schüttelte langsam den Kopf, und sie drehte sich um und ging weg. »Nicht vom Glauben abfallen, Siobhan!«, rief er ihr hinterher.

»Ihre Tochter?«, fragte die Krankenschwester im Plauderton.

»Nur eine befreundete Arbeitskollegin.«

»Haben Sie etwas mit der Kirche zu tun?«

Rebus zuckte zusammen, als sie eine der Binden abzuwickeln begann. »Wie kommen Sie denn da drauf?«

»Die Art, wie Sie das Wort Glauben benutzt haben.«

»In meinem Beruf braucht man mehr davon als in den meisten anderen.« Er schwieg einen Moment. »Aber bei Ihnen ist das vielleicht genauso, oder?«

»Bei mir?« Sie lächelte, den Blick auf ihre geschickten Hände gerichtet. Sie war klein, keine Schönheit, geschäftsmäßig. »Ich kann es mir nicht leisten, untätig herumzusitzen und abzuwarten, bis der Glaube etwas für mich erledigt. Wie haben Sie das eigentlich angestellt?« Sie meinte seine von Blasen übersäten Hände.

»Hab sie aus Versehen in heißes Wasser getaucht«, erklärte er und spürte dabei, wie eine Schweißperle seine Schläfe hinunterzukriechen begann. Mit Schmerzen werde ich fertig, dachte er bei sich. Die Probleme liegen woanders. »Könnten wir die Verbände denn nicht gegen etwas Leichteres austauschen?«

»Sie sind wohl erpicht darauf, von hier zu verschwinden?«

»Erpicht darauf, einen Becher in die Hand zu nehmen, ohne dass er mir runterfällt.« Oder einen Telefonhörer, dachte er. »Außerdem gibt es bestimmt jemand, der das Bett hier dringender braucht.«

»Wirklich sehr selbstlos von Ihnen. Wir müssen abwarten, was der Arzt dazu sagt.«

»Und wann wird der Arzt hier sein?«

»Sie müssen sich schon noch ein bisschen gedulden.«

Geduld: das Einzige, wofür er überhaupt keine Zeit hatte.

»Vielleicht bekommen Sie ja noch mehr Besuch.«

Das bezweifelte er. Niemand außer Siobhan wusste, wo er war. Jemand vom Krankenhauspersonal hatte sie auf seine Bitte hin angerufen, damit sie Templer ausrichtete, er habe sich für einen, maximal zwei Tage krankgemeldet. Allerdings war Siobhan als Folge des Anrufs angerückt gekommen. Vielleicht hatte er das vorhergesehen. Vielleicht war das der Grund, wieso er bei ihr hatte anrufen lassen und nicht auf der Polizeiwache.

Das war gestern Nachmittag gewesen. Gestern Morgen hatte er den Kampf aufgegeben und war zu seinem Hausarzt gegangen. Die Praxisvertretung hatte ihm nach einem Blick auf seine Hände gesagt, er müsse ins Krankenhaus. Rebus hatte ein Taxi zur nächstgelegenen Notaufnahme genommen, und es war ihm peinlich gewesen, dass der Fahrer ihm in die Hosentasche greifen musste, um sich das Geld für die Fahrt zu holen.

»Haben Sie die neusten Nachrichten gehört?«, hatte der Fahrer gefragt. »In einer Schule hat's eine Schießerei gegeben.«

»Wahrscheinlich bloß mit einem Luftgewehr.«

Aber der Mann hatte den Kopf geschüttelt. »Nein, im Radio war sogar von einer Tragödie die Rede…«

In der Notaufnahme hatte Rebus geduldig gewartet, bis er drankam. Seine Hände waren verbunden worden, und die Verletzungen wurden als nicht ernst genug eingestuft, um eine Verlegung in die Verbrennungseinheit draußen in Livingston zu rechtfertigen. Aber er hatte deutlich erhöhte Temperatur gehabt, deshalb wurde angeordnet, dass er über Nacht im Krankenhaus bleiben sollte, und ein Krankenwagen brachte ihn nach Little France. Er nahm an, man wollte ihn im Auge behalten, für den Fall, dass er in einen Schockzustand oder Ähnliches geriet. Oder man befürchtete, er sei eine Gefahr für sich selbst. Allerdings hatte bisher niemand mit ihm über so etwas gesprochen. Vielleicht ließ man ihn deshalb nicht gehen: man wollte warten, bis ein Psychiater ihn kurz in Augenschein genommen hatte.

Er dachte an Jean Burchill, den einzigen Menschen, dem sein plötzliches Verschwinden von zu Hause womöglich auffallen würde. Aber ihr Verhältnis hatte sich ein bisschen abgekühlt. Sie schafften es etwa alle anderthalb Wochen, eine Nacht miteinander zu verbringen. Telefonierten öfters miteinander, trafen sich manchmal nachmittags zum Kaffee. Ihr

15

Verhältnis war zu einer Gewohnheit geworden. Er erinnerte sich, dass er vor Jahren eine kurze Affäre mit einer Krankenschwester gehabt hatte. Er wusste nicht, ob sie immer noch in der Stadt arbeitete. Er könnte sich natürlich erkundigen, aber ihm war ihr Name entfallen. Das war ein Problem von ihm: er hatte manchmal Schwierigkeiten mit Namen. Vergaß die eine oder andere Verabredung. Eigentlich nichts Schlimmes, nur eine zwangsläufige Folge des Älterwerdens. Aber er stellte fest, dass er sich bei Zeugenaussagen zunehmend auf seine Notizen verließ. Vor zehn Jahren hatte er weder Netz noch doppelten Boden gebraucht. Seine Auftritte waren überzeugender gewesen, und er hatte die Geschworenen stets beeindruckt – zumindest hatten ihm das die Staatsanwälte gesagt.

»Fertig.« Die Krankenschwester richtete sich auf. Sie hatte Salbe auf seinen Händen verteilt, sie mit Gaze bedeckt und die alten Binden wieder darum gewickelt. »Besser?«

Er nickte. Die Haut fühlte sich etwas kühler an, aber er wusste, das würde nicht so bleiben.

»Dürfen Sie noch weitere Schmerzmittel bekommen?« Eine rhetorische Frage. Sie überprüfte die Verlaufskurve am Fußende seines Bettes. Er hatte sich das Blatt vorhin auf dem Rückweg von der Toilette angeschaut. Temperatur und Medikamentierung waren darauf verzeichnet, sonst nichts. Kein Wort von der Geschichte, die er erzählt hatte, während er untersucht worden war.

Hab mir ein heißes Bad einlaufen lassen… bin ausgerutscht und reingefallen.

Der Arzt hatte einen kehligen Laut von sich gegeben, was besagen sollte, dass er sich mit der Geschichte zufrieden gab, ohne sie unbedingt zu glauben. Überarbeitet, Schlafmangel – nicht seine Aufgabe nachzuhaken. Er war Arzt und kein Polizist.

»Ich könnte Ihnen ein paar Paracetamol geben«, bot die Schwester an.

»Wie groß ist die Chance auf ein Bier zum Runterspülen?«
Sie lächelte erneut ihr routiniertes Lächeln. Während ihrer jahrelangen Arbeit beim National Health Service hatte sie wahrscheinlich nicht allzu viele originelle Sprüche gehört.

»Ich seh zu, was ich für Sie tun kann.«

»Sie sind ein Engel«, sagte Rebus zu seiner eigenen Überraschung. Es war eine Bemerkung, von der er glaubte, dass Patienten sie machen, eines dieser bequemen Klischees. Die Schwester war schon auf dem Weg hinaus, und er war sich nicht sicher, ob sie es gehört hatte. Vielleicht hatte es etwas mit dem Wesen von Krankenhäusern zu tun. Auch wenn man sich nicht krank fühlte, übten sie dennoch eine bestimmte Wirkung auf einen aus, ließen einen träge und folgsam werden. Dem Anstaltsleben angepasst. Es konnte etwas mit den Farben, dem summenden Hintergrundgeräusch zu tun haben. Vielleicht spielte auch die Temperatur in den Zimmern eine Rolle. Auf der Polizeiwache St. Leonard's gab es eine besondere Zelle für die »Ausgeklinkten«. Sie war hellrosa und sollte sie angeblich beruhigen. Was sprach dagegen, dass hier eine ähnliche psychologische Methode angewandt wurde? Das Letzte, was die Schwestern gebrauchen konnten, war ein pampiger Patient, der herumkrakeelte und alle fünf Minuten aus dem Bett sprang. Daher die beengenden Laken, die ganz festgesteckt waren, um jegliche Bewegung zu erschweren. Bleiben Sie einfach ruhig liegen… auf die Kissen gebettet… und aalen Sie sich in der Wärme und der Helligkeit… Machen Sie keine Unannehmlichkeiten. Er glaubte, wenn das so weiterginge, würde er bald seinen Namen vergessen. Die Welt draußen würde keine Bedeutung mehr haben. Es würde keine Arbeit auf ihn warten. Kein Fall Fairstone. Kein Wahnsinniger, der in einer Schule um sich geschossen hatte…

Rebus drehte sich auf die Seite und schob mit den Beinen

die Laken weg. Es war ein Zwei-Fronten-Kampf, wie bei Harry Houdini, wenn er in einer Zwangsjacke steckte. Der Mann im Bett nebenan hatte die Augen aufgeschlagen und schaute zu.

»Graben Sie ruhig weiter Ihren Tunnel in die Freiheit«, sagte er zu dem Mann. »Ich mach einen Spaziergang, schüttel mir die Erde aus den Hosenbeinen.«

Der Mitgefangene schien die Anspielung nicht zu verstehen...

Siobhan war inzwischen in St. Leonard's und trieb sich dort in der Nähe des Getränkeautomaten herum. An einem der Tische in der kleinen Kantine saßen ein paar Uniformierte und verspeisten Sandwiches und Kartoffelchips. Der Getränkeautomat stand im angrenzenden Flur, von dem aus man auf den Parkplatz hinausschauen konnte. Hätte sie geraucht, so hätte sie eine Entschuldigung gehabt, nach draußen zu gehen, wo die Chance geringer war, dass Gill Templer sie finden würde. Aber sie war Nichtraucherin. Sie konnte versuchen, in dem schlecht belüfteten Fitnessraum am Ende des Flurs in Deckung zu gehen, oder sie konnte hinüber zu den Zellen schlendern. Aber nichts würde Gill Templer davon abhalten, die Sprechanlage der Wache zu benutzen, um ihre Beute zu stellen. Es würde sich herumsprechen, dass sie im Haus war. Das war in St. Leonard's so: Es gab kein Versteck. Sie riss an der Lasche der Coladose und wusste dabei, worüber die Uniformierten am Tisch redeten – über dasselbe wie alle anderen.

Drei Tote bei einer Schießerei in einer Schule.

Sie hatte die aktuellen Ausgaben der Zeitungen überflogen. Grobkörnige Fotos der toten Schüler waren abgebildet: zwei Jungen, siebzehn Jahre alt. Die Wörter »Tragödie«, »Verlust«, »Schock« und »Gemetzel« waren von den Journalisten großzügig verwendet worden. Neben der eigentlichen Geschichte füllten zusätzliche Reportagen Seite um Seite: die zunehmende Vorliebe der Briten für Waffen... mangelnde Sicherheit an Schulen... eine Chronologie der Selbstmordattentate. Siobhan betrachtete die Fotos des Täters – offenbar verfügten die Medien bisher nur über drei verschiedene Aufnahmen. Eine war sehr unscharf, so als sei auf ihr ein Geist statt eines Menschen aus Fleisch und Blut abgebildet. Die zweite zeigte einen Mann im Overall, der nach einem Seil griff, während er an Bord eines kleinen Bootes ging.

Er lächelte, das Gesicht der Kamera zugewandt. Siobhan hatte den Eindruck, dass es ein Werbefoto für seine Wasserski-Firma war.

Das dritte war eine Porträtaufnahme aus der Armeezeit des Mannes. Herdman, hieß er. Lee Herdman, sechsunddreißig Jahre alt. Wohnhaft in South Queensferry, Besitzer eines Motorbootes. Es waren Fotos von dem Grundstück abgebildet, auf dem er seine Firma betrieb. »Kaum mehr als anderthalb Kilometer vom Ort des entsetzlichen Geschehens entfernt«, wie eine Zeitung hinausposaunte.

Als ehemaliger Soldat dürfte es ziemlich einfach für ihn gewesen sein, sich eine Waffe zu besorgen. Er war auf das Schulgelände gefahren, hatte neben den Autos der Lehrer geparkt. War offensichtlich in Eile gewesen, denn er hatte die Fahrertür weit offen gelassen. Zeugen sahen ihn in die Schule stürmen. Sein erstes und einziges Ziel – der Aufenthaltsraum. Drei Schüler in dem Zimmer. Zwei waren jetzt tot, einer verletzt. Dann ein Schuss in die eigene Schläfe, und das war's. Es war bereits Kritik laut geworden – wieso, bitteschön, hatte ein Unbefugter, nach dem, was in Dunblane geschehen war, einfach so in eine Schule spazieren können? Hatte es bei Herdman Anzeichen dafür gegeben, dass er ausrasten würde? Konnte man einem Arzt oder einem Sozialarbeiter die Schuld geben? Der Regierung? Irgendjemandem – wem auch immer. Jemand musste schuld sein. Es war zwecklos, nur Herdman allein verantwortlich zu machen: Er war tot. Es musste sich doch irgendwo ein Sündenbock auftreiben lassen. Siobhan vermutete, dass die Öffentlichkeit morgen die üblichen Verdächtigen vorgeführt bekäme: Gewalt in der modernen Zivilisation... Filme und Fernsehen... der Druck, unter dem viele Menschen standen... Dann würde es wieder ruhiger werden. *Eine* Statistik war Siobhan besonders aufgefallen – seit man als Folge des Massakers in Dunblane die Bestimmungen für den Waffenbesitz verschärft hatte, war die Zahl der Verbrechen mit Waffengewalt sogar noch gestiegen. Sie wusste, wie die Waffenlobby sich das zunutze machen würde...

Einer der Gründe, wieso ganz St. Leonard's über die Morde sprach, bestand darin, dass der Vater des überlebenden Jungen ein Mitglied des Schottischen Parlaments war – und nicht nur irgendein MSP. Jack Bell war vor sechs Monaten in die Bredouille gekommen, denn die Polizei hatte ihn im Stadtteil Leith bei einer Razzia in den Straßen des Autostrichs festgenommen. Die Anwohner der Gegend hatten zuvor die Behörden mehrfach bei Demonstrationen aufgefordert, aktiv zu werden. Die Polizei hatte reagiert, indem sie eines Abends ausgerückt war und sich dabei unter anderem Jack Bell, MSP, geschnappt hatte.

Bell hatte jedoch darauf beharrt, unschuldig zu sein, hatte seine Anwesenheit in der Gegend mit »Recherchen vor Ort« erklärt. Seine Ehefrau hatte zu ihm gestanden und die meisten Mitglieder seiner Partei ebenfalls, mit dem Ergebnis, dass man im Polizeipräsidium beschlossen hatte, die Angelegenheit auf sich beruhen zu lassen. Aber erst nachdem die Medien ihren Spaß auf Bells Kosten gehabt hatten, was dazu führte, dass der MSP die Polizei beschuldigte, sie stecke mit den »Revolverblättern« unter einer Decke und mache nur wegen seiner beruflichen Position auf ihn Jagd.

Die Abneigung hatte sich bei Bell hartnäckig gehalten und

dazu geführt, dass er mehrere Reden im Parlament hielt, in denen er von der Ineffizienz bei der Verbrechensbekämpfung und der Notwendigkeit einer Polizeireform sprach. All das, da war man sich einig, könnte sich zu einem Problem auswachsen.

Denn Bell war von Beamten aus Leith festgenommen worden, von eben jener Polizeiwache, die jetzt für die Gewalttat in der Port Edgar Academy zuständig war.

Und zufällig lag South Queensferry in seinem Wahlkreis ...

Und als hätte das noch nicht genügt, um den Leuten Gesprächsstoff zu liefern, war außerdem eines der Opfer der Sohn eines Richters.

Aus all dem resultierte der zweite Grund, wieso in St. Leonard's alle über den Fall redeten. Sie fühlten sich ausgeschlossen. Da Leith das Kommando hatte und nicht St. Leonard's, blieb ihnen nichts anderes übrig, als untätig abzuwarten, in der Hoffnung, dass es nötig werden würde, zusätzliche Kräfte hinzuzuziehen. Das bezweifelte Siobhan allerdings. Der Fall war sonnenklar, die Leiche des Schützen lag in der Gerichtsmedizin, die seiner Opfer nicht weit entfernt. Das würde Gill Templer nicht in genügendem Maße ablenken, damit sie –

»DS Clarke ins Büro vom Chief Super!« Der quäkende Befehl kam aus einem Lautsprecher, der über ihr an der Decke angebracht war. Die Uniformierten in der Kantine drehten sich um und schauten sie an. Sie versuchte, gelassen zu wirken, und trank ihre Dose leer. Ihre Eingeweide fühlten sich plötzlich kalt an – und das hatte nichts mit der eisgekühlten Cola zu tun.

»DS Clarke zum Chief Super!«

Direkt vor ihr war die Glastür. Dahinter stand ihr Auto brav auf dem Parkplatz. Was würde Rebus tun – verschwinden oder sich verstecken? Sie musste lächeln, als sie sich die

Frage beantwortete. Er würde nichts von beidem tun. Er würde wahrscheinlich auf dem Weg zum Büro der Chefin zwei Stufen auf einmal nehmen, in der Gewissheit, dass *er* Recht hatte und sie Unrecht, egal, was sie sagen würde.

Siobhan warf die Dose weg und ging zur Treppe.

»Sie wissen, warum ich Sie sprechen will?«, fragte Detective Superintendent Gill Templer. Sie saß hinter dem Schreibtisch ihres Büros, vor sich den tagtäglich anfallenden Papierkram. DCS Templer stand der Division B vor, die drei Polizeiwachen im Südteil der Stadt umfasste, mit St. Leonard's als Bereichszentrale. Ihr Arbeitspensum war nicht so hoch wie das mancher ihrer Kollegen, aber das würde sich ändern, wenn das Schottische Parlament endlich in den Neubau am Ende der Holyrood Road einzog. Templer verbrachte schon jetzt unverhältnismäßig viel Zeit in Konferenzen, die sich mit den Anforderungen des Parlaments beschäftigten. Siobhan wusste, dass sie diese Termine verabscheute. Kein Mensch wurde Polizist, weil er eine Vorliebe für Papierkram hatte. Aber Finanzen und Budgetierung standen immer häufiger oben auf der Themenliste. Beamte, die es schafften, Ermittlungen oder eine ganze Polizeiwache im Rahmen des Budgets zu leiten, waren eine geschätzte Spezies; jene, die den Finanzrahmen nicht ausschöpften, wurden als überaus seltene, hoch entwickelte Lebewesen angesehen.

Siobhan sah, dass der Stress bei Gill Templer Spuren hinterließ. Sie hatte stets einen leicht gequälten Gesichtsausdruck. In ihrem Haar glitzerte es grau. Entweder war es ihr noch nicht aufgefallen, oder sie hatte keine Zeit, sich darum zu kümmern. Die Zeit war ihr übermächtiger Gegner. Das brachte Siobhan zu der Überlegung, welchen Preis *sie* für das Erklimmen der Karriereleiter würde zahlen müssen. Immer vorausgesetzt, diese Leiter war am Ende des heutigen Tages noch in Sichtweite.

Templer schien etwas in ihrer Schreibtischschublade zu suchen. Schließlich gab sie es auf, schloss die Schublade und richtete ihre Aufmerksamkeit auf Siobhan. Während sie das tat, senkte sie ihr Kinn. Als Folge davon wurde ihr Blick strenger, aber es betonte auch, wie Siobhan nicht entging, die Falten an ihrem Hals und ihrem Mund. Als Templer sich auf ihrem Stuhl bewegte, spannte sich ihre Kostümjacke unter ihrem Busen, offenbar hatte sie zugenommen. Entweder zuviel Fastfood oder zu viele dienstliche Abendessen mit irgendwelchen hohen Tieren. Siobhan, die an diesem Morgen um sechs im Fitnessraum gewesen war, setzte sich auf ihrem Stuhl etwas aufrechter hin und hob ihr Kinn ein wenig.

»Ich nehme an, es geht um Martin Fairstone«, sagte sie, womit sie den ersten Schlagabtausch für sich entschied. Da Templer nichts erwiderte, redete sie weiter: »Ich habe mit seinem Tod nichts –«

»Wo ist John?«, unterbrach Templer sie in scharfem Ton.

Siobhan schluckte bloß.

»Er ist nicht in seiner Wohnung«, fuhr Templer fort. »Ich habe jemanden hingeschickt, um nachzusehen. Dabei hat er sich Ihren Angaben zufolge für einige Tage krankgemeldet. Wo ist er, Siobhan?«

»Ich…«

»Es ist nämlich so: Vorgestern abend wurde Martin Fairstone in einem Pub gesehen. Das wäre an sich nichts Ungewöhnliches, aber er war in Begleitung eines Mannes, dessen Beschreibung haargenau auf Detective Inspector John Rebus passt. Und ein paar Stunden später ist Fairstone in der Küche seiner Wohnung bei lebendigem Leibe verbrannt.« Sie verstummte einen Augenblick lang. »Vorausgesetzt natürlich, er *war* noch am Leben, als das Feuer ausbrach.«

»Madam, ich kann Ihnen wirklich nicht –«

»John passt gerne ein bisschen auf Sie auf, Siobhan, stimmt's? Daran ist nichts auszusetzen. Das liegt an seinem

Faible, den Ritter in funkelnder Rüstung zu spielen, nicht wahr? Ständig muss er nach einem neuen Drachen Ausschau halten, mit dem er kämpfen kann.«

»Das alles hat mit DI Rebus nichts zu tun, Madam.«

»Wieso versteckt er sich dann?«

»Mir war nicht bewusst, dass er sich irgendwo versteckt.«

»Aber Sie haben ihn gesehen?« Es war eine Frage, jedoch nur so gerade eben. Templer lächelte liebenswürdig. »Darauf würde ich wetten.«

»Es geht ihm wirklich nicht gut genug, um zur Arbeit zu kommen«, parierte Siobhan, merkte allerdings, dass ihre Konter viel von der anfänglichen Schlagkraft verloren hatten.

»Wenn er nicht herkommen kann, bin ich durchaus bereit, mich von Ihnen zu ihm bringen zu lassen.«

Siobhan spürte, wie ihre Schultern zusammensackten. »Ich muss erst mit ihm reden.«

Templer schüttelte den Kopf. »In dieser Sache gibt es keinen Verhandlungsspielraum, Siobhan. Ihnen zufolge hat Fairstone Sie belästigt. Er hat Ihnen das blaue Auge verpasst.« Unwillkürlich hob Siobhan eine Hand an ihren linken Wangenknochen. Die Farbtönung verblasste mehr und mehr, sah inzwischen eher wie ein Schatten aus. Man konnte sie mit Make-up verdecken oder mit Müdigkeit erklären. Aber Siobhan sah sie immer noch, wenn sie in den Spiegel schaute.

»Und jetzt ist er tot«, fuhr Templer fort. »Bei einem Wohnungsbrand, verursacht womöglich durch Fremdeinwirkung. Sie werden daher verstehen, dass ich mit jedem sprechen muss, der ihn an jenem Abend gesehen hat.« Sie legte erneut eine Pause ein. »Wann haben *Sie* ihn zuletzt gesehen, Siobhan?«

»Wen – Fairstone oder DI Rebus?«

»Beide, von mir aus.«

Siobhan sagte nichts. Ihre Hände wollten die Metallarmlehnen ihres Stuhls umklammern, aber dann stellte sie fest, dass er keine Armlehnen hatte. Ein neuer Stuhl, unbequemer als der alte. Dann sah sie, dass Templers Stuhl ebenfalls neu war, und einige Zentimeter höher gestellt als früher. Ein kleiner Trick, um sich einen Vorteil gegenüber ihren Besuchern zu verschaffen… was bedeutete, dass die Chefin glaubte, solche Hilfsmittel nötig zu haben.

»Ich glaube nicht, dass ich bereit bin, darauf eine Antwort zu geben, Madam.« Siobhan legte eine Pause ein. »Mit Verlaub.« Sie stand auf und fragte sich gleichzeitig, ob sie sich auf Befehl wieder hinsetzen würde.

»Das enttäuscht mich sehr, DS Clarke.« Templers Stimme klang kühl; keine Anrede mit dem Vornamen mehr. »Werden Sie John von unserer Unterhaltung erzählen?«

»Wenn Sie das möchten.«

»Ich gehe davon aus, dass Sie beide Ihre Versionen der Geschichte vor einer offiziellen Untersuchung aufeinander abstimmen wollen.«

Siobhan nahm die Drohung mit einem Nicken zur Kenntnis.

Gill Templer brauchte bloß den Antrag zu stellen, und schon würde das Complaints Department auf der Bildfläche erscheinen, mit einem Haufen misstrauischer Fragen im Gepäck. Das Complaints Department: vollständige Bezeichnung Complaints and Conduct Department – Abteilung für Beschwerden und dienstliches Fehlverhalten.

»Vielen Dank, Madam«, sagte Siobhan lediglich, öffnete die Tür und machte sie gleich darauf hinter sich zu. Am Ende des Flurs befand sich eine Toilette, und sie schloss sich darin ein, setzte sich, holte eine kleine Papiertüte aus der Tasche und atmete eine Weile lang hinein. Als sie das erste Mal eine Panikattacke erlitten hatte, kam es ihr so vor, als würde sie gleich einen Herzstillstand erleiden: ihr Herz pochte laut, ihre Lungen schienen den Dienst zu versagen, ihr ganzer Körper stand unter Strom. Ihr Arzt riet ihr, sich ein paar Tage freizunehmen. Sie hatte seine Praxis in der Erwartung betreten, dass er sie zu Untersuchungen ins Krankenhaus überweisen würde, aber stattdessen sagte er zu ihr, sie solle sich einen Ratgeber besorgen, der von ihren Beschwerden handelte. Sie kaufte sich einen in der Apotheke. Im ersten Kapitel war jedes einzelne ihrer Symptome aufgelistet, und es wurden einige Vorschläge gemacht. Den Konsum von Koffein und Alkohol einschränken. Weniger Salz und Fett essen. In eine Papiertüte atmen, wenn ein Anfall bevorzustehen schien.

Der Arzt hatte gesagt, ihr Blutdruck sei etwas zu hoch und hatte sportliche Betätigung empfohlen. Daraufhin gewöhnte sie sich an, eine Stunde früher nach St. Leonard's zu fahren und vor der Arbeit im Fitnessraum zu trainieren. Der Commonwealth Pool befand sich nur ein paar Straßenzüge entfernt, und sie fasste den Vorsatz, dort regelmäßig schwimmen zu gehen.

»Ich ernähre mich ziemlich gesund«, hatte sie zum Arzt gesagt.

»Versuchen Sie mal, eine Woche lang Buch zu führen«, hatte er erwidert. Bis jetzt hatte sie sich noch nicht die Mühe gemacht. Und sie vergaß immer wieder, ihren Badeanzug mitzunehmen.

Es war nur allzu leicht, die Schuld auf Martin Fairstone zu schieben.

Fairstone: wegen zwei Anklagen vor Gericht – Einbruch und Körperverletzung. Als er die Wohnung verließ, in die er gerade eingebrochen hatte, stellte sich ihm eine Nachbarin in den Weg; Fairstone knallte den Kopf der Frau gegen eine Wand und trat ihr so brutal ins Gesicht, dass die Sohle seines Turnschuhs einen Abdruck auf der Haut hinterlassen hatte. Siobhan hatte vor Gericht ausgesagt und dabei ihr

Bestes gegeben. Aber man hatte den Schuh nirgends gefunden, und bei der Durchsuchung von Fairstones Wohnung war nichts von dem Diebesgut aufgetaucht. Die Nachbarin hatte den Angreifer beschrieben, hatte dann später Fairstone in der Verbrecherkartei wiedererkannt und ihn auch bei der Gegenüberstellungs-Parade herausgepickt.

Es gab jedoch Schwachstellen in der Anklage, die die Staatsanwaltschaft auch sofort erkannt hatte. Keine Beweise am Tatort. Keine Verbindung zwischen Fairstone und dem Verbrechen, abgesehen von der Identifizierung und dem Umstand, dass er als Einbrecher einschlägig bekannt und mehrfach wegen Körperverletzung vorbestraft war.

»Der Schuh wäre prima gewesen.« Der Staatsanwalt hatte sich den Bart gekratzt und gefragt, ob er vielleicht einen der Anklagepunkte fallen lassen, vielleicht einen Handel anbieten sollte.

»Und er bekommt einen Klaps auf die Finger und ist ein freier Mann?«, hatte Siobhan eingewandt.

Vor Gericht wurde Siobhan vom Verteidiger darauf hingewiesen, dass zwischen der ursprünglichen Beschreibung, die die Nachbarin von ihrem Angreifer abgegeben hatte, und dem Mann auf der Anklagebank wenig Ähnlichkeit bestand. Dem Opfer selbst erging es kaum besser, denn sie gab einen kleinen Rest an Unsicherheit zu, den der Verteidiger weidlich ausnutzte. Während ihrer eigenen Aussage machte Siobhan so viele Andeutungen wie möglich, um alle Anwesenden wissen zu lassen, dass der Angeklagte vorbestraft war. Irgendwann konnte der Richter jedoch die Proteste der Verteidigung nicht mehr ignorieren.

»Ich verwarne Sie eindringlich, Detective Sergeant Clarke«, hatte er gesagt. »Sofern Sie den Chancen der Anklage nicht aus irgendwelchen Gründen absichtlich schaden wollen, empfehle ich Ihnen, sich Ihre Antworten ab jetzt sorgfältiger zu überlegen.«

Fairstone hatte sie wütend angestarrt, denn ihm war natürlich klar gewesen, was sie bezweckte. Und später, nach der Verkündung des Urteils »Nicht schuldig«, hüpfte er geradezu aus dem Gerichtsgebäude, so als hätte er Sprungfedern in den Absätzen seiner nagelneuen Turnschuhe. Draußen vor dem Gebäude packte er Siobhan bei der Schulter, um sie am Weggehen zu hindern.

»Das ist eine Tätlichkeit«, hatte sie zu ihm gesagt, bemüht, sich nicht anmerken zu lassen, wie wütend und enttäuscht sie war.

»Vielen Dank, dass du mir da drin rausgeholfen hast«, sagte er. »Vielleicht kann ich mich ja irgendwann mal revanchieren. Ich will in einen Pub, um zu feiern. Komm doch mit.«

»Tun Sie mir einen Gefallen und verschwinden Sie im nächsten Gully.«

»Ich glaub, ich hab mich verliebt.« Ein Grinsen breitete sich über sein ganzes, schmales Gesicht aus. Jemand rief nach ihm: seine Freundin. Chemie-blond, schwarzer Trainingsanzug. Zigarettenschachtel in der einen Hand, Handy am Ohr. Sie hatte ihm für die Tatzeit ein Alibi verschafft, gemeinsam mit zweien seiner Freunde.

»Sieht aus, als würde die junge Dame was von Ihnen wollen.«

»Ich will *dich*, Shiv.«

»Sie wollen mich?« Sie wartete, bis er nickte. »Dann nehmen Sie mich doch mit, wenn Sie wieder mal vorhaben, eine wildfremde Frau zu verprügeln.«

»Gib mir deine Nummer.«

»Ich stehe im Telefonbuch – unter ›Polizei‹.«

»Marty!« Das Fauchen seiner Freundin.

»Wir sehen uns, Shiv.« Immer noch grinsend ging er ein paar Schritte rückwärts und drehte sich dann erst um. Siobhan fuhr schnurstracks nach St. Leonard's, um seine

Akte erneut zu studieren. Eine Stunde später stellte die Telefonzentrale einen Anruf durch. Es war Fairstone, der aus einer Kneipe anrief. Sie legte auf. Zehn Minuten später rief er wieder an... und nach weiteren zehn erneut.

Und am nächsten Tag.

Und während der gesamten darauf folgenden Woche.

Anfangs war sie sich unsicher über die richtige Taktik. Sie wusste nicht, ob ihr Schweigen Erfolg versprechend war. Es schien ihn bloß zum Lachen zu bringen, ein Ansporn für ihn zu sein. Sie hoffte inständig, er werde es irgendwann leid sein und sich eine andere Beschäftigung suchen. Dann tauchte er vor St. Leonard's auf und versuchte, ihr nach Hause zu folgen. Sie bemerkte ihn jedoch und fuhr durch die Gegend, bis die Verstärkung eingetroffen war, die sie per Handy angefordert hatte. Die Besatzung des Streifenwagens stellte ihn zur Rede. Am nächsten Tag parkte er wieder vor dem Parkplatz auf der Rückseite von St. Leonard's. Sie hatte nichts unternommen, sondern war durch den Haupteingang gegangen und mit dem Bus nach Hause gefahren.

Dennoch gab er nicht auf, und ihr wurde klar, dass diese Angelegenheit, die anfangs – vermutlich – nur ein Scherz gewesen war, sich inzwischen zu einer ernsteren Art von Spiel entwickelt hatte. Daher beschloss sie, ein schwereres Geschütz in Stellung zu bringen. Rebus war es ohnehin schon aufgefallen: die Anrufe, die sie nicht annahm; die viele Zeit, die sie am Bürofenster verbrachte; die neue Angewohnheit, sich immer wieder umzuschauen, wenn sie beide dienstlich in der Stadt unterwegs waren. Also erzählte sie es ihm schließlich, und sie statteten Fairstone in seiner Sozialwohnung in Gracemount gemeinsam einen Besuch ab.

Es war von Anfang an schlecht gelaufen, denn Siobhan musste rasch einsehen, dass ihr »Geschütz« nach seinen eigenen Regeln spielte, statt sich an die anderer zu halten. Ein Gerangel, von dem Couchtisch im Wohnzimmer brach ein

Bein ab, das Furnier drückte sich nach innen in die Faser-platte. Siobhan fühlte sich hinterher so schlecht wie lange nicht – schwächlich, weil sie Rebus mitgenommen hatte, statt sich selbst um die Sache zu kümmern; zittrig, weil sich in ihr der leise Verdacht regte, dass sie genau gewusst hatte, was passieren würde, und auch gewollt hatte, dass es passierte. Anstifterin und Feigling.

Sie machten auf dem Rückweg in einem Pub Station.

»Glauben Sie, dass er etwas unternehmen wird?«, fragte Siobhan.

»Er hat angefangen«, sagte Rebus zu ihr. »Und er weiß jetzt, was ihm blüht, wenn er Sie weiter behelligt.«

»Eine Tracht Prügel, meinen Sie.«

»Es war reine Selbstverteidigung, Siobhan. Sie waren dabei. Sie haben es mit angesehen.«

Sein Blick fixierte sie, bis sie nickte. Und er hatte ja auch Recht, Fairstone hatte sich auf ihn gestürzt. Rebus hatte ihn hinunter auf den Couchtisch gedrückt und versucht, ihn dort festzuhalten. Dann brach das Tischbein ab, und beide Männer purzelten zu Boden, rollten kämpfend herum. Es war binnen Sekunden vorbei gewesen, und Fairstones Stimme hatte vor Wut gebebt, als er ihnen sagte, sie sollten verschwinden. Rebus hob drohend einen Finger, als er den Befehl wiederholte, »sich von DS Clarke fern zu halten.«

»Haut endlich ab, ihr beiden!«

Siobhan fasste Rebus am Arm. »Kommen Sie, es ist vorbei.«

»Du glaubst, es ist vorbei?« Aus Fairstones Mundwinkel flogen weiße Speichelspritzer.

Rebus letzte Worte: »Das will ich schwer hoffen, Freundchen, es sei denn, du willst ein echtes Feuerwerk erleben.«

Sie wollte ihn fragen, was er damit gemeint hatte, aber stattdessen holte sie ihnen ein letztes Mal Nachschub an der Bar. In jener Nacht starrte sie an die dunkle Zimmerdecke, döste ein, doch schrak sie mit einem Gefühl plötzlichen Entsetzens wieder hoch und sprang, von Adrenalin durchströmt, aus dem Bett. Sie kroch auf allen vieren aus dem Schlafzimmer, überzeugt davon, dass sie sterben würde, wenn sie sich erhob. Irgendwann war es vorbei, und sie tastete sich beim Aufstehen mit den Händen an der Wand des Flurs entlang. Sie ging langsam zurück ins Schlafzimmer, legte sich hin und drehte sich zusammengerollt auf die Seite.

Darunter leiden mehr Menschen, als Sie vielleicht denken, sollte ihr Arzt später, nach der zweiten Attacke, zu ihr sagen.

In der Zwischenzeit reichte Martin Fairstone Beschwerde wegen Belästigung ein, zog die Beschwerde aber kurz darauf zurück. Und er rief sie weiterhin an. Sie versuchte, es vor Rebus geheim zu halten, denn sie wollte lieber nicht erfahren, was er mit »Feuerwerk« meinte.

Das CID-Büro war menschenleer. Die Kollegen waren entweder zu Ermittlungen unterwegs oder bei Gericht. Nicht selten wartete man eine halbe Ewigkeit darauf, seine Zeugenaussage machen zu können, nur um dann zu erleben, wie die Anklage in sich zusammenbrach oder der Beschuldigte es sich anders überlegte. Manchmal schwänzte ein Geschworener, oder jemand Wichtiges war krank. Die Zeit rann dahin, und am Ende lautete das Urteil »Nicht schuldig«. Selbst bei einem Schuldspruch wurde oft nur eine Geld- oder Bewährungsstrafe verhängt. Die Gefängnisse waren überfüllt, und Haft galt mehr denn je nur als Ultima ratio. Siobhan fand nicht, dass sie zynisch geworden war, sondern bloß realistisch. Kürzlich war Kritik laut geworden, dass es in Edinburgh mehr Knöllchenverteiler als richtige Polizisten gab. Wenn eine Sache wie die in South Queensferry passierte, wurde die personelle Lage noch heikler. Urlaub, Krankschreibungen, Papierkram, Gerichtstermine… und ein Tag hatte einfach nicht genug Stunden. Siobhan war

31

sich bewusst, dass auf ihrem Schreibtisch einiges liegen geblieben war. Wegen Fairstone hatte ihre Arbeit gelitten. Sie
spürte noch immer seine Gegenwart. Wenn ein Telefon klingelte, erstarrte sie, und sie hatte sich ein paarmal dabei er-
tappt, wie sie zum Fenster gegangen war, um nachzusehen,
ob draußen sein Wagen stand. Sie wusste, sie benahm sich
irrational, konnte daran aber nichts ändern. Wusste auch,
dass sie über so etwas mit niemandem reden konnte – ohne
Schwäche zu zeigen.

Ein Telefon begann zu klingeln. Nicht ihres, sondern
das von Rebus. Wenn niemand abhob, würde die Zentrale
es vielleicht unter einem anderen Anschluss versuchen. Sie
ging hinüber und wünschte dabei inständig, es möge ver-
stummen. Das tat es aber erst, als sie den Hörer abnahm.

»Hallo?«

»Mit wem spreche ich?« Eine männliche Stimme. Energisch, geschäftsmäßig.

»DS Clarke.«

»Tag, Shiv. Hier spricht Bobby Hogan.« Detective Inspector Bobby Hogan. Sie hatte ihn schon einmal gebeten, sie
nicht Shiv zu nennen. Immer wieder wurde sie so genannt.
Siobhan, Schi-wahn ausgesprochen, wurde zur Kurzform
Shiv. Wenn fremde Leute ihren Namen aufschrieben, kamen
dabei alle möglichen falschen Schreibweisen heraus. Ihr fiel
ein, dass Fairstone sie, im Bemühen um Vertraulichkeit, ein
paar Mal Shiv genannt hatte. Sie konnte es nicht leiden, und
eigentlich sollte sie Hogan verbessern, ließ es aber sein.

»Viel zu tun?«, fragte sie stattdessen.

»Wissen Sie, dass ich für die Sache in Port Edgar zuständig bin?« Er brach ab. »Blöde Frage, natürlich wissen Sie's.«

»Sie sind wirklich telegen, Bobby.«

»Ich bin zwar für Schmeicheleien stets empfänglich, Shiv,
aber die Antwort lautet ›nein‹.«

Sie musste unwillkürlich lächeln. »Ich ertrinke momentan

nicht gerade in Arbeit«, log sie, den Blick auf die Akten auf ihrem Tische gerichtet.

»Wenn ich ein zusätzliches Paar Hände brauche, melde ich mich bei Ihnen. Ist John da?«

»Der beliebteste Kollege von allen? Er hat sich krankgemeldet. Was wollen Sie von ihm?«

»Ist er zu Hause?«

»Ich könnte ihm wahrscheinlich eine Nachricht übermitteln.« Ihr Interesse war geweckt. Hogans Stimme hatte etwas Dringliches an sich.

»Sie wissen, wo er ist?«

»Ja.«

»Wo?«

»Sie haben meine Frage noch nicht beantwortet: Was wollen Sie von ihm?«

Hogan stieß einen langen Seufzer aus. »Ich brauche das erwähnte zusätzliche Paar Hände«, sagte er zu ihr.

»Und es müssen unbedingt seine sein?«

»Glaube schon.«

»Ich bin am Boden zerstört.«

Er ging nicht darauf ein. »Wie schnell können Sie es ihm ausrichten?«

»Womöglich ist er gesundheitlich nicht in der Lage, Ihnen zu helfen.«

»Sofern er nicht gerade an der eisernen Lunge hängt, kann er mir hier nützen.«

Sie lehnte sich an Rebus' Tisch an. »Was ist bei Ihnen los?«

»Sagen Sie ihm einfach, er soll mich anrufen, okay?«

»Sind Sie in der Schule?«

»Er soll es am besten auf meinem Handy probieren. Wiederhören, Shiv.«

»Warten Sie!« Siobhan schaute zur Tür hinüber.

»Was?« Hogans Ungeduld war nicht zu überhören.

»Er ist gerade gekommen. Ich reiche Sie weiter.« Sie

streckte den Hörer Rebus entgegen. All seine Kleidungsstücke saßen irgendwie schief. Zuerst dachte sie, er sei betrunken, aber dann wurde ihr klar, woran es lag. Er hatte Probleme gehabt, sich anzuziehen. Das Hemd war mehr schlecht als recht unter den Hosenbund gestopft worden. Die Krawatte hing lose um den Hals. Statt Siobhan den Hörer abzunehmen, stellte er sich vor sie hin und hielt das Ohr dagegen.

»Bobby Hogan«, erklärte sie.

»Tag, Bobby.«

»John? Die Verbindung ist plötzlich so schlecht...«

Rebus schaute Siobhan an. »Näher ran«, flüsterte er. Sie drehte den Hörer, bis sie sein Kinn berührte, und bemerkte dabei, dass sein Haar dringend gewaschen werden musste. Vorne klebte es an der Kopfhaut, und hinten stand es ab.

»Besser so, Bobby?«

»Ja, prima. Du musst mir einen Gefallen tun, John.«

Als Siobhan die Hand mit dem Hörer etwas sacken ließ, schaute Rebus zu ihr hoch. Ihr Blick war erneut auf die Tür gerichtet. Er drehte sich um und sah Gill Templer.

»In mein Büro!«, bellte sie. »Sofort!«

Rebus fuhr sich mit der Zungenspitze über die Lippen. »Ich glaube, ich muss dich später zurückrufen, Bobby. Die Chefin will mit mir reden.«

Er richtete sich auf und nahm Hogans Stimme nur noch blechern wie die eines Automaten wahr. Templer machte ihm ein Zeichen, ihr zu folgen. Den Blick auf Siobhan gerichtet, zuckte er die Achseln, und ging zur Tür.

»Er ist weg«, sagte sie in die Sprechmuschel.

»Dann holen Sie ihn zurück!«

»Das geht leider nicht. Hören Sie... wie wär's, wenn Sie mir einen Anhaltspunkt geben, worum es geht? Womöglich könnte ich Ihnen helfen...«

»Ich lass die Tür offen, wenn du nichts dagegen hast«, sagte Rebus.

»Wenn du willst, dass jeder, der vorbeikommt, mithören kann, soll mir das recht sein.«

Rebus plumpste auf den Besucherstuhl. »Es ist bloß so, dass ich mich mit Türgriffen momentan ein bisschen schwer tue.« Er hob die Hände, damit Templer sie sah. Augenblicklich veränderte sich ihr Gesichtsausdruck.

»Mein Gott, was ist passiert, John?«

»Hab mich verbrüht. Sieht schlimmer aus, als es ist.«

»Dich verbrüht?« Sie lehnte sich zurück und presste die Finger gegen die Tischkante.

Er nickte. »Nicht mehr und nicht weniger.«

»Dir ist klar, was ich gerade denke?«

»Ja, natürlich. Aber es war so: Ich habe heißes Wasser in die Küchenspüle laufen lassen, um abzuwaschen, habe vergessen, kaltes dazuzugeben, und meine Hände hineingesteckt.«

»Wie lange genau?«

»Lange genug, um sie zu verbrühen.« Er versuchte zu lächeln, denn er hoffte, die Geschichte mit dem Abwasch klänge glaubwürdiger als die mit der Badewanne, Templer wirkte jedoch alles andere als überzeugt. Ihr Telefon fing an zu klingeln. Sie hob den Hörer kurz an und legte sofort wieder auf.

»Du bist nicht der Einzige, der in letzter Zeit Pech gehabt hat. Martin Fairstone ist bei einem Brand umgekommen.«

»Siobhan hat's mir erzählt.«

»Und?«

»Unfall mit der Fritteuse.« Er zuckte die Achseln. »So was kommt vor.«

»Du warst Sonntagabend mit ihm zusammen.«

»War ich das?«

»Zeugen haben euch beide zusammen in einem Pub gesehen.«

Rebus zuckte erneut die Achseln. »Er ist mir zufällig über den Weg gelaufen.«

»Und du hast den Pub gemeinsam mit ihm verlassen?«

»Nein.«

»Und bist mit ihm nach Hause gegangen?«

»Behauptet das jemand?«

»John…«

Seine Stimme wurde lauter. »Behauptet jemand, dass es kein Unfall gewesen ist?«

»Die feuerpolizeilichen Untersuchungen sind noch nicht abgeschlossen.«

»Dann wünsche ich den Kollegen viel Erfolg.« Rebus machte Anstalten, die Arme zu verschränken, merkte dann aber, was er da tat, und ließ sie wieder hinabbaumeln.

»Das tut wahrscheinlich weh.«

»Gibt Schlimmeres.«

»Und es ist Sonntagabend passiert?«

Er nickte.

»Pass auf, John…« Sie beugte sich vor, die Ellbogen auf dem Schreibtisch. »Du weißt, was die Leute sagen werden. Siobhan hat erklärt, Fairstone belästige sie ständig. Er hat das bestritten und im Gegenzug behauptet, du hättest ihn bedroht.«

»Eine Anschuldigung, die er später zurückgezogen hat.«

»Und jetzt erfahre ich von Siobhan, dass Fairstone sie tätlich angegriffen hat. Wusstest du davon?«

Er schüttelte den Kopf. »Der Brand ist bloß ein dummer Zufall.«

Sie senkte den Blick. »Es macht aber keinen besonders guten Eindruck.«

Rebus schaute ostentativ an sich hinunter. »Hat es mich je gekümmert, ob ich einen guten Eindruck mache?«

Beinahe hätte sie gelächelt. »Ich will bloß sichergehen, dass uns in dieser Sache kein Ärger droht.«

»Vertrau mir, Gill.«

»Dann hast du bestimmt nichts dagegen, eine offizielle Aussage abzugeben? Schriftlich, meine ich.« Erneut hatte ihr Telefon zu klingeln begonnen.

»Ich würde dieses Mal lieber rangehen«, sagte eine Stimme. Siobhan stand mit verschränkten Armen im Flur. Templer sah sie an, dann nahm sie den Hörer ab.

»Hier ist DCS Templer.«

Siobhan fing Rebus' Blick auf und zwinkerte ihm zu. Gill Templer hörte zu, was der Anrufer ihr zu sagen hatte.

»Ich verstehe ... ja ... vermutlich ist es ... dürfte ich erfahren, wieso ausgerechnet er?«

Rebus begriff plötzlich. Es war Bobby Hogan. Vielleicht nicht am Telefon – womöglich hatte Hogan den stellvertretenden Polizeichef gebeten, an seiner Stelle anzurufen. Weil Rebus ihm einen Gefallen tun sollte. Hogan besaß zurzeit aufgrund der von ihm geleiteten Ermittlungen eine gewisse Macht. Rebus fragte sich, um was für einen Gefallen es sich handeln mochte.

Templer legte den Hörer auf. »Du sollst dich umgehend in South Queensferry melden. Offenbar braucht DI Hogan jemand, der bei ihm Händchen hält.« Sie starrte auf die Schreibtischplatte.

»Verbindlichsten Dank«, sagte Rebus.

»Die Fairstone-Sache wird sich nicht in Luft auflösen, John, vergiss das nicht. Sobald Hogan dich nicht mehr benötigt, gehörst du wieder mir.«

»Verstanden.«

Templer schaute an ihm vorbei zu Siobhan hinüber. »In der Zwischenzeit wird DS Clarke vielleicht etwas zur Aufklärung –«

Rebus räusperte sich. »Es gibt da leider ein kleines Problem ...«

»Was denn?«

Rebus hielt die Hände in die Höhe und drehte sich langsam herum. »Ich werd's vermutlich schaffen, bei Bobby Hogan Händchen zu halten, aber bei allem anderen brauche ich ein bisschen Hilfe.« Er drehte sich zur Seite. »Also, wenn du DS Clarke für eine Weile entbehren könntest…«

»Ich kann dir einen Fahrer besorgen«, erwiderte Templer schnippisch.

»Aber fürs Aufnehmen von Aussagen… telefonische Befragungen… bräuchte ich jemand vom CID. Und wenn ich mir überlege, wie es eben drüben im Büro aussah, gibt es, glaube ich, keine Alternative.« Er schwieg einen Moment. »Natürlich nur, wenn es dir recht ist.«

»Los, macht, dass ihr wegkommt.« Templer griff abrupt nach einem Stapel Papierkram. »Sobald es Neuigkeiten von der Feuerpolizei gibt, hörst du von mir.«

»Alles klar, Boss«, sagte Rebus, während er aufstand.

Zurück im CID-Büro wies er Siobhan an, aus einer der Taschen seines Jacketts ein Plastikdöschen mit Tabletten zu holen. »Die Idioten waren mit den Dingern so geizig, als wären sie aus Gold«, maulte er. »Bringen Sie mir etwas Wasser.«

Sie nahm eine Flasche von ihrem Tisch und half ihm, zwei Tabletten hinunterzuspülen. Als er eine dritte haben wollte, überprüfte sie das Etikett.

»Hier steht, alle vier Stunden zwei Stück.«

»Eine mehr wird nicht schaden.«

»Die werden bei dem Verbrauch aber nicht lange reichen.«

»In meiner anderen Tasche ist ein Rezept. Wir halten unterwegs bei einer Apotheke.«

Sie schraubte den Deckel wieder auf das Döschen. »Vielen Dank, dass Sie mich mitnehmen.«

»Keine Ursache.« Er schwieg kurz. »Wollen Sie über Fairstone reden?«

»Nicht unbedingt.«

»In Ordnung.«

»Ich gehe davon aus, dass Sie sich genauso wenig vorzuwerfen haben wie ich.« Ihr Blick bohrte sich in seine Augen.

»Stimmt genau«, sagte er. »Und das bedeutet, wir können
uns voll und ganz auf die Hilfe für Bobby Hogan konzentrieren. Aber da ist noch eine Sache, ehe wir losfahren...«

»Ich höre?«

»Könnten Sie mir eventuell die Krawatte ordentlich binden? Die Krankenschwester hatte keine Ahnung, wie das
geht.«

Sie lächelte. »Ich warte schon lange auf die Chance, meine
Hände um Ihren Hals zu legen.«

»Noch so eine Bemerkung, und ich befördere Sie im hohen Bogen zur Chefin zurück.«

Aber das tat er nicht, auch dann nicht, als sie nicht in der
Lage war, seine Anweisungen zum Binden eines Krawatten-
knotens zu befolgen. Am Ende übernahm es die Frau in der
Apotheke, während das Medikament auf dem Rezept geholt
wurde.

»Ich habe das früher immer für meinen Mann gemacht«,
sagte sie. »Gott hab ihn selig.«

Draußen auf der Straße schaute Rebus den Bürgersteig
entlang. »Ich brauche Zigaretten«, sagte er.

»Erwarten Sie ja nicht, dass ich die Dinger für Sie an-
zünde«, sagte Siobhan und verschränkte die Arme. Er starrte
sie an. »Das ist mein Ernst«, fügte sie hinzu. »Eine bessere
Gelegenheit aufzuhören werden Sie nie wieder kriegen.«

Er kniff die Augen zusammen. »Sie genießen das,
stimmt's?«

»Irgendwie schon«, gab sie zu und öffnete mit großer
Geste die Beifahrertür für ihn.

2

Nach South Queensferry zu gelangen, dauerte seine Zeit. Sie fuhren durch die Innenstadt, dann die Queensferry Road, und erst, als sie die A 90 erreichten, kamen sie einigermaßen zügig voran. Der Ort, den sie ansteuerten, schien sich zwischen die beiden Brücken – eine für Autos, eine für Eisenbahnen – zu schmiegen, die den Firth of Forth überspannten.

»Bin schon jahrelang nicht mehr hier draußen gewesen«, sagte Siobhan, nur um das Schweigen im Auto zu beenden. Rebus gab keine Antwort. Ihm kam es so vor, als sei er komplett bandagiert, nähme seine Umgebung nur schallgedämpft wahr. Das lag vermutlich an den Tabletten. Vor ein paar Monaten hatte er an einem Wochenende zusammen mit Jean einen Ausflug nach South Queensferry unternommen. Sie hatten in einem Pub Mittag gegessen und waren an der Promenade spazieren gegangen. Sie hatten beobachtet, wie das Seenotrettungsboot zu Wasser gelassen wurde – seelenruhig, wahrscheinlich eine Übung. Dann waren sie nach Hopetoun House gefahren und hatten an einer Führung durch die prunkvollen Räume des Schlosses teilgenommen. Er wusste aus den Nachrichten, dass sich die Port Edgar School in der Nähe von Hopetoun House befand, und glaubte sich zu erinnern, an deren Eingangstor vorbeigefahren zu sein, ohne dass er von der Straße aus ein Gebäude hatte sehen können. Er gab Siobhan Anweisungen, wie sie fahren sollte, mit dem Resultat, dass sie in einer Sackgasse landeten. Sie wendete und fand die Hopetoun Road ohne weitere Hilfe seitens ihres Beifahrers. Als sie sich dem Schultor näherten, musste sie sich zwischen Übertragungswagen und den Autos von Journalisten hindurchzwängen.

»Fahren Sie ruhig ordentlich viele davon an«, murmelte

Rebus. Ein Uniformierter kontrollierte ihre Dienstausweise und öffnete das schmiedeeiserne Tor. Siobhan fuhr hindurch.

»Ich hätte gedacht, dass eine Schule, die Port Edgar heißt, direkt am Wasser liegt«, sagte sie.

»Es gibt einen Sportboothafen namens Port Edgar. Der kann nicht allzu weit weg sein.« Als der Wagen die gewundene Auffahrt erklomm, drehte Rebus sich um und schaute zurück. Er sah das Wasser und Maste, die wie Stachel daraus emporragten. Aber dann verschwanden sie hinter Bäumen, und nach der nächsten Biegung tauchte vor ihnen die Schule auf. Sie war im typischen Stil schottischer Herrenhäuser errichtet: Mauern aus dunklen Steinquadern, Giebeldächer und kleine Türme. Eine schottische Flagge wehte auf halbmast. Der Parkplatz war von Behördenfahrzeugen mit Beschlag belegt worden, und um einen Bürocontainer herum standen Gruppen von Leuten. Die örtliche Polizeiwache war bloß eine Nebenstelle und bot wahrscheinlich nicht genug Platz. Als Siobhans Auto knirschend über den Kies fuhr, wandten sich etliche Augenpaare musternd zu ihm um. Rebus erkannte ein paar Gesichter wieder und wurde von den betreffenden Personen auch wiedererkannt. Niemand machte sich die Mühe, zu lächeln oder zu winken. Als der Wagen angehalten hatte, versuchte Rebus am Türgriff zu ziehen, wartete dann aber lieber darauf, dass Siobhan ausstieg, auf die Beifahrerseite ging und die Tür öffnete.

»Danke«, sagte er, während er sich vorsichtig erhob. Ein Polizist in Uniform kam zu ihnen herüber. Rebus kannte ihn, er arbeitete in Leith. Er hieß Brendan Innes und stammte aus Australien. Rebus hatte schon länger vor, ihn bei Gelegenheit zu fragen, wieso es ihn nach Schottland verschlagen hatte.

»DI Rebus?«, sagte Innes. »DI Hogan ist oben in der Schule. Das soll ich Ihnen ausrichten, hat er mir gesagt.«

Rebus nickte. »Haben Sie eine Zigarette für mich?«

»Bin Nichtraucher.«

Rebus sah sich um, auf der Suche nach einem geeigneten Kandidaten.

»Er sagte, Sie sollen sofort zu ihm kommen«, ergänzte Innes. Beide Männer drehten sich um, als im Container ein lautes Geräusch ertönte. Die Tür flog auf, und ein Mann stürmte die drei Stufen der Außentreppe hinunter. Er war angezogen, als wolle er zu einer Beerdigung: dunkler Anzug, weißes Hemd, schwarze Krawatte. Rebus erkannte ihn an seinen zurückgekämmten Haaren in ihrer silbergrauen Pracht: Jack Bell, MSP. Bell war Mitte vierzig, kantiges Gesicht, immer leicht gebräunt. Er wirkte, groß und breit wie er war, wie jemand, der verblüfft ist, wenn er einmal seinen Willen nicht bekommt.

»Ich habe das Recht dazu!«, brüllte er. »Alles Recht der Welt, verdammt noch mal! Aber ich hätte mir ja denken können, dass Sie und Ihresgleichen mich behindern würden, wo Sie nur können!« Grant Hood, bei den Ermittlungen für die Öffentlichkeitsarbeit zuständig, war in der Tür erschienen.

»Es steht Ihnen frei, diese Ansicht zu vertreten«, konterte er.

»Das ist keine Ansicht, sondern eine objektive, unbestreitbare Tatsache! Sie haben sich vor einem halben Jahr bis auf die Knochen blamiert, und das werden Sie mir niemals verzeihen, stimmt's?«

Rebus hatte einen Schritt auf ihn zu gemacht. »Entschuldigen Sie bitte, Sir…«

Bell wirbelte zu ihm herum. »Ja? Was ist?«

»Ich wollte Sie nur bitten, Ihre Stimme etwas zu senken… aus Pietät.«

Bell stieß mit dem Zeigefinger in Rebus' Richtung. »Kommen Sie mir bloß nicht auf *die* Tour! Sie wissen ganz genau, dass mein Sohn beinahe von diesem Irren umgebracht worden ist!«

»Das ist mir durchaus bewusst, Sir.«

»Ich bin als gewählter Vertreter der Einwohner dieses Ortes hier, und als solcher *verlange* ich, Zutritt zu dem Gebäude zu erhalten…« Bell brach ab, um Luft zu holen. »Wer sind Sie überhaupt?«

»Detective Inspector Rebus.«

»Dann habe ich mit Ihnen nichts zu schaffen. Ich will zu einem gewissen Hogan.«

»Sie werden verstehen, dass Detective Inspector Hogan momentan sehr viel um die Ohren hat. Sie wollen den Tatort sehen, habe ich Recht?« Bell nickte und blickte umher, als wäre er auf der Suche nach jemandem, der ihm nützlicher sein könnte als Rebus. »Dürfte ich fragen warum, Sir?«

»Das geht Sie nichts an.«

Rebus zuckte die Achseln. »Es ist nur so, dass ich gerade auf dem Weg zu DI Hogan bin…« Er wandte sich ab und begann wegzugehen. »Und da dachte ich, vielleicht soll ich ihm etwas von Ihnen ausrichten.«

»Warten Sie«, sagte Bell, dessen Stimme plötzlich nicht mehr ganz so schrill klang. »Könnten Sie mir womöglich zeigen, wo…«

Aber Rebus schüttelte den Kopf. »Sie warten besser hier, Sir. Ich lasse Sie wissen, was DI Hogan gesagt hat.«

Bell nickte, aber er würde sicher nicht lange Ruhe geben. »Wissen Sie, es ist wirklich ein Skandal. Wie konnte es passieren, dass jemand einfach so mit einer Waffe in eine Schule marschiert ist?«

»Genau das versuchen wir herauszufinden, Sir.« Rebus betrachtete den MSP von oben bis unten. »Haben Sie zufällig eine Schachtel Zigaretten dabei?«

»Was?«

»Zigaretten.«

Bell schüttelte den Kopf, und Rebus ging wieder in Richtung des Schulgebäudes.

»Ich warte hier, Inspector. Ich werde mich nicht vom Fleck rühren!«

»Sehr gut, Sir. Das Beste, was Sie tun können, würde ich sagen.«

Vor der Schule erstreckte sich eine abschüssige Rasenfläche, gesäumt von Sportplätzen. Uniformierte Polizisten waren damit beschäftigt, Eindringlinge zu verscheuchen, die über die Grundstücksmauer geklettert waren. Vielleicht Journalisten, aber wahrscheinlicher war, dass es sich um Gaffer handelte: Sie tauchten bei jedem Mord am Tatort auf. Rebus' Blick fiel kurz auf ein modernes Gebäude hinter dem Haupthaus der Schule. Ein Hubschrauber flog über ihn hinweg. Eine Filmkamera schien nicht an Bord zu sein.

»Das war wirklich lustig«, sagte Siobhan, als sie ihn eingeholt hatte.

»Es ist immer wieder ein Vergnügen, einem Politiker zu begegnen«, stimmte Rebus ihr zu. »Vor allem, wenn er eine so hohe Meinung von unserem Berufsstand hat.«

Der Haupteingang der Schule bestand aus einer hölzernen, mit Schnitzereien verzierten Flügeltür, in die Glasscheiben eingelassen waren. Man gelangte durch sie in einen Empfangsbereich, von dem aus gläserne Schiebetüren in ein Büro führten, wahrscheinlich das der Schulsekretärin. Die Frau machte dort gerade eine Aussage, das Gesicht halb verdeckt von einem großen weißen Taschentuch, das vermutlich dem ihr gegenüber sitzenden Polizisten gehörte. Rebus kannte ihn, aber der Name fiel ihm nicht ein. Eine weitere Flügeltür führte ins Innere der Schule. Beide Flügel wurden mit Hilfe von Keilen offen gehalten. Ein Schild verkündete BESUCHER BITTE IM SEKRETARIAT MELDEN. Ein Pfeil unter dem Text wies auf die Glastüren.

Siobhan deutete nach oben, auf eine Ecke, in der eine

kleine Kamera montiert war. Rebus nickte und ging durch die offene Tür in einen langen Flur, von dem auf einer Seite Treppen abgingen und der an einem großen Buntglasfenster endete. Bei jedem Schritt knarrte der gebohnerte Holzfußboden. An den Wänden hingen Gemälde: mit Roben bekleidete ehemalige Lehrer, wie sie an ihren Pulten saßen oder nach einem Buch in einem Regal griffen. Weiter hinten folgten Namenslisten – Jahrgangsbeste, Direktoren, jene, die im Dienst für das Vaterland gefallen waren.

»Ich frage mich, wie leicht es für ihn war, hier reinzukommen«, sagte Siobhan leise. Ihre Worte hallten in der Stille wider, und ein Kopf tauchte durch eine Tür auf halber Höhe des Flurs auf.

»Das hat aber ganz schön lange gedauert«, dröhnte Bobby Hogans Stimme. »Kommt her, seht's euch an.«

Er war bereits zurück in den Aufenthaltsraum der Abschlussklasse gegangen. Der Raum war etwa fünf Meter mal drei fünfzig groß, mit Fenstern oben an der Außenwand. Es standen etwa ein Dutzend Stühle herum, ein Tisch mit einem Computer, und in einer Ecke eine ältere HiFi-Anlage. Auf einigen der Stühle lagen Zeitschriften: *FHM*, *Heat*, *M8*. Und daneben ein aufgeschlagener Roman mit den Seiten nach unten. Unter den Fenstern hingen Rucksäcke und Blazer an Haken.

»Kommt ruhig rein«, sagte Hogan zu ihnen. »Die Spusi hat schon alles mit der Lupe abgesucht.«

Vorsichtig betraten sie den Raum. Natürlich war die Spusi – die Spurensicherung – schon da gewesen, denn dies war der Tatort. Mattrote Blutspritzer an einer Wand, wie eine dünne Linie aus einer Spraydose. Größere Tropfen auf dem Boden und verschmierte Fußabdrücke, als wäre jemand nacheinander in mehreren Blutlachen ausgerutscht. Weiße Kreide und gelbes Klebeband an den Stellen, wo Beweisstücke entfernt worden waren.

»Er ist durch einen Seiteneingang hereingekommen«, erklärte Hogan. »Während der großen Pause, deshalb war er nicht abgeschlossen. Ist den Flur hinuntermarschiert und direkt hier rein. Wegen des schönen Wetters waren die meisten Schüler draußen. Er hat nur drei angetroffen…« Hogan deutete mit einem Nicken auf die Stellen, wo sich die Opfer befunden hatten. »Haben gerade Musik gehört oder in Zeitschriften geblättert.« Es war, als spräche er mit sich selbst, in der Hoffnung, dass seine Stimme von selbst mit der Beantwortung seiner Fragen beginnen würde, wenn er sie nur oft genug wiederholte.

»Warum hier?«, fragte Siobhan. Hogan schaute hoch und schien sie erst jetzt wahrzunehmen. »Hi, Shiv«, sagte er mit der Andeutung eines Lächelns. »Aus Neugier mitgekommen?«

»Sie hilft mir«, sagte Rebus und hob die Hände.

»Du meine Güte, was ist passiert, John?«

»Lange Geschichte, Bobby. Siobhans Frage ist absolut berechtigt.«

»Du meinst, wieso diese spezielle Schule?«

»Nicht nur das«, sagte Siobhan. »Sie haben eben gesagt, die meisten Schüler seien draußen gewesen. Warum hat er nicht mit denen angefangen?«

Hogan antwortete mit einem Achselzucken. »Ich hoffe, wir finden es heraus.«

»Also, wie können wir dir helfen, Bobby?«, fragte Rebus. Er war nicht weit in das Zimmer gegangen, blieb lieber kurz hinter der Türschwelle stehen, während Siobhan sich die Poster an den Wänden anschaute. Eminem beehrte die Menschheit mit dem Anblick eines Stinkefingers, und direkt neben ihm trugen die Mitglieder einer Band Overall und Gummimasken, was ihnen das Aussehen von Komparsen in einem mittelteuren Horrorfilm verlieh.

»Er war ehemaliger Soldat«, sagte Hogan. »Und zwar beim

SAS. Ich erinnere mich, dass du mir mal erzählt hast, du hättest dich während deiner Militärzeit beim Special Air Service beworben.«

»Das ist über dreißig Jahre her, Bobby.«

Hogan hörte gar nicht hin. »Er scheint ein ziemlicher Einzelgänger gewesen zu sein.«

»Ein Einzelgänger, der aus irgendeinem Grund einen Hass hatte?«, fragte Siobhan.

»Wer weiß.«

»Du willst, dass ich mich umhöre?«, vermutete Rebus.

Hogan sah ihn an. »Falls er Freunde hatte, sind die wahrscheinlich – genau wie er – von der Armee ausgemustert. Diese Kerle vertrauen sich vielleicht eher jemandem an, der dasselbe durchgemacht hat.«

»Es ist über dreißig Jahre her«, wiederholte Rebus. »Und vielen Dank, dass du mich zu den ›Ausgemusterten‹ zählst.«

»Ach, du weißt doch genau, wie ich das meine. Nur ein oder zwei Tage, John, um mehr bitte ich dich nicht.«

Rebus trat zurück in den Flur und sah sich um. Es wirkte so still und friedlich in dem Gebäude. Und dennoch hatten die Ereignisse von ein paar Minuten genügt, um alles zu verändern. Das Leben eines jeden Menschen, der davon betroffen war, war für immer erschüttert. Die Schulsekretärin würde womöglich nie wieder hinter dem geborgten Taschentuch auftauchen. Die Familien der Toten würden ihre Söhne begraben, außerstande, an etwas anderes zu denken als an deren entsetzliche letzte Augenblicke…

»Was ist nun, John?«, wollte Hogan wissen. »Hilfst du mir?«

Warme weiche Watte… sie konnte schützen, abdämpfen…

Völlig klare Sache… hatten Siobhans Worte gelautet… *ist schlicht und einfach ausgerastet…*

»Noch eine Frage, Bobby.«

Bobby Hogan wirkte müde und etwas ratlos. Leith bedeutete Drogen, Messerstechereien, Nutten. Damit kam Bobby zurecht. Rebus hatte den Eindruck, dass er herbeizitiert worden war, weil Bobby Hogan einen Freund an seiner Seite brauchte.

»Schieß los.«

»Hast du eine Zigarette für mich?«

Im Container drängten sich zu viele Leute. Hogan belud Siobhan mit den gesamten Unterlagen, die es über den Fall gab, einem Stapel noch warmer Fotokopien, frisch aus dem Apparat im Schulsekretariat. Draußen auf dem Rasen hatte sich ein Schwarm neugieriger Silbermöwen versammelt. Rebus schnippte seinen Zigarettenstummel in ihre Richtung, und die Vögel eilten darauf zu.

»Ich könnte Sie wegen Tierquälerei anzeigen«, sagte Siobhan zu ihm.

»Und ich *Sie* wegen Menschenquälerei«, sagte er, den Papierstapel musternd. Grant Hood beendete ein Telefonat und steckte sein Handy wieder in die Tasche. »Wo ist unser Freund hin?«, fragte Rebus ihn.

»Meinen Sie Jack-Dreck-am-Stecken?« Rebus lächelte über den Spitznamen, der die Titelseite eines Boulevardblatts am Morgen nach Bells Verhaftung geziert hatte.

»Genau den meine ich.«

Hood wies mit einer Kopfbewegung den Abhang hinunter. »Ein Mensch vom Fernsehen hat ihn angerufen, weil er ihn unten am Tor für die Nachrichten interviewen wollte. In null Komma nichts war Jack verschwunden.«

»So viel zu dem Versprechen, sich nicht vom Fleck zu bewegen. Benehmen sich die Presseheinis denn einigermaßen?«

»Was glauben Sie?«

Rebus zog als Antwort kurz die Mundwinkel auseinander. Hoods Handy klingelte erneut, und er wandte sich ab, um mit dem Anrufer zu sprechen. Rebus schaute zu, wie Siobhan die Kofferraumklappe mühsam öffnete und ihr dabei ein paar Blätter auf den Boden fielen. Sie hob sie wieder auf.

»Ist das alles?«, fragte Rebus sie.

»Vorläufig.« Sie schlug die Klappe zu. »Wo wollen wir uns das Zeug angucken?«

Rebus schaute nach oben. Dicke Wolken jagten über den Himmel. Wahrscheinlich zu windig, als dass es regnen würde. Er glaubte, aus der Ferne zu hören, wie das Tauwerk von Yachten gegen Masten schlug. »Wir könnten uns einen Tisch in einem Pub suchen. Unten im Ort gibt's in der Nähe der Eisenbahnbrücke ein Lokal namens The Boatman's…«

Sie starrte ihn an. »Alte Edinburgher Tradition«, erklärte er. »Früher haben die Schänken den Geschäftsleuten als Büro gedient.«

»Diese Tradition ist uns natürlich heilig.«

»Ich war schon immer ein Freund altmodischer Methoden.«

Wortlos ging sie auf die Fahrerseite und öffnete die Tür. Sie hatte sie bereits wieder geschlossen und den Schlüssel ins Zündschloss gesteckt, als sie innehielt. Fluchend langte sie hinüber und öffnete für Rebus die Beifahrertür.

»Zu liebenswürdig«, sagte er lächelnd beim Einsteigen. Er kannte South Queensferry nicht besonders gut, aber er kannte die örtlichen Pubs. Er war auf der anderen Seite der Bucht aufgewachsen und erinnerte sich an die Aussicht, die sich in North Queensferry bot: Wenn man südwärts blickte, schien es, als würden sich die beiden Brücken voneinander entfernen. Derselbe uniformierte Polizist wie vorhin öffnete für sie das Eingangstor. Jack Bell stand mitten auf der Straße und sprach in eine Fernsehkamera.

»Los, kräftig hupen«, befahl Rebus. Siobhan gehorchte. Der Journalist ließ sein Mikrofon sinken und schaute sie wütend an. Der Kameramann schob seine Kopfhörer von den

Ohren. Rebus winkte dem MSP und schenkte ihm ein Lächeln, das man als entschuldigend werten konnte. Schaulustige blockierten die halbe Fahrbahn und glotzten den Wagen an.

»Ich komme mir vor wie ein Ausstellungsstück«, murmelte Siobhan. Ein Auto nach dem anderen schlich im Schneckentempo an ihnen vorbei. Die Insassen hatten garantiert keine beruflichen Gründe; es waren schlicht und einfach Bürger, die ihre Familie und ihre Videokamera mitgebracht hatten. Als Siobhan an der kleinen Polizeiwache vorbeifuhr, bat Rebus sie, anzuhalten und ihn aussteigen zu lassen.

»Wir treffen uns dann im Pub.«

»Was haben Sie vor?«

»Will mir bloß einen Eindruck von der Atmosphäre verschaffen.« Er schwieg einen Moment. »Für mich ein großes India Pale Ale, falls Sie vor mir da sind.«

Er sah ihr nach, als sie sich wieder in die langsame Prozession aus Touristen-Autos einreihte und sich entfernte. Dann blickte er hoch zur Forth Road Bridge, lauschte dem Rauschen der PKWs und Laster, das fast wie Meeresbrandung klang. Auf dem Fußweg neben der Fahrbahn sah er winzig aussehende Gestalten, die nach unten schauten. Garantiert würden auf der anderen Seite noch mehr Leute stehen, weil man von dort einen besseren Blick auf das Schulgelände hatte... Kopfschüttelnd marschierte er los.

Das Geschäftsleben in South Queensferry spielte sich entlang einer einzigen Durchgangsstraße ab, zwischen High Street und Hawes Inn. Aber es kündigten sich Veränderungen an. Als er kürzlich auf dem Weg zur Autobrücke den Ort passiert hatte, waren ihm ein neuer Supermarkt und ein Gewerbegebiet aufgefallen. Ein Schild zielte auf Autofahrer, die im Stop-and-Go-Verkehr steckten. KEINE LUST MEHR, JEDEN TAG ZU PENDELN? AUCH SIE KÖNNTEN HIER ARBEITEN. Den Leuten sollte damit ins Gedächtnis gerufen werden, dass Edinburgh aus allen Nähten platzte und die Verkehrssituation dort ständig katastrophaler wurde. South Queensferry wollte von der Stadtflucht profitieren. In der High Street war davon allerdings noch nichts zu spüren: kleine, von Einheimischen betriebene Läden, schmale Bürgersteige, die Touristeninformation. Rebus kannte ein paar der Geschichten aus dem Ort: ein Feuer in der örtlichen VAT-69-Brennerei, heißer Whisky floss durch die Straßen, die Leute tranken davon und landeten im Krankenhaus; ein gezähmter Affe, der so lange getriezt wurde, bis er einer Spülmagd die Kehle aufschlitzte; Geistererscheinungen wie der Mowbray Hound und der Burry Man...

Jedes Jahr veranstaltete man ein Fest zum Gedenken an den Burry Man, Flaggen und Fahnen wurden gehisst, und eine Prozession marschierte durch den Ort. Es war noch mehrere Monate bis dahin, dennoch fragte Rebus sich, ob es die Prozession auch dieses Jahr geben würde.

Rebus kam an einem Uhrenturm vorbei. Die Kränze vom Remembrance Day hingen noch dort, ohne Opfer von Vandalismus geworden zu sein. Die Straße wurde so schmal, dass die Autofahrer Ausweichbuchten benutzen mussten. Ab und zu erhaschte er zwischen den Häusern zu seiner Linken einen Blick auf die Bucht. Auf der anderen Straßenseite reihte sich in einer zweistöckigen Häuserzeile ein Laden an den anderen, und dahinter erhoben sich Einzelhäuser. Zwei ältere Frauen standen mit verschränkten Armen an einer offenen Haustür und tauschten vermutlich die neuesten Gerüchte aus. Ihre Blicke streiften Rebus, sie erkannten in ihm einen Fremden und ließen ihn durch ihre missbilligende Miene wissen, dass sie ihn für einen der vielen Schaulustigen hielten.

Er ging weiter und kam zu einem Zeitungsladen. Drinnen hatten sich mehrere Leute versammelt und lasen einander aus den druckfrischen Abendausgaben der Zeitungen vor.

Auf der anderen Straßenseite näherte sich ein Fernsehteam – ein anderes Team als das vor dem Schultor. Der Kameramann trug in einer Hand seine Kamera und balancierte das Stativ auf der anderen Schulter. Der Tontechniker lief mit seiner Ausrüstung neben ihm her, hatte den Kopfhörer um den Hals und hielt die Tonangel wie ein Gewehr. Sie waren auf der Suche nach der optimalen Location, angeführt von einer jungen Blondine, die prüfend in jede Seitengasse spähte. Rebus glaubte, sie schon einmal im Fernsehen gesehen zu haben, und nahm an, das Team stamme aus Glasgow. Ihr Bericht würde so anfangen: *Eine unter Schock stehende Gemeinde versucht heute, das schreckliche Ereignis zu verarbeiten, das diesen bisher so friedlichen Ort heimgesucht hat… Fragen werden gestellt, aber überzeugende Antworten sind bislang ausgeblieben…* Blablabla. Rebus hätte problemlos den Text schreiben können. Da die Polizei keine Hinweise veröffentlichte, konnten die Journalisten nichts anderes tun, als die Einwohner des Ortes zu belästigen, auf der Jagd nach Informationen und bereit, dafür jeden noch so kleinen Stein umzudrehen.

Er hatte es in Lockerbie erlebt, und in Dunblane war es zweifellos nicht anders gewesen. Jetzt war South Queensferry an der Reihe. Er kam zu einer Kurve, von der an die Straße direkt am Ufer entlangführte. Er blieb einen Augenblick lang stehen und drehte sich um, weil er sich den Ort ansehen wollte, aber der größte Teil war verborgen: hinter Bäumen, hinter anderen Gebäuden, hinter der Biegung, die er gerade passiert hatte. Er stand an einer Mauer, die zum Schutz vor dem Meer diente, und fand, dass dieser Ort ebenso gut wieder jeder andere geeignet war, sich die zweite Zigarette anzuzünden, die Bobby Hogan ihm spendiert hatte. Die Zigarette klemmte hinter seinem rechten Ohr, und er tastete nach ihr, schaffte es aber nicht, sie festzuhalten, als sie zu Boden fiel und von einer Windböe weggerollt wurde. Tief gebeugt, die Augen zu Boden gerichtet, lief Rebus ihr hinterher und wäre beinahe mit einem Paar Beine zusammengestoßen. Die Zigarette war von der schmalen Schuhspitze einer schwarz glänzenden Stiefelette gestoppt worden. Die Beine oberhalb der Schuhe steckten in eingerissenen schwarzen Netzstrümpfen. Rebus richtete sich auf. Das Mädchen konnte in jedem Alter zwischen dreizehn und neunzehn sein. Schwarz gefärbtes, strohiges Haar lag im Stil von Siouxsie Sioux dicht an ihrem Kopf an. Ihr Gesicht war leichenblass geschminkt, die Augen und Lippen schwarz angemalt. Sie trug eine schwarze Lederjacke über mehreren Schichten aus gazeartigem schwarzen Stoff.

»Haben Sie sich die Pulsadern aufgeschnitten?«, fragte sie mit Blick auf seine Verbände.

»Wenn du auf die Zigarette trittst, werd ich's wahrscheinlich tun.«

Sie bückte sich, hob die Zigarette auf und beugte sich vor, um sie ihm zwischen die Lippen zu stecken. »In meiner Tasche ist ein Feuerzeug«, sagte er. Sie holte es heraus und zündete die Zigarette an, wobei sie routiniert eine Hand schützend vor die Flamme hielt und ihn dabei nicht aus den Augen ließ, so als wolle sie seine Reaktion auf die körperliche Nähe zwischen ihnen testen.

»Tut mir Leid«, entschuldigte er sich. »Das ist meine Letzte.« Es war schwierig, gleichzeitig zu rauchen und zu sprechen. Sie schien das zu merken, denn nach ein paar Zügen nahm sie ihm die Zigarette weg und steckte sie sich selbst in den Mund. Durch ihre schwarzen Spitzenhandschuhe sah er, dass ihre Fingernägel ebenfalls schwarz waren.

»Ich bin zwar kein Modeexperte«, sagte Rebus, »aber ich habe das Gefühl, dass du nicht unbedingt Trauer trägst.«

Ihr Lächeln reichte immerhin, um eine Reihe kleiner weißer Zähne zu enthüllen. »Ich trauere kein bisschen.«

»Aber du gehst auf die Port Edgar School, oder?« Sie sah

ihn an, fragte sich offenbar, woher er das wusste. »Sonst wärst du jetzt beim Unterricht«, erläuterte er. »Nur die Port-Edgar-Schüler haben frei.«

»Sind Sie Journalist?« Sie schob ihm die Zigarette wieder zwischen die Lippen. Sie schmeckte nach ihrem Lippenstift.

»Ich bin Polizist«, sagte er zu ihr. »CID.« Das schien sie nicht zu interessieren. »Kanntest du die toten Jungen denn nicht?«

»Doch.« Sie klang gekränkt, so als habe er sie ausschließen wollen.

»Aber du vermisst sie nicht?«

Sie begriff, was er meinte, und nickte, als sie sich an ihre Worte erinnerte: *Ich trauere kein bisschen.* »Wenn überhaupt, dann bin ich neidisch auf sie.« Erneut bohrte sich ihr Blick in seine Augen. Unwillkürlich fragte er sich, wie sie ungeschminkt aussah. Hübsch wahrscheinlich. Vielleicht sogar zerbrechlich. Ihr Make-up war eine Maske, hinter der sie sich verstecken konnte.

»Neidisch?«

»Sie haben doch selbst gesagt, dass sie tot sind, oder?« Sie sah ihn nicken, dann zuckte sie die Achseln. Rebus schaute auf die Zigarette hinab, und sie griff danach und steckte sie sich erneut in den Mund.

»Willst du sterben?«

»Ich bin bloß neugierig, mehr nicht. Ich würde gerne wissen, wie es ist.« Sie formte ein O mit den Lippen und blies einen Rauchring in die Luft. »Sie haben bestimmt schon einige Leichen gesehen.«

»Zu viele.«

»Wie viele sind zu viele? Haben Sie jemals einen Menschen sterben sehen?«

Er hatte nicht vor, darauf zu antworten. »Ich muss los.« Sie wollte ihm den kümmerlichen Rest der Zigarette zurückgeben, aber er schüttelte den Kopf. »Wie heißt du eigentlich?«

54

»Teri.«

»Terry?«

Sie buchstabierte den Namen. »Aber Sie können mich Miss Teri nennen.«

Rebus lächelte. »Ich nehme an, das ist nicht dein echter Name. Vielleicht sehen wir uns ja noch mal, Miss Teri.«

»Sie können mich jederzeit sehen, Mr. CID.« Sie drehte sich um und ging in Richtung des Ortes, voll Vertrauen auf ihre vier Zentimeter hohen Absätze, strich sich die Haare mit beiden Händen achtlos nach hinten und winkte dann kurz mit einer von einem Spitzenhandschuh umhüllten Hand. Sie war sich bewusst, dass er ihr nachschaute und genoss es, ihm diese Rolle vorzuspielen. Rebus nahm an, dass sie zu den so genannten *Goths* gehörte. Er hatte ihresgleichen schon öfters in der Stadt vor Schallplattenläden herumlungern sehen. Eine Zeit lang war allen, die aussahen, als gehörten sie dazu, das Betreten der Princess Street Gardens untersagt gewesen: ein Beschluss der zuständigen Behörde, der etwas mit zertrampelten Beeten und einem umgeworfenen Abfalleimer zu tun hatte. Als Rebus davon gelesen hatte, hatte er lächeln müssen. Es gab eine Verbindungslinie, die von den Punks bis zurück zu den Teddyboys reichte, immer waren es pubertierende Teenager. Er selbst war auch ziemlich aufsässig gewesen, ehe er zum Militär gegangen war. Zu jung für die ersten Jahrgänge der Teddyboys, hatte er sich trotzdem eine Secondhand-Lederjacke auf Zuwachs gekauft und in einer Tasche stets einen angespitzten Metallkamm dabei gehabt. Vom Stil her war die Jacke allerdings verkehrt gewesen – keine Motorradfahrer-Kluft, sondern dreiviertellang. Er hatte sie mit einem Küchenmesser kürzer gemacht, was zur Folge gehabt hatte, dass Fäden davon hinabhingen und man das Futter sah.

Ein echter Rebell.

Miss Teri verschwand hinter der Biegung, und Rebus

steuerte The Boatman's an, wo Siobhan bereits mit den Getränken wartete.

»Ich dachte schon, ich müsste Ihr Bier trinken«, sagte sie, in anklagendem Ton.

»'Tschuldigung.« Er nahm das Glas zwischen beide Hände und hob es hoch. Siobhan hatte sich an einem Ecktisch niedergelassen, etwas abseits von den übrigen Gästen. Vor ihr lagen zwei Papierstapel, daneben ihr Sodawasser mit Lime Juice und eine geöffnete Packung Erdnüsse.

»Wie geht's den Händen?«, fragte sie.

»Ich hab Angst, dass ich nie wieder Klavier spielen kann.«

»Das wäre wirklich ein tragischer Verlust für die Welt der Unterhaltungsmusik.«

»Hören Sie manchmal Heavy Metal?«

»Eher nicht, wenn es sich vermeiden lässt.« Sie schwieg kurz. »Manchmal ein bisschen Motörhead, um Leben in die Bude zu bringen.«

»Ich hatte an neuere Sachen gedacht.«

Sie schüttelte den Kopf. »Meinen Sie, wir können gefahrlos hier bleiben?«

Er sah sich um. »Scheint sich niemand für uns zu interessieren. Und wir werden ja auch kaum mit Autopsiefotos wedeln.«

»Immerhin sind Aufnahmen vom Tatort dabei.«

»Stecken Sie die lieber vorläufig weg.« Rebus trank noch einen Schluck Bier.

»Sind Sie sicher, dass sich Alkohol und Ihre Tabletten vertragen?«

Er ignorierte die Frage und wies stattdessen mit einer Kopfbewegung auf einen der Stapel. »Also«, sagte er, »was haben wir da, und auf wie viele Tage können wir diesen Einsatz ausdehnen?«

Sie lächelte. »Wohl nicht besonders scharf auf ein weiteres Gespräch mit der Chefin?«

»Wollen Sie etwa behaupten, Sie freuen sich darauf?«

Sie schien darüber nachzudenken, dann zuckte sie die Achseln.

»Sind Sie froh über Fairstones Tod?«, fragte Rebus.

Sie funkelte ihn an.

»Reine Neugier«, sagte er und dachte wieder an Miss Teri. Er versuchte mit großer Geste, die oberen Blätter zu sich hin zu ziehen, bis Siobhan den Wink mit dem Zaunpfahl verstand und es für ihn tat. Dann saßen die beiden Seite an Seite, ohne zu merken, wie sich der Nachmittag gemächlich auf den Abend zubewegte und das Licht draußen schwächer wurde.

Siobhan ging zur Bar, um Getränke-Nachschub zu holen. Der Barkeeper hatte beim ersten Mal versucht, sie auszufragen, was es mit den Papierstapeln auf sich hatte, aber sie hatte das Gespräch in eine andere Richtung gelenkt, und am Ende hatten sie über Schriftsteller gesprochen. Sie hatte keine Ahnung gehabt, dass es eine Verbindung zwischen The Boatman's und Größen wie Walter Scott und Robert Louis Stevenson gab.

»Sie trinken hier nicht bloß in einem Pub«, hatte der Barkeeper ihr erklärt. »Sie trinken an einem geschichtsträchtigen Ort, könnte man sagen.« Ein Satz, den er garantiert schon hundert Mal angebracht hatte. Sie kam sich dadurch wie eine Touristin vor. Nur fünfzehn Kilometer vom Stadtzentrum entfernt, aber alles war irgendwie anders. Das lag nicht nur an den Morden – über die der Barkeeper, wie ihr jetzt bewusst wurde, kein Wort verloren hatte. Die Edinburgher neigten dazu, die umliegenden Gemeinden alle in einen Topf zu werfen – Portobello, Musselburgh, Currie, South Queensferry… sie wurden allesamt als Bestandteil der Stadt angesehen. Dennoch bemühte sich sogar Leith, das mit der Innenstadt durch die hässliche Nabelschnur namens Leith Walk verbunden war, nach Kräften, sich eine eigene Identität zu erhalten. Siobhan fragte sich, wieso es anderswo anders sein sollte.

Aus irgendeinem Grund hatte Lee Herdman sich hier niedergelassen. Er war in Wishaw geboren und mit siebzehn zur Armee gegangen. Dienst in Nordirland und an ausländischen Einsatzorten, dann die Ausbildung für den SAS. Acht Jahre in diesem Regiment, ehe er sich vom »Kommiss«, wie er es womöglich genannt hätte, verabschiedete. Er trennte sich von seiner Frau, ließ sie mit den beiden gemeinsamen Kindern in Hereford zurück, dem Standort des SAS, und zog nach Norden. Die Hintergrundinformationen waren lückenhaft. Kein Wort darüber, was aus Frau und Kindern geworden war, und wieso er sich aus dem Staub gemacht hatte. Vor sechs Jahren war er nach South Queensferry umgezogen. Und hier war er nun gestorben, im Alter von sechsunddreißig Jahren.

Siobhan schaute zu Rebus hinüber, der gerade in eine der vielen Seiten der Akte vertieft war. Er war Soldat gewesen, und sie hatte öfters das Gerücht gehört, er habe an der SAS-Ausbildung teilgenommen. Was wusste sie über den SAS? Nur das, was sie in der Akte gelesen hatte. Special Air Services, Basis in Hereford, Motto: Wer wagt, gewinnt. Aus den besten Kandidaten ausgewählt, mit denen die Armee aufwarten konnte. Das Regiment war während des Zweiten Weltkriegs als Fernaufklärungs-Einheit gegründet, hatte aber erst anlässlich der Besetzung der Iranischen Botschaft 1980 und des Falkland-Feldzuges 1982 Berühmtheit erlangt. Eine handschriftliche Fußnote auf einem Blatt besagte, dass man Herdmans frühere Arbeitgeber ersucht hatte, möglichst viele Informationen über ihn zu liefern. Sie hatte es Rebus gegenüber erwähnt, der daraufhin bloß geschnaubt und gemeint hatte, die Leute von der Armee würden sicher nicht besonders hilfsbereit sein.

Als Herdman schon eine Weile in South Queensferry

wohnte, gründete er seine Firma, deren Zweck vor allem war, Wasserskifahrer mit seinem Boot zu ziehen. Siobhan wusste nicht, wie teuer ein Motorboot war. Sie hatte sich deswegen eine Notiz gemacht, eine von mehreren Dutzend auf dem Block, der drüben auf dem Tisch lag.

»Was?«

Er senkte den Blick, um ihre Aufmerksamkeit auf die gefüllten Gläser vor ihr zu lenken.

»Ach ja, richtig«, sagte sie mit kurzem Lächeln.

»Machen Sie sich nichts draus. Ist manchmal das Beste, sich in einem Traum zu verlieren.«

Er hatte das Wort »dwam« verwendet, das schottische Wort für Traum, und da sie es kannte, nickte sie. Sie selbst benutzte nur selten schottische Ausdrücke, sie vertrugen sich nämlich nicht mit ihrem englischen Akzent. Und ihren Akzent zu ändern, hatte sie noch nie versucht, denn er erwies sich immer wieder als nützlich. Manche Leute ärgerten sich über ihn, was ihr bei Verhören schon öfter zupass gekommen war. Und wenn jemand sie für eine Touristin hielt, na ja, dann konnte es passieren, dass die betreffende Person ihr gegenüber alle Vorsicht vergaß.

»Inzwischen ist mir auch klar, was Ihr beide seid«, sagte der Barkeeper nun. Sie musterte ihn. Mitte zwanzig, groß, breitschultrig, kurzes schwarzes Haar und ein Gesicht, dem die ausgeprägten Wangenknochen trotz Bier, fettem Essen und Zigaretten noch ein paar Jahre lang erhalten bleiben würden.

»Ich bin ganz Ohr«, sagte sie und lehnte sich auf die Theke.

»Zuerst hab ich euch für Presseleute gehalten, aber ihr habt keine einzige Frage gestellt.«

»Es waren also schon einige Presseleute hier?«, fragte sie.

An Stelle einer Antwort verdrehte er die Augen. »So wie ihr euren Papierstapel durchseht«, sagte er, mit einer Kopfbewegung zum Tisch deutend, »tippe ich auf Polizei.«

»Schlauer Junge.«

»Er war übrigens öfter hier. Lee, meine ich.«

»Sie kannten ihn?«

»Nun ja, wir haben uns ein bisschen unterhalten... worüber man eben redet, Fußball und so.«

»Waren Sie jemals auf seinem Boot?«

Der Barkeeper nickte. »Das war echt spitze. Ein irres Gefühl, wenn man unter den Brücken hindurchjagt und dabei nach oben guckt...« Er drückte den Kopf in den Nacken, um zu verdeutlichen, wovon er sprach. »Lee, der stand auf Speed.« Er verstummte. »Damit habe ich nicht die Drogen gemeint. Er fuhr einfach gerne schnell.«

»Wie heißen Sie, Mr. Barkeeper?«

»Rod McAllister.« Er streckte ihr eine Hand entgegen, und sie ergriff sie. Die Hand war feucht vom Spülen der Gläser.

»Freut mich, Sie kennen zu lernen, Rod.« Sie entzog ihm seine Hand, griff in die Tasche und holte eine Visitenkarte heraus. »Wenn Ihnen noch etwas einfällt, das uns weiterhelfen könnte...«

Er nahm die Karte. »Klar«, sagte er. »Geht in Ordnung, Sio...«

»Der Name wird Schi-wahn ausgesprochen.«

»Meine Güte, und man schreibt das wirklich so?«

»Ja, aber Sie dürfen mich gerne Detective Sergeant Clarke nennen.«

Er nickte und steckte die Karte in die Brusttasche seines Hemdes. Dann schaute er sie mit neu erwachtem Interesse an. »Wie lange werden Sie hier im Ort sein?«

»So lange wie nötig. Wieso?«

Er zuckte die Achseln. »Mittags gibt's bei uns superleckeren Haggis mit Steckrüben und Kartoffeln.«

»Ich werd's mir merken.« Sie nahm die beiden Gläser. »Danke, Rod.«

»Keine Ursache.«

Zurück am Tisch stellte sie Rebus' Bierglas neben das aufgeschlagene Notizbuch. »Bitteschön. Tut mir Leid, hat ein bisschen gedauert, aber der Barkeeper hat eben erzählt, dass er Herdman kannte, und vielleicht …« Mittlerweile hatte sie sich hingesetzt. Rebus hörte ihr nicht zu, achtete überhaupt nicht auf sie. Er starrte auf das vor ihm liegende Blatt Papier.

»Was ist?«, fragte sie. Mit einem raschen Blick stellte sie fest, dass es eines von denen war, die sie bereits durchgelesen hatte. Informationen über die Familie eines der Opfer. »John?«, hakte sie nach. Sein Blick hob sich langsam, und er sah sie an.

»Ich kenne die Leute.«

»Wen?« Sie nahm ihm das Blatt ab. »Meinen Sie die Eltern?«

Er nickte.

»Woher kennen Sie sie?«

Rebus hielt sich die Hände vors Gesicht. »Es sind Verwandte.« Er merkte, dass sie es nicht begriff. »*Meine* Verwandten, Siobhan. Es sind Verwandte von mir …«

3

Es war eine Doppelhaushälfte in einer Neubausiedlung, am Ende einer Sackgasse. Von diesem Teil South Queensferrys aus konnte man keine der beiden Brücken sehen, und man hätte auch nie vermutet, dass sich in kaum fünfhundert Meter Entfernung jahrhundertealte Straßen befanden. In den Auffahrten standen Autos – die bevorzugten Modelle des mittleren Managements: Rovers, BMWs und Audis. Keine Zäune zwischen den Haushälften, die Rasenflächen wurden nur von Gartenwegen begrenzt. Siobhan hatte am Bürgersteig geparkt. Sie stand einen Schritt hinter ihm, als er nach einigen Mühen auf die Haustürklingel drückte. Ein benommen aussehendes Mädchen machte auf. Ihr Haar war ungewaschen und ungekämmt, die Augen blutunterlaufen.

»Sind deine Mutter oder dein Vater zu Hause?«

»Sie sind nicht zu sprechen«, sagte sie und wollte die Tür gleich wieder schließen.

»Wir sind keine Journalisten.« Rebus zückte unbeholfen seinen Dienstausweis. »Ich bin Detective Inspector Rebus.«

Sie schaute auf den Ausweis, dann starrte sie ihn an.

»Rebus?«, sagte sie.

Er nickte. »Du kennst den Namen?«

»Ich glaube schon …« Plötzlich stand ein Mann hinter ihr. Er streckte Rebus eine Hand entgegen.

»John. Ist eine Weile her.«

Rebus nickte Allan Renshaw zu. »An die dreißig Jahre, Allan.«

Die beiden Männer musterten einander, versuchten, den Anblick mit ihren Erinnerungen in Einklang zu bringen. »Du hast mich einmal mit zu einem Fußballspiel genommen«, sagte Renshaw.

»Raith Rovers, stimmt's? Ich weiß aber nicht mehr, wer der Gegner war.«

»Kommt doch rein.«

»Dir ist sicher klar, Allan, dass ich beruflich hier bin.«

»Ja, ich weiß, dass du bei der Polizei bist. Komische Zufälle gibt's.«

Während Rebus seinem Cousin durch die Diele folgte, stellte Siobhan sich der jungen Frau vor, die daraufhin erwiderte, sie sei Kate, »Dereks Schwester«.

Siobhan erinnerte sich, den Namen in den Unterlagen gelesen zu haben. »Sie studieren, hab ich Recht?«

»Ja, in St. Andrews. Anglistik.«

Siobhan fiel keine Bemerkung ein, die nicht banal oder geheuchelt klingen würde. Also ging sie wortlos den langen, schmalen Flur hinunter, vorbei an einem Tisch voll mit ungeöffneter Post, und betrat das Wohnzimmer.

Überall waren Fotos. Sie hingen nicht nur gerahmt an der Wand oder standen in Regalen, sondern quollen auch aus Schuhkartons auf den Couchtisch und den Fußboden.

»Vielleicht kannst du uns helfen«, sagte Allan Renshaw zu Rebus. »Ich habe Probleme, jedem der Gesichter einen Namen zuzuordnen.« Er hielt einen Packen Schwarzweißfotos hoch. Auf dem Sofa lagen aufgeklappte Alben, die das Heranwachsen zweier Kinder dokumentierten: Kate und Derek. Zuerst Aufnahmen, die offenbar anlässlich der Taufen gemacht worden waren, dann Bilder aus Sommerferien, bei weihnachtlichen Bescherungen, Ausflügen und besonderen Anlässen. Siobhan wusste, dass Kate neunzehn war, zwei Jahre älter als ihr Bruder. Sie wusste außerdem, dass der Vater als Autoverkäufer in einer Firma an der Seafield Road arbeitete. Zweimal – im Pub und auf der Fahrt hierher – hatte Rebus ihr erklärt, wie er mit den Renshaws verwandt war. Seine Mutter hatte eine Schwester gehabt, und diese Schwester hatte einen Mann namens Renshaw geheiratet. Allan Renshaw war ihr Sohn.

»Und Sie haben überhaupt keinen Kontakt zu ihm?«, hatte sie gefragt.

»Das ist in unserer Familie so üblich«, hatte er geantwortet.

»Furchtbar, das mit Derek«, sagte Rebus gerade. Da er keinen Platz zum Hinsetzen entdeckt hatte, stand er am Kamin. Allan Renshaw hatte sich auf die Armlehne des Sofas gehockt. Er nickte. Dann sah er, dass seine Tochter Fotos wegräumen wollte, damit ihr Besuch sich setzen konnte.

»Die haben wir noch nicht sortiert«, blaffte er sie an.

»Ich dachte bloß...« Kates Augen wurden feucht.

»Wie wär's mit einer Tasse Tee?«, sagte Siobhan rasch. »Vielleicht können wir uns ja alle in die Küche setzen.«

Der Küchentisch reichte gerade eben für vier Personen. Siobhan hantierte mit dem Kessel und den Tassen. Kate hatte angeboten, ihr zu helfen, aber Siobhan hatte sie genötigt, sich zu setzen. Durch das Fenster über der Spüle blickte man auf einen handtuchgroßen Garten. Ein einzelnes Geschirrtuch hing an einer Wäschespinne, und offensichtlich hatte jemand vor kurzem zwei Bahnen Rasen gemäht, dann jedoch den Mäher mitten auf dem Gras abgestellt.

Plötzlich ertönte ein klackendes Geräusch, und eine große schwarzweiß gemusterte Katze, die durch die Katzenklappe hereingekommen war, sprang auf Kates Schoß und funkelte die Besucher böse an.

»Das ist Boethius«, sagte Kate.

»Englische Königin aus der Zeit der Antike?«, riet Rebus.

»Sie meinen Boudicca«, berichtigte Siobhan ihn.

»Boethius«, erklärte Kate, »war ein Philosoph des Mittelalters.« Sie streichelte dem Kater den Kopf. Rebus musste unwillkürlich denken, dass die Zeichnung des Fells ihn aussehen ließ, als trüge er eine Batman-Maske.

»Ein Vorbild von Ihnen?«, wollte Siobhan wissen.

»Er wurde wegen seiner Überzeugungen gefoltert«, fuhr Kate fort. »Später schrieb er eine Abhandlung, in der er darzulegen versuchte, wieso gute Menschen leiden –« Sie verstummte und sah ihren Vater an. Der aber schien gar nicht zugehört zu haben.

»Schlechte Menschen hingegen erfolgreich sind?«, nahm Siobhan an. Kate nickte.

»Interessant«, bemerkte Rebus.

Siobhan servierte den Tee und setzte sich. Rebus beachtete den vor ihm stehenden Becher nicht, wahrscheinlich, weil er die Aufmerksamkeit nicht auf seine bandagierten Hände lenken wollte. Allan Renshaw hielt den Henkel seines Bechers fest umklammert, schien es allerdings nicht eilig damit zu haben, etwas zu trinken.

»Alice hat mich angerufen«, sagte Renshaw. »Erinnerst du dich an Alice?« Rebus schüttelte den Kopf. »Sie ist eine Cousine von uns, die Tochter von … herrje, wessen Tochter ist sie noch gleich?«

»Das ist doch nicht so wichtig, Dad«, sagte Kate sanft.

»Ist es doch, Kate«, widersprach er. »In so einer Lage wie jetzt, ist die Familie das Wichtigste.«

»Hattest du nicht eine Schwester, Allan?«, fragte Rebus.

»Tante Elspeth«, antwortete Kate. »Lebt in Neuseeland.«

»Weiß sie Bescheid?«

Kate nickte.

»Was ist mit deiner Mutter?«

»Sie war vorhin hier«, mischte Renshaw sich ein, den Blick starr auf den Tisch gerichtet.

»Sie hat uns vor einem Jahr verlassen«, erläuterte Kate. »Sie wohnt mit –« Sie verstummte. »Sie wohnt drüben in Fife.«

Rebus nickte, ihm war klar, was sie hatte sagen wollen: *Sie wohnt mit einem anderen Mann zusammen…*

»Wie hieß der Park, in den du mich damals mitgenommen hast, John?«, fragte Renshaw. »Ich kann nicht älter als sieben oder acht gewesen sein. Meine Eltern waren mit mir nach Bowhill gefahren, und du hast angeboten, mit mir rauszugehen. Erinnerst du dich?«

Rebus erinnerte sich. Es war während seiner Zeit in der Armee gewesen. Er hatte Urlaub gehabt und wollte unbedingt etwas unternehmen. Anfang zwanzig war er gewesen, die SAS-Ausbildung hatte noch vor ihm gelegen. Er hatte sich im Haus seiner Eltern beengt gefühlt, sein Vater wich nie von seinen festen Gewohnheiten ab. Also war Rebus mit dem kleinen Allan zum nächstgelegenen Laden gegangen. Sie hatten eine Flasche Saft und einen billigen Fußball gekauft und danach im Park eine Weile gebolzt. Er schaute Renshaw an. Er musste inzwischen etwa vierzig sein. Sein

Haar war grau meliert, und oben auf dem Kopf hatte er eine kahle Stelle. Sein Gesicht war schlaff und unrasiert. Als Kind hatte er nur aus Haut und Knochen bestanden, aber mittlerweile hatte er einige Pfunde zu viel, vor allem um die Hüften. Rebus versuchte angestrengt, eine Spur von Ähnlichkeit mit dem Jungen zu entdecken, mit dem er Fußball gespielt hatte, dem Jungen, mit dem er sich in Kirkcaldy ein Spiel der Rovers gegen irgendeinen seinem Gedächtnis entfallenen Gegner angeschaut hatte. Der Mann vor ihm schien vorzeitig gealtert zu sein: zuerst die Frau weg, nun der Sohn ermordet. Vorzeitig gealtert und bemüht, damit klarzukommen.

»Kümmert sich jemand um euch?«, fragte Rebus Kate. Er meinte damit Freunde, Nachbarn. Sie nickte, und er wandte sich wieder Renshaw zu.

»Allan, ich kann mir vorstellen, wie furchtbar das alles für dich ist. Bist du trotzdem bereit, ein paar Fragen zu beantworten?«

»Wie ist das, wenn man Polizist ist, John? Muss man jeden Tag solche Besuche machen?«

»Nein, nicht jeden Tag.«

»Ich wäre dazu nicht in der Lage. Es ist schon schlimm genug, wenn man ein Auto verkauft und zuschaut, wie die Käufer in ihrem nagelneuen Wagen wegfahren, ein strahlendes Lächeln auf dem Gesicht, und sie eines Tages wiederkommen, wegen einer Inspektion oder einer Reparatur, und man sieht, dass der Wagen nicht mehr so funkelt wie früher ... dann lächeln die Leute nicht mehr.«

Rebus sah zu Kate hinüber, die bloß die Achseln zuckte. Vermutlich hatte sie sich solches Gerede ihres Vaters schon öfter anhören müssen.

»Der Mann, der Derek erschossen hat«, sagte Rebus ruhig. »Wir versuchen herauszufinden, wieso er es getan hat.«

»Er war ein Irrer.«

»Aber wieso die Schule? Wieso an diesem Tag? Verstehst du, worum es mir geht?«

»Es geht dir darum, den Fall nicht ad acta zu legen. Wir wollen nichts anderes, als in Ruhe gelassen werden.«

»Wir müssen es herausfinden, Allan.«

»Wieso?« Renshaws Stimme war lauter geworden. »Was würde das ändern? Kannst du Derek zum Leben erwecken? Wohl kaum. Der Schweinehund, der es getan hat, ist tot… Alles andere ist für mich unwichtig.«

»Trink den Tee, Dad«, sagte Kate und legte eine Hand auf den Arm ihres Vaters. Er griff nach der Hand, hob sie hoch, um sie zu küssen.

»Jetzt sind nur noch wir beide übrig, Kate. Nichts anderes ist wichtig.«

»Du hast aber vorhin gesagt, die Familie sei jetzt besonders wichtig. Der Inspector gehört zu unserer Familie, oder?«

Renshaw schaute Rebus erneut an, und in seinen Augen sammelten sich Tränen. Dann stand er auf und ging hinaus. Die anderen saßen einen Moment lang wortlos da und hörten zu, wie er die Treppe hochging.

»Wir lassen ihn besser allein«, sagte Kate, die klang, als sei sie mit ihrer Rolle vertraut und fühle sich wohl in ihr. Sie setzte sich aufrechter hin und drückte die Hände aneinander. »Ich glaube nicht, dass Derek den Mann kannte. Ich meine, South Queensferry ist ein kleiner Ort, und es besteht natürlich die Möglichkeit, dass er ihm begegnet ist und vielleicht sogar seinen Namen kannte. Aber mehr bestimmt nicht.«

Rebus nickte, schwieg jedoch, in der Hoffnung, dass sie das Bedürfnis haben würde, die Stille zu füllen. Es war ein Trick, den Siobhan auch beherrschte.

»Er hat sie sich nicht gezielt ausgewählt, oder?«, fuhr Kate fort und begann erneut, Boethius zu streicheln. »Ich meine, es war einfach ein Fall von zur falschen Zeit am falschen Ort.«

»Das wissen wir noch nicht«, erwiderte Rebus. »Es ist im ersten Zimmer passiert, das er betreten hat, aber er ist auf dem Weg dorthin an mehreren anderen vorbeigegangen.«

Sie schaute ihn an. »Dad hat mir erzählt, der andere Junge sei der Sohn eines Richters gewesen.«

»Du kanntest ihn nicht?«

Kate schüttelte den Kopf. »Nicht näher.«

»Bist du denn nicht auch in Port Edgar zur Schule gegangen?«

»Ja, aber Derek war zwei Jahre jünger als ich.«

»Ich glaube, Kate hat gemeint«, mischte Siobhan sich ein, »dass alle Jungen in seinem Jahrgang zwei Jahre jünger als sie waren und sie sich daher wohl kaum für sie interessiert hat.«

»Ganz genau«, stimmte Kate zu.

»Was ist mit Lee Herdman? Kanntest du ihn?«

Sie hielt Rebus' Blick stand, dann nickte sie langsam. »Ich war einmal mit ihm verabredet.« Sie schwieg einen Augenblick. »Ich meine, ich war mit ihm zu einer Bootsfahrt verabredet. Das haben viele von uns gemacht. Wir dachten, Wasserskifahren hätte was Glamouröses, aber es ist furchtbar anstrengend, und außerdem hat er mir eine Heidenangst eingejagt.«

»Inwiefern?«

»Wenn man auf den Skiern stand, versuchte er, einen zu erschrecken, indem er direkt auf einen der Brückenpfeiler oder auf Inch Garvie Island zuhielt. Kennen Sie die Insel?«

»Sie sieht wie eine Festung aus, oder?«, fragte Siobhan.

»Ich nehme an, man hat dort während des Kriegs Kanonen oder so aufgestellt, um Invasoren daran zu hindern, an der Küste des Firth of Forth zu landen.«

»Herdman hat also versucht, dir Angst einzujagen?«, fragte

Rebus, damit sie wieder zum eigentlichen Thema zurückkehrten.

»Ich glaube, es war eine Art Mutprobe, um festzustellen, ob man die Nerven verlor. Wir dachten alle, dass er nicht ganz richtig im Kopf war.« Sie brach abrupt ab, als ihr klar wurde, was sie gesagt hatte. Ihr ohnehin schon blasses Gesicht verlor noch weiter an Farbe. »Ich meine, ich wäre nie auf die Idee gekommen, dass er...«

»Das wäre niemand, Kate«, beruhigte Siobhan sie.

Die junge Frau brauchte ein paar Sekunden, um die Fassung wiederzugewinnen. »Ich habe gehört, er sei in der Armee gewesen, womöglich sogar ein Spion.« Rebus wusste nicht, worauf sie hinauswollte, nickte aber trotzdem. Sie blickte auf die Katze hinunter, die inzwischen mit geschlossenen Augen dalag und laut schnurrte. »Es klingt vielleicht verrückt...«

Rebus beugte sich vor. »Worum geht's, Kate?«

»Na ja, es ist bloß... das Erste, was mir durch den Kopf ging, als ich hörte, was passiert war...«

»Was?«

Ihr Blick wanderte von Rebus zu Siobhan und dann wieder zurück. »Nein, das ist einfach zu blöd...«

»Dann bin ich genau der richtige Zuhörer«, sagte Rebus und lächelte sie an. Fast hätte sie das Lächeln erwidert, doch dann holte sie tief Luft.

»Derek war vor einem Jahr in einen Autounfall verwickelt. Ihm ist nichts passiert, aber der andere Junge... der, der am Steuer saß...«

»Ist er ums Leben gekommen?«, riet Siobhan. Kate nickte.

»Keiner von beiden hatte einen Führerschein, und beide waren betrunken. Derek hatte schlimme Schuldgefühle. Er ist zwar nicht angeklagt worden oder so...«

»Und was hat das mit dem Mord an ihm zu tun?«, fragte Rebus.

Sie zuckte die Achseln. »Gar nichts. Es ist bloß so… als ich es erfuhr, das heißt, als Dad mich anrief… da fiel mir sofort etwas ein, das Derek ein paar Monate nach dem Unfall zu mir gesagt hat. Er hat gesagt, die Familie des toten Jungen hasse ihn. Das war der Grund für meinen Gedanken. Kaum war mir Dereks Bemerkung eingefallen, kam mir ein Wort in den Sinn… das Wort ›Rache‹.« Sie erhob sich, Boethius auf dem Arm, und legte die Katze auf den leeren Stuhl. »Ich schau mal kurz nach Dad. Bin gleich wieder da.«

Siobhan stand ebenfalls auf. »Kate«, sagte sie, »wie kommen Sie mit allem klar?«

»Mir geht's gut. Machen Sie sich um mich keine Sorgen.«

»Das mit Ihrer Mutter tut mir Leid.«

»Nicht nötig. Dad und sie haben sich ständig gestritten. Wenigstens bleibt uns das jetzt erspart…« Und mit einem gezwungenen Lächeln auf den Lippen verließ sie die Küche. Rebus sah Siobhan an, und lediglich ein leichtes Heben der Augenbrauen wies darauf hin, dass er in den letzten zehn Minuten etwas für ihn Interessantes gehört hatte. Er folgte Siobhan ins Wohnzimmer. Draußen war es inzwischen dunkel, und er knipste eine der Lampen an.

»Soll ich die Vorhänge schließen?«, fragte Siobhan.

»Glauben Sie, es wird sie morgen früh jemand aufziehen?«

»Nicht unbedingt.«

»Dann lassen Sie sie offen.« Rebus knipste eine weitere Lampe an. »Dieses Haus braucht jeden Lichtstrahl, den es kriegen kann.« Er sah sich ein paar von den Fotos an. Verschwommene Gesichter vor Hintergründen, die er wiedererkannte. Siobhan betrachtete die Familienfotos entlang der Wände.

»Jemand hat versucht, jede Erinnerung an die Mutter zu tilgen«, bemerkte sie.

»Noch etwas«, sagte Rebus beiläufig. Sie sah ihn an.

»Was?«

Er deutete auf die Regale. »Vielleicht bilde ich es mir nur ein, aber mir scheint, Derek ist auf den Bildern öfter vertreten als Kate.«

Siobhan sah, was er meinte. »Und was folgern wir daraus?«

»Keine Ahnung.«

»Möglicherweise war auf einigen Aufnahmen von Kate auch ihre Mutter mit dabei.«

»Allerdings wird behauptet, das jüngere Kind sei meist der Liebling der Eltern.«

»Sprechen Sie aus Erfahrung?«

»Ich habe einen jüngeren Bruder, wenn es das ist, was Sie meinen.«

Siobhan dachte nach. »Glauben Sie, dass Sie es ihm sagen sollten?«

»Wem?«

»Ihrem Bruder.«

»Ihm sagen, dass er Vaters Augenstern war?«

»Nein, ihm Bescheid sagen, was hier passiert ist.«

»Dafür müsste ich erst einmal seinen Aufenthaltsort herausfinden.«

»Sie wissen nicht, wo Ihr Bruder wohnt?«

Rebus zuckte die Achseln. »So ist das eben, Siobhan.«

Sie hörten Schritte auf der Treppe. Kate betrat das Wohnzimmer.

»Er schläft«, sagte sie. »Er schläft ziemlich viel.«

»Ich bin mir sicher, dass es ihm gut tut«, sagte Siobhan und wäre angesichts dieses Klischees aus ihrem eigenen Mund beinahe zusammengezuckt.

»Kate«, hob Rebus an, »wir gehen jetzt. Aber ich habe noch eine Frage, sofern es dir nichts ausmacht.«

»Das weiß ich erst, wenn ich sie gehört habe.«

»Es geht nur um Folgendes: Kannst du uns verraten, wann und wo genau Derek den Unfall hatte?«

Das Hauptquartier der Division D befand sich in einem ehrwürdigen Altbau mitten in Leith. Die Fahrt von South Queensferry dorthin hatte nicht besonders lange gedauert – der Großteil des abendlichen Verkehrs rollte stadtauswärts und nicht stadteinwärts. Die Büros des CID waren leer. Rebus vermutete, die Kollegen seien alle zur Port Edgar School abkommandiert worden. Er trieb eine Verwaltungsangestellte auf und fragte sie, wo die Akten sein könnten. Siobhan hackte bereits auf einer Tastatur herum, in der Hoffnung, auf diese Weise fündig zu werden. Am Ende spürten sie die Akte in einem Schrank auf, in dem sie neben unzähligen anderen vor sich hinschimmelte. Rebus bedankte sich bei der Angestellten.

»War mir eine Freude«, sagte sie. »Heute hat sich den ganzen Tag kaum ein Polizist hier blicken lassen.«

»Nur gut, dass die Gauner das nicht wissen«, sagte Rebus zwinkernd.

Sie schnaubte. »Auch an guten Tagen ist es schon schlimm genug.« Womit sie die Personalknappheit meinte.

»Ich schulde Ihnen einen Drink«, sagte Rebus, als sie sich abwandte, um hinauszugehen. Siobhan sah, wie sie ihm winkte, ohne sich umzudrehen.

»Sie haben sie gar nicht nach ihrem Namen gefragt«, sagte sie.

»Ich habe ja auch nicht vor, ihr einen Drink auszugeben.« Rebus legte die Akte auf einen Tisch, setzte sich und rückte dann ein Stück zur Seite, damit Siobhan einen Stuhl neben seinen schieben konnte.

»Sind Sie eigentlich noch mit Jean zusammen?«, fragte sie, als sie die Akte aufschlug. Dann verzog sie das Gesicht. Oben auf dem Papierstapel lag ein farbiges Hochglanzfoto des Unfallorts. Der tote Teenager war vom Fahrersitz katapultiert worden, sein Oberkörper lag ausgestreckt auf der Motorhaube. Unter dem Foto befanden sich noch andere:

Autopsiebilder. Rebus schob sie unter die Akte und begann zu lesen.

Zwei Freunde: Derek Renshaw, sechzehn, und Stuart Cotter, siebzehn. Sie hatten sich das Auto von Stuarts Vater ausgeliehen, einen rasanten Audi TT. Der Vater war auf Geschäftsreise, würde später am Abend auf dem Flughafen landen und ein Taxi nach Hause nehmen. Den Jungen blieb noch viel Zeit, und sie beschlossen, eine Spritztour nach Edinburgh zu machen. Sie kehrten in einer Bar am Hafen von Leith ein und fuhren dann Richtung Salamander Street. Sie wollten zur A1, dort einmal richtig Gas geben und dann zurück nach Hause. Aber die kurvenlose Salamander Street lockte als Rennstrecke. Später wurde ermittelt, dass der Wagen etwa 120 gefahren war, als Stuart Cotter die Gewalt über ihn verloren hatte. Er hatte an einer roten Ampel bremsen wollen, der Wagen war ins Schleudern geraten, auf den Bürgersteig gerast und gegen eine Ziegelmauer geprallt. Frontal. Derek war angeschnallt gewesen und hatte überlebt. Stuart nicht, trotz Airbag.

»Erinnern Sie sich daran?«, fragte Rebus Siobhan. Sie schüttelte den Kopf. Er selbst erinnerte sich auch nicht. Vielleicht war er an dem Tag nicht in der Stadt gewesen oder zu sehr mit einem eigenen Fall beschäftigt. Wenn er zufällig auf die Akte gestoßen wäre ... nun ja, sie enthielt nichts, was ihm nicht schon allzu oft begegnet war: Junge Männer, die Nervenkitzel mit Dummheit verwechselten, Reife mit Risiko. Beim Namen Renshaw hätte es vielleicht bei ihm geklingelt, allerdings gab es etliche Renshaws in der Stadt. Er suchte nach dem Namen des zuständigen Ermittlungsbeamten. Detective Sergeant Calum McLeod. Rebus kannte ihn flüchtig: ein guter Polizist. Das bedeutete, sie hatten einen sorgfältig abgefassten Bericht vorliegen.

»Eine Sache würde ich gerne wissen«, sagte Siobhan.

»Was?«

»Ziehen wir ernsthaft in Betracht, dass es sich um einen Mord aus Rache gehandelt haben könnte?«

»Nein.«

»Ich meine, warum ein Jahr warten? Und es war noch nicht einmal auf den Tag genau ein Jahr her ... sondern dreizehn Monate. Warum so lange warten?«

»Dafür gibt es überhaupt keinen Grund.«

»Wir glauben also nicht ...«

»Siobhan, es ist ein mögliches Motiv. Meines Erachtens will Bobby Hogan vor allem eines von uns. Er will verkünden können, dass Lee Herdman eines Tages ausgerastet ist und einfach so ein paar Schüler abgeknallt hat. Unbedingt vermeiden will er hingegen, dass die Presse irgendeine Verschwörungstheorie zu fassen kriegt oder sich hinterher beschwert, weil wir angeblich nicht unter jedem Stein nachgeschaut haben.« Rebus seufzte. »Rache ist das älteste aller Motive. Wenn wir jeden noch so kleinen Verdacht gegen Stuart Cotters Familie ausräumen, haben wir eine Sorge weniger.«

Siobhan nickte. »Stuarts Vater ist Geschäftsmann. Fährt einen Audi TT. Hat also wahrscheinlich genug Geld, um jemanden wie Herdman anzuheuern.«

»Stimmt, aber warum wurde der Sohn des Richters getötet? Und was ist mit dem Jungen, der angeschossen wurde? Und überhaupt, ein Auftragskiller bringt sich nicht selbst um.«

Siobhan zuckte die Achseln. »Damit kennen Sie sich besser aus als ich.« Sie blätterte die Akte weiter durch. »Hier steht nirgends, was für Geschäfte Mr. Cotter betreibt ... Doch, da haben wir es: Entrepreneur. Nun ja, das dürfte alle möglichen Sünden mit einschließen.«

»Wie heißt er mit Vornamen?« Rebus hatte sein Notizbuch gezückt, konnte aber den Stift nicht festhalten. Siobhan nahm ihn ihm ab.

»William Cotter«, sagte sie, schrieb es auf und fügte die Adresse hinzu. »Die Familie wohnt in Dalmeny. Wo ist das?«

»Nachbarort von South Queensferry.«

»Hört sich edel an: Long Rib House, Dalmeny. Kein Straßenname.«

»Offenbar floriert die Entrepreneur-Branche.« Rebus betrachtete das Wort. »Ich bin mir nicht mal sicher, ob ich das richtig schreiben könnte.« Er las etwas weiter. »Vorname der Frau ist Charlotte. Ihr gehören zwei Sonnenstudios in der Stadt.«

»Ich hatte schon immer vor, mir so was mal von innen anzuschauen«, sagte Siobhan.

»Jetzt wäre eine günstige Gelegenheit dazu.« Rebus war fast am Ende der Seite angekommen. »Eine Tochter, Teri, vierzehn Jahre zum Zeitpunkt des Unfalls. Demnach ist sie jetzt fünfzehn.« Er runzelte angestrengt nachdenkend die Stirn und versuchte so gut es ging die übrigen Seiten durchzublättern.

»Wonach suchen Sie?«

»Ein Foto der Familie…« Er hatte Glück. DS McLeod hatte tatsächlich sorgfältig gearbeitet und sogar Zeitungsartikel über den Fall beigefügt. Eines der Boulevardblätter hatte es geschafft, sich ein Familienfoto zu besorgen, Mutter und Vater saßen auf einem Sofa, Sohn und Tochter standen hinter ihnen, deshalb waren nur ihre Gesichter zu sehen. Rebus war sich ziemlich sicher, dass es sich um ein und dasselbe Mädchen handelte. Teri. Miss Teri. Was hatte sie noch gleich zu ihm gesagt?

Sie können mich jederzeit sehen…

Was zum Teufel hatte sie damit gemeint?

Siobhan war sein Gesichtsausdruck aufgefallen. »Etwa noch jemand, den Sie kennen?«

»Ich bin ihr auf dem Weg zum Boatman's begegnet. Sie sieht inzwischen allerdings etwas anders aus.« Er betrachtete das strahlende, ungeschminkte Gesicht. Das Haar sah eher mausgrau als pechschwarz aus. »Die Haare sind gefärbt, das

Gesicht ist weiß gepudert, Augen und Lippen schwarz angemalt... und sie ist auch schwarz gekleidet.«

»Eine Goth, meinen Sie? Haben Sie mich darum nach Heavy Metal gefragt?«

Er nickte.

»Glauben Sie, das hat irgendwas mit dem Tod ihres Bruders zu tun?«

»Kann schon sein. Und da war noch etwas.«

»Was?«

»Sie hat so eine Bemerkung gemacht... hat gesagt, sie sei nicht traurig, dass die Jungen tot sind...«

Sie hielten bei Rebus' Lieblings-Inder an der Causewayside und bestellten Essen außer Haus. In der Zeit, bis es fertig war, wurde der Bestand eines Getränkeladens in der Nachbarschaft um sechs Flaschen gekühltes Lagerbier verringert.

»Sieht nach einem ziemlich enthaltsamen Abend aus«, sagte Siobhan, als sie die Einkaufstüte vom Tresen hob.

»Sie glauben doch wohl nicht etwa, dass ich Ihnen auch nur einen Tropfen davon abgebe?«, verkündete Rebus.

»Tja, dann werd ich wohl die Daumenschrauben ansetzen müssen.«

Sie fuhren zu seiner Wohnung in Marchmont und parkten den Wagen auf dem letzten freien Platz weit und breit. Die Wohnung befand sich im zweiten Stock. Rebus mühte sich mit dem Schlüssel ab, um ihn ins Schloss zu stecken.

»Lassen Sie mich das machen«, sagte Siobhan.

In der Wohnung roch es muffig. Man hätte den Mief auf Flaschen ziehen und als *Eau de Junggeselle* verkaufen können. Essensreste, Alkohol, Schweiß. Auf dem Teppich im Wohnzimmer lagen CDs verstreut und bildeten eine Verbindungslinie zwischen Hi-Fi-Anlage und Rebus' Lieblingssessel. Siobhan stellte das Essen auf den Esstisch und ging in die Küche, um Teller und Besteck zu holen. Es gab keine Hinweise, dass in letzter Zeit jemand gekocht hatte. Zwei Becher in der Spüle, eine offene Margarine-Dose, deren Inhalt mit Schimmelflecken übersät war. An der Kühlschranktür ein gelber Post-It-Zettel mit einer Einkaufsliste: Brot/Milch/Marga/Würzsce./Sp.mittel/Glühb. Der Zettel wölbte sich an den Rändern bereits, und sie fragte sich, wie lange er wohl schon dort hing.

Als sie ins Wohnzimmer zurückkehrte, hatte Rebus es geschafft, eine CD aufzulegen. Es war eine, die sie ihm geschenkt hatte: Violet Indiana.

»Gefällt Ihnen die Musik?«, fragte sie.

Er zuckte die Achseln. »Ich nahm an, sie würde *Ihnen* gefallen.« Was bedeutete, dass er sich die CD bisher kein einziges Mal angehört hatte.

»Besser als einiges von dem Neandertaler-Zeug, das Sie in Ihrem Auto spielen.«

»Vergessen Sie nicht, dass Sie gerade mit einem Neandertaler reden.«

Sie lächelte und holte das Essen aus der Tüte. Bei einem Blick hinüber zur Hi-Fi-Anlage sah sie Rebus an einem seiner Verbände kauen.

»So groß kann Ihr Hunger doch unmöglich sein.«

»Es ist bestimmt einfacher, ohne diese Dinger zu essen.« Er wickelte die Gazestreifen ab, erst an der einen Hand, dann an der anderen. Siobhan fiel auf, dass er jeweils langsamer wurde, wenn er sich dem Ende näherte. Schließlich waren beide Hände enthüllt, die Haut war rot und blasig und sah aus, als wäre sie glühend heiß. Er versuchte, die Finger zu bewegen.

»Zeit für die nächste Pillen-Ration?«, erkundigte sich Siobhan.

Er nickte, kam zum Tisch und setzte sich. Sie öffnete zwei von den Bierflaschen, und sie fingen an zu essen. Rebus war nicht in der Lage, die Gabel richtig festzuhalten, aber er gab nicht auf, tropfte jede Menge Sauce auf den Tisch, schaffte es aber immerhin, sein Hemd nicht zu bekleckern. Die beiden aßen schweigend, abgesehen von ein paar Kommentaren über das Essen. Als sie fertig waren, räumte Siobhan das Geschirr ab und wischte den Tisch sauber.

»Sie sollten auf Ihre Einkaufsliste Wischtücher schreiben«, sagte sie.

»Welche Einkaufsliste?« Rebus setzte sich in seinen Sessel und stellte eine zweite Bierflasche auf seinem Oberschenkel ab. »Könnten Sie nachsehen, ob Creme da ist?«

»Gibt's etwa Crème Brûlée zum Nachtisch?«

»Ich meinte Wundcreme – müsste im Badezimmer sein.«

Folgsam durchstöberte sie das Medikamenten-Schränkchen und nahm nebenbei zur Kenntnis, dass die Badewanne bis zum Rand gefüllt war. Das Wasser sah kalt aus. Sie kam mit einer blauen Tube ins Wohnzimmer zurück. »Bei Hautreizungen und Entzündungen«, sagte sie.

»Das wird reichen.« Er nahm die Tube und verteilte auf beiden Händen eine dicke Schicht weißer Creme. Sie hatte auch ihre zweite Flasche geöffnet und sich auf eine Armlehne des Sofas gesetzt.

»Soll ich das Wasser ablassen?«, fragte sie.

»Welches Wasser?«

»Das in der Badewanne. Sie haben vergessen, den Stöpsel zu ziehen. Ich nehme an, es handelt sich um das Wasser, in das Sie angeblich Ihre Hände getaucht haben …«

Rebus sah sie an. »Mit wem haben Sie gesprochen?«

»Dem Krankenhausarzt. Er klang etwas ungläubig.«

»So viel zum Thema Schweigepflicht«, murmelte Rebus. »Hat er Ihnen denn wenigstens erzählt, dass es tatsächlich Verbrühungen und keine Verbrennungen sind?« Sie rümpfte die Nase. »Vielen Dank, dass Sie meine Geschichte überprüft haben.«

»Mir war bloß klar, dass es Ihnen gar nicht ähnlich sieht,

Geschirr abzuwaschen. Was ist jetzt mit dem Badewasser...?«

»Ich kümmere mich später darum.« Er lehnte sich zurück und trank einen Schluck aus seiner Flasche. »Was werden wir als Nächstes in Sachen Martin Fairstone unternehmen?«

Sie zuckte die Achseln und rutschte hinunter aufs Sitzkissen des Sofas. »Was sollen wir tun? Offenbar hat keiner von uns beiden ihn umgebracht.«

»Fragen Sie ein Dutzend Feuerwehrleute, und sie werden Ihnen alle dasselbe sagen: Wenn man jemanden um die Ecke bringen will, ohne erwischt zu werden, braucht man das Opfer bloß ordentlich abzufüllen und dann die Fritteuse anzuschalten.«

»Ja, und?«

»Das weiß auch jeder Polizist.«

»Trotzdem kann es ein Unfall gewesen sein.«

»Wir sind Polizisten, Siobhan: schuldig bis zum Beweis der Unschuld. Wann hat Fairstone Ihnen das Veilchen verpasst?«

»Woher wissen Sie, dass er es war?« Rebus' Gesichtsausdruck verriet ihr, dass er die Frage als Beleidigung empfand. Sie seufzte. »Letzten Donnerstag.«

»Was ist passiert?«

»Er muss mir gefolgt sein. Ich habe bei mir vor der Tür Einkäufe ausgeladen und ins Treppenhaus getragen. Als ich mich umdrehte, biss er gerade in einen Apfel. Er hatte ihn aus einer der Tüten genommen, die auf dem Bürgersteig standen. Er grinste über das ganze Gesicht. Ich bin schnurstracks zu ihm hin... Ich war stinksauer. Jetzt wusste er, wo ich wohne. Ich habe ihm eine runtergehauen...« Sie lächelte bei der Erinnerung daran. »Der Apfel ist über die halbe Straße gekullert.«

»Er hätte Sie wegen Körperverletzung anzeigen können.«

»Tja, das hat er aber nicht getan. Er hat mir einen rechten

Haken versetzt, direkt unter dem Auge. Ich bin nach hinten getaumelt, über die Eingangsstufe gestolpert und auf dem Hintern gelandet. Er ist einfach weggegangen und hat beim Überqueren der Straße den Apfel aufgehoben.«

»Sie haben den Vorfall nicht gemeldet.«

»Nein.«

»Haben Sie irgendwem erzählt, was passiert ist?«

Sie schüttelte den Kopf. Sie wusste noch, wie Rebus sie gefragt hatte; ihre Antwort hatte ebenfalls aus einem Kopfschütteln bestanden. Aber sie hatte sich keine Illusionen gemacht... keine Illusionen, dass er nicht eins und eins zusammenzählen würde. »Erst als ich von seinem Tod erfahren habe«, sagte sie, »bin ich zur Chefin gegangen und habe es ihr erzählt.«

Eine Weile herrschte Stille. Beide hoben ihre Flasche an den Mund, schauten einander an. Siobhan schluckte und leckte sich die Lippen.

»Ich habe ihn nicht umgebracht«, sagte Rebus leise.

»Er hat eine Beschwerde gegen Sie eingereicht.«

»Und umgehend wieder zurückgezogen.«

»Es war also ein Unfall.«

Er schwieg einen Moment lang. Dann wiederholte er: »Schuldig bis zum Beweis der Unschuld.«

Siobhan hob ihr Bier in die Höhe: »Auf die Schuldigen.«

Rebus zeigte die Andeutung eines Lächelns. »Nach letztem Donnerstag haben Sie ihn nicht mehr gesehen?«

Sie nickte. »Und Sie?«

»Hatten Sie denn keine Angst, dass er zurückkommen würde?« Er sah den Blick, den sie ihm zuwarf. »Okay, ›Angst‹ also nicht... aber Sie müssen doch darüber nachgedacht haben.«

»Ich habe Vorsichtsmaßnahmen ergriffen.«

»Was für welche?«

»Die üblichen: Habe mich regelmäßig umgeschaut...

habe im Dunkeln meine Wohnung möglichst nur dann betreten oder verlassen, wenn jemand in der Nähe war.«

Rebus legte den Kopf an die Rückenlehne des Sessels. Die Musik hatte aufgehört. »Soll ich noch was anderes auflegen?«

»Sie sollen mir sagen, dass Sie Fairstone nach unserem Besuch in seiner Wohnung nicht mehr gesehen haben.«

»Das wäre gelogen.«

»Und wann haben Sie ihn gesehen?«

Rebus drehte den Kopf zur Seite, um sie anzusehen. »Am Abend vor seinem Tod.« Er legte eine Pause ein. »Aber das wussten Sie ja bereits, oder?«

Sie nickte. »Templer hat es mir erzählt.«

»Ich bin bloß durch ein paar Pubs gezogen. In einem davon bin ich ihm begegnet. Wir haben ein bisschen geplaudert.«

»Über mich?«

»Über das blaue Auge. Er sagte, er habe sich bloß verteidigt.« Erneut legte er eine Pause ein. »So wie Sie es erzählen, könnte das sogar stimmen.«

»In welchem Pub war das?«

Rebus zuckte die Achseln. »In irgendeinem in der Nähe von Gracemount.«

»Seit wann besuchen Sie Pubs, die so weit entfernt von der Oxford Bar sind?«

Er sah sie an. »Vielleicht wollte ich mit ihm reden.«

»Sie haben ihn gesucht und gefunden?«

»Da höre sich einer unser kleines Fräulein Staatsanwalt an!« Rebus' Gesicht verfärbte sich.

»Und zweifellos war dem halben Pub sonnenklar, dass Sie Bulle sind«, stellte sie fest. »Darum hat Templer davon erfahren.«

»Nennt man das nicht ›Beeinflussung von Zeugen‹?«

»Ich kann meine Schlachten selbst schlagen, John!«

»Er hätte Sie immer wieder auf die Bretter geschickt. Der

Typ war gewalttätig. Sie haben doch sein Vorstrafenregister gesehen...«

»Das gab Ihnen trotzdem nicht das Recht –«

»Wir reden hier nicht davon, wer was für Rechte hat.« Rebus sprang auf, marschierte zum Esstisch und holte sich eine weitere Flasche Bier. »Wollen Sie auch eine?«

»Nein, ich muss noch fahren.«

»Wie Sie wollen.«

»Ganz genau. Es hätte danach gehen sollen, was *ich* will, nicht was *Sie* wollen.«

»Ich habe ihn nicht umgebracht, Siobhan. Ich bin bloß...« Den Rest des Satzes verkniff Rebus sich.

»Was?« Sie drehte sich auf dem Sofa zur Seite, um ihn direkt anzusehen. »Was?«, wiederholte sie.

»Ich bin mit zu ihm nach Hause gegangen.« Sie starrte ihn an, den Mund einen Spaltbreit offen. »Es war seine Idee.«

»*Seine* Idee?«

Rebus nickte. Der Flaschenöffner in seiner Hand zitterte, und er ließ sich von Siobhan die Flasche aufmachen. »Das Arschloch spielte gerne Spielchen, Siobhan. Er schlug vor, wir sollten zu ihm gehen und das Kriegsbeil begraben.«

»Das Kriegsbeil begraben?«

»Genau das waren seine Worte.«

»Und das haben Sie beide dann auch getan.«

»Er wollte reden... nicht über Sie, sondern über Gott weiß was. Über seine Zeit im Gefängnis, seine Zellengenossen, seine Jugend. Das übliche rührselige Zeug: Der Vater schlägt seinen Sohn, die Mutter vernachlässigt ihn...«

»Und Sie haben ihm friedlich zugehört?«

»Ich habe ihm zugehört und dabei gedacht, dass ich ihn am liebsten verprügeln würde.«

»Aber das haben Sie nicht getan?«

Rebus schüttelte den Kopf. »Als ich ging, war er ziemlich breit.«

»Aber er war nicht in der Küche?«

»Nein, im Wohnzimmer…«

»Haben Sie die Küche gesehen?«

Erneut schüttelte Rebus den Kopf.

»Haben Sie Templer davon erzählt?«

Er machte Anstalten, sich die Stirn zu reiben, aber ihm fiel noch rechtzeitig ein, dass es höllisch wehtun würde. »Gehen Sie jetzt bitte nach Hause, Siobhan.«

»Neulich musste ich Sie beide gewaltsam voneinander trennen. Und bei der nächsten Begegnung gehen Sie auf ein paar Gläser und ein Schwätzchen mit zu ihm nach Hause. Das soll ich glauben?«

»Ich verlange nicht von Ihnen, irgendetwas zu glauben. Gehen Sie bitte.«

Sie stand auf. »Ich kann –«

»Ich weiß, Sie können auf sich selbst aufpassen.« Rebus klang auf einmal erschöpft.

»Ich wollte sagen, dass ich abwaschen kann, wenn Sie wollen.«

»Nicht nötig, das mache ich morgen selbst. Wir sollten beide ein paar Stunden schlafen, okay?« Er ging zu dem großen Erkerfenster des Zimmers und starrte hinunter auf die menschenleere Straße.

»Wann soll ich Sie abholen?«

»Um acht.«

»Alles klar.« Sie schwieg einen Moment. »So jemand wie Fairstone hat doch bestimmt Feinde gehabt.«

»Höchstwahrscheinlich.«

»Vielleicht hat jemand Sie beide gesehen und gewartet, bis Sie gegangen waren…«

»Wir sehen uns dann morgen, Siobhan.«

»Er war ein Arschloch, John. Ich warte nur darauf, das von Ihnen zu hören.« Mit deutlich tieferer Stimme fuhr sie fort: »›Die Welt ist ohne ihn besser dran.‹«

»Ich erinnere mich nicht, so etwas gesagt zu haben.«

»Es hätte aber von Ihnen stammen können, zumindest bis vor kurzem.« Sie ging zur Tür. »Wir sehen uns dann morgen.« Er stand da und wartete darauf, die Wohnungstür ins Schloss fallen zu hören. Stattdessen hörte er das leise Gurgeln von Wasser. Er trank aus der Bierflasche, starrte hinunter auf die Straße, aber sie tauchte dort nicht auf. Als die Wohnzimmertür aufging, hörte er, wie Badewasser einlief.

»Wollen Sie mir auch noch den Rücken schrubben?«

»Auch mein Pflichtbewusstsein hat Grenzen.« Sie sah ihn an. »Aber ein Kleiderwechsel wäre nicht schlecht. Soll ich Ihnen frische Sachen rauslegen?«

Er schüttelte den Kopf. »Wirklich, ich komme allein klar.«

»Ich bleib noch hier, bis Sie fertig gebadet haben… nur für den Fall, dass Sie es allein nicht aus der Wanne schaffen.«

»Das wird schon gehen.«

»Ich warte trotzdem.« Sie ging zu ihm, nahm ihm die Bierflasche weg, die er nur lose festhielt. Hob sie an ihren Mund.

»Das Wasser darf aber nur lauwarm sein«, warnte er sie.

Sie nickte und schluckte. »Eine Sache macht mich übrigens neugierig.«

»Und die wäre?«

»Was tun Sie, wenn Sie auf die Toilette müssen?«

Er kniff die Augen zusammen. »Ich tue, was ein Mann zu tun hat.«

»Eine innere Stimme sagt mir, dass ich es gar nicht genauer wissen will.« Sie gab ihm die Flasche zurück. »Ich geh mal das Wasser kontrollieren, damit es nicht wieder zu heiß ist…«

Hinterher sah er, eingehüllt in seinen Bademantel, zu, wie sie unten aus der Haustür trat und auf dem Bürgersteig nach rechts und links blickte, ehe sie zu ihrem Auto ging. Nach rechts und links blicken: vorsichtig sein, obwohl sich der Bösewicht verabschiedet hatte.

Rebus wusste, dass da draußen noch viele andere frei herumliefen. Männer wie Martin Fairstone. In der Schule gehänselt, als »Gartenzwerg« abgestempelt, hatte er sich einer Clique aufgedrängt, die sich nur über ihn lustig machte. Aber das härtete ihn bloß ab, er beging die ersten Gewalttaten und Diebstähle und blieb bis zum Ende dabei. Er hatte seine Lebensgeschichte erzählt, und Rebus hatte zugehört.

Glaub, ich sollte mal zu 'nem Seelenklempner gehen, um mich durchchecken zu lassen, was? Wie's im Kopf aussieht, das hat nämlich nicht immer was damit zu tun, was man nach außen tut. Klingt das bescheuert? Liegt vielleicht daran, dass ich bescheuert bin. Ist noch genug Whisky da, wenn du noch mal nachschenken willst. Brauchst bloß Bescheid sagen, ich bin nicht so geübt als Gastgeber, wenn du weißt, was ich meine. Ich brabbel nur so vor mich hin, achte gar nicht drauf …

Und so weiter … und so fort. Rebus hörte zu, trank dabei kleine Schlucke Whisky, spürte deren Wirkung. In vier Pubs war er gewesen, ehe er Fairstone aufgespürt hatte. Und als der Monolog endlich versiegt war, hatte Rebus sich vorgebeugt. Sie saßen in durchgesessenen Sesseln, einen Couchtisch zwischen sich, dessen fehlendes Bein durch einen Pappkarton ersetzt war. Zwei Gläser, eine Flasche und ein überquellender Aschenbecher, und Rebus beugte sich nun vor, um zum ersten Mal seit fast einer halben Stunde etwas zu sagen:

»Hör mal, Marty, lass uns diesen ganzen Mist mit DS Clarke abhaken, okay? Denn weißt du was: Die Sache ist mir völlig schnurz. Aber es gibt da eine Frage, die ich dir gerne stellen würde …«

»Was denn für eine?« Fairstone saß, die Augenlider halb geschlossen, auf seinem Sessel, eine Zigarette zwischen Daumen und Zeigefinger.

»Ich habe läuten gehört, dass du Peacock Johnson kennst. Kannst du mir irgendwas über ihn erzählen?«

Rebus stand am Fenster und überlegte, wie viele Schmerz-tabletten wohl noch in dem Plastikfläschchen waren. Spielte mit dem Gedanken, in einen Pub zu gehen, um sich einen an-ständigen Drink zu genehmigen. Drehte sich um und mar-schierte ins Schlafzimmer. Öffnete die oberste Schublade und holte Krawatten und Socken hervor, ehe er schließlich fand, wonach er gesucht hatte.

Winterhandschuhe. Schwarzes Leder, Nylonfütterung. Bislang ungetragen.

Zweiter Tag

Mittwoch

4

Es gab Momente, da Rebus hätte schwören können, dass sein Kopfkissen am Abend zuvor nach dem Parfum seiner Frau gerochen hatte. Vollkommen unmöglich: seit zwanzig Jahren getrennt; auf dem Kissen hatte sie kein einziges Mal geschlafen oder auch nur gelegen. Dasselbe galt für andere Parfums – von anderen Frauen. Er wusste, dass es eine Sinnestäuschung war, dass er die jeweilige Person nicht wirklich roch. Vielmehr roch er ihre Abwesenheit.

»Ist irgendwas?«, fragte Siobhan, während sie in der morgendlichen Rushhour versuchte, die Spur zu wechseln.

»Ich habe über Kopfkissen nachgedacht«, erklärte Rebus. Sie hatte für beide Kaffee geholt. Er hielt seinen Pappbecher zwischen den Händen.

»Schicke Handschuhe, übrigens«, bemerkte sie nun, keineswegs zum ersten Mal. »Genau das Richtige für diese Jahreszeit.«

»Wissen Sie, ich kann mir auch einen anderen Chauffeur besorgen.«

»Aber würde jemand anders auch Frühstück servieren?« Sie drückte das Gaspedal durch, als die Verkehrsampel vor ihnen von Gelb auf Rot umsprang. Rebus hatte große Mühe, seinen Kaffee am Überschwappen zu hindern.

»Was ist das für Musik?«, fragte er, den Blick auf das Autoradio mit eingebautem CD-Spieler gerichtet.

»Fatboy Slim. Hab gedacht, das würde Sie aufwecken.«

»Wieso erzählt der Typ Jimmy Boyle, er soll die Staaten nicht verlassen?«

Siobhan lächelte. »Möglicherweise haben Sie den Text falsch verstanden. Ich kann auch etwas Entspannteres auflegen… wie wär's mit Tempus?«

»Fugit, warum nicht?«

Lee Herdman hatte in einer Zweizimmerwohnung über einem Pub in South Queensferrys High Street gelebt. Der Eingang befand sich in einer finsteren überdachten Gasse. Ein uniformierter Beamter stand an der Haustür Wache und überprüfte die Namen derer, die ins Haus wollten, mittels einer an einem Klemmbrett befestigten Liste der Hausbewohner. Es war Brendan Innes.

»Arbeiten Sie immer noch oder schon wieder?«, fragte Rebus.

Innes sah auf die Uhr. »In einer Stunde hab ich Feierabend.«

»Irgendwas passiert?«

»Die Leute sind zur Arbeit gegangen.«

»Wie viele Wohnungen außer der von Herdman?«

»Nur zwei. In der einen wohnt ein Lehrer mit seiner Freundin, in der anderen ein Automechaniker.«

»Lehrer?«, hakte Siobhan nach.

Innes schüttelte den Kopf. »Nicht in Port Edgar. Er unterrichtet an der örtlichen Grundschule. Die Freundin ist Verkäuferin.«

Rebus ging davon aus, dass man die Nachbarn schon befragt hatte. Die Protokolle würden irgendwo in den Unterlagen sein.

»Haben Sie mit den dreien gesprochen?«

»Nur ein paar Worte beim Kommen und Gehen.«

»Was erzählen sie?«

Innes zuckte die Achseln. »Das Übliche: einigermaßen ruhiger Zeitgenosse, ganz sympatisch…«

»*Einigermaßen* ruhig?«

Innes nickte. »Mr. Herdman scheint gelegentlich bis spätabends Gäste gehabt zu haben.«

»Oft genug, um die Nachbarn zu vergrätzen?«

Innes zuckte erneut die Achseln. Rebus wandte sich an Siobhan. »Haben wir eine Liste mit den Namen seiner Bekannten?«

Sie nickte. »Ist aber wahrscheinlich noch nicht vollständig…«

»Den hier werden Sie brauchen«, sagte Innes. Er hielt einen Sicherheitsschlüssel hoch. Siobhan nahm ihn.

»Wie chaotisch sieht es oben aus?«, fragte Rebus.

»Der Durchsuchungstrupp wusste, dass Herdman nicht wiederkommt«, antwortete Innes lächelnd und senkte den Kopf, um die beiden neuen Namen auf die Liste zu schreiben.

Der Hausflur im Erdgeschoss war voll gestellt. Keine neue Post. Sie stiegen auf Steinstufen zwei Treppen hinauf. Im ersten Stock gab es zwei Türen, im zweiten nur eine. Kein Hinweis, wer dahinter wohnte – weder Namen noch Nummer. Siobhan schloss auf, und sie traten ein.

»'ne Menge Schlösser«, bemerkte Rebus. Innen waren zusätzlich zwei Riegel angebracht. »Herdman scheint ein Sicherheits-Fan gewesen zu sein.«

Es war schwer zu beurteilen, wie unordentlich die Wohnung gewesen war, ehe Hogans Leute sie gefilzt hatten. Rebus durchquerte vorsichtig das Wohnzimmer, dessen Fußboden mit Kleidern, Zeitungen, Büchern und allerlei Krimskrams übersät war. Sie befanden sich im Dachgeschoss, und die Zimmerdecken waren relativ niedrig. Der Abstand zwischen Rebus' Kopf und der Decke betrug nur etwa einen halben Meter. Die Fenster waren klein und dreckig. Die Einrichtung des Schlafzimmers: Doppelbett, Schrank und Kommode. Ein tragbarer Fernseher auf dem nackten Fußboden, daneben eine leere kleine Flasche Bell's. In der Küche schmieriges gelbes Linoleum auf dem Boden und ein Klapptisch, der noch gerade eben genug Platz übrig ließ, um sich umzudrehen. Enges Bad, in dem es schimmelig roch. Zwei Einbauschränke im Flur, in denen es aussah, als sei der Inhalt von Hogans Männern ausgeräumt und achtlos wieder eingeräumt worden. Blieb also nur das Wohnzimmer. Rebus ging wieder hinein.

»Gemütlich, was?«, bemerkte Siobhan.

»Im Makler-Jargon allemal.« Rebus hob ein paar CDs auf. Linkin Park und Sepultura: »Der Mann war offenbar auch ein Heavy-Metal-Fan«, sagte er und ließ sie fallen.

»Und ein SAS-Fan«, fügte Siobhan hinzu und hielt einige Bücher in die Höhe, damit Rebus sie sehen konnte. Die Bücher handelten von der Geschichte des Regiments, von den militärischen Konflikten, an denen es teilgenommen hatte, und von den Erlebnissen ehemaliger Mitglieder. Siobhan deutete mit dem Kopf auf den Schreibtisch, und Rebus sah, worauf sie ihn aufmerksam machen wollte: ein Album voller Zeitungsausschnitte, deren Thema ebenfalls das Militär war. Mehrere Artikel berichteten von einem offenbar vermehrt auftretenden Phänomen: den Morden US-amerikanischer Kriegshelden an ihren Frauen. Berichte über ehemalige Soldaten, die Selbstmord begangen hatten oder spurlos verschwunden waren. Es gab sogar eine Reportage mit dem Titel: »Auf dem SAS-Friedhof wird der Platz knapp«. Das interessierte Rebus am meisten. Er kannte Männer, die auf dem separaten Teil des St. Martin's Friedhofs beerdigt worden waren, nicht weit entfernt von dem ursprünglichen Hauptquartier. Inzwischen gab es Vorschläge für eine neue Beisetzungsstätte nahe des gegenwärtigen Hauptquartiers in Credenhill. Im selben Text wurde der Tod zweier SAS-Soldaten erwähnt. Sie seien bei einem »Übungseinsatz in Oman« umgekommen, was alle möglichen Ursachen haben konnte, von grober Fahrlässigkeit bis hin zur Ermordung während einer Geheimoperation.

Siobhan spähte in eine Supermarkt-Tüte. Rebus hörte das Klirren leerer Flaschen.

»Er war ein guter Gastgeber«, sagte sie.

»Wein oder härtere Sachen?«

»Tequila und Rotwein.«

»Der leeren Flasche im Schlafzimmer nach zu urteilen, war Herdman Whiskytrinker.«

»Wie ich bereits sagte, ein guter Gastgeber.« Siobhan holte ein Blatt Papier aus der Tasche und faltete es auseinander. »Diesem Bericht zufolge haben die Kollegen die Überreste mehrerer Joints gefunden sowie Spuren einer Substanz, bei der es sich vermutlich um Kokain handelt. Des Weiteren haben sie seinen Computer mitgenommen und auch einige Fotos, die innen an den Schranktüren hingen.«

»Was war auf den Fotos?«

»Waffen. Er muss so eine Art Fetischist gewesen sein. Ich meine… wer sonst hängt sich so was an die Schranktür?«

»Welche Arten von Waffen?«

»Das steht hier nicht.«

»Was für eine Waffe hat er doch gleich benutzt?«

Sie schaute in den Unterlagen nach. »Brocock. Eine Luft-pistole. Eine ME38 Magnum, um genau zu sein.«

»Einen Revolver also?«

Siobhan nickte. »Man kann sich so ein Ding ganz legal für etwas über hundert Pfund kaufen. Wird mit Gaspatronen betrieben.«

»Aber die von Herdman ist frisiert worden?«

»Stahlmantel in der Patronenkammer. Das bedeutet, man kann scharfe Munition verwenden, Kaliber 22. Die Alternative wäre gewesen, die Waffe aufzubohren, um Achtunddrei-ßiger-Patronen zu benutzen.«

»Er hat Zweiundzwanziger-Munition benutzt?« Sie nickte erneut. »Das heißt, jemand hat die Pistole für ihn umge-baut.«

»Vielleicht hat er es auch selbst getan. Ich würde wetten, dass er das nötige Know-how dazu besaß.«

»Wissen wir, woher er die Waffe hatte?«

»Als ehemaliger Soldat kannte er sicher die entsprechenden Leute.«

»Gut möglich.« Rebus dachte an die sechziger und siebziger Jahre zurück, als landauf, landab Waffen und Sprengstoff aus Armeestützpunkten verschwanden, zumeist im Auftrag einer der am Nordirlandkonflikt beteiligten Gruppen... Viele Soldaten hatten irgendwo ein »Souvenir« versteckt; manche kannten die Adressen, wo man Waffen verkaufen oder kaufen konnte, ohne dass einem Fragen gestellt wurden...

»Übrigens«, sagte Siobhan nun, »ist hier von zwei Waffen die Rede.«

»Er hatte noch eine andere Waffe dabei?«

Siobhan schüttelte den Kopf. »Aber man ist bei der Durchsuchung seines Bootshauses fündig geworden.« Sie las von dem Blatt Papier ab. »Mac 10.«

»Das ist schweres Gerät.«

»Sie kennen die Marke?«

»Ingram Mac 10... ein amerikanisches Gewehr. Schafft tausend Schuss pro Minute. So was kann man nicht einfach in irgendeinem Laden kaufen.«

»Vielleicht doch. Das Labor glaubt nämlich, das Gewehr sei irgendwann unbrauchbar gemacht worden.«

»Dann hat er das Ding ebenfalls frisiert.«

»Oder frisiert gekauft.«

»Dem Himmel sei Dank, dass er das Ding nicht mit in die Schule genommen hat. Das hätte ein schlimmes Gemetzel gegeben.«

Sie dachten einen Augenblick lang schweigend darüber nach. Dann setzten sie ihre Suche fort.

»Das hier ist interessant«, sagte Siobhan und wedelte mit

einem der Bücher. »Die Geschichte eines Soldaten, der durchgedreht ist und versucht hat, seine Freundin zu töten.« Sie las den Klappentext durch. »Hat sich durch einen Sprung aus einem Flugzeug das Leben genommen... Offenbar eine wahre Geschichte.« Aus dem Buch fiel etwas heraus. Ein Foto. Siobhan hob es auf und hielt es so, dass Rebus es sehen konnte. »Sagen Sie mir bitte, dass es sich um ein anderes Mädchen handelt.«

Aber sie war es. Teri Cotter, vor nicht allzu langer Zeit aufgenommen. Sie saß draußen auf einem Bürgersteig, möglicherweise irgendwo in Edinburgh, und trug fast genau dieselben Sachen wie am Tag zuvor, als sie Rebus beim Rauchen der Zigarette geholfen hatte. Neben ihr ragten andere Personen ein Stück ins Bild, und sie streckte dem Fotografen ihre gepiercte Zunge heraus.

»Wirkt sehr fröhlich«, bemerkte Siobhan.

Rebus betrachtete das Foto. Er drehte es herum, aber die Rückseite war nicht beschriftet. »Sie hat gesagt, dass sie die Jungen kannte, die ermordet worden sind. Bin nicht auf die Idee gekommen, sie zu fragen, ob sie auch den Mörder kannte.«

»Und Kate Renshaws spontaner Gedanke, dass es eine Verbindung zwischen Herdman und den Cotters gibt?«

Rebus zuckte die Achseln. »Könnte sich vielleicht lohnen, auf Herdmans Konto nach verdächtigen Einzahlungen zu suchen.« Er hörte, wie unten eine Tür zugezogen wurde. »Klingt so, als sei einer der Nachbarn nach Hause gekommen. Wollen wir?«

Siobhan nickte. Sie verließen die Wohnung und stiegen, nachdem sie sorgfältig abgeschlossen hatten, die Treppe hinunter. Im ersten Stock hielt Rebus das Ohr zuerst an die eine, dann an die andere Tür und deutete schließlich auf die zweite. Siobhan klopfte mit der Faust dagegen. Als die Tür aufging, hatte sie bereits ihren Dienstausweis gezückt.

Zwei Nachnamen an der Tür: der Lehrer und seine Freundin. Vor ihnen stand die Freundin. Sie war klein und blond und wäre hübsch gewesen, wenn ihr Unterkiefer nicht etwas schief gestanden hätte, was ihr, wie Siobhan vermutete, häufig einen mürrischen Gesichtsausdruck verlieh.

»Ich bin DS Clarke, das ist DI Rebus«, sagte Siobhan. »Dürften wir Ihnen ein paar Fragen stellen?«

Die junge Frau schaute zwischen beiden hin und her. »Wir haben Ihren Kollegen schon alles gesagt, was wir wissen.«

»Das ist uns klar, Miss«, sagte Rebus. Er sah, wie sich ihr Blick ruckartig senkte und sie seine Handschuhe anstarrte. »Sie wohnen hier doch richtig, oder?«

»Ja.«

»Unseres Wissens sind Sie mit Mr. Herdman gut ausgekommen, obwohl es in seiner Wohnung gelegentlich etwas lautstark zuging.«

»Bloß wenn er eine Party gefeiert hat. Das war für uns kein Problem – wir hauen auch ab und zu mal auf die Pauke.«

»Teilen Sie seine Vorliebe für Heavy Metal?«

Sie kräuselte die Nase. »Ich bin eher ein Robbie-Fan.«

»Sie meint Robbie Williams«, klärte Siobhan Rebus auf.

»Darauf wäre ich auch von allein gekommen«, erwiderte Rebus beleidigt.

»Zum Glück spielte er das Zeug nur bei den Partys.«

»Hat er Sie jemals zu einer davon eingeladen?«

Sie schüttelte den Kopf.

»Zeigen Sie Miss ...«, sagte Rebus zu Siobhan, verstummte dann aber und lächelte die Nachbarin an. »Entschuldigung, ich weiß gar nicht, wie Sie heißen.«

»Hazel Sinclair.«

Er ergänzte das Lächeln um ein Nicken. »DS Clarke, zeigen Sie Miss Sinclair bitte ...«

Aber Siobhan hatte das Foto bereits hervorgeholt. Sie gab es Hazel Sinclair.

»Das ist Miss Teri«, erklärte die junge Frau.

»Sie kennen sie also.«

»Natürlich. Sie sieht immer aus, als würde sie bei der Addams Family mitspielen. Ich sehe sie öfters in der High Street.«

»Aber hier im Haus haben Sie sie noch nie gesehen?«

»Hier?« Sinclair dachte nach, und zwar so angestrengt, dass sich ihr Unterkiefer noch weiter verschob. Dann schüttelte sie den Kopf. »Ich hatte immer gedacht, er sei schwul.«

»Er hatte Kinder«, sagte Siobhan und nahm das Foto wieder entgegen.

»Das hat doch nichts zu bedeuten, oder? Viele Schwule sind verheiratet. Und er ist bei der Armee gewesen, da gibt's doch jede Menge Schwule.«

Siobhan versuchte, nicht zu grinsen. Rebus trat von einem Bein aufs andere.

»Außerdem«, fuhr Hazel Sinclair fort, »habe ich immer nur Kerle die Treppe hochgehen oder runterkommen sehen.« Sie legte eine Kunstpause ein. »Junge Kerle.«

»Sah einer davon so gut aus wie Robbie?«

Sinclair schüttelte theatralisch den Kopf: »Von seinem Hintern würd ich jederzeit mein Frühstück essen.«

»Wir werden versuchen, diese Bemerkung in unserem Bericht nicht zu erwähnen«, meinte Rebus äußerst würdevoll, als beide Frauen in schallendes Gelächter ausbrachen.

Auf der Fahrt zum Yachthafen von Port Edgar sah sich Rebus ein paar Aufnahmen von Lee Herdman an. Die meisten waren aus Zeitungen fotokopiert. Herdman war groß und drahtig, mit wuscheligem grau melierten Haar. Fältchen in den Augenwinkeln, ein Gesicht, das von den Jahren gezeichnet war. Braun gebrannt oder vielmehr wettergegerbt. Bei einem Blick aus dem Autofenster sah Rebus, dass Wolken aufgezogen waren und den Himmel wie ein schmuddeliges Bettlaken bedeckten. Die Fotos waren alle draußen aufgenommen worden: Herdman, wie er auf seinem Boot arbeitete oder hinaus in die Bucht fuhr. Auf einem winkte er offenbar jemandem zu, der an Land geblieben war. Er lächelte über das ganze Gesicht, so als könne er sich kein schöneres Leben vorstellen. Rebus hatte den Reiz von Wassersport nie begriffen. Er war vollauf damit zufrieden, Boote von einem Pub am Ufer aus zu betrachten.

»Sind Sie schon oft auf dem Wasser gewesen?«, fragte er Siobhan.

»Ich bin ein paar Mal mit einer Fähre gefahren.«

»Und wie steht's mit Segelkenntnissen? Sie wissen schon, Spinnaker setzen und so weiter.«

Sie sah ihn an. »Macht man das mit einem Spinnaker?«

»Sehe ich so aus, als wüsste ich das?« Rebus blickte nach oben. Sie fuhren gerade unter der Forth Road Bridge hindurch, denn der Yachthafen befand sich am Ende einer schmalen Straße dicht hinter den riesigen Betonpfeilern, die die Brücke himmelwärts zu heben schienen. Solche Dinge beeindruckten Rebus: nicht die Natur, sondern der menschliche Einfallsreichtum. Ihm kam gelegentlich der Gedanke, dass die größten Errungenschaften der Menschheit aus dem Kampf gegen die Natur resultierten. Die Natur bereitete Probleme, der Mensch fand die Lösung.

»Wir sind da«, sagte Siobhan, als sie den Wagen durch ein offenes Tor steuerte. Der Yachthafen bestand aus einer Reihe von – mehr oder weniger baufälligen – Gebäuden und zwei langen Stegen, die in den Firth of Forth hinausragten. An einem davon lagen ein paar Dutzend Boote. Sie fuhren am Hafenbüro und einem Laden namens Bosun's Locker vorbei und parkten dann vor einem Café.

»Den Unterlagen zufolge gibt es hier einen Segelclub, einen Segelmacher und jemanden, der Radargeräte repariert«, sagte Siobhan beim Aussteigen. Sie wollte zur Beifahrerseite hinübergehen, aber Rebus war in der Lage, die Tür selbst zu öffnen.

»Sehen Sie«, sagte er. »Noch bin ich kein Fall für den Abdecker.« Allerdings schmerzten seine Finger in den Handschuhen. Er reckte sich und schaute sich um. Die Brücke spannte sich weit über ihnen, das Verkehrsrauschen war leiser als erwartet und wurde fast komplett vom Klappern irgendwelcher Teile der Bootsausrüstungen übertönt. Vielleicht waren es ja die Spinnaker, die da klapperten…

»Wem gehört das Ganze hier?«, fragte er.

»Auf einem Schild am Tor stand etwas von Edinburgh Leisure.«

»Der Besitzer ist also die Stadt? Das heißt, im Prinzip gehört das alles uns beiden.«

»Im Prinzip schon«, stimmte Siobhan zu. Sie studierte gerade einen von Hand gezeichneten Lageplan. »Herdmans Bootsschuppen befindet sich rechter Hand hinter den Toiletten.« Sie zeigte die Richtung an. »Da lang, glaube ich.«

»Gut, ich gehe schon mal vor«, sagte Rebus zu ihr. Dann wies er mit dem Kopf auf das Café. »Einen Becher Kaffee, nicht zu heiß.«

»Nicht brühheiß, meinen Sie.« Sie ging zum Eingang des Cafés hinüber. »Kommen Sie auch bestimmt allein klar?«

Rebus blieb beim Auto, als sie drinnen verschwand und die Tür hinter ihr zuklappte. Er holte in aller Ruhe Zigaretten und Feuerzeug aus der Tasche. Öffnete die Schachtel, saugte an einer Zigarette, bis er sie zwischen den Lippen hatte, und zog sie anschließend mit den Zähnen heraus. Nachdem er sich eine windgeschützte Stelle gesucht hatte, klappte das Anzünden mit dem Feuerzeug relativ gut, besser jedenfalls als mit Streichhölzern. Er stand gegen den Wagen gelehnt da und genoss den Rauch, als Siobhan wieder auftauchte.

»Hier, bitteschön«, sagte sie und gab ihm einen halb vollen Becher. »Mit viel Milch.«

Er betrachtete die hellbraune Flüssigkeit. »Danke.«

Gemeinsam machten sie sich auf den Weg, bogen um ein paar Ecken, ohne unterwegs auch nur einem einzigen Menschen zu begegnen, obwohl neben Siobhans Wagen ein halbes Dutzend andere standen. »Dort hinten«, sagte sie und führte sie noch dichter an die Brücke heran. Rebus war aufgefallen, dass einer der beiden langen Stege in Wirklichkeit ein hölzerner Ponton für die Boote von Gästen war.

»Das hier muss es sein«, sagte Siobhan und warf ihren halb vollen Becher in einen Mülleimer. Rebus tat es ihr nach, obwohl er erst ein paar kleine Schlucke von der lauwarmen, milchigen Mixtur getrunken hatte. Falls sie Koffein enthielt, hatte er davon nichts gemerkt. Gott sei Dank gab es Nikotin.

Der Schuppen war wirklich genau das: ein Schuppen, allerdings ein recht ansehnliches Exemplar dieser Spezies. Etwa sechs Meter breit, aus Holzlatten und Wellblech zusammengezimmert. Die vordere Wand wurde zur Hälfte von einer geschlossenen Schiebetür eingenommen. Zwei Eisenketten lagen auf dem Boden, ein Beweis, dass sich die Polizei mit Hilfe eines Bolzenschneiders gewaltsam Einlass verschafft hatte. Blauweißes Plastikband ersetzte nun die Ketten, und jemand hatte eine amtliche Warnung an die Tür geklebt, derzufolge das Betreten strafbar war. Ein handgemachtes Schild in Augenhöhe verkündete, dass der Schuppen »SKI UND BOOT – Inh. L. Herdman« beherbergte.

»Sehr einprägsamer Name«, sinnierte Rebus, während Siobhan das Plastikband entfernte und die Tür aufschob.

»Und es werden keine falschen Erwartungen geweckt«, ergänzte sie. Hier hatte Herdman also die Firma betrieben, die es ihm ermöglichte, angehende Freizeitkapitäne zu unterrichten und seinen Wasserski-Schülern eine Heidenangst einzujagen. Rebus sah ein Dingi, vermutlich sechs Meter lang. Es lag auf einem Anhänger, dessen Reifen etwas Druckluft gebrauchen konnten. Außerdem zwei Motorboote, ebenfalls auf Anhängern, deren Außenborder genauso blitzblank waren wie der daneben stehende, neu aussehende Jetski. Der Schuppen wirkte fast zu ordentlich und sauber, so als wäre er von einem Zwangsneurotiker geputzt worden. An einer Wand stand eine Werkbank, über der fein säuberlich aufgereiht die Werkzeuge hingen. Einzig ein öliger Lappen wies darauf hin, dass hier tatsächlich gearbeitet worden war, ansonsten hätte ein nichts ahnender Besucher den Eindruck gehabt, er sei in einen Ausstellungsraum des Yachthafens geraten.

»Wo hat man das Gewehr gefunden?«, fragte Rebus, als er den Schuppen betrat.

»Unter der Werkbank.«

Rebus sah genauer hin: ein akkurat durchtrenntes Vorhängeschloss lag auf dem Betonboden. Eine Schranktür stand offen und gab den Blick auf Schraubenzieher und -schlüssel frei.

»Ich glaube nicht, dass wir hier noch etwas finden«, stellte Siobhan fest.

»Wahrscheinlich nicht.« Aber Rebus interessierte sich dennoch für das Innere des Schuppens, denn er war neugierig, was es ihm über Herdman verriet. Bislang hatte es ihm verraten, dass Herdman sich offenbar gewissenhaft um seine Boote gekümmert und seinen Arbeitsplatz ordentlich hinterlassen hatte. Seine Wohnung hatte das Bild eines Menschen vermittelt, der privat eher schlampig war. Aber beruflich… beruflich gestattete Herdman sich keine Schludrigkeiten. Das passte zu seiner Vorgeschichte. Ein echter Soldat ließ nicht zu, dass sein Privatleben, egal wie verkorkst es auch sein mochte, Auswirkungen auf die Arbeit hatte. Rebus hatte Kameraden gehabt, deren Ehe kurz vor dem Scheitern war und die dennoch auf den makellosen Zustand ihrer Ausrüstung achteten, vielleicht weil sie dem Feldwebel zustimmten, der es einmal so formuliert hatte: *Die Armee ist die schärfste Braut, die ihr je haben werdet…*

»Was meinen Sie?«, fragte Siobhan.

»Es kommt einem fast so vor, als hätte er mit dem Besuch des Gewerbeaufsichtsamtes gerechnet.«

»Seine Boote scheinen mir mehr wert zu sein als seine Wohnung.«

»Stimmt.«

»Anzeichen einer gespaltenen Persönlichkeit…«

»Wieso das?«

»Chaos zu Hause und genau das Gegenteil am Arbeitsplatz. Die Wohnung und die Möbel billig, die Boote teuer…«

»Sie sind ja eine echte Psychologin«, ertönte eine laute Stimme hinter ihnen. Sie gehörte zu einer stämmigen Frau um die fünfzig, deren zu einem Nackenknoten zusammengefasstes Haar so straff gespannt war, dass es aussah, als würde ihr Gesicht nach vorne gedrückt werden. Sie trug ein schwarzes Kostüm und schlichte schwarze Schuhe. Eine olivgrüne Bluse mit einer Perlenkette um den Hals. Über einer Schulter hing ein schwarzer Lederrucksack. Neben ihr stand ein hoch gewachsener, breitschultriger Mann mit kurz geschorenem Haar, der etwa halb so alt wie sie war und die Hände vor dem Körper verschränkt hatte. Er trug einen schwarzen Anzug, ein weißes Hemd und eine marineblaue Krawatte.

»Sie müssen DI Rebus sein«, sagte die Frau und trat forsch auf ihn zu, so als wolle sie ihm die Hand geben, und zeigte sich unbeeindruckt, als er nicht reagierte. Ihre Stimme war um ein Dezibel leiser geworden. »Ich heiße Whiteread, das ist Simms.« Mit ihren kleinen, wachsamen Augen fixierte sie Rebus. »Sie waren in der Wohnung, nehme ich an. Hogan meinte, Sie würden wahrscheinlich…« Sie verstummte, als sie sich, ebenso forsch wie zuvor, von Rebus entfernte und ins Innere des Schuppens begab. Sie lief um das Dingi herum und taxierte es dabei mit dem Blick eines potentiellen Käufers. Englischer Akzent, dachte Rebus.

»Ich bin DS Clarke«, meldete sich Siobhan zu Wort. Whiteread blickte sie an und lächelte für den Bruchteil einer Sekunde.

»Das war mir klar«, sagte sie.

Inzwischen war Simms herübergekommen, hatte sich selber noch einmal mit Namen vorgestellt und sich dann an Siobhan gewandt, um dieselbe Prozedur zu wiederholen, dieses Mal allerdings mit Händeschütteln. Auch sein Akzent war englisch, sein Tonfall emotionslos, das höfliche Benehmen reine Formalität.

»Wo wurde das Gewehr gefunden?«, fragte Whiteread. Dann entdeckte sie das kaputte Vorhängeschloss, beantwortete sich mit einem Nicken ihre Frage selbst, ging hinüber zur Werkbank und hockte sich davor hin, wobei ihr Rock nur bis knapp über die Knie hochrutschte.

»Mac 10«, bemerkte sie. »Berüchtigt für Ladehemmungen.« Sie stand wieder auf und strich ihren Rock glatt.

»Besser als manch andere Ausrüstung«, erwiderte Simms. Nachdem das Vorstellungsritual nun erledigt war, stand er zwischen Rebus und Siobhan, die Beine leicht gespreizt, die Hände erneut vor dem Körper verschränkt.

»Wie wär's, wenn Sie sich ausweisen würden?«, fragte Rebus.

»DI Hogan weiß, dass wir hier sind«, antwortete Whiteread beiläufig. Inzwischen inspizierte sie die Arbeitsplatte der Werkbank. Rebus ging langsam zu ihr hinüber.

»Ich habe Sie gebeten, sich auszuweisen«, sagte er.

»Das ist mir durchaus bewusst«, sagte Whiteread, während sie ihre Aufmerksamkeit einem Kabuff an der Rückseite des Schuppens zuwandte, das wie ein Büro aussah. Sie lief darauf zu, dicht gefolgt von Rebus.

»Marschschritt«, sagte er warnend. »Todsicheres Erkennungszeichen.« Sie sagte nichts. Das Büro war früher offenbar mit einem großen Vorhängeschloss gesichert, aber auch das war gewaltsam geöffnet worden, und die Tür hatte man später mit polizeilichem Plastikband gesichert. »Außerdem hat Ihr Partner das Wort ›Ausrüstung‹ benutzt«, fuhr Rebus fort. Whiteread löste das Band und schaute hinein. Schreibtisch, Stuhl, ein Aktenschrank. Für mehr war kein Platz, wenn man von einem Apparat auf einem Regalbrett absah, bei dem es sich um ein Funksprechgerät zu handeln schien. Weder Computer noch Fotokopierer noch Fax. Die Schreibtischschubladen waren geöffnet und durchsucht worden. Whiteread holte einen Stapel Papiere aus einer der Schubladen und begann ihn durchzublättern.

»Sie sind vom Militär«, stellte Rebus, die Stille beendend, fest. »Sie sind zwar in Zivil, aber Sie sind trotzdem vom Militär. Beim SAS gibt's meines Wissens keine Frauen, wer also sind Sie?«

Sie drehte den Kopf ruckartig zu ihm hin. »Ich bin jemand, der Hilfe anbietet.«

»Wobei?«

»Bei so etwas.« Sie wandte sich wieder dem Papierstapel zu. »Damit sich dergleichen nicht wiederholt.«

Rebus starrte sie an. Siobhan und Simms standen dicht vor der Tür. »Siobhan, rufen Sie Bobby Hogan an. Ich will wissen, was er über die beiden weiß.«

»Er weiß, dass wir hier sind«, sagte Whiteread, ohne hochzuschauen. »Er hat mich sogar darauf hingewiesen, dass wir Ihnen womöglich begegnen würden. Woher sollte ich sonst Ihren Namen kennen?«

Siobhan hatte das Handy in der Hand. »Rufen Sie an«, forderte Rebus sie auf.

Whiteread stopfte die Papiere zurück in die Schublade und schloss sie. »Sie haben damals die Aufnahme in das Regiment nicht geschafft, stimmt's, DI Rebus?« Sie drehte sich langsam zu ihm um. »Ich habe gehört, Sie seien mit der Ausbildung überfordert gewesen.«

»Wie kommt es, dass Sie keine Uniform tragen?«, fragte Rebus.

»Manche Leute fürchten sich vor Uniformen«, sagte Whiteread.

»Tatsächlich? Könnte es nicht eher sein, dass Sie schlechte PR vermeiden wollen?« Rebus schenkte ihr ein kühles Lächeln. »Macht keinen guten Eindruck, wenn einer Ihrer Ex-Kameraden austickt, was? Also wollen Sie die Leute auf gar keinen Fall daran erinnern, dass er zu Ihrem Verein gehört hat.«

»Was passiert ist, ist passiert. Hauptsache, wir verhindern, dass es erneut geschieht.« Schweigend stand sie ihm von Angesicht zu Angesicht gegenüber. Einen halben Kopf kleiner als er, ihm aber absolut ebenbürtig. »Was stört Sie daran?« Sie erwiderte jetzt sein Lächeln. Seines war schon kühl gewesen, aber ihres kam direkt aus dem Gefrierfach. »Sie sind damals an den Anforderungen gescheitert. Davon sollten Sie sich nicht beeinflussen lassen, Detective Inspector.«

Rebus glaubte, statt »Detective« »Defective« – geistesgestört – verstanden zu haben. Entweder lag es an ihrer Aussprache, oder sie hatte originell sein wollen. Siobhan hatte telefonisch jemanden in der Schule erreicht, aber es würde einen Moment dauern, bis Hogan an den Apparat kam.

»Ich würde mir das Boot dort gerne von innen ansehen«, sagte Whiteread zu ihrem Partner und schob sich an Rebus vorbei.

»Da drüben ist eine Leiter«, sagte Simms. Rebus versuchte, den Akzent einzuordnen: womöglich Yorkshire oder Lancashire. Bei Whiteread war er sich nicht sicher. Home Counties, also eine der Grafschaften um London herum. Ein spezielles Englisch, typisch für die Absolventen teurer Privatschulen. Rebus fiel außerdem auf, dass Simms sich weder in seinem Anzug noch in seiner Rolle wohl zu fühlen schien. Vielleicht hing auch das mit der Klassenzugehörigkeit zusammen, oder er musste sich sowohl an das eine als auch das andere erst gewöhnen.

»Ich heiße übrigens John mit Vornamen«, sagte Rebus zu ihm. »Und Sie?«

Simms sah Whiteread an. »Na los, sagen Sie's ihm!«, fauchte sie.

»Gav... Gavin.«

»Gav für Ihre Freunde und Gavin, wenn Sie dienstlich zu tun haben?«, riet Rebus. Siobhan gab ihm das Telefon.

»Bobby, was zum Teufel ist in dich gefahren, zwei Mistkäfern von den Streitkräften Ihrer Majestät zu erlauben, dass sie auf unserem Fall herumkrabbeln.« Er hörte einen Moment lang zu, was am anderen Ende gesagt wurde, dann erwiderte er: »Ich habe das Wort mit Absicht gewählt, Bobby, denn sie fangen gerade an, auf Herdmans Booten herumzukrabbeln.« Ein weiteres kurzes Schweigen. »Darum geht es doch gar nicht...« Und dann: »Okay, okay. Wir sind schon unterwegs.« Er drückte Siobhan das Telefon in die Hand. Simms hielt die Leiter fest, während Whiteread hinaufstieg.

»Wir verschwinden dann jetzt«, rief Rebus ihr zu. »Und falls wir uns nie wieder sehen..., dann werde ich innerlich heulen wie ein Schlosshund. Mein Lächeln wird reine Tarnung sein.«

Er wartete darauf, dass die Frau etwas sagte, aber sie befand sich inzwischen an Bord und schien sich nicht mehr für ihn zu interessieren. Simms, der nun ebenfalls die Leiter hochstieg, warf den beiden Polizisten einen Blick über die Schulter zu.

»Ich hätte nicht übel Lust«, sagte Rebus zu Siobhan, »mir die Leiter zu schnappen und abzuhauen.«

»Ich glaube nicht, dass sie das lange aufhalten würde.«

»Stimmt wahrscheinlich«, gab er zu. Dann, mit lauterer

Stimme: »Eine Sache noch Whiteread – der kleine Gav hat Ihnen eben unter den Rock geguckt!«

Als Rebus sich umdrehte, um wegzugehen, zuckte er in Siobhans Richtung die Achseln, wie um einzugestehen, dass es ein billiger Spruch gewesen war.

Billig, aber befriedigend.

»Im Ernst, Bobby, was ist in dich gefahren?« Rebus marschierte einen der langen Schulflure entlang, in Richtung auf eine Kammer, die wie ein begehbarer Tresor aussah, und zwar einer von der altmodischen Sorte, mit Drehrad und mehreren Kombinationsschlössern. Sowohl die äußere Stahltür als auch die sich dahinter befindende Gittertür standen offen. Hogan starrte in den Tresorraum hinein.

»Diese Arschlöcher haben hier nichts zu suchen, verdammt noch mal.«

»John«, sagte Hogan ruhig. »Ich glaube, du hast den Direktor noch nicht kennen gelernt…« Er wies in den Tresorraum, in dem ein Mann mittleren Alters stand, umgeben von genügend Waffen für eine Revolution. »Dr. Fogg«, sagte Hogan, um ihn Rebus vorzustellen.

Fogg trat über die Schwelle nach draußen. Er war klein und kompakt, sah aus wie ein ehemaliger Boxer: Ein Ohr wirkte geschwollen, und sein Gesicht wurde von seiner breiten Nase dominiert. »Eric Fogg«, sagte er und schüttelte Rebus die Hand.

»Entschuldigen Sie bitte meine Wortwahl eben, Sir. Ich bin DI Rebus.«

»Wer in einer Schule arbeitet, bekommt Schlimmeres zu hören«, erwiderte Fogg, und es klang wie eine Floskel, die er schon unzählige Male benutzt hatte.

Siobhan war inzwischen nachgekommen, und sie wollte sich gerade selber vorstellen, als sie den Inhalt des Tresorraums sah.

»Oh, mein Gott!«, rief sie.

»Genau das habe ich auch gedacht«, pflichtete Rebus bei.

»Ich habe DI Hogan gerade erklärt«, hub Fogg an, »dass die meisten nichtstaatlichen Schulen über dergleichen verfügen.«

»Es geht um die CCF, stimmt's, Dr. Fogg?«, fügte Hogan hinzu.

Fogg nickte. »Combined Cadet Force: Armee-, Marine- und Luftwaffenkadetten. Sie halten jeden Freitagnachmittag eine Parade ab.« Er schwieg einen Augenblick. »Ein starker Anreiz ist vermutlich, dass die Teilnehmer sich zu diesem Anlass der Schuluniform entledigen können.«

»Zugunsten einer eher paramilitärischen Aufmachung?«, vermutete Rebus.

»Vollautomatische, halbautomatische und andere Gewehre«, verkündete Hogan.

»Schreckt wahrscheinlich manchen Einbrecher ab.«

»Gerade habe ich DI Hogan darauf hingewiesen«, sagte Fogg, »dass die Polizei Anweisung hat, zuerst diese Waffenkammer zu überprüfen, wenn hier in der Schule Alarm ausgelöst wird. Diese Bestimmung stammt aus der Zeit, als sich Gruppierungen wie die IRA Waffen beschaffen wollten.«

»Die Munition wird aber hoffentlich nicht hier aufbewahrt, oder?«, fragte Siobhan.

Fogg schüttelte den Kopf. »Auf dem Schulgelände befindet sich keine scharfe Munition.«

»Aber die Gewehre sind einsatzbereit? Sie sind nicht unbrauchbar gemacht worden?«

»Nein, sie sind durchaus einsatzbereit.« Der Blick, mit dem er in den Tresorraum sah, wirkte beinahe angewidert.

»Sie halten nicht allzu viel von diesem Brauch?«, vermutete Rebus.

»Ich glaube, es… besteht eine gewisse Gefahr, dass sein Nutzen mehr und mehr an Bedeutung verlieren könnte.«

»Wahrhaft diplomatisch formuliert«, sagte Rebus, was ihm ein gezwungenes Lächeln des Direktors einbrachte.

»Herdmans Gewehr stammt aber nicht von hier?«, fragte Siobhan.

Hogan schüttelte den Kopf. »Das ist eine Sache, bei der ich auf die Hilfe der Ermittler vom Militär hoffe.« Er sah Rebus an. »Es sei denn, du kennst die Antwort.«

»Jetzt hör aber auf, Bobby. Wir sind erst knapp fünf Minuten hier.«

»Unterrichten Sie auch, Sir?«, fragte Siobhan Fogg, in der Hoffnung, dadurch den Streit zu vermeiden, der sich womöglich zwischen ihren beiden ranghöheren Kollegen anbahnte.

Fogg schüttelte den Kopf. »Früher einmal: Religion und Ethik.«

»Bei Teenagern einen Sinn für Ethik wecken? Das muss ziemlich mühsam sein.«

»Bislang bin ich noch keinem Teenager begegnet, der einen Krieg begonnen hat.« Dem Tonfall fehlte es etwas an Überzeugungskraft: eine weitere einstudierte Reaktion auf eine häufige Bemerkung.

»Nur weil wir ihnen in der Regel die nötigen Kampfmittel vorenthalten«, bemerkte Rebus, der erneut das Waffenarsenal betrachtete.

Fogg schloss gerade die Gittertür ab.

»Es fehlt also nichts?«, fragte Rebus.

Hogan schüttelte den Kopf. »Aber beide Opfer waren Mitglied der CCF.«

Rebus sah Fogg an, der zustimmend nickte. »Anthony war mit großer Begeisterung dabei... Derek mit etwas weniger.«

Anthony Jarvies: der Sohn des Richters. Sein Vater, Roland Jarvies, war an schottischen Gerichten wohl bekannt. Rebus hatte etwa fünfzehn bis zwanzig Mal bei Verhandlungen als Zeuge ausgesagt, die Lord Jarvies geistreich und, wie es ein Anwalt einmal genannt hatte, »mit Argusaugen« geleitet hatte. Rebus hatte zwar keine Ahnung, wer Argus gewesen war, aber er wusste genau, was es bedeutete.

»Es würde uns interessieren«, sagte Siobhan gerade, »ob sich schon jemand mit Herdmans Finanzen beschäftigt hat.«

Hogan schaute sie an. »Sein Steuerberater war sehr hilfsbereit. Die Firma stand keinesfalls kurz vor der Pleite.«

»Irgendwelche mysteriösen Gutschriften auf einem Konto?«, fragte Rebus.

Hogan kniff die Augen zusammen. »Wieso?«

Rebus schaute unauffällig in Foggs Richtung. Der Direktor merkte es trotzdem.

»Wollen Sie, dass ich …?«, sagte Fogg.

»Wir sind leider noch nicht ganz fertig, Dr. Fogg.« Hogans Blick traf den von Rebus. »Ich gehe davon aus, dass alles, was DI Rebus sagen möchte, unter uns bleibt.«

»Selbstverständlich«, versicherte Fogg. Er hatte die Tür des Tresorraums verriegelt und drehte jetzt am Zahlenschloss.

»Der andere tote Junge«, begann Rebus Hogan zu erklären. »Er war letztes Jahr in einen Autounfall verwickelt. Der Fahrer kam dabei um. Wir haben uns gefragt, ob trotz des zeitlichen Abstandes Rache das Motiv gewesen sein könnte.«

»Das wäre keine Erklärung dafür, wieso Herdman sich anschließend selbst abgeknallt hat.«

»Vielleicht hat er die Sache vermurkst«, sagte Siobhan, die Arme verschränkend. »Er trifft versehentlich zwei Unschuldige, gerät in Panik …«

»Ihr meint also, wir sollten überprüfen, ob Herdman in letzter Zeit von irgendwem eine größere Zahlung erhalten hat?«

Rebus nickte.

»Ich werde jemanden darauf ansetzen. Sein Steuerberater hat nur etwas von einem fehlenden Computer erwähnt.«

»Ach?«

Siobhan fragte, ob es sich um Steuerhinterziehung handeln könne.

»Möglicherweise«, stimmte Hogan zu. »Aber es gibt eine Quittung. Wir haben mit dem Laden gesprochen, wo er den Apparat gekauft hat – ein hochmodernes Gerät.«

»Könnte er das Ding weggeschmissen haben?«, fragte Rebus.

»Warum sollte er?«

Rebus zuckte die Achseln.

»Vielleicht um Spuren zu beseitigen?«, schlug Fogg vor. Als ihn die anderen ansahen, senkte er den Blick. »Nicht, dass es mich etwas angeht...«

»Sie brauchen sich wirklich nicht zu entschuldigen, Sir«, versicherte Hogan ihm. »Könnte eine gute Idee sein.«

Hogan rieb sich mit einer Hand die Augen, dann wandte er sich wieder Rebus zu. »Sonst noch was?«

»Diese Arschlöcher vom Militär«, begann Rebus. Hogan hob die Hand.

»Finde dich mit ihnen ab.«

»Begreif doch, die beiden sind nicht hier, um Licht ins Dunkel zu bringen. Denen liegt eher am Gegenteil. Sie wollen nicht, dass seine SAS-Vergangenheit Thema wird, darum die Zivilkleidung. Statt Whiteread müsste die Frau eigentlich ›Whitewash‹ heißen, denn sie will ihren Laden reinwaschen, sonst nichts.«

»Hör mal, es tut mir Leid, wenn sie dir auf die Füße treten –«

»Oder uns zu Tode trampeln«, unterbrach ihn Rebus.

»John, dieser Fall ist momentan wichtiger als du und ich, wichtiger als *alles andere*!« Hogan hatte die Stimme erhoben, und sie zitterte leicht. »So einen Scheiß kann ich in dieser Lage überhaupt nicht gebrauchen!«

»Achte bitte auf deine Wortwahl, Bobby«, sagte Rebus und sah bedeutungsvoll zu Fogg hinüber.

Genau wie von Rebus erhofft, fiel Hogan der Wutanfall ein, den Rebus erst vor ein paar Minuten gehabt hatte, und er verzog das Gesicht zu einem Lächeln.

»Mach einfach deine Arbeit, okay?«

»Auf uns kannst du dich verlassen, Bobby.«

Siobhan trat einen Schritt vor. »Eine Bitte hätten wir noch…« Sie ignorierte Rebus' Blick, einen Blick, der besagte, dass ihm das völlig neu war. »Wir würden gerne den dritten Jungen befragen.«

Hogan runzelte die Stirn. »James Bell? Weswegen?« Seine Augen waren auf Rebus gerichtet, aber Siobhan antwortete an seiner Stelle.

»Weil er als Einziger von den vier Personen in dem Klassenzimmer noch am Leben ist.«

»Wir haben schon mehrmals mit ihm gesprochen. Der Junge ist verletzt und steht garantiert noch unter Schock.«

»Wir wären besonders rücksichtsvoll«, meinte Siobhan ruhig, aber beharrlich.

»*Sie* vielleicht, aber meine Bedenken gelten auch gar nicht Ihnen…« Sein Blick ruhte immer noch auf Rebus.

»Es wäre gut, eine Schilderung aus erster Hand zu hören«, sagte Rebus. »Wie Herdman sich verhalten hat, ob er etwas gesagt hat. Offenbar hat ihn niemand in den Stunden zuvor gesehen: weder die Nachbarn noch irgendwer am Hafen. Es gibt ein paar Lücken, die ausgefüllt werden sollten.«

Hogan seufzte. »Hört euch zuerst die Kassetten an.« Gemeint waren die Aufnahmen der Befragungen von James Bell. »Wenn ihr dann immer noch meint, unbedingt selbst mit ihm sprechen zu müssen… na ja, dann reden wir noch mal drüber.«

»Vielen Dank, Sir«, sagte Siobhan, die das Gefühl hatte, in der Situation sei eine gewisse Förmlichkeit angemessen.

»Ich sagte: Dann reden wir drüber. Ich verspreche nichts.« Hogan hob warnend einen Finger.

»Und du kümmerst dich darum, dass jemand noch einmal einen Blick auf seine Finanzen wirft?«, fügte Rebus hinzu. »Nur für alle Fälle.«

Hogan nickte müde.

»Ah, da sind Sie ja!«, dröhnte eine Stimme. Jack Bell kam vom anderen Ende des Flurs auf sie zumarschiert.

»Verdammt«, murmelte Hogan. Aber Bells Interesse galt dem Direktor.

»Eric«, sagte er laut, »was zum Teufel muss ich da hören? Sie weigern sich, offiziell zu erklären, dass die Sicherheit Ihrer Schüler nur in unzureichendem Maße gewährleistet ist?«

»Die Sicherheit ist in ausreichendem Maße gewährleistet, Jack«, sagte Fogg seufzend, ein Zeichen dafür, dass diese Meinungsverschiedenheit nicht zum ersten Mal auftauchte.

»Vollkommener Unsinn, und das wissen Sie genau. Hören Sie, ich will bloß deutlich machen, dass aus Dunblane keine Lehren gezogen worden sind.« Er hob einen Finger. »Unsere Schulen sind immer noch nicht sicher...« Ein zweiter Finger schnellte in die Höhe. »Das Land wird von Waffen überschwemmt.« Er legte eine Kunstpause ein. »Es muss etwas geschehen, begreifen Sie das doch endlich.« Er kniff die Augen zusammen. »Ich hätte meinen Sohn verlieren können.«

»Eine Schule ist keine Festung, Jack«, argumentierte der Direktor, aber erfolglos.

»Neunzehnhundertsiebenundneunzig«, fuhr Bell gnadenlos fort, »wurden als Konsequenz des Amoklaufs in Dunblane Handfeuerwaffen ab Kaliber 22 verboten. Menschen, die rechtmäßig im Besitz von Waffen waren, haben diese abgegeben, und was war der Erfolg davon?« Er sah sich um, aber niemand antwortete. »Die Einzigen, die ihre Waffen behalten haben, waren die Kriminellen, und es scheint für diese Leute immer einfacher zu werden, sich Schusswaffen jeglicher Art zu besorgen!«

»Sie predigen dem falschen Publikum«, stellte Rebus fest.

Bell starrte ihn an. »Gut möglich«, stimmte er zu und zeigte mit dem Finger auf sein Gegenüber. »Denn Sie und Ihre Kollegen scheinen vollkommen unfähig zu sein, das Problem auch nur ansatzweise zu lösen!«

»Nun machen Sie aber mal halblang, Sir«, mischte Hogan sich ein.

»Lass ihn sich weiter aufplustern, Bobby«, unterbrach ihn Rebus. »Vielleicht hilft die heiße Luft der Schule, Heizkosten zu sparen.«

»Wie können Sie es wagen!«, blaffte Bell. »Was unterstehen Sie sich, so mit mir zu reden?«

»Ich würde sagen, es war meine freie *Wahl*«, erwiderte Rebus, mit der Betonung auf dem Wort, das den Abgeordneten an die größte Unwägbarkeit in seinem Beruf erinnern sollte.

Das darauf folgende Schweigen wurde durch das Trillern von Bells Handy beendet. Er warf Rebus einen abfälligen Blick zu, ehe er sich umdrehte und ein paar Schritte den Flur hinunterging, um den Anruf entgegenzunehmen.

»Ja? Was?« Er schaute auf seine Armbanduhr. »Radio oder Fernsehen?« Hörte erneut zu. »Lokaler oder landesweiter Sender? Nur, wenn es ein landesweiter ist, sonst nicht...« Er entfernte sich weiter, woraufhin sich sein ehemaliges Publikum etwas entspannte und mit Blicken und Gesten Kommentare abgab.

»Nun denn«, sagte der Direktor. »Es wird das Beste sein, wenn ich mich wieder...«

»Dürfte ich Sie in Ihr Büro begleiten, Sir?«, fragte Hogan. »Es gibt da noch ein paar Dinge, über die wir reden müssen.« Er nickte Rebus und Siobhan zu. »Ihr geht wieder an die Arbeit«, sagte er.

»Ja, Sir«, erwiderte Siobhan. Plötzlich war außer Rebus und ihr niemand mehr im Flur. Sie blähte die Backen und atmete dann geräuschvoll aus. »Dieser Bell ist wirklich ein reizender Zeitgenosse.«

Rebus nickte. »Er wird aus dieser Sache so viel Kapital schlagen wie irgend möglich.«

»Er wäre kein Politiker, wenn er das nicht täte.«

»Natürlicher Instinkt, was? Komisch, wie das Leben so spielt. Nachdem man ihn in Leith aufgegriffen hatte, wäre seine Karriere fast im Eimer gewesen.«

»Glauben Sie, er will sich ein bisschen an uns rächen?«

»Er wird uns bei der erstbesten Gelegenheit in die Pfanne hauen. Wir sollten aufpassen, dass wir keine Zielscheibe abgeben.«

»Und das eben gerade entsprach Ihrer Vorstellung von ›keine Zielscheibe abgeben‹? Ihm solche Dinge zu sagen?«

»Man muss sich ab und zu ein Späßchen gönnen, Siobhan.« Rebus starrte den leeren Flur hinunter. »Meinen Sie, Bobby kommt mit alldem klar?«

»Ehrlich gesagt, sah er ziemlich geschafft aus. Übrigens... meinen Sie nicht, dass er es erfahren sollte?«

»Was?«

»Dass Sie mit den Renshaws verwandt sind.«

Rebus blickte sie durchdringend an. »Das würde die Sache wahrscheinlich zusätzlich komplizieren. Und damit täte man Bobby momentan wirklich keinen Gefallen.«

»Die Entscheidung liegt bei Ihnen.«

»Stimmt genau. Und wir wissen ja beide, dass ich niemals Fehler mache.«

»Das hatte ich doch glatt vergessen«, sagte Siobhan.

»War mir ein Vergnügen, Sie daran zu erinnern, DS Clarke. Stets zu Diensten...«

5

Das Polizeirevier von South Queensferry befand sich in einem länglichen, größtenteils einstöckigen Kasten gegenüber einer episkopalischen Kirche. Laut einem draußen angebrachten Schild war die Wache werktags von neun bis siebzehn Uhr für den Publikumsverkehr geöffnet und mit einem »Zivilangestellten« besetzt. Ein zweites Schild verkündete, dass die Polizei, entgegen anders lautender Gerüchte, rund um die Uhr im Ort präsent war. In dieser öden Umgebung waren alle Zeugen befragt worden, mit Ausnahme von James Bell.

»Urgemütlich, was?«, sagte Siobhan, als sie die Eingangstür öffnete. Es gab einen kurzen schmalen Wartebereich, in dem sich nur ein Polizist in Uniform aufhielt, der sofort seine Motorradzeitschrift weglegte und sich erhob.

»Nur keine Umstände«, sagte Rebus zu ihm, während Siobhan ihren Dienstausweis vorzeigte. »Wir wollen uns die James-Bell-Kassetten anhören.«

Der Polizist nickte, schloss eine Tür auf und führte sie in einen tristen, fensterlosen Raum. Tisch und Stühle hatten schon bessere Zeiten gesehen. Ein Kalender des vergangenen Jahres – der die Vorzüge eines örtlichen Ladengeschäfts pries – vergilbte an der Wand. Auf einem Aktenschrank stand ein Kassettenrekorder. Der Uniformierte stellte ihn auf den Tisch und stöpselte ihn ein. Dann schloss er den Schrank auf und holte eine Kassette heraus, die in einem Plastikbeutel steckte.

»Das ist die erste von vier«, erklärte er. »Sie müssen den Empfang quittieren.« Siobhan folgte der Aufforderung.

»Wie steht's mit einem Aschenbecher?«, fragte Rebus.

»Tut mir Leid, Sir. Rauchen ist nicht gestattet.«

»So genau wollte ich's gar nicht wissen.«

116

»Ja, Sir.« Der Uniformierte versuchte, nicht auf Rebus' Handschuhe zu starren.

»Gibt's hier einen Wasserkocher?«

»Nein, Sir.« Der Constable schwieg einen Moment. »Manchmal kommt jemand aus der Nachbarschaft mit einer Thermoskanne oder einem Stück Kuchen vorbei.«

»Wie stehen die Chancen, dass so etwas in den nächsten zehn Minuten passiert?«

»Ziemlich schlecht, würde ich sagen.«

»Na, dann gehen Sie jetzt mal auf Beutetour. Gute Gelegenheit, Pluspunkte für Einfallsreichtum zu sammeln.«

Der Polizist zögerte. »Ich habe Anweisung, hier zu bleiben.«

»Wir halten so lange die Stellung, junger Freund«, sagte Rebus, zog sein Jackett aus und hängte es über eine der Stuhllehnen.

Der Uniformierte schaute skeptisch drein.

»Für mich mit Milch«, sagte Rebus.

»Für mich auch und ohne Zucker«, fügte Siobhan hinzu.

Der Polizist blieb noch ein paar Sekunden stehen und sah ihnen zu, während sie es sich so bequem machten, wie der Raum es zuließ.

Dann ging er rückwärts hinaus und schloss die Tür hinter sich.

Rebus und Siobhan warfen einander einen Blick zu und lächelten komplizenhaft. Siobhan hatte den Bericht über James Bell mitgebracht, und Rebus las ihn, während sie die Kassette aus dem Beutel nahm und ins Gerät schob.

Achtzehn... Sohn des Abgeordneten Jack Bell und dessen Frau Felicity, die in der Verwaltung des Traverse Theatre arbeitete. Die Familie wohnte in Barnton. James hatte vor, später Politologie und Wirtschaftswissenschaften zu studieren... seinen Lehrern zufolge war er ein »fähiger Schüler«: »James ist eher eigenbrötlerisch und introvertiert, kann jedoch, wenn er will, sehr liebenswürdig sein.« Er spielte lieber Schach, als dass er Sport trieb.

»Nicht gerade das Holz, aus dem man Militärkadetten schnitzt«, sinnierte Rebus. Kurz drauf lauschte er James Bells Stimme.

Die ihn befragenden Polizisten nannten ihren Namen: DI Hogan, DC Hood. Es war schlau von Hogan gewesen, Grant Hood mitzunehmen. Da er für die Öffentlichkeitsarbeit zuständig war, hatte er besonderes Interesse an der Zeugenaussage des einzigen Überlebenden. Einige Details davon würde er Journalisten verraten, die ihm einen Gefallen taten. Es war wichtig, dass man die Presse nicht gegen sich hatte. Ebenso wichtig war es, so viel Einfluss wie möglich auf sie auszuüben. An James Bell kamen die Journalisten vorerst nicht heran. Sie mussten sich an Grant Hood halten.

Bobby Hogan nannte Datum und Uhrzeit – Montagabend – und den Ort der Befragung – die Notaufnahme der Royal Infirmary. Bell war an der linken Schulter verletzt. Ein glatter Durchschuss, die Kugel hatte die Knochen verfehlt und war in der Wand des Aufenthaltsraums gelandet.

»Sind Sie in der Lage mit uns zu reden, James?«

»Glaub schon … tut saumäßig weh.«

»Das wundert mich nicht. Damit alles seine Ordnung hat: Sie heißen James Elliot Bell, ist das richtig?«

»Ja.«

»Elliot?«, fragte Siobhan.

»Mädchenname der Mutter«, erklärte Rebus, nach einem erneuten Blick auf den Bericht.

Kaum Hintergrundgeräusche: es musste ein Privatzimmer im Krankenhaus sein. Ein Räuspern von Grant Hood. Der Klagelaut eines quietschenden Stuhls. Wahrscheinlich hielt Hood das Mikro, und sein Stuhl stand deshalb dicht beim Bett. Er richtete das Mikro abwechselnd auf Hogan und den Jungen, nicht immer ohne Verzögerung, weshalb

118

manchmal eine der beiden Stimmen für einen Moment undeutlich klang.

»Können Sie mir erzählen, was passiert ist, Jamie?«

»Entschuldigen Sie, aber ich heiße James. Dürfte ich einen Schluck Wasser bekommen?«

Man hörte, wie das Mikrofon auf die Bettdecke gelegt und Wasser eingeschenkt wurde.

»Vielen Dank.« Kurz darauf wurde der Becher auf dem Nachttisch abgestellt. Rebus dachte daran, wie sein Becher heruntergefallen war und Siobhan ihn aufgefangen hatte. Genau wie James Bell war er am Montagabend im Krankenhaus gewesen...

»Es war am Vormittag während der großen Pause. Die Pause dauert zwanzig Minuten. Ich war im Aufenthaltsraum.«

»Sind Sie oft dort?«

»Mir gefällt's da besser als draußen.«

»Es war aber ziemlich gutes Wetter: relativ warm.«

»Ich bleibe lieber drinnen. Glauben Sie, dass ich Gitarre spielen kann, wenn ich wieder gesund bin?«

»Keine Ahnung«, sagte Hogan. *»Konnten Sie es denn, ehe die Sache passiert ist?«*

»Sie haben dem Patienten die Pointe vermasselt. Schämen Sie sich.«

»Tut mir Leid, James. Wie viele Schüler waren außer Ihnen im Aufenthaltsraum?«

»Zwei. Tony Jarvies und Derek Renshaw.«

»Und womit haben Sie und die anderen sich beschäftigt?«

»Es lief Musik... Ich glaube, Jarvies hat Hausaufgaben gemacht und Renshaw Zeitung gelesen.«

»Reden Sie und die anderen Schüler sich so an? Mit Nachnamen?«

»Ja, meistens.«

»Waren Sie und die anderen beiden befreundet?«

»Nicht direkt.«

»*Aber Sie waren häufig gemeinsam im Aufenthaltsraum?*«

»*Er wird von mehr als einem Dutzend von uns benutzt.*« Eine Pause. »*Wollen Sie von mir wissen, ob ich glaube, dass er geplant hat, uns zu erschießen?*«

»*Das ist eine der Fragen, die wir uns stellen.*«

»*Wieso?*«

»*Weil große Pause war und sich viele Schüler draußen vor der Schule aufhielten…*«

»*Und er trotzdem ins Gebäude marschiert ist und erst im Aufenthaltsraum zu schießen angefangen hat?*«

»*Aus Ihnen könnte ein guter Polizist werden, James.*«

»*Ist aber nicht gerade einer meiner Traumberufe.*«

»*Kannten Sie den Täter?*«

»*Ja.*«

»*Sie kannten ihn?*«

»*Lee Herdman? Ja. Ziemlich viele von uns kannten ihn. Einige haben bei ihm Wasserski-Unterricht genommen. Und er war ein interessanter Typ.*«

»*Interessant.*«

»*Klar. Immerhin war der Mann ein ausgebildeter Killer.*«

»*Hat er Ihnen das erzählt?*«

»*Ja. Er war bei einer Spezialeinheit der Armee.*«

»*Kannte er Anthony und Derek?*«

»*Gut möglich.*«

»*Aber mit Ihnen war er bekannt?*«

»*Wir sind uns hie und da begegnet.*«

»*Dann haben Sie sich vielleicht dieselbe Frage wie wir gestellt.*«

»*Sie meinen, warum er es getan hat?*«

»*Ja.*«

»*Ich habe gehört, dass Leute mit seiner Vergangenheit… sie kommen mit dem normalen Leben nicht zurecht. Es reicht irgendeine Kleinigkeit, und schon rasten sie aus.*«

»*Haben Sie eine Idee, was das für eine Kleinigkeit gewesen sein könnte?*«

»Nein.« Es folgte eine längere Pause, in der das Mikrofon offenbar auf der Bettdecke lag und die beiden Polizisten sich berieten. Dann ertönte erneut Hogans Stimme:

»Können Sie uns den Tathergang schildern, James? Sie waren in dem Aufenthaltsraum ...«

»Ich hatte gerade eine CD aufgelegt. Jeder von uns dreien hatte einen völlig anderen Musikgeschmack. Als die Tür aufging, habe ich mich, glaube ich, nicht einmal umgedreht. Dann gab es einen ohrenbetäubenden Knall, und Jarvies brach zusammen. Ich hatte vor der HiFi-Anlage gehockt, stand dann aber auf und drehte mich um. Ich habe diese riesengroß aussehende Waffe gesehen. Ich will damit nicht behaupten, dass sie wirklich besonders groß war, es kam mir nur in dem Moment so vor, als sie auf Renshaw gerichtet war ... Ich sah eine Gestalt hinter der Pistole, aber ich konnte sie nicht richtig erkennen ...«

»Wegen des Qualms?«

»Nein ... an Qualm erinnere ich mich nicht. Ich habe nur den Pistolenlauf wahrgenommen ... Ich war irgendwie erstarrt. Dann ertönte ein zweiter Knall, und Renshaw klappte zusammen wie eine Handpuppe, fiel einfach zu Boden ...«

Rebus merkte, dass er die Augen geschlossen hatte. Er malte sich die Szene nicht zum ersten Mal aus.

»Dann hat er die Waffe auf mich gerichtet ...«

»War Ihnen zu diesem Zeitpunkt klar, um wen es sich handelte?«

»Ja, ich glaube schon.«

»Haben Sie etwas zu ihm gesagt?«

»Ich weiß nicht ... vielleicht habe ich den Mund aufgemacht, um etwas zu sagen ... Ich nehme an, ich habe mich bewegt, denn als der Schuss losging ... na ja, die Kugel hat mich, wie man sieht, nicht getötet. Es war, als würde mir jemand einen so heftigen Stoß versetzen, dass ich hintenüberfiel.«

»Herdman hatte zu diesem Zeitpunkt noch immer nichts gesagt?«

»*Nicht dass ich wüsste. Allerdings hat es in meinen Ohren furchtbar gedröhnt.*«

»*Bei einem so kleinen Raum überrascht mich das nicht. Ist mit Ihren Ohren jetzt wieder alles in Ordnung?*«

»*Ich höre immer noch ein Pfeifen, aber man hat mir versichert, das wird wieder weggehen.*«

»*Er hat gar nichts gesagt?*«

»*Ich habe ihn nichts sagen hören. Ich lag bloß da und hatte vor, mich tot zu stellen. Und dann ertönte der vierte Schuss ... und für den Bruchteil einer Sekunde dachte ich, er wäre auf mich abgefeuert, um mir den Rest zu geben. Aber als ich hörte, wie noch jemand zu Boden fiel, da war mir irgendwie klar ...*«

»*Was taten Sie dann?*«

»*Ich habe die Augen aufgeschlagen. Mein Kopf lag auf dem Boden, und ich konnte seinen Körper durch die Beine eines Stuhls sehen. Er hielt die Pistole immer noch in der Hand. Ich stand langsam auf. Meine Schulter fühlte sich taub an, und ich wusste, dass ich stark blutete, aber ich konnte den Blick nicht von der Waffe abwenden. Ich weiß, es klingt albern, aber ich musste an diese Horrorfilme denken, wissen Sie?*«

Hoods Stimme: »*Wenn man denkt, der Böse sei tot ...*«

»*Er aber wieder zum Leben erwacht. Ja, genau. Und dann tauchten Leute in der Tür auf ... Lehrer, nehme ich an. Der Anblick muss ihnen einen schlimmen Schock versetzt haben.*«

»*Was ist mit Ihnen, James? Alles so weit okay?*«

»*Ich kann nur hoffen, dass ich nicht für den Rest meiner Tage einen Schuss habe – entschuldigen Sie bitte den blöden Witz. Man hat uns allen psychologische Betreuung angeboten. Das wird bestimmt helfen.*«

»*Sie haben ein grauenhaftes Erlebnis zu verarbeiten.*«

»*Ja, das stimmt wohl. Es ist die Art Geschichte, die man später seinen Enkeln erzählen kann.*«

»Er wirkt völlig gelassen«, sagte Siobhan. Rebus nickte.

»*Wir wissen es zu würdigen, dass Sie mit uns gesprochen ha-*

ben. Sind Sie einverstanden, dass wir Ihnen Notizblock und Stift dalassen? Wissen Sie, James, Sie werde das Ganze wahrscheinlich noch öfters im Geiste Revue passieren lassen – und das ist gut so, denn dadurch kann man so eine Sache schneller verarbeiten. Und vielleicht fällt Ihnen dabei irgendetwas ein, das Sie aufschreiben wollen. Erinnerungen schriftlich festzuhalten ist eine weitere Möglichkeit, sie zu verarbeiten.«

»Ja, das leuchtet mir ein.«

»Übrigens werden wir sicher noch einmal mit Ihnen sprechen wollen.«

Hoods Stimme: *»Auch die Presse wird mit Ihnen reden wollen. Die Entscheidung, ob Sie sich den Journalisten gegenüber äußern, liegt natürlich allein bei Ihnen, aber ich kann Sie vorher beraten, wenn Sie wollen.«*

»Ich werde in den nächsten ein bis zwei Tagen bestimmt mit niemandem reden. Und keine Sorge, ich kenne mich mit der Presse bestens aus.«

»Also, noch mal vielen Dank, James. Ich glaube, Ihre Eltern warten draußen.«

»Hören Sie, ich bin nach all dem ziemlich müde. Könnten Sie den beiden sagen, ich sei eingedöst?«

Damit endete die Aufzeichnung. Siobhan ließ die Kassette noch ein paar Sekunden laufen, dann schaltete sie das Gerät aus. »Das war also die erste Befragung – wollen Sie sich noch eine anhören?« Sie wies mit dem Kopf in Richtung Aktenschrank. Rebus winkte ab.

»Vorläufig nicht, aber ich würde nach wie vor gerne mit ihm reden«, meinte er. »Er hat gesagt, er kannte Herdman. Dadurch wird er für uns umso wichtiger.«

»Er hat aber auch gesagt, dass er nicht weiß, wieso Herdman es getan hat.«

»Trotzdem ...«

»Er klang so ungerührt.«

»Lag wahrscheinlich am Schock. Hood hatte Recht, es

123

dauert eine Weile, bis man richtig kapiert, was geschehen ist.«

Siobhan wirkte nachdenklich. »Was glauben Sie, wieso er seine Eltern nicht sehen wollte?«

»Haben Sie vergessen, wer sein Vater ist?«

»Nein, aber dennoch… Wenn einem so etwas zugestoßen ist, will man, dass einen jemand in den Arm nimmt – egal, wie alt man ist.«

Rebus schaute sie an. »*Sie* auch?«

»Die meisten Menschen bestimmt… die meisten normalen Menschen, meine ich.« Es klopfte an der Tür. Sie wurde ein Stück geöffnet, und der Kopf des Uniformierten tauchte auf.

»Kein Glück mit den Getränken«, sagte er.

»Wir sind hier sowieso fertig. Danke, dass Sie's versucht haben.«

Sie gaben dem Polizisten die Kassette zurück, damit er sie wieder einschloss, und traten, ins Tageslicht blinzelnd, vor die Tür. »James hat uns nicht viel Neues verraten, stimmt's?«, sagte Siobhan.

»Nein, hat er nicht«, gab Rebus zu. Er spielte die Befragung im Geiste noch einmal durch, auf der Suche nach etwas, das ihnen weiterhalf. Das einzig Brauchbare vielleicht: James Bell hatte Herdman gekannt. Ja, und? Viele Bewohner der Stadt hatten Herdman gekannt.

»Wollen wir in der High Street nach einem geöffneten Café suchen?«

»Ich weiß, wo wir einen Tee kriegen«, sagte Rebus.

»Wo?«

»Da, wo wir schon gestern einen gekriegt haben…«

Allan Renshaw hatte sich seit dem Tag zuvor nicht rasiert. Er war allein zu Haus, denn er hatte Kate aufgefordert, Freunde zu besuchen.

»Tut ihr nicht gut, die ganze Zeit mit mir hier rumzuhocken«, sagte er, während er die beiden durch das Wohnzimmer in die Küche führte. Das Wohnzimmer wirkte nahezu unverändert, noch immer warteten die Fotos darauf, dass jemand sie durchsah, sortierte oder zurück in die Kartons legte. Rebus sah, dass einige Beileidskarten auf das Sims gestellt worden waren. Renshaw nahm eine Fernbedienung von der Armlehne des Sofas und schaltete den Fernseher aus. Es war ein selbst gedrehtes Urlaubsvideo gelaufen. Rebus verkniff sich einen Kommentar dazu. Renshaws Haare standen teilweise ab, und Rebus fragte sich, ob er komplett angezogen geschlafen hatte. Renshaw sank kraftlos auf einen der Küchenstühle und überließ es Siobhan, Wasser aufzusetzen. Boethius lag auf der Arbeitsplatte, und Siobhan wollte ihn streicheln, aber der Kater sprang vorher auf den Boden und verzog sich ins Wohnzimmer.

Rebus nahm gegenüber von seinem Cousin Platz. »Wollte mich bloß mal erkundigen, wie's dir geht«, sagte er.

»Tut mir Leid, dass ich euch und Kate gestern allein gelassen habe.«

»Kein Problem. Schläfst du gut?«

»Viel zu viel.« Ein bitteres Lächeln. »Meine Methode, das alles zu verdrängen, nehme ich an.«

»Wie steht's mit den Vorbereitungen für die Beerdigung?«

»Die Leiche ist noch nicht freigegeben.«

»Das dauert nicht mehr lange, Allan. Bald ist das alles vorbei.«

Renshaw sah aus blutunterlaufenen Augen zu ihm hoch. »Kannst du mir das versprechen, John?« Er wartete ab, bis Rebus nickte. »Wie kommt es dann, dass andauernd das Telefon klingelt und irgendein Reporter mit mir reden will? Diese Leute scheinen nicht der Ansicht zu sein, dass es bald vorbei ist.«

»Doch, das sind sie. Darum belästigen sie dich. Du wirst

schon sehen, bereits in ein paar Tagen werden sie jemand anderem auf die Nerven gehen. Gibt es jemand Speziellen, den ich verscheuchen soll?«

»Auf einen der Kerle war Kate ziemlich sauer, nachdem sie mit ihm gesprochen hat.«

»Wie heißt er?«

»Sie hat den Namen irgendwo aufgeschrieben...« Renshaw sah sich um, so als rechne er damit, den Namen direkt vor seiner Nase zu entdecken.

»Beim Telefon vielleicht?«, riet Rebus. Er stand auf und ging in die Diele. Das Telefon stand auf einem Mauervorsprung dicht bei der Haustür. Rebus nahm den Hörer ab, aber die Leitung war tot. Er sah, dass der Stecker aus der Buchse in der Wand herausgezogen worden war: Dafür war sicher Kate verantwortlich. Neben dem Telefon lag ein Stift, aber kein Papier. Er schaute zur Treppe hinüber und entdeckte einen Block. Auf das oberste Blatt waren Namen und Nummern gekritzelt.

Rebus ging zurück in die Küche und legte den Block auf den Tisch.

»Steve Holly«, verkündete er.

»Ja, das ist er«, entgegnete Renshaw.

Siobhan, die gerade den Tee eingeschenkt hatte, hielt inne und sah Rebus an. Sie kannten Steve Holly. Er arbeitete für ein Glasgower Boulevardblatt und hatte sich schon öfters als wahre Landplage erwiesen.

»Ich rede mit ihm«, versprach Rebus und griff nach den Schmerztabletten in seiner Tasche.

Siobhan teilte die Becher aus und setzte sich. »Wie geht's Ihnen?«, erkundigte sie sich.

»Gut«, log Rebus.

»Was ist mit deinen Händen passiert, John?«, fragte Renshaw. Rebus schüttelte den Kopf.

»Nichts, Allan. Wie ist der Tee?«

»Gut.« Aber Renshaw machte keine Anstalten, davon zu trinken. Rebus starrte seinen Cousin an und dachte dabei an die Kassette, an James Bells gelassenen Tonfall.

»Derek hat nicht leiden müssen«, sagte Rebus leise. »Hat wahrscheinlich überhaupt nichts mitbekommen.«

Renshaw nickte.

»Wenn du mir nicht glaubst… na ja, du wirst in ein paar Tagen James Bell fragen können. Er wird dir erzählen, wie es war.«

Erneutes Nicken. »Ich glaube, ich kenne ihn gar nicht.«

»James?«

»Derek hatte viele Freunde, aber er gehörte, glaube ich, nicht dazu.«

»Mit Anthony Jarvies war er aber befreundet?«, fragte Siobhan.

»Ja, klar, Tony war oft hier. Sie haben sich gegenseitig bei den Hausaufgaben geholfen, Musik gehört…«

»Was für Musik?«, wollte Rebus wissen.

»Hauptsächlich Jazz. Miles Davis, Coleman Soundso… Ich kann mir die Namen nicht merken. Derek hatte vor, sich später, wenn er studieren würde, ein Tenorsaxophon zu kaufen und Unterricht zu nehmen.«

»Kate sagte, Derek habe den Mann, der ihn erschossen hat, nicht gekannt. Kanntest du ihn, Allan?«

»Ich habe ihn gelegentlich in einem der Pubs gesehen. Er war irgendwie ein… Einzelgänger ist nicht das richtige Wort. Obwohl er öfters allein war. Ist regelmäßig für ein paar Tage verschwunden. Gebirgswanderungen oder so. Oder vielleicht hat er Touren mit seinem Boot unternommen.«

»Allan… wenn dir das, worum ich jetzt bitten werde, nicht recht ist, brauchst du es bloß zu sagen.«

Renshaw sah ihn an. »Worum geht's?«

»Ich würde gerne einen Blick in Dereks Zimmer werfen…«

Renshaw stieg vor Rebus die Treppe hoch, Siobhan folgte

ihnen. Er machte für sie die Tür auf, trat dann aber zur Seite, um sie hineinzulassen.

»Ich hatte noch keine Gelegenheit...«, entschuldigte er sich. »Aber es ist ja auch nicht unbedingt...«

Das Zimmer lag im Dunkeln, denn die Vorhänge waren zugezogen.

»Was dagegen, wenn ich für ein bisschen Licht sorge?«, fragte Rebus. Renshaw zuckte bloß die Achseln, war offenbar nicht willens, die Türschwelle zu übertreten. Rebus öffnete die Vorhänge. Das Fenster ging auf den Garten hinaus, in dem immer noch das Geschirrtuch an der Wäschespinne hing und der Rasenmäher auf dem Gras stand. An den Wänden des Zimmers hingen Fotos: stimmungsvolle Schwarz-weiß-Bilder von Jazzmusikern. Aus Illustrierten stammende Aufnahmen von eleganten, ausgestreckt daliegenden jungen Frauen. Bücherregale, eine HiFi-Anlage, ein Vierzehn-Zoll-Fernseher mit eingebautem Videogerät. Ein Schreibtisch mit Notebook, an das ein Drucker angeschlossen war. Es blieb kaum genug Platz für das schmale Bett. Rebus sah sich die Rücken einiger CD-Hüllen an: Ornette Coleman, Coltrane, John Zorn, Archie Shepp, Thelonious Monk. Auch ein bisschen klassische Musik. Auf einem Stuhl: Sporthemd und Shorts, ein Tennisschläger, der in einer Hülle steckte.

»Derek war Sport-Fan?«, erkundigte sich Rebus.

»Hat oft gejoggt oder Querfeldeinläufe gemacht.«

»Mit wem hat er Tennis gespielt?«

»Mit Tony... und ein paar anderen. Von mir hat er diese Neigung garantiert nicht geerbt.« Renshaw blickte an sich selbst hinunter, so als wolle er seinen Bauchumfang begutachten. Siobhan lächelte, da sie glaubte, dass es von ihr erwartet wurde. Auch wenn alles, was Renshaw sagte, gekünstelt klang. Vermutlich entstammte es einem kleinen Teil seines Gehirns, das normal funktionierte, während im Rest das Grauen tobte.

»Offenbar verkleidete er sich auch gerne«, sagte Rebus und hielt ein gerahmtes Foto von Derek und Anthony Jarvies in die Höhe, beide in ihrer CCF-Uniform und den dazugehörigen Mützen. Renshaw starrte es, noch immer in der Tür stehend, aus sicherer Entfernung an.

»Derek hat nur wegen Tony mitgemacht«, sagte er. Rebus erinnerte sich, dass Eric Fogg etwas Ähnliches erzählt hatte.

»Sind die beiden je zusammen Boot gefahren?«, fragte Siobhan.

»Könnte gut sein. Kate hat es mit Wasserskilaufen probiert...« Renshaws Stimme erstarb. »Herdman, diese Drecksau, hat sie auf seinem Boot mit rausgenommen. Wenn der mir noch mal über den Weg läuft...«

»Er ist tot, Allan«, sagte Rebus und berührte seinen Cousin am Arm. Fußball... damals im Park in Bowhill... der kleine Allan, der sich das Knie auf dem Asphalt aufgeschürft hatte, Rebus, wie er mit einem Sauerampfer-Blatt über die Wunde rieb.

Ich hatte eine Familie, aber ich habe sie auseinander brechen lassen... Ehefrau von ihm getrennt, Tochter in England, Bruder weiß der Himmel wo.

»Erkundige dich, wann er beerdigt wird«, sagte Renshaw. »Ich hätte große Lust, ihn hinterher auszugraben und noch mal umzubringen.«

Rebus drückte den Arm, sah zu, wie sich unter den Augenlidern des Mannes frische Tränen sammelten. »Gehen wir wieder runter«, sagte er und führte Renshaw zum oberen Ende der Treppe. Der Flur war gerade breit genug, dass sie nebeneinander stehen konnten. Zwei erwachsene Männer, der eine hielt den anderen fest.

»Allan«, sagte Rebus. »Wär's möglich, dass wir uns Dereks Notebook ausleihen?«

»Sein Notebook?« Rebus schwieg. »Zu welchem Zweck...? Ich weiß nicht, John.«

»Nur für ein, zwei Tage. Ich bringe ihn persönlich zurück.«

Renshaw schien Schwierigkeiten zu haben, in dieser Bitte irgendeinen Sinn zu sehen. »Also gut… wenn du meinst…«

»Danke, Allan.« Rebus drehte sich um und nickte Siobhan zu, die daraufhin die Treppe wieder hochstieg.

Rebus ging mit Renshaw ins Wohnzimmer und setzte ihn aufs Sofa. Sofort nahm Renshaw sich eine Hand voll Fotos.

»Ich muss sie noch sortieren«, sagte er.

»Was ist mit deiner Arbeit? Wie lange hast du freibekommen?«

»Bis nach der Beerdigung. Um diese Jahreszeit ist nicht besonders viel los.«

»Vielleicht komm ich mal bei dir in der Firma vorbei«, sagte Rebus. »Höchste Zeit, dass ich mir einen Ersatz für meinen Schrotthaufen besorge.«

»Ich werd dich gut beraten«, versprach Renshaw und schaute dabei zu Rebus hoch. »Verlass dich drauf.«

Siobhan war in der Tür erschienen, unterm Arm das Notebook, von dem die Kabel herunterhingen.

»Wir müssen los«, sagte Rebus zu Renshaw. »Ich schau bald wieder vorbei, Allan.«

»Wann immer du willst, John.« Renshaw erhob sich mühsam und streckte eine Hand aus. Dann zog er Rebus abrupt an sich, umarmte ihn und klopfte ihm mit den Händen auf den Rücken. Rebus erwiderte die Geste und fragte sich dabei, ob er genauso unbeholfen aussah, wie er sich fühlte. Siobhan hatte währenddessen den Blick gesenkt und betrachtete ihre Schuhspitzen, so als überprüfe sie, ob die Schuhe geputzt werden mussten. Als Rebus und Siobhan zum Wagen gingen, merkte er, dass er schwitzte, dass sein Hemd an seinem Körper klebte.

»War's da drinnen sehr warm?«

»Nein«, sagte Siobhan. »Haben Sie Fieber?«

»Sieht so aus.« Er wischte seine Stirn mit der Rückseite eines Handschuhs ab.

»Wozu das Notebook?«

»Kein besonderer Grund.« Rebus erwiderte ihren Blick. »Vielleicht, um nachzuprüfen, ob wir etwas über den Autounfall finden. Wie Derek sich fühlte, ob ihm jemand die Schuld an Stuarts Tod gegeben hat.«

»Abgesehen von dessen Eltern, meinen Sie?«

Rebus nickte. »Vielleicht… ich weiß nicht.« Er seufzte.

»Was?«

»Vielleicht will ich mir auch einfach einen Eindruck von dem Jungen verschaffen.« Er dachte an Allan, der wahrscheinlich den Fernseher schon wieder eingeschaltet hatte und sich mit der Fernbedienung für das Videogerät in der Hand hinsetzte, um seinen Sohn in Bild und Ton zum Leben zu erwecken. Aber es war nur eine Kopie, eingesperrt in dem engen Apparat.

Siobhan nickte und beugte sich vor, um das Notebook auf den Rücksitz zu legen. »Das kann ich verstehen«, sagte sie.

Aber Rebus war sich nicht unbedingt sicher, ob sie es wirklich konnte.

»Halten Sie Kontakt mit Ihrer Familie?«, fragte er sie.

»Ich rufe etwa jedes zweite Wochenende an.« Er wusste, dass ihre Eltern beide noch lebten und in England wohnten. Rebus' Mutter war früh gestorben; er war Mitte dreißig gewesen, als sein Vater ihr nachgefolgt war.

»Haben Sie sich je gewünscht, Geschwister zu haben?«

»Ja, manchmal.« Sie schwieg einen Moment. »Mit Ihnen ist etwas passiert, stimmt's?«

»Wie meinen Sie das?«

»Ich weiß nicht genau.« Sie dachte darüber nach. »Ich glaube, Sie sind zu einem bestimmten Zeitpunkt zu der Ansicht gelangt, eine Familie sei eine Belastung, weil sie zu einer persönlichen Schwachstelle werden kann.«

»Ihnen ist sicher bereits aufgefallen, dass ich kein Freund von Küssen und Umarmungen bin.«

»Mag sein, aber Sie haben da drin eben Ihren Cousin umarmt.«

Er setzte sich auf den Beifahrersitz und schloss die Tür. Die Schmerzmittel umgaben seinen Verstand wie mit Polsterfolie. »Fahren Sie los.«

»Wohin?«

Rebus fiel etwas ein. »Nehmen Sie Ihr Handy, und rufen Sie im Container an.« Sie drückte die Zahlen und übergab den Apparat seiner ausgestreckten Hand. Als jemand abhob, sagte Rebus, er wolle mit Grant Hood sprechen.

»Grant, hier ist John Rebus. Hören Sie, ich brauche die Nummer von Steve Holly.«

»Aus irgendeinem besonderen Grund?«

»Er hat eine der Familien belästigt. Ich dachte, ich rede mal ein Wörtchen mit ihm.«

Hood räusperte sich. Rebus erinnerte sich, dasselbe Geräusch auch auf der Kassette gehört zu haben und fragte sich, ob es sich bei ihm zu einer festen Angewohnheit entwickelte. Als er die Nummer durchgab, wiederholte Rebus sie, damit Siobhan sie mitschreiben konnte.

»Warten Sie einen Moment, John. Der Boss möchte mit Ihnen sprechen.« Damit meinte er Bobby Hogan.

»Bobby?«, sagte Rebus. »Neuigkeiten über die Kontobewegungen?«

»Was?«

»Die Kontobewegungen… irgendwelche größeren Gutschriften? Reicht das als Gedächtnisstütze?«

»Vergiss es.« Hogan klang ungeduldig.

»Was ist los?«, erkundigte sich Rebus.

»Lord Jarvies hat einen alten Kumpel von Herdman verknackt.«

»Ach ja? Wann denn?«

»Erst letztes Jahr. Einen Typen namens Robert Niles – erinnerst du dich an den Fall?«

Rebus legte die Stirn in Falten. »Robert Niles?«, wiederholte er. Siobhan nickte und machte eine rasche Handbewegung quer über ihren Hals.

»Der Kerl, der seiner Frau die Kehle durchgeschnitten hat?«

»Genau der«, sagte Hogan. »Wurde für schuldfähig erklärt und bekam von Lord Jarvies lebenslänglich. Ich habe telefonisch erfahren, dass Herdman ihn regelmäßig besucht hat.«

»Wie lange ist die Sache her… neun, zehn Monate?«

»Man hat ihn nach Barlinnie gebracht, aber er ist dort ausgerastet, hat einen Mitgefangenen angegriffen und dann versucht, sich die Pulsadern aufzuschneiden.«

»Und wo ist er jetzt?«

»Im Carbrae Special Hospital.«

Rebus überlegte. »Du glaubst, Herdman hat es auf den Sohn des Richters abgesehen gehabt?«

»Das wäre eine Möglichkeit. Rache für die Verurteilung…«

Rache. Nun schwebte dieses Wort über beiden toten Jungen…

»Ich werde ihn besuchen«, sagte Hogan.

»Niles? Darfst du ihn vernehmen?«

»Scheint so. Willst du mitkommen?«

»Ich fühle mich wirklich geschmeichelt, Bobby. Wieso ich?«

»Weil Niles ein Ex-SASler ist, John. Hat zusammen mit Herdman dort gedient. Wenn überhaupt jemand weiß, wie's in Herdmans Kopf aussah, dann er.«

»Ein Mörder, der in der Klapse einsitzt. Mann, wir haben echt Glück.«

»Das Angebot steht, John.«

»Wann fährst du hin?«

»Gleich morgen früh. Mit dem Auto ist man in zwei Stunden da.«

»Ich bin dabei.«

»Braver Junge. Wer weiß, vielleicht kriegst du ja mehr als ich aus Niles heraus ... Empathie und so.«

»Glaubst du wirklich?«

»So wie ich das sehe, wird er dich nach einem Blick auf deine Hände für einen Leidensgenossen halten.«

Hogan gluckste, als Rebus Siobhan das Handy zurückgab. Sie beendete das Gespräch.

»Das meiste habe ich mitgekriegt«, sagte sie. Sofort zwitscherte ihr Handy. Es war Gill Templer.

»Wieso geht Rebus nicht dran?«, bellte Templer.

»Ich glaube, er hat sein Handy abgeschaltet«, sagte Siobhan, den Blick auf Rebus gerichtet. »Sie wissen doch, er kann es wegen seiner Verletzung gerade nicht festhalten.«

»Ach, und ich dachte, er hätte immer alles im Griff.«

Siobhan lächelte: *Ganz besonders Sie,* dachte sie.

»Wollen Sie ihn sprechen?«, fragte sie.

»Ich will, dass Sie beide sofort herkommen«, sagte Templer.

»Was ist passiert?«

»Es gibt Ärger. Von der schlimmsten Sorte ...« Templer schwieg bedeutungsvoll. Siobhan ahnte, was sie meinte.

»Die Presse?«

»Bingo. Ein Reporter ist an der Story dran, und er hat sie mit ein paar netten Extras angereichert, für die ich eine Erklärung von John haben will.«

»Was für Details?«

»John wurde gesehen, wie er den Pub zusammen mit Martin Fairstone verlassen hat und mit ihm in dessen Wohnung gegangen ist. Später hat man ihn dann wieder herauskommen sehen, und zwar kurz bevor das Feuer ausbrach. Die Zeitung, für die besagter Reporter arbeitet, will die Geschichte auf der Titelseite bringen.«

»Wir sind schon unterwegs.«

»Ich warte hier.« Die Verbindung wurde unterbrochen. Siobhan ließ den Wagen an.

»Wir müssen nach St. Leonard's «, sagte sie zu Rebus und erklärte wieso.

»Um welche Zeitung geht es?«, meinte Rebus lediglich nach längerem Schweigen.

»Hab ich nicht gefragt.«

»Dann rufen Sie Gill an.«

Siobhan sah ihn an, tat es aber nicht.

»Geben Sie mir das Handy«, befahl Rebus. »Ich will nicht, dass Sie von der Straße abkommen.«

Er nahm das Telefon, hielt es an sein Ohr und bat darum, zur Chief Super durchgestellt zu werden.

»John hier«, sagte er, als Templer abnahm. »Wer ist an der Story dran?«

»Ein Reporter namens Steve Holly. Und der miese Kerl benimmt sich wie ein Terrier auf einer Laternenpfahl-Versammlung.«

6

»Ich wusste, es würde keinen guten Eindruck machen«, erklärte Rebus. »Darum habe ich nichts gesagt.«

Er befand sich in Templers Büro. Templer saß, Rebus stand. Sie hielt einen angespitzten Bleistift in einer Hand, drehte ihn hin und her, betrachtete die Spitze, vielleicht um zu überlegen, ob der Stift als Waffe taugte. »Du hast mich angelogen.«

»Ich habe bloß ein paar Einzelheiten weggelassen, Gill ...«

»Ein *paar Einzelheiten*?«

»Alle vollkommen unwichtig.«

»Du bist mit zu ihm nach Hause gegangen!«

135

»Wir haben zusammen ein Glas getrunken.«

»Nur du und ein Krimineller, der die Kollegin terrorisiert hat, die dir am nächsten steht? Der gegen dich den Vorwurf des tätlichen Angriffs erhoben hat?«

»Ich habe mich bloß ein bisschen mit ihm unterhalten. Wir haben uns in keiner Weise gestritten oder so.« Rebus begann die Arme zu verschränken, aber das erhöhte den Blutdruck in seinen Händen, deshalb löste er sie wieder voneinander. »Frag die Nachbarn, ob irgendwer laute Stimmen gehört hat. Das hat garantiert niemand. Wir haben im Wohnzimmer Whisky getrunken.«

»Nicht zufällig in der Küche?«

Rebus schüttelte den Kopf. »Ich habe keinen Fuß in die Küche gesetzt.«

»Wann bist du weggegangen?«

»Keine Ahnung. War bestimmt nach Mitternacht.«

»Also nicht lange vor dem Ausbruch des Feuers.«

»Lang genug.«

Sie starrte ihn an.

»Der Mann war blau, Gill. Das kennen wir doch: Jemand kriegt Kohldampf, schaltet die Fritteuse an und schläft dann ein. Entweder das, oder eine brennende Zigarette fällt neben das Sofa.«

Templer überprüfte mit einer Fingerkuppe, wie spitz der Bleistift war.

»Wie tief sitze ich in der Tinte?«, fragte Rebus, der die Stille nicht mehr aushielt.

»Das hängt von Steve Holly ab. Wenn er es an die große Glocke hängt, müssen wir ein sichtbares Zeichen setzen.«

»Beispielsweise mich vom Dienst suspendieren?«

»Der Gedanke ist mir schon gekommen.«

»Ich fürchte, ich könnte es dir nicht einmal verübeln.«

»Wirklich großmütig von dir, John. Wieso bist du mit zu ihm gegangen?«

»Er hat mich eingeladen. Ich glaube, er spielte gerne Spielchen. Mehr war die Sache mit Siobhan für ihn nicht. Dann bin ich ihm über den Weg gelaufen. Er hat mir was zu trinken angeboten und mit seinen Abenteuern geprahlt... Ich glaube, das hat ihm einen Kick gegeben.«

»Und was hast *du* dir davon versprochen?«

»Ich weiß nicht genau... Ich dachte, ich könnte seine Aufmerksamkeit von Siobhan ablenken.«

»Hat sie dich um Hilfe gebeten?«

»Nein.«

»Das hätte mich auch gewundert. Siobhan kann ihre Kämpfe selbst austragen.«

Rebus nickte.

»Es war also alles reiner Zufall.«

Rebus nickte.

»Mit Fairstone musste es irgendwann ein böses Ende nehmen. Ein wahrer Segen, dass es keine weiteren Opfer gegeben hat.«

»Ein wahrer Segen?«

»Ich werde seinetwegen keine schlaflosen Nächte verbringen.«

»Nein, das wäre vermutlich zu viel verlangt.«

Rebus setzte sich kerzengerade hin und schwieg demonstrativ. Templer zuckte zusammen. Sie hatte sich mit der Bleistiftspitze so fest in den Finger gestochen, dass es blutete.

»Letzte Verwarnung, John«, sagte sie und ließ ihre Hand sinken, nicht willens, sich in seiner Gegenwart mit der Verletzung – dem unerwarteten Anzeichen von Fehlbarkeit – zu befassen.

»Jawohl, Gill.«

»Und wenn ich *letzte* sage, dann meine ich das auch so.«

»Verstehe. Willst du, dass ich dir ein Pflaster hole?« Er griff nach der Türklinke.

»Ich will, dass du verschwindest.«

»Kann ich wirklich nichts für dich –«

»Raus!«

Rebus schloss die Tür hinter sich, spürte seine Beinmuskeln, die ihren Dienst zu tun begannen. Keine drei Meter entfernt von ihm stand Siobhan und hob fragend eine Augenbraue. Rebus antwortete, indem er unbeholfen die Daumen nach oben streckte, woraufhin Siobhan langsam den Kopf schüttelte: *Ich verstehe nicht, wie Sie das wieder geschafft haben.*

Er selbst war sich auch nicht sicher, ob er es verstand.

»Ich gebe eine Runde aus«, sagte er. »Mit Kantinenkaffee, einverstanden?«

»Sie haben ja wirklich die Spendierhosen an.«

»Ich habe eben die letzte Verwarnung bekommen. Das ist nicht gerade wie der Siegtreffer in Hampden Park.«

»Eher ein Einwurf an der Easter Road?«

Das entlockte ihm ein Lächeln. Er spürte einen Schmerz in den Kaumuskeln, eine Folge der langen Anspannung, die ein simples Lächeln jedoch zu beseitigen vermochte.

Im Erdgeschoss herrschte Chaos. Überall standen Leute herum, offenbar waren alle Vernehmungsräume besetzt. Rebus erkannte mehrere Kollegen aus Leith, was bedeutete, dass sie zu Bobbys Team gehörten. Er hielt einen davon am Ellbogen fest.

»Was ist denn hier los?«

Der Mann sah ihn böse an, dann erkannte er ihn, und seine Miene wurde freundlicher. Es war ein Uniformierter namens Pettifer. Erst ein halbes Jahr beim CID, aber schon ordentlich abgehärtet.

»Leith ist proppenvoll«, erklärte Pettifer. »Darum sind einige von uns hierher ausgewichen.«

Rebus sah sich um. Mürrische Gesichter; schlecht sitzende Klamotten; hässliche Frisuren… die Hautevolee aus den kriminellen Niederungen Edinburghs. Informanten, Junkies, Schlepper, Trickbetrüger, Einbrecher, Schlägertypen, Alkies. Die Polizeiwache war erfüllt von einer Mixtur ihrer verschiedenen Gerüche und von ihren nuscheligen, mit Schimpfworten gespickten Protesten. Sie würden sich jederzeit mit jedermann anlegen. Wo ist mein Anwalt? Gibt's hier nichts zu trinken? Muss mal pinkeln. Was soll das alles? Schon mal was von Menschenrechten gehört? Wo bleibt die Würde in diesem Faschistenstaat…?

CID-Beamte und Uniformierte bemühten sich, dass wenigstens ein Anschein von Ordnung herrschte, notierten Namen und andere persönliche Angaben, zeigten auf die Zimmer oder Bänke, wo Aussagen gemacht wurden, die Befragten alles abstritten und womöglich eine Beschwerde murmelten. Die jüngeren Männer taten großspurig, waren noch nicht durch die ständigen Kontrollen der Strafverfolgung zermürbt. Sie rauchten trotz der Verbotsschilder. Rebus schnorrte sich bei einem von ihnen eine Selbstgedrehte. Der Typ trug eine karierte Baseballmütze, deren Schirm nach oben zeigte. Rebus nahm an, eine Böe des Edinburgher Windes würde ausreichen, um sie ihrem Besitzer vom Kopf zu reißen und wie ein Frisbee durch die Luft segeln zu lassen.

»Hab echt nichts getan«, sagte der junge Kerl und zuckte mit einer Schulter. »War bloß so 'ne Art Aushilfe oder wie das heißt. Mit 'nem Mord will ich nichts zu tun haben, Chef, ehrlich. Lassen Sie auch mal jemand anders ziehen, ja?« Eines seiner kalten Schlangenaugen zwinkerte. »Von wegen Freundschaftsdienst und so.« Damit meinte er die zerknautschte Zigarette. Rebus nickte und setzte sich wieder in Bewegung.

»Bobby sucht den Waffenlieferanten«, erklärte Rebus Siobhan. »Deshalb hat er die üblichen Desperados einkassiert.«

»Ein paar der Gesichter kamen mir gleich bekannt vor.«

»Und wahrscheinlich nicht von einem Wettbewerb für niedliche Kinder.« Rebus betrachtete die Männer – es waren nur Männer. Man tat sich leicht, sie als bloßen Abschaum zu betrachten; man musste sich schon sehr anstrengen, um in sich einen Fetzen Sympathie für sie zu entdecken. Es waren Männer, mit denen es die Mächte des Schicksals nicht gut meinten; Männer, die in jungen Jahren die Bedeutung von Gier und Angst kennen gelernt hatten; Männer, deren Leben von Anfang an mit einer Hypothek belastet war.

Davon war Rebus überzeugt. Er kannte Familien, in denen die Kinder sich selbst überlassen und bereits als Jugendliche allem gegenüber gleichgültig waren, außer den Regeln für das Überleben in einer Umwelt, die ihnen wie ein Dschungel vorkam. Vernachlässigung war bei ihnen beinahe schon ein genetischer Defekt. Brutalität ließ Menschen brutal werden. Von einigen dieser jungen Männer hatte Rebus auch die Väter und Großväter gekannt, der Hang zur Kriminalität lag ihnen im Blut, und einzig und allein das Alter hinderte sie irgendwann daran, erneut rückfällig zu werden. Das waren die grundlegenden Tatsachen. Außerdem galt: Zu dem Zeitpunkt, wenn Rebus oder seine Kollegen sich mit diesen Männern auseinander setzen mussten, war der Schaden bereits angerichtet, und in vielen Fällen irreparabel. Deshalb blieb wenig Raum für Sympathie. Also lief es auf eine Zermürbungstaktik hinaus.

Und dann gab es Männer wie Peacock Johnson. Er hieß natürlich nicht wirklich »Pfau« mit Vornamen. Er hatte den Namen wegen seiner Hemden bekommen. Hemden, bei deren Anblick man selbst am Ende einer durchzechten Nacht schlagartig nüchtern wurde. Johnson war eine Ratte, die sich als Pfau tarnte. Er hatte Geld und gab es aus. Viele seiner Hemden stammten von einem Maßschneider in einer der engen Straßen der New Town. Manchmal zierte ein Homburg Johnsons Kopf, und er hatte sich einen dünnen schwarzen Schnauzbart wachsen lassen, wahrscheinlich weil er dachte, er sähe damit wie Kid Creole aus. Er hatte erfolgreich in seine Zähne investiert – das allein unterschied ihn schon von seinesgleichen – und er machte verschwenderischen Gebrauch von seinem Lächeln. Ein reizender Zeitgenosse.

Rebus wusste, dass Johnson Ende dreißig war, aber er konnte je nach Stimmung und Aufmachung für zehn Jahre jünger oder älter durchgehen. Er war stets in Begleitung eines zwergenhaften Typen, der Evil Bob genannt wurde. Bobs Aufmachung kam einer Uniform nahe: Baseballmütze, Trainingsanzugsjacke, weite, schwarze Jeans und klobige Turnschuhe. Goldene Ringe an den Fingern, Namenskettchen an beiden Handgelenken, mehrere Ketten um den Hals. Er hatte ein ovales, pickliges Gesicht, und sein Mund stand fast immer offen, wodurch er stets verwirrt wirkte. Manche Leute behaupteten, Evil Bob sei Peacocks Bruder. Wenn das stimmte, so musste Rebus' Ansicht nach irgendein schlimmes genetisches Experiment stattgefunden haben. Der Hochgewachsene, beinah elegante Johnson und sein prolliger Adlatus.

Was das »Evil« anging, so behaupteten alle, es sei bloß ein Name, denn Bob sei keineswegs bösartig.

Rebus sah, wie die beiden Männer voneinander getrennt wurden. Bob sollte einem CID-Beamten nach oben folgen, wo gerade ein Platz frei geworden war. Johnson schickte sich an, DC Pettifer in den Vernehmungsraum 1 zu begleiten. Rebus warf Siobhan einen kurzen Blick zu und schob sich dann durch das Gedränge.

»Was dagegen, wenn ich mitkomme?«, fragte er Pettifer. Der junge Mann wirkte verunsichert. Rebus reagierte mit einem beruhigenden Lächeln.

»Mr. Rebus …« Johnson streckte die Hand aus. »Welch angenehme Überraschung.«

Rebus ignorierte ihn. Er wollte vermeiden, dass ein Profi wie Johnson mitbekam, dass Pettifer noch relativ neu im Geschäft war. Gleichzeitig musste er den Uniformierten davon überzeugen, dass er nichts Übles im Schilde führte, dass er nicht die Aufgabe hatte, ihn zu kontrollieren. Rebus' einziges Argument war sein Lächeln, also versuchte er es erneut damit.

»Okay«, sagte Pettifer schließlich. Die drei Männer betraten den Vernehmungsraum, und Rebus machte mit emporgestrecktem Zeigefinger Siobhan ein Zeichen, in der Hoffnung, dass sie seine Aufforderung, auf ihn zu warten, verstand.

VR 1 war klein, und die stickige Luft schien noch von den Körpergerüchen des letzten halben Dutzends Benutzer des Zimmers erfüllt zu sein. Hoch oben an der Außenwand befanden sich Fenster, die sich aber nicht öffnen ließen. Auf dem kleinen Tisch stand ein Doppel-Kassettenrekorder. An der Wand dahinter war in Schulterhöhe ein Alarmknopf angebracht. Oberhalb der Tür war eine Videokamera auf einer Konsole befestigt und auf das Zimmer gerichtet. Aber heute würden keine Aufzeichnungen gemacht werden. Diese Gespräche waren informeller Natur, der gute Wille der Befragten unabdingbar. Pettifer hatte nur ein paar leere Blatt Papier dabei und einen billigen Kugelschreiber. Bestimmt hatte er Johnsons Akte gelesen, aber er hatte nicht vor, sie ihm unter die Nase zu halten.

»Nehmen Sie bitte Platz«, sagte Pettifer. Johnson wischte den Sitz mit einem knallroten Taschentuch ab, ehe er sich mit ostentativer Bedächtigkeit darauf niederließ.

Pettifer setzte sich gegenüber von ihm hin, dann fiel ihm auf, dass es keinen Stuhl für Rebus gab. Er machte Anstalten, wieder aufzustehen, aber Rebus schüttelte den Kopf.

»Ich bleibe hier stehen, wenn Ihnen das recht ist«, sagte er. Er lehnte an der gegenüberliegenden Wand, die Beine in Höhe der Knöchel gekreuzt, die Hände in den Jackentaschen. Er stand absichtlich an einer Stelle, an der er in Pettifers Blickfeld war, von Peacock aber nur gesehen werden konnte, wenn dieser sich umdrehte.

»Sind Sie so eine Art Stargast, Mr. Rebus?«, erkundigte sich Johnson grinsend.

»Das ist der VIP-Bonus, Peacock.«

»Peacock reist stets erster Klasse, Mr. Rebus.« Johnson klang zufrieden. Er saß entspannt da, die Arme verschränkt. Sein pechschwarzes Haar war mit Gel nach hinten gestrichen und kräuselte sich im Nacken. Normalerweise hatte er einen Cocktail-Spieß im Mund und bewegte ihn wie einen Lolli hin und her. Heute jedoch nicht. Heute kaute er Kaugummi.

»Mr. Johnson«, hob Pettifer an, »ich nehme an, Sie wissen, wieso Sie hier sind?«

»Sie wollen mich und die anderen Jungs nach dem Killer fragen. Ich habe Ihrem Kollegen und jedem, der es hören wollte, bereits gesagt, dass Peacock mit so was nichts zu tun hat. Kids erschießen, Mann, das ist das Übelste überhaupt.« Er schüttelte langsam den Kopf. »Ich würde Ihnen helfen, wenn ich könnte, aber Sie haben mich umsonst hergeholt.«

»Sie hatten schon einmal ein klein wenig Ärger wegen einer Waffengeschichte, Mr. Johnson. Wir haben uns gefragt, ob Sie nicht vielleicht jemand sind, dem alles Mögliche zu Ohren kommt? Könnte ja sein, dass Sie etwas gehört haben. Irgendwelche Gerüchte, ein neuer Händler ist auf der Bildfläche erschienen…«

Pettifer klang selbstsicher. Das konnte zu neunzig Prozent Fassade sein, und er zitterte innerlich wie im Herbst das letzte Blatt am Baum, aber er wirkte überzeugend, und das allein zählte. Rebus gefiel, was er sah.

»Peacock ist kein Spitzel, Euer Ehren. Aber in dieser Sache ist eines klar: Wenn ich etwas höre, komme ich sofort zu

Ihnen. Was das angeht, wird's keinen Grund zur Klage geben. Und fürs Protokoll: Ich handle nur mit Nachbauten von Waffen – Sammlerstücke, meine Kunden sind ehrbare Wirtschaftsbosse und dergleichen. Sollte man höheren Orts beschließen, diese Art von Geschäft zu verbieten, dann können Sie sicher sein, dass Peacock sich vom Markt zurückziehen wird.«

»Sie haben niemals illegal Schusswaffen verkauft?«

»Niemals.«

»Und Sie kennen auch nicht zufällig jemanden, der so etwas tut?«

»Wie ich bereits gesagt habe, Peacock ist kein Spitzel.«

»Nehmen wir an, eines Ihrer Sammlerstücke soll wieder betriebsbereit gemacht werden: Wüssten Sie jemanden, an den man sich damit wenden könnte?«

»Fehlanzeige, Mylord.«

Pettifer nickte und blickte hinunter auf die Blätter Papier, die nach wie vor makellos weiß waren. Johnson nutzte die Unterbrechung, um sich zu Rebus umzudrehen.

»Wie gefällt's Ihnen da hinten in der Holzklasse?«

»Gefällt mir gut. Die meisten Leute dort legen entschieden mehr Wert auf Hygiene.«

»Na, na…« Erneutes Grinsen, dieses Mal begleitet von einem drohenden Zeigefinger. »Ich dulde nicht, dass irgendein hochnäsiger Staatsdiener meinen VIP-Bereich besudelt.«

»Sie werden in Barlinnie viel Spaß haben, Peacock«, sagte Rebus. »Oder anders formuliert: Ihre Mitgefangenen werden mit *Ihnen* einen Heidenspaß haben. Aufgebrezelte Kerle kommen in Bar-L immer gut an.«

»Mr. Rebus…« Johnson senkte den Kopf und stieß einen Seufzer aus. »Eine Vendetta ist etwas sehr Unerfreuliches. Fragen Sie die Italiener.«

Pettifer bewegte sich auf seinem Stuhl, und dessen Beine schabten dabei über den Boden.

»Vielleicht könnten wir zu der Frage zurückkehren, woher Lee Herdmans Waffen Ihrer Meinung nach stammen könnten?«

»Die meisten werden heutzutage aus China importiert, oder?«, sagte Johnson.

»Ich meinte«, fuhr Pettifer fort, und in seine Stimme schlich sich dabei ein schneidender Unterton, »wie hat jemand wie er sie sich beschaffen können?«

Johnson zuckte theatralisch die Achseln. »Vielleicht, indem er sie gekauft hat?«

Er lachte über seine Bemerkung, lachte als Einziger in dem ansonsten stillen Raum. Dann setzte er sich anders hin und bemühte sich um eine ernste Miene. »Die meisten Waffenhändler betreiben ihre Geschäfte in Glasgow. Fragen Sie doch einfach die Jungs drüben im Westen.«

»Darum kümmern sich bereits die dortigen Kollegen«, sagte Pettifer. »Aber Ihnen fällt niemand Spezielles ein, mit dem wir uns unterhalten sollten?«

Johnson zuckte erneut die Achseln. »Nein, und wenn Sie mich schlagen...«

»Das ist eine gute Idee, DC Pettifer«, sagte Rebus, während er zur Tür ging. »Das sollten Sie unbedingt tun...«

Die Lage auf der Wache hatte sich noch nicht beruhigt, und Siobhan war nirgends zu sehen. Rebus nahm an, sie sei in der Kantine, aber statt nach ihr zu suchen, stieg er die Treppe hoch und schaute in mehrere Zimmer, bis er schließlich auf Evil Bob stieß, der gerade von einem DS in Hemdsärmeln namens George Silvers befragt wurde. Unter den Kollegen in St. Leonard's trug Silvers den Spitznamen »Hi-Ho«. Er saß die Zeit bis zu seiner Pensionierung ab und blickte seinem Ruhestand mit derselben freudigen Erwartung entgegen, die ein Tramper auf einer LKW-Raststätte verspürt. Er nickte nur andeutungsweise, als Rebus den Raum betrat. Auf seiner Liste standen ein Dutzend Fragen, die er stellen und beantwortet bekommen wollte, damit man die Gestalt ihm gegenüber zurück auf die Straße expedieren konnte. Bob schaute zu, wie Rebus einen Stuhl heranzog und sich zwischen ihn und den anderen Polizisten setzte, das rechte Knie nur wenige Zentimeter von Bobs linkem entfernt. Bob wich ein wenig zurück.

»Ich war gerade bei Peacock«, sagte Rebus, ohne sich darum zu scheren, dass er Silvers bei einer Frage unterbrochen hatte. »Er sollte seinen Spitznamen in Canary ändern.«

Bob sah ihn begriffsstutzig an. »Wieso denn das?«

»Was glaubst du?«

»Keine Ahnung.«

»Was tun Kanarienvögel?«

»Fliegen rum ... leben auf Bäumen.«

»Sie leben bei alten Tanten im Käfig, du Penner. Und sie singen.«

Bob dachte darüber nach. Rebus glaubte fast, die Zahnräder in seinem Gehirn knirschen zu hören. Bei etlichen Kriminellen war so etwas nur vorgetäuscht. Sie waren ziemlich intelligent, nicht bloß durchtrieben. Aber Bob war entweder ein zweiter Robert de Niro mit einer Meisterleistung im Method-Acting, oder er schauspielerte ganz und gar nicht.

»Was für Zeugs denn?«, fragte er. Dann sah er Rebus' Blick. »Ich meine, was für Zeugs singen die?«

Also kein Robert de Niro ...

»Bob«, sagte Rebus, die Ellbogen auf den Knien und beugte sich dabei weit zu dem untersetzten jungen Mann hinüber. »Wenn du dich weiterhin mit Johnson rumtreibst, wirst du für viele Jahre lang im Knast landen.«

»Ach?«

»Beunruhigt dich das denn gar nicht?«

Blöde Frage, dachte Rebus, kaum dass er die Worte ausgesprochen hatte. Silvers spöttischer Blick bestätigte es ihm.

Bob würde auch die Haft wie ein Schlafwandler erleben. Sie würde völlig wirkungslos bleiben.

»Peacock und ich, wir sind Geschäftspartner.«

»Ja, klar, und ich bin mir sicher, er teilt immer halbehalbe. Komm schon, Bob...« Rebus lächelte verschwörerisch. »Er verarscht dich. Grinst dich an, blendet dich mit seinen teuren Zähnen. Er braucht dich als Sündenbock. Denn rate mal, wer der Dumme ist, wenn irgendwas schief geht. Darum will er, dass du immer dabei bist. Du bist der Typ im Varietee, der bei jeder Vorstellung die Sahnetorte ins Gesicht kriegt. Ihr beide kauft und verkauft Waffen, verdammt noch mal! Glaubst du etwa, wir sind nicht hinter euch her?«

»Nachbauten«, verkündete Bob, so als wiederhole er auswendig, was er in einer Unterrichtsstunde gelernt hatte. »Für Sammler, die sich so was an die Wand hängen.«

»Sicher doch, wer hängt sich nicht gerne ein paar unechte Glock 17s und Walter PPKs über den Kamin...« Rebus richtete sich auf. Er wusste nicht, ob es möglich war, zu Bob durchzudringen. Es musste doch irgendetwas geben, eine Schwachstelle, die er sich zunutze machen konnte. Aber der Kerl glich einem Teigklumpen. Egal, wie sehr man ihn knetete und verformte... er blieb immer eine schwammartige Masse. Rebus beschloss, noch einen letzten Versuch zu starten.

»Weißt du was, Bob, eines Tages wird irgendein Kind einen eurer Nachbauten zücken und wird von jemand anders abgeknallt werden, weil dieser jemand glaubt, die Waffe sei echt. Das ist nur eine Frage der Zeit.« Rebus war sich bewusst, dass sein Tonfall immer leidenschaftlicher wurde. Silvers musterte ihn und fragte sich vermutlich, worauf er hinauswollte. Rebus sah ihn an, zuckte dann die Achseln und erhob sich vom Stuhl.

»Tu mir den Gefallen und denk mal drüber nach.« Rebus

bemühte sich, Bob in die Augen zu sehen, aber der junge Mann starrte nach oben, wie ein Zuschauer beim Feuerwerk.

»Ich war noch nie im Varietee …«, begann er Silvers zu erzählen, als Rebus das Zimmer verließ.

Siobhan war, nachdem Rebus sich kommentarlos verdrückt hatte, in den ersten Stock hinaufgegangen. Im CID-Büro herrschte ziemlicher Betrieb, Polizisten aus Leith saßen an Tischen, die sie vorübergehend mit Beschlag belegten, und führten Vernehmungen durch. Auch Siobhans Schreibtisch wurde benutzt, und der Computerbildschirm war zu dem Zweck zur Seite geschoben und ihr Eingangskorb auf den Fußboden verbannt worden. Davie Hynds machte sich Notizen, während ein junger Mann mit stecknadelgroßen Pupillen monoton auf ihn einredete.

»Was ist mit Ihrem eigenen Schreibtisch?«, fragte Siobhan.

»DS Wylie hat auf ihren höheren Dienstgrad gepocht.« Hynds deutete mit dem Kopf auf Detective Sergeant Ellen Wylie, die an seinem Tisch saß und sich auf die nächste Vernehmung vorbereitete. Als sie ihren Namen hörte, schaute sie hoch und lächelte. Siobhan erwiderte das Lächeln. Wylie war in der Wache im West End stationiert. Derselbe Dienstgrad wie Siobhan, aber mehr Dienstjahre. Siobhan wusste, dass sie beide womöglich Konkurrentinnen bei künftigen Beförderungsrunden sein würden. Sie beschloss, ihren Eingangskorb in eine der Schreibtischschubladen zu quetschen. Ihr passte diese Invasion nicht. Jede Polizeiwache war eine Art eigenes Hoheitsgebiet. Unmöglich vorherzusagen, was die Eindringlinge anrichten würden …

Als Siobhan ihren Eingangskorb hochhob, sah sie, dass zwischen einigen zusammengehefteten Berichten die Ecke eines weißen Umschlags hervorguckte. Sie zog ihn heraus, verstaute den Eingangskorb in der einzigen tiefen Schublade des Schreibtischs, schob sie zu und schloss sie ab. Hynds schaute Siobhan fragend an.

»Da ist doch nichts drin, was Sie brauchen, oder?«, sagte sie. Er schüttelte den Kopf und wartete ab, ob noch eine Erklärung folgen würde. Aber Siobhan marschierte von dannen, zurück nach unten, wo sie den Getränkeautomaten ansteuerte. Im Erdgeschoss war weniger los. Zwei der fremden Detectives machten draußen auf dem Parkplatz eine Zigarettenpause und lachten über irgendetwas. Rebus war nirgends zu sehen, deshalb blieb Siobhan beim Automaten stehen, zog sich eine Dose Cola und öffnete sie. Sie spürte die eiskalte, zuckrige Flüssigkeit erst an den Zähnen und dann im Magen. Als sie sich die Auflistung der Inhaltsstoffe ansah, fiel ihr wieder ein, dass sie in dem Buch über Panikattacken die Empfehlung gelesen hatte, auf Koffein zu verzichten. Seitdem versuchte sie, Sympathien für entkoffeinierten Kaffee zu entwickeln, und sie wusste, dass in den Ladenregalen irgendwo koffeinfreie Softdrinks standen. Salz: auch etwas, das man meiden sollte. Wegen Bluthochdruck und so. Alkohol war, bei maßvollem Konsum, kein Problem. Sie fragte sich, ob eine Flasche Wein nach Feierabend noch als »maßvoll« galt, bezweifelte es allerdings. Wenn sie die Flasche jedoch nur zur Hälfte trank, schmeckte der Rest am nächsten Tag abgestanden. Memo für sie selbst: Finde heraus, ob man irgendwo kleine Flaschen Wein kaufen kann.

Sie erinnerte sich an den Briefumschlag und holte ihn aus der Tasche. Per Hand adressiert, ziemlich krakelige Schrift. Sie stellte die Dose auf dem Automaten ab und hatte beim Öffnen des Umschlags bereits ein mulmiges Gefühl. Ein einzelnes Blatt Papier, sonst nichts, dessen war sie sich sicher. Keine Rasierklingen, keine Glasscherben… Es liefen jede Menge Irre frei herum, die erpicht darauf waren, ihre Ansichten anderen mitzuteilen. Sie faltete das Blatt auseinander. Gekritzelte Großbuchstaben.

WIR SEHEN UNS IN DER HÖLLE WIEDER – MARTY.

Der Name war unterstrichen. Ihr Herz fing an zu rasen. Keine Frage, wer mit »Marty« gemeint war: Martin Fairstone. Aber Fairstone existierte nur noch als ein Haufen aus Asche und Knochen in einem Eimer auf irgendeinem Laborregal. Sie musterte den Umschlag. Adresse und Postleitzahl waren fehlerlos. Hatte sich jemand einen Spaß erlauben wollen? Aber wer? Wer wusste von Fairstone und ihr? Rebus und Templer... noch jemand? Vor einigen Monaten hatte ihr jemand Botschaften in Form von Bildschirmschoner-Texten geschickt, und das konnte nur einer ihrer lieben Kollegen gewesen sein. Aber irgendwann hörte die Sache mit den Botschaften auf. Davie Hynds und George Silvers: Beide saßen im Büro in ihrer Nähe. Grant Hood ebenfalls, zumindest die meiste Zeit. Andere kamen und gingen. Aber sie hatte niemandem von Fairstone erzählt. Moment mal... war Fairstones Beschwerde über Rebus und sie aktenkundig? Wohl eher nicht. Aber in Polizeiwachen wurde von früh bis spät getratscht; kaum möglich, etwas geheim zu halten.

Sie merkte, dass sie durch die Glastüren nach draußen starrte, und die beiden Detectives auf dem Parkplatz zurückstarrten, vermutlich, weil sie sich fragten, was sie an ihnen so faszinierend fand. Sie bemühte sich zu lächeln und schüttelte den Kopf, so als wolle sie ihnen sagen, dass sie vor sich hin geträumt habe.

Da sie sonst nichts zu tun hatte, holte sie ihr Handy heraus, in der Absicht, die Mailbox abzuhören. Aber dann beschloss sie, einen Anruf zu tätigen, und sie wählte eine Nummer, die sie auswendig kannte.

»Ray Duff.«

»Ray? Viel zu tun?«

Siobhan wusste, was der Antwort vorausgehen würde: tiefes Einatmen gefolgt von einem langen Seufzer. Duff war

Naturwissenschaftler und arbeitete in dem kriminaltechnischen Labor in Howdenhall.

»Du meinst, außer der Klärung der Frage, ob alle Port-Edgar-Kugeln aus derselben Waffe stammen, und der anschließenden Analyse der Blutspritzer, der Schmauchspuren, der Schusswinkel und so weiter?«

»Immerhin sorgen wir dafür, dass du nicht arbeitslos wirst. Was macht der MG?«

»Fährt sich traumhaft.« Als die beiden sich das letzte Mal unterhielten, hatte Duff gerade die Restaurierung eines '73 Special Edition abgeschlossen. »Das Angebot zu einer Wochenend-Spritztour besteht nach wie vor.«

»Wir sollten warten, bis das Wetter besser ist.«

»Der Wagen hat übrigens ein Verdeck.«

»Das ist aber nicht dasselbe, stimmt's? Hör mal, Ray, mir ist klar, dass dir die Schule mehr als genug Arbeit beschert, aber ich würde dich trotzdem gerne um einen winzigen Gefallen bitten…«

»Siobhan, du weißt genau, dass ich nein sagen werde. Ich muss das alles hier schnellstens über die Bühne kriegen.«

»Ich weiß. Ich arbeite auch am Port-Edgar-Fall.«

»Genau wie alle Polizisten der Stadt.« Ein weiterer Seufzer. »Nur aus Neugier: Worum geht es?«

»Das bleibt aber unter uns, ja?«

»Klar.«

Siobhan sah sich um. Die Detectives draußen hatten das Interesse an ihr verloren. Etwa sechs Meter von ihr entfernt saßen drei Uniformierte gemeinsam an einem Kantinentisch, tranken Tee und aßen Sandwiches. Sie drehte ihnen den Rücken zu, so dass sie den Automaten ansah.

»Ich habe gerade einen Brief bekommen. Einen anonymen.«

»Drohbrief?«

»Gewissermaßen.«

»Du solltest ihn jemandem zeigen.«

»Ich habe mir gedacht, ich zeige ihn dir, und du schaust mal, ob du irgendwas herausfindest.«

»Ich meinte, dass du ihn Gill Templer zeigen sollst. Sie ist doch deine Chefin, oder?«

»Ja, aber ich bin momentan nicht gerade ihre Lieblingsschülerin. Außerdem hat sie genug anderes am Hals.«

»Ich etwa nicht?«

»Nur ein kurzer Check, Ray. Vielleicht steckt was dahinter, vielleicht auch nicht.«

»Aber ich soll das inoffiziell machen, richtig?«

»Richtig.«

»Das ist *nicht* richtig. Jemand bedroht dich, und das solltest du melden, Shiv.«

Wieder dieser Spitzname: *Shiv*. Wie es aussah, wurde er von immer mehr Leuten benutzt. Sie fand allerdings, dass es nicht der richtige Zeitpunkt war, Ray zu sagen, wie sehr dieser Name sie nervte.

»Die Sache ist die, Ray: Der Brief stammt von einem Toten.«

Am anderen Ende herrschte einen Augenblick lang Stille. »Okay«, sagte Duff schließlich gedehnt. »Ich bin ganz Ohr.«

»Sozialwohnung in Gracemount. Fritteusen-Feuer…«

»Ah ja, Mr. Martin Fairstone. Ich habe mich schon kurz an ihm zu schaffen gemacht.«

»Irgendwelche Ergebnisse?«

»Das dauert noch ein bisschen… Port Edgar ist von null auf eins gestiegen. Fairstone hat ein paar Plätze verloren.«

Sie musste angesichts des Vergleichs lächeln. Ray war ein Fan von Ranglisten. In ihren Unterhaltungen tauchten immer wieder die verschiedensten Top Drei und Top Fünf auf. Und es folgte wie aufs Stichwort:

»Übrigens Shiv – die Top Drei der schottischen Rock- und Popkünstler?«

»Ray…«

»Komm, mir zuliebe. Nicht nachdenken, sag, wer dir spontan einfällt.«

»Rod Stewart? Big Country? Travis?«

»Was ist mit Lulu? Und Annie Lennox?«

»Ich bin bei so was nicht gut, Ray.«

»Interessant, dass du ausgerechnet Rod genannt hast.«

»Beschwer dich bei DI Rebus. Er hat mir die frühen Platten geliehen…« Sie versuchte es jetzt auch einmal mit einem Seufzer. »Wirst du mir nun helfen oder nicht?«

»Wann habe ich den Umschlag hier?«

»Binnen einer Stunde.«

»Ich könnte Überstunden machen. Wäre mal eine echte Abwechslung.«

»Habe ich dir gegenüber je dein blendendes Aussehen, deinen sprühenden Intellekt und deinen Charme erwähnt?«

»Nur immer dann, wenn ich mich breitschlagen lasse, dir einen Gefallen zu tun.«

»Du bist ein Engel, Ray. Ruf mich an, sobald du etwas weißt.«

»Denk an unsere Spritztour«, hörte sie Duff noch sagen, ehe sie das Gespräch beendete. Sie trug den Brief quer durch die Kantine zu dem dahinter liegenden Empfangs-Schalter.

»Haben Sie zufällig einen Plastikbeutel für Beweisstücke?«, fragte sie den Dienst habenden Sergeant. Er sah in ein paar Schubladen nach, dann gab er es auf. »Ich könnte von oben einen holen«, sagte er.

»Was ist mit einem von den Umschlägen, in denen die persönlichen Gegenstände von Verhafteten aufbewahrt werden?«

Der Sergeant bückte sich erneut und holte unter dem Tresen einen braunen A-4-Umschlag hervor.

»Der genügt«, sagte Siobhan und ließ den weißen Um-

schlag hineinfallen. Sie schrieb Ray Duffs Namen vorne
drauf, fügte zur Sicherheit ihren eigenen Namen hinzu und
das Wort DRINGEND, dann marschierte sie erneut durch
die Kantine und hinaus auf den Parkplatz. Die Raucher
waren verschwunden, also blieb es ihr erspart, sich für das
unhöfliche Anstarren zu entschuldigen. Zwei Uniformierte
wollten gerade in einen Streifenwagen einsteigen.

»Hallo, Kollegen!«, rief sie. Als sie sich den beiden näherte, erkannte sie, dass es sich bei dem Beifahrer um PC John
Mason handelte, der auf der Wache den äußerst vorherseh-
baren Spitznamen »Perry« bekommen hatte. Die Fahrerin
war Toni Jackson.

»Hi, Siobhan«, sagte Jackson. »Wir haben Sie letzten Freitag vermisst.«

Siobhan zuckte entschuldigend die Achseln. Toni und ein
paar andere weibliche Uniformierte tobten sich gerne einmal pro Woche im Nachtleben aus. Siobhan war die Einzige
vom CID, die sie in ihrer Horde duldeten.

»Habe ich einen netten Abend versäumt?«, fragte sie.

»Einen *fantastischen* Abend. Meine Leber hat sich noch
immer nicht ganz erholt.«

Mason schaute interessiert. »Was haben Sie und die anderen denn getrieben?«

»Das würden Sie wohl gerne wissen?«, antwortete seine
Partnerin zwinkernd. Dann, an Siobhan gewandt: »Sollen
wir den Postboten spielen?« Sie deutete mit dem Kopf auf
den Umschlag.

»Ginge das? Er muss nach Howdenhall zu den Kriminal-
technikern. Wenn irgend möglich, dem Typ persönlich in die
Hand drücken.« Siobhan klopfte auf Duffs Namen.

»Wir haben ein paar Aufträge zu erledigen… aber es ist
kein großer Umweg.«

»Ich habe versprochen, dass er das Ding innerhalb einer
Stunde hat.«

»Bei Tonis Fahrstil dürfte das kaum ein Problem sein«, bemerkte Mason.

Toni ignorierte ihn. »Gerüchten zufolge sind Sie zur Chauffeurin degradiert worden, Siobhan.«

Siobhan verzog den Mund. »Nur für ein paar Tage.«

»Wie hat er sich die Handverletzungen zugezogen?«

Siobhan starrte Jackson an. »Keine Ahnung, Toni. Was sagen die Buschtrommeln?«

»Die unterschiedlichsten Sachen… alles Mögliche, von Faustkampf bis Frittenfett.«

»Wobei sich das beides nicht gegenseitig ausschließt.«

»Wenn es um DI Rebus geht, schließt sich nichts gegenseitig aus.« Jackson lächelte spöttisch und streckte die Hand nach dem Umschlag aus. »Ich soll Ihnen übrigens die gelbe Karte zeigen, DS Clarke.«

»Wenn ihr wollt, komme ich Freitag mit.«

»Versprochen?«

»Hand aufs CID-Herz.«

»Mit anderen Worten, Sie können für nichts garantieren.«

»Das kann ich doch nie, Toni, das wissen Sie genau.«

Jackson schaute Siobhan über die Schulter. »Wenn man vom Teufel spricht«, sagte sie und setzte sich wieder hinters Steuer. Siobhan drehte sich um. Rebus schaute von der Tür aus herüber. Sie wusste nicht, wie lange er dort schon stand. Lang genug, um gesehen zu haben, wie sie den Umschlag überreichte? Der Motor wurde angelassen, und sie trat vom Auto zurück und sah zu, wie es wegfuhr. Rebus hatte seine Zigarettenschachtel geöffnet und zog eine Zigarette mit den Zähnen heraus.

»Erstaunlich, wie anpassungsfähig die Gattung Mensch doch ist«, sagte Siobhan, während sie auf ihn zuging.

»Ich erwäge, mein Repertoire zu erweitern«, meinte Rebus. »Vielleicht probiere ich mal aus, mit der Nase Klavier zu spielen.« Er schaffte es beim dritten Versuch, das Feuerzeug anzuzünden und paffte los.

»Vielen Dank übrigens, dass Sie mich vorhin einfach so stehen gelassen haben.«

»Sie hätten sich ja irgendwo hinsetzen können.«

»Ich meinte –«

»Ich weiß.« Er schaute sie an. »Ich wollte mir bloß Johnsons Unschuldsbeteuerungen anhören.«

»Johnson?«

»Peacock Johnson.« Er sah, wie sie die Augen zusammenkniff. »Er selbst nennt sich so.«

»Wieso?«

»Sie haben doch seine Aufmachung gesehen.«

»Ich meine, wieso wollten Sie zu ihm?«

»Ich interessiere mich für ihn.«

»Aus irgendeinem speziellen Grund?«

Rebus zuckte bloß die Achseln.

»Wer ist er eigentlich?«, fragte Siobhan. »Muss ich ihn kennen?«

»Er ist nur eine kleine Nummer, aber das sind manchmal die Gefährlichsten. Verkauft Nachbauten von Waffen an Gott und die Welt... verticht vielleicht auch das eine oder andere echte Schießeisen. Handelt mit Hehlerware, dealt, aber nur weiche Drogen, kleine Mengen Hasch und so...«

»Wo betreibt er seine Geschäfte?«

Rebus machte eine Miene, als dächte er nach. »Draußen, in Richtung Burdiehouse.«

Sie kannte ihn zu gut, um sich von ihm täuschen zu lassen. »Burdiehouse?«

»Ja, da in der Gegend...« Die Zigarette in seinem Mund bewegte sich auf und nieder.

»Vielleicht sollte ich mir seine Akte anschauen.« Sie hielt seinem Blick stand, wartete, bis er blinzelte.

»Southhouse, Burdiehouse... irgendwo da draußen.«

Rauch strömte aus seinen Nasenlöchern und ließ sie an einen in die Enge getriebenen Bullen denken.

»Mit anderen Worten, ganz der Nähe von Gracemount.«

Er zuckte die Achseln. »Das ist bloß Zufall.«

»Das ist der Stadtteil, in dem Fairstone gewohnt hat… sein Revier. Wie groß ist die Wahrscheinlichkeit, dass sich zwei solcher Mistkerle nicht kennen?«

»Womöglich kannten sie sich ja.«

»John…«

»Was war in dem Umschlag?«

Nun war sie es, die sich um ein Pokerface bemühte. »Lenken Sie nicht vom Thema ab.«

»Das Thema ist beendet. Was war in dem Umschlag?«

»Nichts, worüber Sie sich Ihr hübsches Köpfchen zerbrechen sollten, DI Rebus.«

»Jetzt mache ich mir aber wirklich Sorgen.«

»Es war nichts Wichtiges, ehrlich.«

Rebus wartete einen Moment, dann nickte er langsam. »Weil Sie sich um Ihre Angelegenheit selber kümmern können, stimmt's?«

»Stimmt genau.«

Er senkte den Kopf und ließ den Rest der Zigarette auf den Boden fallen. Trat ihn mit der Schuhspitze aus. »Wissen Sie, ich brauche Sie morgen nicht.«

Sie nickte. »Ich werde versuchen, die Zeit irgendwie herumzubringen.«

Er suchte im Geiste nach einer Replik, gab es dann aber auf. »Kommen Sie, verschwinden wir von hier, ehe Gill Templer sich einen neuen Grund für einen Anschiss ausdenkt.« Er steuerte ihren Wagen an.

»In Ordnung«, sagte Siobhan. »Und unterwegs können Sie mir alles über Mr. Peacock Johnson erzählen.« Sie verstummte. »Übrigens: Ihre Top Drei der schottischen Rock- und Popkünstler?«

»Warum wollen Sie das wissen?«

»Na los, sagen Sie einfach, wer Ihnen spontan einfällt.«

Rebus dachte einen Moment lang nach. »Nazareth, Alex Harvey, Deacon Blue.«

»Rod Stewart nicht?«

»Ist kein Schotte.«

»Er darf trotzdem dabei sein, wenn Sie wollen.«

»Gut, aber er kommt erst später dran, wahrscheinlich gleich nach Ian Stewart. Vorher sind auf jeden Fall noch andere an der Reihe – John Martyn, Jack Bruce, Ian Anderson... nicht zu vergessen Donovan und die Incredible String Band... Lulu und Maggie Bell...«

Siobhan verdrehte die Augen. »Ist es schon zu spät, die Frage zurückzuziehen?«

»Viel zu spät«, sagte Rebus und stieg auf der Beifahrerseite ein. »Und dann ist da noch Frankie Miller... die Simple Minds in ihrer Glanzzeit... Ich hatte schon immer eine Schwäche für Pallas...«

Siobhan stand an der Fahrertür, die Hand am Griff, machte aber keine Anstalten, die Tür zu öffnen.

Von drinnen hörte sie, wie Rebus mit seiner Rangliste fortfuhr und dabei so laut sprach, dass sie auch ja keinen einzigen Namen verpasste.

»Nicht unbedingt eines der Lokale, in denen ich normalerweise verkehre«, murmelte Dr. Curt. Er war groß und dünn und wurde hinter seinem Rücken oft als »gruselig« beschrieben. Ende fünfzig, langes Gesicht mit schlaffer Haut und Tränensäcken. Er erinnerte Rebus an einen Bluthund.

Einen gruseligen Bluthund.

Was durchaus passend war, denn er war einer der renommiertesten Pathologen Edinburghs. Unter seiner Anleitung vermochten Leichen ihre Geschichte zu erzählen und offenbarten dabei manchmal Geheimnisse: Ein vermeintlicher

Selbstmörder entpuppte sich als Mordopfer; Knochen entpuppten sich als nicht von Menschen stammend. Curts Fähigkeiten und seine Intuition hatten Rebus im Laufe der
Jahre bei der Aufklärung dutzender Fälle geholfen, deshalb
wäre es ungehörig gewesen, Nein zu sagen, als er anrief und
Rebus bat, sich mit ihm auf ein Glas zu treffen, zumal er als
PS hinzufügte: »Am besten an einem ruhigen Plätzchen. Wo
wir uns unterhalten können, ohne dass lauter Klatschtanten
mithören.«

Aus diesem Grund hatte Rebus seine Stammkneipe vorgeschlagen, die Oxford Bar, die sich in einer schmalen Pa-
rallelstraße der George Street befand, mehrere Kilometer
sowohl von Curts Büro als auch St. Leonard's entfernt.

Sie saßen im Nebenraum an einem Tisch an der Rück-
wand. Sie hatten ihn ganz für sich allein. Im eigentlichen
Schankraum standen – was nicht weiter überraschte, da es
Wochentag und früher Abend war – nur ein paar im Auf-
bruch begriffene Büroangestellte sowie ein gerade erst ein-
getroffener Stammgast. Rebus brachte die Getränke an den
Tisch: ein großes Bier für ihn selbst, einen Gin Tonic für den
Pathologen.

»Prost«, sagte Curt und hob sein Glas.

»Zum Wohle, Doktor.« Rebus konnte ein Glas noch immer nicht mit einer Hand heben.

»Sieht aus wie beim Abendmahl in der Kirche«, bemerkte
Curt. Dann: »Wollen Sie mir erzählen, wie das passiert ist?«

»Nein.«

»Es machen die wildesten Gerüchte die Runde.«

»Das können sie von mir aus so lange tun, bis sie schwindelig sind. Was mich mehr interessiert, ist Ihr Anruf. Wollen
wir nicht lieber darüber reden?«

Rebus hatte sich zu Hause absetzen lassen, ein lauwarmes
Bad genommen und sich telefonisch beim Inder etwas zu
essen bestellt. Jackie Leven lieferte die musikalische Beglei-

tung, sang über die gefühlvollen, verschlossenen Männer aus Fife – wie hatte Rebus nur vergessen können, ihn in die Liste mit aufzunehmen? Und dann Curts Anruf.

Ich würde gerne mit Ihnen reden. Persönlich. Heute Abend noch...

Keine Andeutung wieso, nur die Verabredung in der Oxford Bar für halb acht.

Curt nahm einen weiteren Schluck von seinem Drink. »Wie ist es Ihnen in letzter Zeit ergangen, John?«

Rebus starrte ihn an. Bei manchen Männern, Männern eines gewissen Alters und einer gewissen sozialen Stellung, war eine solche Einleitung obligatorisch. Rebus bot dem Pathologen eine Zigarette an, und er nahm sich dankend eine.

»Ziehen Sie für mich bitte auch eine raus«, sagte Rebus. Curt tat es, und beide Männer rauchten schweigend ein paar Züge.

»Mir geht es bestens, Doktor. Und Ihnen? Überkommt Sie öfters das Bedürfnis, abends einen Polizisten anzurufen und sich mit ihm in einer Kaschemme zu treffen?«

»Wenn ich mich recht entsinne, war diese ›Kaschemme‹ Ihre Wahl und nicht meine.«

Rebus gestand das mit einer leichten Verbeugung ein.

Curt lächelte. »Sie sind nicht unbedingt von den Geduldigen einer, John...«

Rebus zuckte die Achseln. »Ich hätte nichts dagegen, den Rest des Abends hier zu sitzen, nur wäre ich deutlich entspannter, wenn ich wüsste, worum es geht.«

»Es geht um die Überreste eines Mannes namens Martin Fairstone.«

»Ach so?« Rebus setzte sich auf dem Stuhl etwas anders hin und schlug die Beine übereinander.

»Sie kennen ihn doch, nehme ich an.« Jedes Mal, wenn Curt an der Zigarette zog, schien sein ganzes Gesicht nach innen gesogen zu werden. Er hatte erst in den letzten fünf

160

Jahren angefangen zu rauchen, so als wollte er feststellen, ob er sterblich war wie alle anderen auch.

»Ich kannte ihn«, sagte Rebus.

»Ja, richtig... Vergangenheitsform, bedauerlicherweise.«

»Nicht allzu bedauerlich. Ich habe nicht den Eindruck, dass er von vielen vermisst wird.«

»Wie dem auch sei, Professor Gates und ich... nun ja, wir sind auf gewisse sonderbare Details gestoßen.«

»Asche und Knochen, meinen Sie?«

Curt schüttelte langsam den Kopf, ohne auf den Witz zu reagieren.

»Nach der kriminaltechnischen Analyse wissen wir mehr...« Er verstummte. »DCS Templer ist ziemlich hartnäckig. Soweit ich weiß, wird Gates morgen mit ihr reden.«

»Und was hat das alles mit mir zu tun?«

»Templer glaubt, Sie hätten sich womöglich strafbar gemacht, denn es handelt sich um Mord.«

Das letzte Wort schien zwischen ihnen in der dunstigen Luft zu schweben. Rebus brauchte es nicht zu wiederholen; Curt hörte die unausgesprochene Frage.

»Ja, momentan deutet alles auf einen Mord hin«, sagte er, langsam nickend. »Wir haben Beweise dafür, dass er an den Stuhl gefesselt war. Ich habe Fotos mitgebracht...« Er griff in die Aktentasche, die neben ihm auf dem Boden stand.

»Doktor«, sagte Rebus, »die sollten Sie mir wahrscheinlich lieber nicht zeigen.«

»Ich weiß, und ich würde es auch nicht tun, wenn ich es auch nur ansatzweise für möglich hielte, dass Sie in die Sache verwickelt sind.« Er schaute hoch. »Denn ich kenne Sie, John.«

Rebus blickte in Richtung der Aktentasche. »Sie wären nicht der Erste, der sich in mir täuscht.«

»Vielleicht.«

Mittlerweile lag ein Aktendeckel zwischen ihnen auf den

feuchten Bierfilzen. Rebus nahm ihn in die Hand und klappte ihn auf. Ein paar Dutzend Fotos von der Küche kamen zum Vorschein, auf denen im Hintergrund noch einzelne Rauchschwaden zu erkennen waren. Martin Fairstone wirkte kaum mehr wie ein Mensch. Eher wie eine verkohlte, blasige Schaufensterpuppe. Er lag mit dem Gesicht nach unten auf dem Boden. Hinter ihm war ein Stuhl zu sehen, der nur noch aus ein paar Holzstümpfen und einem Teil der Sitzfläche bestand. Was Rebus besonders mitnahm, war der Herd. Aus irgendeinem Grund war dessen Oberfläche fast unversehrt. Er sah die metallene Fritteuse auf einer der Platten stehen. Herrje, sie sah aus, als sei sie womöglich noch zu gebrauchen, wenn man sie nur ordentlich putzte. Schwer vorstellbar, dass eine Fritteuse widerstandsfähiger als ein Mensch sein konnte.

»Hier erkennen Sie, in welche Richtung der Stuhl gefallen ist. Er ist mitsamt dem Opfer nach vorne gekippt. Es kommt mir fast so vor, als sei der Mann erst auf die Knie gefallen, dann vornüber auf dem Boden gelandet, bevor er schließlich in die Bauchlage gerutscht ist. Und sehen Sie, wie er die Arme hält? Sie liegen am Körper an.«

Rebus sah es, war sich aber nicht sicher, was er daraus ableiten sollte.

»Wir glauben, Überreste einer Leine gefunden zu haben – einer Plastik-Wäscheleine. Der Überzug ist geschmolzen, aber das Nylon war ziemlich zäh.«

»In Küchen liegt oft eine Wäscheleine herum«, sagte Rebus, den Advocatus diaboli spielend, weil er plötzlich begriff, worauf das Ganze hinauslief.

»Stimmt. Aber Professor Gates... also, er hat die Kriminaltechniker darauf angesetzt...«

»Weil er glaubt, dass Fairstone an den Stuhl gefesselt war?«

Curt nickte bloß. »Die anderen Fotos... auf manchen von

ihnen... auf den Nahaufnahmen... sieht man Stücke der Leine.«

Rebus sah es.

»Folgendes Szenario: Ein Mann ist bewusstlos an einen Stuhl gefesselt. Er wacht auf, um ihn herum lodern Flammen, er hat bereits Rauch eingeatmet. Er versucht, sich zu befreien, der Stuhl kippt um, und der Mann erstickt langsam. Der Rauch tötet ihn... er stirbt, ehe die Flammen seine Fesseln durchtrennen...«

»Das ist aber nur eine Theorie«, sagte Rebus.

»Ja, richtig«, sagte der Pathologe ruhig.

Rebus schaute die Fotos erneut durch. »Also geht es plötzlich um Mord.«

»Oder Totschlag. Ein Anwalt würde möglicherweise argumentieren, der Mann sei nicht daran gestorben, dass man ihn gefesselt hat... dass es zum Beispiel bloß als Warnung gemeint war.«

Rebus schaute ihn an. »Sie haben sich darüber einige Gedanken gemacht.«

Curt hob erneut sein Glas. »Professor Gates wird morgen mit Gill Templer reden. Er wird ihr die Fotos zeigen. Die Kriminaltechniker werden ihre Ergebnisse beisteuern... Man erzählt sich hinter vorgehaltener Hand, dass Sie in der Wohnung waren.«

»Hat zufällig ein Reporter mit Ihnen Kontakt aufgenommen?« Curt nickte. »Ein gewisser Steve Holly?« Ein weiteres Nicken. Rebus fluchte lauthals, und genau in dem Moment kam Harry, der Barkeeper, an ihren Tisch, um die leeren Gläser abzuräumen. Harry pfiff vor sich hin, ein sicheres Anzeichen dafür, dass er eine neue Freundin hatte. Wahrscheinlich wollte er ein bisschen prahlen, aber Rebus' Wutausbruch schlug ihn in die Flucht.

»Wie wollen Sie...?« Curt fand nicht die richtigen Worte.

»Mich zur Wehr setzen?«, schlug Rebus vor. Dann lächelte

er säuerlich. »Ich kann mich dagegen nicht zur Wehr setzen, Doktor. Ich *war* am Tatort, und alle Welt weiß es oder wird es bald wissen.« Automatisch wollte er an einem Fingernagel kauen, erinnerte sich dann aber, dass er das nicht konnte. Er hätte am liebsten auf den Tisch gehauen, aber auch das konnte er nicht.

»Es sind alles bloß Indizien...«, sagte Curt. »Na ja, fast alles...« Er langte über den Tisch und griff nach einem bestimmten Foto, einer Großaufnahme des Schädels, auf der die Kiefer auseinander klafften. Rebus spürte das Bier in seinem Magen rumoren. Curt deutete auf den Hals.

»Das da sieht für Sie vielleicht wie Haut aus, aber der Mann hat etwas... hatte etwas um den Hals hängen. Trug er eine Krawatte oder Ähnliches?«

Die Vorstellung war so absurd, dass Rebus laut lachte. »Das Ganze ist in einer Sozialwohnung in Gracemount passiert, nicht etwa in einem eleganten Club in der New Town.« Rebus nahm sein Glas, stellte aber fest, dass er überhaupt keine Lust hatte, etwas zu trinken. Er schüttelte den Kopf angesichts der Vorstellung von Martin Fairstone mit Krawatte. Warum nicht auch noch ein Smoking? Ein Butler, der ihm die Zigaretten drehte...

»Wissen Sie«, sagte Dr. Curt, »es ist nämlich so: wenn er nichts um den Hals trug, auch kein Halstuch oder so, dann drängt sich mir der Eindruck auf, dass es sich hierbei um eine Art Knebel handelt. Vielleicht hat man ihm ein Taschentuch in den Mund geschoben und am Hinterkopf festgebunden. Er hat es zwar geschafft, das Ding loszuwerden... aber wahrscheinlich war er zu dem Zeitpunkt nicht mehr in der Lage, um Hilfe zu rufen. Es ist runtergerutscht und hing ihm dann um den Hals, sehen Sie?«

Erneut sah Rebus es.

Er sah sich selbst, wie er versuchte, sich herauszureden.

Sah, wie es ihm misslang.

7

Siobhan hatte eine Idee gehabt.

Die Panikattacken überfielen sie oft mitten in der Nacht. Vielleicht lag es an ihrem Schlafzimmer. Deshalb beschloss sie, probehalber das Sofa zu benutzen. Eigentlich die beste Lösung: Die Bettdecke über ihr ausgebreitet, freien Blick auf den Fernseher, einen Becher Kaffee und eine Tüte Chips in Griffweite. Im Laufe des Abends hatte sie sich dreimal ans Fenster gestellt und die Straße entlanggeschaut. Wenn es ihr so vorgekommen war, als bewege sich einer der Schatten, hatte sie ihn zur Sicherheit für einige Minuten im Auge behalten. Als Rebus angerufen hatte, um von seinem Gespräch mit Dr. Curt zu berichten, hatte sie ihm eine Frage gestellt.

»Ist die Leiche ordnungsgemäß identifiziert worden?«

Er hatte gefragt, wie sie das meine.

»Verkohlte Überreste… für eine zweifelsfreie Identifikation ist eine DNA-Analyse nötig. Ist die schon gemacht worden?«

»Siobhan…«

»War ja nur so ein Gedanke.«

»Er ist tot, Siobhan. Streichen Sie ihn aus Ihrem Gedächtnis.«

Sie biss sich auf die Lippen, fand es jetzt unangebrachter denn je, ihn mit dem Brief zu behelligen. Er hatte schon genug am Hals.

Dann hatte er aufgelegt. Der Grund für den Anruf: Rebus würde am nächsten Tag nicht in St. Leonard's sein, und sollte Templer eine Stinkwut auf ihn bekommen, würde sie vielleicht nach einem Blitzableiter suchen.

Siobhan beschloss, sich noch einen Kaffee zu kochen – entkoffeinierten Nescafé. Er hinterließ einen säuerlichen

Nachgeschmack in ihrem Mund. Sie blieb kurz am Fenster stehen und warf einen Blick nach draußen, ehe sie in die Küche ging. Ihr Arzt hatte sie aufgefordert, eine Liste mit den »Mahlzeiten« einer typischen Woche aufzustellen, und hatte anschließend all das umkringelt, von dem er meinte, es könne zu den Attacken beitragen. Sie versuchte, nicht an die Chips zu denken ... das Dumme war, dass sie Chips geradezu liebte. Sie mochte auch Wein und kohlensäurehaltige Getränke und Essen vom Imbiss. Sie hatte dem Doktor gegenüber argumentiert, dass sie nicht rauchte und regelmäßig Fitnesstraining machte. Sie musste eben manchmal Stress abbauen ...

»Alkohol und Fast Food dienen Ihnen also dazu, Stress abzubauen?«

»Beides hilft mir, nach Feierabend zu entspannen.«

»Wie wär's, wenn Sie versuchen, es gar nicht erst zu der Anspannung kommen zu lassen?«

»Wollen Sie etwa behaupten, Sie hätten niemals geraucht oder etwas getrunken?«

Natürlich behauptete er das nicht. Ärzte waren noch größerem Stress ausgesetzt als Polizisten. Eines hatte sie immerhin – auf eigene Initiative – getan: Sie hatte versucht, sich für Ambient Music zu erwärmen. Lemon Jelly, Oldsolar, Boards of Canada. Bei einigen Bands hatte es nicht geklappt – Aphey Twins und Autechre. Zu wenig Fleisch auf den Knochen.

Fleisch auf den Knochen ...

Sie musste an Martin Fairstone denken. Seinen Geruch: männliche Ausdünstungen. Seine verfärbten Zähne. Wie er neben ihrem Auto stand, von ihren Einkäufen aß, in seiner Aggressivität gelassen wirkte, *selbstsicher*. Rebus hatte Recht: Er war garantiert tot. Bei dem Brief konnte es sich nur um einen schlechten Scherz handeln. Leider fiel ihr kein passender Verdächtiger ein. Aber irgendwer musste ihn geschrieben haben, jemand, auf den sie einfach nicht kam...

Sie verließ mit dem Kaffee die Küche und trat erneut ans Fenster. In dem Haus gegenüber brannten einige Lichter. Vor einer Weile hatte ein Mann sie von dort aus beobachtet – ein Detective Inspector namens Linford. Er war immer noch bei der Polizei, arbeitete im Präsidium. Sie hatte schon daran gedacht umzuziehen, aber es gefiel ihr hier, sie mochte ihre Wohnung, die Straße, das Viertel. Kleine Läden, junge Familien, Singles... Ihr wurde bewusst, dass bei den meisten der Familien der Mann und die Frau jünger waren als sie. Ständig wurde sie gefragt: Warum suchst du dir nicht einen Kerl? Toni Jackson fragte sie das bei fast jedem Treffen des Freitags-Clubs. Sie zeigte dann auf die in Frage kommenden Männer in dem Pub oder der Disko, fand sich nicht mit einem Nein ab, sondern holte die Kandidaten an den Tisch, an dem Siobhan saß, den Kopf auf die Hände gestützt.

Vielleicht war ein fester Freund tatsächlich die Lösung, würde Typen mit miesen Absichten abschrecken. Aber andererseits würde ein Hund denselben Zweck erfüllen. Das Problem mit einem Hund war nur...

Das Problem mit einem Hund war, dass sie keinen wollte. Und sie wollte auch keinen festen Freund. Sie hatte sich gezwungen gesehen, sich mit Eric Bain eine Weile nicht zu treffen, als er davon zu reden anfing, dass sie ihre Freundschaft »weiterentwickeln« sollten. Sie vermisste ihn: Er war abends vorbeigekommen, sie hatten Pizza gegessen, getratscht, Musik gehört, und ab und zu ein Computerspiel auf seinem Notebook gespielt. Sie würde ihn demnächst wieder einmal zu sich einladen, um festzustellen, wie es zwischen ihnen lief. Demnächst, aber noch nicht sofort.

Martin Fairstone war tot. Jeder wusste das. Sie fragte sich, wer Bescheid wüsste, falls es doch nicht der Fall wäre. Vielleicht seine Freundin. Gute Freunde oder Verwandte. Er müsste bei irgendwem untergekommen sein, seinen Lebensunterhalt verdienen. Vielleicht würde es dieser Peacock Johnson wissen. Rebus hatte gesagt, Peacock höre in seinem heimatlichen Revier das Gras wachsen. Sie war nicht müde, vielleicht würde ihr eine Autofahrt gut tun. Dazu Ambient-Musik aus der Hifi-Anlage des Autos. Sie rief auf der Wache in Leith an, denn sie wusste, dass für den Port-Edgar-Fall ein nahezu unbegrenztes Budget zur Verfügung stand, und deshalb garantiert einige Kollegen freiwillig Nachtschichten einlegten, weil sie scharf auf die Zulage waren. Siobhan erreichte einen von ihnen und erkundigte sich nach den von ihr benötigten Angaben:

»Peacock Johnson... seinen echten Vornamen kenne ich nicht, ich bin mir nicht sicher, ob ihn überhaupt jemand kennt. Er ist heute Nachmittag in St. Leonard's befragt worden.«

»Was brauchen Sie, DS Clarke?«

»Vorläufig nur seine Adresse«, sagte Siobhan.

Rebus hatte ein Taxi genommen – das war einfacher als Autofahren. Allerdings hatte er, um aussteigen zu können, mit dem Daumen kräftig am Türgriff ziehen müssen, und der Daumen brannte noch immer. Seine Taschen waren voller Münzen. Er hatte Mühe, mit Kleingeld zu hantieren, deshalb bezahlte er, wann immer es möglich war, mit einem Schein und steckte das Wechselgeld ein.

Das Gespräch mit Dr. Curt spukte ihm noch im Hinterkopf herum. Ermittlungen in einem Mordfall hatten ihm gerade noch gefehlt, vor allem, wenn er der Hauptverdächtige war. Siobhan hatte ihn nach Peacock Johnson gefragt, doch es war ihm gelungen, nur vage Antworten zu geben. Johnson: der Grund, wieso er hier stand und an der Tür klingelte. Und auch der Grund, wieso er an dem Abend mit zu Fairstone nach Hause gegangen war...

Die Tür wurde geöffnet und er in Licht getaucht.

»Ach, du bist's, John. Freut mich, komm rein.«

Ein Reihenhaus, relativ neu, in der Nähe der Alnwickhill Road. Andy Callis wohnte dort allein, seitdem seine Frau im vergangenen Jahr gestorben war. Der Krebs hatte sie viel zu früh aus dem Lebens gerissen. Ein gerahmtes Hochzeitsfoto hing im Flur. Callis gut zehn Kilo leichter. Eine strahlende Mary, der Kopf wie von einem Lichtkranz umgeben, Blumen im Haar. Rebus war bei der Beerdigung gewesen, Callis hatte einen kleinen Blumenstrauß auf den Sarg gelegt. Rebus hatte sich bereit erklärt, als Sargträger zu fungieren, einer von sechs, einschließlich Andy selbst, und hatte, während der Sarg ins Grab hinuntergelassen wurde, den Blick nicht von dem Blumenstrauß gewandt.

Letztes Jahr. Andy schien langsam darüber hinwegzukommen, aber dann ...

»Wie geht's dir, Andy?«, fragte Rebus. Im Wohnzimmer brannte das elektrische Kaminfeuer. Gegenüber vom Fernseher stand ein Ledersessel mit dazugehöriger Fußbank. Das Zimmer war aufgeräumt, es roch sauber. Der Garten draußen gepflegt, die Beete frei von Unkraut. Über dem Kamin hing ein weiteres Foto: Ein Portrait von Mary, aufgenommen in einem Fotostudio. Dasselbe Lächeln wie bei der Hochzeit, aber ein paar Fältchen um die Augen, das Gesicht etwas fülliger. Eine Frau, die nicht mehr ganz die Jüngste war.

»Mir geht's gut, John.« Callis nahm mit den Bewegungen eines alten Mannes wieder in seinem Sessel Platz. Er war Anfang vierzig, das Haar noch nicht ergraut. Der Sessel knarrte, als er sich der Form seines Körpers anpasste.

»Hol dir was zu trinken, du weißt ja, wo es steht.«

»Ich glaub, ich genehmige mir ein Gläschen.«

»Nicht mit dem Auto hier?«

»Hab ein Taxi genommen.« Rebus ging zur Hausbar, hielt

eine Flasche hoch, sah Callis den Kopf schütteln. »Nimmst du immer noch Tabletten?«

»Vertragen sich nicht mit Alkohol.«

»Meine auch nicht.« Rebus schenkte sich einen Doppelten ein.

»Ist es hier drin zu kalt?«, fragte Callis. Rebus schüttelte den Kopf. »Was sollen dann die Handschuhe?«

»Ich habe mich an den Händen verletzt. Darum schluck ich Tabletten.« Er hob das Glas. »Und andere nicht verschreibungspflichtige Schmerzmittel.« Er ging mit dem Glas zum Sofa und machte es sich bequem. Der Fernseher lief tonlos, irgendeine Art Gameshow. »Was läuft gerade?«

»Keine Ahnung.«

»Ich stör also nicht?«

»Du bist immer willkommen.« Callis schwieg einen Moment, den Blick auf den Bildschirm gerichtet. »Es sei denn, du hast wieder vor, mich zu beschwatzen.«

Rebus schüttelte den Kopf. »Das habe ich mir abgeschminkt, Andy. Ich muss allerdings zugeben, dass wir momentan Verstärkung gut gebrauchen könnten.«

»Die Sache in der Schule?« Aus den Augenwinkeln sah er, wie Rebus nickte. »Furchtbar, so etwas.«

»Ich soll rauskriegen, wieso der Kerl es getan hat.«

»Was für einen Zweck hat das? Wenn Leute… die Möglichkeit haben, dann passiert es irgendwann.«

Rebus dachte über die Pause vor »Möglichkeit« nach. Callis hatte garantiert »Waffen« sagen wollen, aber das Wort war ihm nicht über die Lippen gekommen. Und er hatte von der »Sache in der Schule« gesprochen… »Sache« statt »Schießerei.«

Also noch nicht über den Berg.

»Gehst du weiterhin zu der Seelenklempnerin?«

Callis schnaubte. »Reine Zeitverschwendung.«

Sie war natürlich keine richtige Seelenklempnerin. Man

170

lag bei ihr nicht auf dem Sofa und redete über seine Mutter. Aber Rebus und Callis hatten sich angewöhnt, sie im Spaß so zu nennen. Es fiel ihnen leichter, im Spaß darüber zu reden.

»Gibt offenbar schlimmere Fälle als mich«, sagte Callis. »Typen, die es nicht mal schaffen, einen Stift oder eine Flasche mit Würzsauce anzufassen. Alles, was sie sehen, erinnert sie…« Er verstummte.

Rebus vollendete im Geiste den Satz: *an Waffen.* Alles erinnert sie an Waffen.

»Schon verdammt seltsam, wenn man es sich genau überlegt«, fuhr Callis fort. »Ich meine, wir sollen Angst vor den Kerlen haben, nur darum geht's doch. Aber dann unternimmt einer wie ich etwas, und plötzlich ist das ein Problem.«

»Es wird zu einem Problem, wenn du zulässt, dass es dein weiteres Leben bestimmt, Andy. Hast du Schwierigkeiten damit, Würzsauce auf deine Fritten zu tun?«

Callis tätschelte seinen Bauch. »Kann man nicht behaupten.«

Rebus lächelte, lehnte sich auf dem Sofa an, das Whiskeyglas neben sich auf der Armlehne. Er fragte sich, ob Andy merkte, dass sein linkes Augenlid zuckte und er etwas stockend sprach. Er war seit fast drei Monaten krankgeschrieben. Vorher war er Streifenpolizist gewesen, allerdings mit einer Spezialausbildung für den Gebrauch von Schusswaffen. Bei der Lothian and Borders Police gab es nur eine Hand voll solcher Leute. Sie waren nicht ohne weiteres ersetzbar. Edinburgh verfügte nur über ein Armed Response Vehicle, einen Polizeiwagen, dessen Besatzung für gefährliche Einsätze zuständig war.

»Was sagt der Arzt?«

»Es spielt keine Rolle, was er sagt, John. Ehe man mich wieder diensttauglich schreibt, muss ich einen Haufen Tests machen.«

»Hast du Angst durchzufallen?«

Callis starrte ihn an. »Ich habe Angst davor, zu bestehen.«

Anschließend saßen sie eine Weile schweigend da und schauten in Richtung Fernseher. Rebus nahm an, dass es sich bei der Sendung um eine dieser Serien handelte, bei denen wildfremde Leute zusammen eingesperrt wurden und jede Woche einer rausflog.

»Erzähl mir, was auf der Arbeit los ist.«

»Tja...« Rebus dachte über die verschiedenen Alternativen nach. »Eigentlich nicht viel.«

»Abgesehen von der Sache in der Schule.«

»Ja, abgesehen davon. Die Kollegen fragen öfters nach dir.«

Callis nickte. »Ab und zu lässt sich der eine oder andere hier blicken.«

Rebus beugte sich vor, die Ellbogen auf die Knie gestützt. »Du wirst also nicht zurückkommen?«

Callis lächelte matt. »Nein, und das weißt du genau. Man nennt es Stress-Syndrom oder so. Werde wohl Frührente beantragen....«

»Wie viele Jahre sind es jetzt, Andy?«

»Seit ich Polizist geworden bin?« Callis kräuselte nachdenklich die Lippen: »Fünfzehn... Fünfzehneinhalb.«

»Ein einziger Zwischenfall in all den Jahren, und schon willst du alles hinwerfen? Dabei war es noch nicht einmal ein richtiger Zwischenfall...«

»Sieh mich doch mal an, John. Fällt dir etwas auf? Könnte es sein, dass meine Hände zittern?« Er hob eine Hand, damit Rebus es sah. »Und in meinem einen Augenlid puckert es ständig...« Er deutete mit derselben Hand auf das Auge. »Nicht *ich* habe die Schnauze voll, sondern mein Körper. Verlangst du von mir, dass ich die ganzen Warnsignale ignoriere? Weißt du, wie viele Einsätze wir letztes Jahr gefahren sind? Knapp dreihundert. Wir haben dreimal so oft unsere Waffen gezückt wie im Jahr davor.«

»Die Welt wird eben immer brutaler.«

»Mag ja sein, aber ich spiel da nicht mit.«

»Das ist auch nicht nötig.« Rebus dachte nach. »Wie wär's, wenn du nur den Dienst mit der Waffe aufkündigst? Es gibt bei uns jede Menge Schreibtischjobs.«

Callis schüttelte den Kopf. »Das ist nichts für mich, John. Der Papierkram hat mich schon immer total genervt.«

»Du könntest wieder auf Fußstreife gehen…«

Callis starrte ins Leere, ohne richtig zuzuhören. »Weißt du, was mir am meisten zu schaffen macht? Ich sitze zitternd hier herum, während diese kleinen Wichser weiterhin bewaffnet durch die Gegend laufen, ohne dass sie jemand daran hindert. In was für einem Land leben wir eigentlich, John?« Er drehte sich zu Rebus um und starrte ihn an. »Wofür zum Teufel sind wir denn nütze, wenn wir so was zulassen?«

»Hier herumzusitzen und Trübsal zu blasen wird auch nichts ändern«, sagte Rebus leise. Im Blick seines Freundes lag zu gleichen Teilen Resignation und Zorn. Langsam hob Callis beide Füße von der Fußbank und stellte sich aufrecht hin. »Ich geh Teewasser aufsetzen. Kann ich dir irgendwas bringen?«

Im Fernseher diskutierten mehrere Kandidaten über irgendeine ihnen gestellte Aufgabe. Rebus sah auf die Uhr. »Nein danke, Andy. Ich muss los.«

»Ich finde es nett von dir, dass du regelmäßig vorbeikommst, John, aber du brauchst dich nicht dazu verpflichtet zu fühlen.«

»Es ist nur ein Vorwand, um deine Hausbar zu plündern, Andy. Sobald alle Flaschen leer sind, siehst du mich nie wieder.«

Callis bemühte sich zu lächeln. »Ich rufe dir ein Taxi, wenn du willst.«

»Ich habe mein Handy dabei.« Er schaffte es sogar, auf die Tasten zu drücken – allerdings nur mit Hilfe eines Stifts.

»Willst du wirklich nichts mehr trinken?«

Rebus schüttelte den Kopf. »Hab morgen viel zu tun.«

»Ich auch«, sagte Andy Callis.

Rebus quittierte es mit einem Nicken. Ihre Gespräche endeten immer mit diesem Ritual: *Viel zu tun morgen, John? Hab doch immer viel zu tun, Andy. Ja, ich auch* ... Er dachte an das, was er erzählen könnte – von der Schießerei, von Peacock Johnson. Er glaubte nicht, dass es helfen würde. Eines Tages würden sie miteinander reden können – richtig reden statt des verbalen Pingpongs, das bei ihnen so oft als Gespräch durchging. Aber jetzt noch nicht.

»Ich geh schon mal raus«, rief Rebus in Richtung Küche.

»Bleib doch noch, bis das Taxi da ist.«

»Ich brauch ein bisschen frische Luft, Andy.«

»Du meinst, du brauchst eine Zigarette.«

»Bei so viel Scharfsinn verstehe ich's wirklich nicht, wieso man dich nie zum CID geholt hat.« Rebus öffnete die Haustür.

»Ich wollte da nie hin«, lauteten Andy Callis' Abschiedsworte.

Als er im Taxi saß, beschloss Rebus, einen Umweg zu machen, sagte dem Fahrer, er solle Richtung Gracemount fahren, und dirigierte ihn dann zu dem Haus, in dem Martin Fairstone gewohnt hatte. Die Fenster waren vernagelt, die Tür zum Schutz gegen Vandalen mit einem Vorhängeschloss gesichert. Sonst würde die Wohnung binnen kurzem von ein paar Junkies in eine Crack-Höhle verwandelt werden. An der Außenwand waren keine Brandspuren zu sehen. Die Küche ging nach hinten hinaus. Dort würden die Schäden größer sein. Die Feuerwehrmänner hatten einige Gegenstände aus der Wohnung in den verwahrlosten Vorgarten gebracht: Stühle, einen Tisch, einen kaputten Standstaubsauger. Man hatte die Sachen einfach dort abgestellt, aber bisher schien niemand Lust gehabt zu haben, sie zu klauen. Rebus sagte dem Taxifahrer, er könne weiterfahren. An einer Bushaltestelle hatten sich ein paar Teenager versammelt. Rebus bezweifelte, dass sie auf den Bus warteten. Der Unterstand war der Treffpunkt ihrer Gang. Zwei standen auf dem Dach, drei weitere lungerten in dessen Schatten herum. Der Fahrer hielt an.

»Ich glaube, die Kerle haben Steine dabei. Wenn ich weiterfahre, beschmeißen sie uns mit den Dingern.«

Rebus sah genauer hin. Die Jungen auf dem Unterstand verharrten vollkommen regungslos. Er sah keine Steine in ihren Händen.

»Warten Sie einen Moment«, sagte Rebus und stieg aus.

Der Fahrer drehte sich um. »Sind Sie irre, Mann?«

»Nein, aber ich werde stinksauer, wenn Sie ohne mich wegfahren«, warnte Rebus ihn. Dann marschierte er, ohne die Tür zu schließen, auf die Bushaltestelle zu. Drei Typen traten aus dem Unterstand hervor. Sie trugen Kapuzen-Sweatshirts, die Kapuzen zum Schutz gegen die abendliche Kälte eng ums Gesicht gezogen. Hände in den Hosentaschen. Drahtige Gestalten in Baggy-Pants und mit Turnschuhen.

Rebus ignorierte sie, schaute stattdessen hinauf zu den beiden auf dem Dach. »Sammelt ihr Steine, oder was?«, rief er. »Bei mir waren's damals Vogeleier.«

»Wovon redest du, Alter?«

Rebus senkte den Blick, schaute dem Anführer, der ihn bohrend anstarrte, in die Augen. Er war eindeutig der Anführer, und die beiden links und rechts neben ihm seine Adjutanten.

»Ich kenne dich«, sagte Rebus.

Der Junge sah ihn an. »Na und?«

»Vielleicht erinnerst du dich ja auch an mich.«

»Ich weiß, wer du bist.« Der Jugendliche machte ein

schnüffelndes Geräusch, mit dem er offenbar einen schnaubenden Bullen imitieren wollte.

»Dann weißt du ja auch, dass ich euch jede Menge Ärger machen kann.«

Einer der Jungen auf dem Dach lachte auf. »Wir sind zu fünft, du Penner.«

»Freut mich, dass du bis fünf zählen kannst.« Das Scheinwerferlicht eines Wagens tauchte auf, und Rebus hörte, wie der Motor seines Taxis lauter wurde. Er schaute sich um, aber der Fahrer steuerte den Wagen nur näher an den Bürgersteig heran. Das sich nähernde Auto wurde langsamer, dann gab die Person am Steuer Gas, um nur ja nicht in irgendetwas hineingezogen zu werden. »Und du hast völlig Recht«, fuhr Rebus fort. »Fünf gegen einen, da werdet ihr mich wahrscheinlich grün und blau schlagen. Aber das habe ich gar nicht gemeint. Ich habe an das gedacht, was hinterher passieren wird. Denn eines könnt ihr mir glauben: Ich werde dafür sorgen, dass ihr verhaftet und angeklagt werdet. Ihr seid noch nicht strafmündig? Okay, ihr werdet eure Strafe gemütlich in irgendeinem geschlossenen Heim absitzen können. Aber während der U-Haft seid ihr in Saughton eingelocht, wie normale Erwachsene. Und das wird ein wahres Fest.« Rebus legte eine Kunstpause ein. »Für jeden der Kerle dort, der auf junge Ärsche steht.«

»Hier haben *wir* das Sagen«, blaffte einer der anderen. »Und nicht du.«

Rebus deutete nach hinten auf das Taxi. »Darum verschwinde ich jetzt… wenn ihr gestattet.« Seine Augen waren wieder auf den Anführer gerichtet. Er hieß Rab Fisher. Er war fünfzehn, und Rebus hatte von jemandem gehört, dass seine Gang Lost Boys hieß. Hatten schon etliche Verhaftungen auf dem Kerbholz, aber noch keine Verurteilung. Ihre Eltern beteuerten, getan zu haben, was sie konnten – nach den ersten paar Verhaftungen hatte Rabs Vater seinen Sohn, eigenen Angaben zufolge, »windelweich geprügelt«. *Aber was soll man tun?*

Rebus hätte ein paar Vorschläge machen können. Dafür war es allerdings inzwischen zu spät. Viel einfacher war es, die Lost Boys einfach als Teil der Kriminalitätsstatistik zu akzeptieren.

»Habe ich deine Erlaubnis, Rab?«

Fisher starrte ihn noch immer an, genoss seine kurzfristige Macht. Alles wartete auf seine Entscheidung. »Ich könnte ein Paar Handschuhe gut gebrauchen.«

»Meine nicht«, sagte Rebus zu ihm.

»Sehen aber bequem aus.«

Rebus schüttelte den Kopf, streifte einen Handschuh langsam ab und versuchte, dabei nicht zusammenzuzucken. Er hielt die blasige Hand hoch. »Du kannst den Handschuh gerne haben, aber die hier hat dringesteckt...«

»Das ist ja voll widerlich«, stellte einer der Adjutanten fest.

»Darum wirst du sie auch nicht tragen wollen, nehme ich an.« Rebus zog den Handschuh wieder an, drehte sich um und ging zurück zum Taxi. Er stieg ein und schloss die Tür.

»Fahren Sie an ihnen vorbei«, befahl er. Das Taxi setzte sich in Bewegung. Rebus blickte stur geradeaus, obwohl er wusste, dass fünf Augenpaare auf ihn gerichtet waren. Als der Fahrer beschleunigte, krachte plötzlich etwas aufs Dach, und gleich darauf schlidderte ein halber Ziegelstein über den Asphalt.

»Bloß ein harmloser Warnschuss«, sagte Rebus.

»Sie haben gut reden, Mann. Es ist ja nicht Ihr Taxi.«

Zurück auf der Hauptstraße, mussten sie an einer roten Ampel halten. Auf der anderen Straßenseite stand ein Wagen, in dem eine Frau bei eingeschaltetem Innenlicht einen Stadtplan studierte.

»Die Arme«, bemerkte der Fahrer. »Würde niemandem empfehlen, sich hier zu verfahren.«

»Wenden Sie«, befahl Rebus.

»Was?«

»Wenden Sie, und halten Sie vor dem Wagen an.«

»Weshalb?«

»Weil ich es will«, erwiderte Rebus kurz angebunden.

Die Körpersprache des Fahrers verriet Rebus, dass der Mann schon pflegeleichtere Fahrgäste gehabt hatte. Als die Ampel auf Grün sprang, blinkte er rechts, tat, wie ihm geheißen, und hielt dicht am Kantstein an. Rebus hatte schon den Geldschein parat. »Der Rest ist für Sie«, sagte er beim Aussteigen.

»Das habe ich mir aber auch verdient, Mister.«

Rebus ging zu dem anderen Auto, öffnete die Beifahrertür und stieg ein. »Nette Nacht für eine Spritztour«, sagte er zu Siobhan Clarke.

»Stimmt.« Der Stadtplan war verschwunden, vermutlich unter ihrem Sitz. Sie beobachtete den Fahrer, wie er ausstieg und das Dach seines Wagens inspizierte. »Und was hat Sie in diese Gegend verschlagen?«

»Ich war zu Besuch bei einem Freund«, sagte Rebus zu ihr.

»Was für eine Ausrede haben Sie zu bieten?«

»Brauche ich eine?«

Der Taxifahrer schüttelte den Kopf und warf Rebus einen finsteren Blick zu, ehe er wieder einstieg und ein zweites Mal wendete, um sich Richtung Innenstadt in Sicherheit zu bringen.

»Welche Straße haben Sie gesucht?«, fragte Rebus. Sie schaute ihn an, und er lächelte. »Ich habe gesehen, wie Sie den Stadtplan gewälzt haben. Darf ich raten: Fairstones Adresse?«

Es dauerte einen Augenblick, bis sie antwortete. »Woher wissen Sie das?«

Er zuckte die Achseln. »Nennen Sie's männliche Intuition.«

178

Sie zog eine Augenbraue hoch. »Ich bin beeindruckt. Außerdem ahne ich, wo Sie gerade herkommen.«

»Ich war zu Besuch bei einem Freund.«

»Hat dieser Freund auch einen Namen?«

»Andy Callis.«

»Sollte ich ihn kennen?«

»Andy war bis vor einer Weile bei der Trachtengruppe. Ist krankgeschrieben.«

»Sie sagen ›war‹... klingt, als würde er nicht wieder zum Dienst kommen.«

»Jetzt bin *ich* beeindruckt.« Rebus rutschte auf dem Sitz herum. »Andy hat's schlimm erwischt... psychisch.«

»So schlimm, dass er auf Dauer wegbleiben wird?«

Rebus zuckte die Achseln. »Ich überlege immer wieder... ach, was soll's.«

»Wo wohnt er?«

»Alnwickhill Road.« Rebus hatte völlig arglos geantwortet. Er funkelte Siobhan an, denn ihm wurde klar, dass es keine beiläufige Frage gewesen war. Sie erwiderte seinen Blick mit einem Lächeln.

»Das ist in der Nähe von Howdenhall, stimmt's?« Sie holte den Stadtplan unter dem Sitz hervor. »Ist ein ganzes Stück von hier entfernt...«

»Okay, ich habe also auf der Rückfahrt einen Abstecher gemacht.«

»Um sich Fairstones Haus anzusehen.«

»Ja.«

Mit zufriedener Miene klappte sie den Stadtplan zu.

»Ich steh in dieser Sache unter Verdacht«, sagte Rebus. »Ich habe darum allen Grund, neugierig zu sein. Und Sie?«

»Na ja, ich dachte...« Sie rang mit sich, war eindeutig wieder in der Defensive.

»Was dachten Sie?« Er hielt eine seiner behandschuhten Hände hoch. »Schon gut. Ich find es peinlich, zuzuhören, wie Sie sich krampfhaft eine Geschichte ausdenken. Wissen Sie, was ich vermute ...«

»Was?«

»Ich vermute, Sie wollten gar nicht zu Fairstones Haus.«

»Ach?«

Rebus schüttelte den Kopf. »Sie wollten ein bisschen herumschnüffeln. Auf eigene Faust ermitteln, vielleicht mit Freunden von Fairstone reden, Leuten, die ihn gut gekannt haben ... vielleicht mit jemandem wie Peacock Johnson. Wie mache ich mich bisher?«

»Warum sollte ich so etwas tun?«

»Ich habe das Gefühl, Sie zweifeln daran, dass Fairstone tot ist.«

»Schon wieder männliche Intuition.«

»Sie haben es angedeutet, als ich Sie vorhin anrief.«

Sie kaute auf ihrer Unterlippe.

»Wollen Sie drüber reden?«, fragte er leise.

Sie schaute auf ihren Schoß. »Ich habe eine Nachricht bekommen.«

»Was für eine Nachricht?«

»Sie lag in St. Leonard's und war mit ›Marty‹ unterschrieben.«

Rebus dachte nach. »Dann weiß ich genau, was Sie jetzt tun werden.«

»Was?«

»Sie fahren in Richtung Innenstadt und warten auf weitere Anweisungen ...«

Seine Anweisungen führten sie in die High Street und dort in Gordon's Trattoria, wo es auch spätabends noch starken Kaffee und Pasta gab. Rebus und Siobhan entschieden sich für eine der freien Sitznischen, schoben sich auf die dicht am Tisch stehenden Bänke und bestellten zwei doppelte Espresso.

»Für mich koffeinfreien«, fiel Siobhan gerade noch recht-zeitig ein.

»Wieso trinken Sie das kastrierte Zeug?«, fragte Rebus.

»Ich versuche, gesünder zu leben.«

Das nahm er widerspruchslos hin. »Wollen Sie was essen, oder ist das auch verboten?«

»Ich habe keinen Hunger.«

Rebus stellte fest, dass *er* hungrig war, und er bestellte eine Meeresfrüchte-Pizza, verbunden mit der Warnung an Siobhan, dass er ihre Hilfe brauchen werde. Im hinteren Teil von Gordon's befand sich das richtige Restaurant, aber nur noch ein Tisch war besetzt, von redseligen Leuten, die bereits bei den *Digestifs* angelangt waren. Dort wo Rebus und Siobhan saßen, in der Nähe der Eingangstür, saß man in den Nischen und aß Kleinigkeiten.

»Erzählen Sie mir noch mal, was in der Nachricht stand.«

Sie seufzte und wiederholte es.

»Und der Brief war hier in der Stadt abgestempelt?«

»Ja.«

»Eine Briefmarke erster oder zweiter Klasse?«

»Was spielt das für eine Rolle?«

Rebus zuckte die Achseln. »Fairstone kam mir eindeutig zweitklassig vor.« Er betrachtete Siobhan. Sie wirkte gleichzeitig erschöpft und angespannt, eine potentiell verhängnisvolle Kombination. Unwillkürlich sah er Andy Callis vor seinem inneren Auge.

»Vielleicht wird Ray Duff ein bisschen Licht ins Dunkel bringen«, sagte Siobhan.

»Wenn jemand das schafft, dann Ray.«

Der Kaffee wurde serviert. Siobhan hob die Tasse an die Lippen. »Ihnen geht's morgen an den Kragen, oder?«

»Vielleicht«, sagte er. »Egal, was passiert, Sie sollten auf jeden Fall in Deckung bleiben. Deshalb keine Unterhaltungen mit Fairstones Freunden. Wenn die Jungs von der inneren Abteilung das nämlich spitzkriegen, wittern die gleich eine Verschwörung.«

»Sie sind also der festen Überzeugung, dass es sich bei dem Brandopfer um Fairstone handelt?«

»Gibt keinen Grund, daran zu zweifeln.«

»Abgesehen von der Nachricht.«

»So was war nicht sein Stil, Siobhan. Er hätte keinen Brief geschickt, er wäre persönlich zu Ihnen gekommen, so wie er das auch sonst getan hat.«

Sie dachte darüber nach. »Ich weiß«, sagte sie schließlich.

Ihre Unterhaltung stockte, und beide nippten an dem starken, bitteren Kaffee. »Ist mit Ihnen wirklich alles in Ordnung?«, fragte Rebus nach einer Weile.

»Ja.«

»Wirklich?«

»Wollen Sie es schwarz auf weiß haben?«

»Ich will, dass Sie es so meinen, wie Sie es sagen.«

Ihr Blick hatte sich verfinstert, aber sie schwieg. Die Pizza kam, Rebus schnitt sie in Stücke und nötigte Siobhan, sich eins davon zu nehmen. Während sie aßen, schwiegen sie erneut. Die betrunkenen Restaurant-Gäste brachen auf, verließen laut lachend die Trattoria. Nachdem der Kellner die Tür hinter ihnen zugemacht hatte, hob er die Augen gen Himmel und dankte dafür, dass wieder Ruhe herrschte.

»Bei Ihnen alles okay?«

»Ja, danke«, sagte Rebus, die Augen auf Siobhan gerichtet.

»Ja, danke«, wiederholte sie, seinem Blick standhaltend.

Siobhan sagte, sie werde ihn nach Hause fahren. Beim Einsteigen in den Wagen schaute Rebus auf seine Uhr: Punkt elf.

»Können wir uns die Nachrichten anhören?«, fragte er. »Bin gespannt, ob Port Edgar immer noch an erster Stelle kommt.«

Sie nickte und schaltete das Radio ein.

*»...wo eine Mahnwache im Kerzenschein abgehalten wird.
Unsere Reporterin Janice Graham ist vor Ort...«*

*»Heute Abend erheben die Bewohner von South Queensferry
ihre Stimme. Unterstützt vom Gemeindepfarrer der Church of
Scotland und der Schulgeistlichen wollen sie Kirchenlieder singen.
Mit den Kerzen könnte es etwas schwierig werden, denn vom
Firth of Forth weht eine steife Brise herüber. Nichtsdestotrotz hat
sich bereits eine beträchtliche Anzahl von Menschen versammelt,
darunter der Abgeordnete dieses Wahlkreises, Jack Bell, dessen
Sohn bei der Tragödie verletzt wurde. Er hofft auf breite Unterstützung für seine Kampagne zur Verschärfung des Waffengeset-
zes. Folgende Stellungnahme hat er vorhin abgegeben...«*

Rebus und Siobhan, die an einer roten Ampel standen,
tauschten einen Blick. Dann nickte Siobhan wortlos. Als die
Ampel auf Grün umsprang, fuhr sie über die Kreuzung, hielt
dahinter am Straßenrand und wartete, bis aus beiden Richtungen kein Auto mehr kam, ehe sie wendete.

Die Mahnwache fand vor dem Schultor statt. Ein paar fla-
ckernde Kerzen schafften es, dem Wind zu trotzen, aber die
meisten Leute waren so schlau gewesen, Fackeln mitzubringen. Siobhan parkte in zweiter Reihe neben einem Ü-Wagen.
Die Presse war mit großem Aufgebot vertreten: Fernsehka-
meras, Mikrofone, Blitzlichter. Aber die Zahl der Sänger und
Schaulustigen war noch um das Zehnfache höher.

»Vierhundert Leute, würde ich schätzen«, sagte Siobhan.

Rebus nickte. Die Straße war komplett von Menschen
versperrt. Ein paar uniformierte Polizisten hatten am Rand
der Menge Aufstellung genommen, die Hände hinter dem
Körper verschränkt, was vermutlich als andächtige Haltung
gedacht war. Rebus sah, dass Bell etwas abseits stand und
gerade seine Ansichten einem halben Dutzend Journalisten
darlegte, die auch brav mitschrieben und bei jedem Satz eifrig nickten.

»Nettes Detail«, sagte Siobhan. Rebus erkannte, was sie meinte: Bell trug eine schwarze Armbinde.

»Äußerst dezent«, pflichtete er ihr bei.

In diesem Moment schaute Bell hoch, sah sie und verfolgte sie mit seinem Blick, während er gleichzeitig mit seinem Vortrag fortfuhr. Rebus schlängelte sich zwischen den Menschen hindurch und stellte sich immer wieder auf die Zehenspitzen, um das Geschehen direkt am Tor zu beobachten. Der Pfarrer war groß gewachsen, jung, mit schöner Singstimme. Neben ihm stand eine wesentlich kleinere Frau, etwa genauso alt, Rebus nahm an, dass es die Schulgeistliche war. Jemand zupfte ihn am linken Arm, und er drehte den Kopf und sah Kate Renshaw vor sich stehen, die sich zum Schutz gegen die Kälte einen pinkfarbenen Schal umgebunden hatte, der auch ihren Mund bedeckte. Er lächelte und nickte. Ein paar Männer in ihrer unmittelbaren Nähe, die enthusiastisch, aber vollkommen falsch mitsangen, schienen direkt aus einem von Queensferrys Wirtshäusern hergekommen zu sein. Der Geruch nach Bier und Zigarettenrauch stieg Rebus in die Nase. Einer der Männer boxte seinen Begleiter in die Rippen und deutete mit dem Kopf auf eine Fernsehkamera. Die beiden strafften die Schultern und sangen noch lauter.

Rebus hatte keine Ahnung, ob das Ortsansässige waren oder nicht. Womöglich Schaulustige, die hofften, sich morgen beim Frühstück in der Glotze bewundern zu können...

Das Lied endete, und die Schulgeistliche sagte ein paar Worte, doch ihre Stimme war nicht die Kräftigste und vermochte es kaum, sich gegen den auffrischenden Wind durchzusetzen, der von der Küste herüberwehte. Rebus schaute Kate erneut an und zeigte nach hinten. Sie folgte ihm zu Siobhan, die außerhalb der Menge stand. Ein Kameramann war auf die Schulmauer geklettert, um die Versammlung von oben zu filmen, und einer der Uniformierten befahl ihm, wieder herunterzukommen.

»Hi, Kate«, sagte Siobhan. Kate schob ihren Schal nach unten.

»Hallo«, sagte sie.

»Ist dein Vater nicht hier?«, fragte Rebus. Kate schüttelte den Kopf.

»Er setzt kaum einen Fuß vor die Tür.« Sie schlang die Arme um ihren Körper und wippte auf den Fußspitzen auf und nieder, offenbar fror sie.

»Tolle Resonanz«, sagte Rebus mit Blick auf die Menge.

Kate nickte. »Ich staune, wie viele von den Leuten wissen, wer ich bin. Ständig sagt mir jemand, wie Leid ihm das mit Derek tut.«

»Ein solches Ereignis kann die Menschen einander näher bringen«, sagte Siobhan.

»Wenn dem nicht so wäre … nun ja, das wäre nicht gerade ein Ruhmesblatt, oder?« Plötzlich schien jemand anders ihre Aufmerksamkeit geweckt zu haben. »Entschuldigung, aber ich muss weiter …« Sie ging hinüber zu dem Pulk aus Presseleuten. Bell war die Ursache; Bell hatte sie zu sich gewinkt. Er legte einen Arm um ihre Schulter, und etliche Blitzlichter erleuchteten die Hecke hinter ihnen. Dort waren Kränze und Blumensträuße abgelegt worden, an denen im Wind flatternde Botschaften und Schnappschüsse der Opfer befestigt waren.

»… dank der Unterstützung von Menschen wie ihr haben wir, glaube ich, eine Chance. Genau genommen, ist es mehr als nur eine Chance, denn etwas Derartiges kann – und darf – in einer Gesellschaft nicht toleriert werden, die den Anspruch erhebt, zivilisiert genannt zu werden. Wir wollen verhindern, dass so etwas erneut passiert, und darum haben wir diese Initiative gestartet …«

Als Bell kurz verstummte, um den Journalisten das Klemmbrett zu zeigen, das er in der Hand hielt, begannen die Fragen. Er hielt den Arm weiterhin beschützend um

Kate gelegt. Beschützend, fragte sich Rebus, oder besitzergreifend?

»Also«, sagte Kate, »die Petition ist eine gute Idee…«

»Eine hervorragende Idee«, berichtigte Bell sie.

»… aber das kann nur der Anfang sein. Es ist dringend nötig, dass die Behörden endlich Maßnahmen ergreifen, durch die verhindert wird, dass Waffen in die falschen Hände gelangen.« Bei dem Wort »Behörden« schaute sie zu Rebus und Siobhan hinüber.

»Lassen Sie mich Ihnen einige Zahlen nennen«, unterbrach Bell sie erneut und präsentierte das Klemmbrett. »Die Zahl der Verbrechen mit Schusswaffengebrauch steigt an – das wissen wir alle. Aber die Statistiken sind nicht verlässlich. Je nachdem, mit wem man spricht, hört man, dass die Zahl dieser Verbrechen um zehn Prozent, zwanzig Prozent oder sogar vierzig Prozent pro Jahr steigt. Jegliche Steigerung ist nicht nur äußerst beklagenswert und zudem ein Schandfleck auf den Tätigkeitsberichten der Polizei und der Sicherheitsorgane, sondern, was noch wichtiger ist –«

»Kate, dürfte ich Sie fragen«, unterbrach einer der Journalisten ihn, »wie kann es Ihrer Meinung nach gelingen, dass die Regierung den Opfern Gehör schenkt?«

»Ich bin mir nicht sicher. Vielleicht ist es an der Zeit, die Regierung außen vor zu lassen und direkt an die Menschen zu appellieren, die Waffen benutzen, die Menschen, die sie verkaufen, sie in unser Land bringen…«

Bell steigerte die Lautstärke seiner Stimme noch weiter. »Im Jahr 1996 wurden, Schätzungen des Innenministeriums zufolge, zweitausend Schusswaffen pro Woche – pro *Woche* – illegal nach Großbritannien eingeführt… viele davon durch den Kanaltunnel. Seit den Bestimmungen, die nach dem Amoklauf in Dunblane erlassen wurden, ist die Anzahl der Verbrechen, bei denen Handfeuerwaffen benutzt werden, um vierzig Prozent gestiegen…«

»Kate, dürfte ich Sie um Ihre Meinung zu…«

Rebus hatte sich abgewandt und ging in Richtung von Siobhans Auto. Als Siobhan ihn einholte, zündete er sich gerade eine Zigarette an oder versuchte es jedenfalls. Wegen des Winds ging die Flamme seines Feuerzeugs immer wieder aus.

»Helfen Sie mir?«, fragte er.

»Nein.«

»Besten Dank.«

Aber dann gab sie nach und öffnete ihren Mantel so weit, dass er sich in dessen Schutz die Zigarette anzünden konnte. Er dankte ihr mit einem Nicken.

»Genug gesehen?«, fragte sie.

»Könnte es sein, dass wir keinen Deut besser als die sensationslüsternen Gaffer sind?«

Sie dachte kurz nach, dann schüttelte sie den Kopf. »Wir haben ein berufliches Interesse.«

»So kann man's auch nennen.«

Die Menge löste sich langsam auf. Viele blieben noch vor dem improvisierten Schrein an der Hecke stehen, aber nach und nach gingen immer mehr Leute an der Stelle vorbei, wo Rebus und Siobhan standen. Ihre Gesichter waren feierlich, entschlossen, mit Tränenflecken auf der Haut. Eine Frau drückte ihre zwei, noch keine zehn Jahre alten Kinder an sich, und die beiden wirkten verwirrt, fragten sich wahrscheinlich, was sie getan hatten, dass ihre Mutter zum Weinen gebracht hatte. Ein älterer Mann, der sich schwerfällig auf ein Gehgestell stützte, war offenbar fest entschlossen, den Heimweg aus eigener Kraft zu bewältigen, denn er wies jedes der vielen Hilfsangebote kopfschüttelnd ab.

Eine Gruppe Teenager war in ihren Port-Edgar-Schuluniformen erschienen. Rebus hätte wetten können, dass ein paar Dutzend Kameras Aufnahmen von ihnen gemacht hatten. Der Lidschatten der Mädchen war verschmiert. Die Jungen wirkten peinlich berührt, so als bereuten sie es, gekommen zu sein. Rebus hielt nach Miss Teri Ausschau, konnte sie aber nirgends entdecken.

»Ist das da nicht Ihr Freund?«, fragte Siobhan, begleitet von einer Kopfbewegung. Rebus musterte erneut die Menschenmenge und begriff sofort, wen sie meinte.

Peacock Johnson, inmitten der Prozession, die sich zurück in den Ort bewegte. Und neben ihm, einen ganzen Kopf kleiner, Evil Bob. Bob hatte seine Baseball-Mütze abgenommen, wodurch eine kahle Stelle auf seinem Kopf enthüllt wurde. Er war gerade dabei, die Mütze wieder aufzusetzen. Johnson hatte sich, dem Anlass entsprechend, dezenter als üblich gekleidet: ein grau glänzendes Hemd, wahrscheinlich aus Seide, unter einem langen schwarzen Regenmantel. Er trug ein schwarzes geflochtenes Band um den Hals, zusammengehalten von einer silbernen Schnalle. Auch er hatte seine Kopfbedeckung – einen grauen Trilby – abgenommen, hielt ihn in beiden Händen und fuhr mit den Fingern über die Krempe.

Johnson schien zu spüren, dass jemand ihn anstarrte. Als sein Blick auf den von Rebus traf, winkte Rebus ihn mit dem Zeigefinger zu sich. Johnson sagte etwas zu seinem Adjutanten, und die beiden bahnten sich einen Weg durch den Menschenstrom.

»Mr. Rebus, haben Sie Ihre Ehrerbietung erwiesen, so wie sich das für den wahren Gentleman geziemt, für den Sie sich gewiss halten?«

»Richtig, das ist meine Ausrede … und Ihre?«

»Dieselbe, Mr. Rebus, genau dieselbe.« Er vollführte eine leichte Verbeugung in Siobhans Richtung.

»Dame des Herzens oder Kollegin?«, fragte er Rebus.

»Letzteres«, antwortete Siobhan.

»Wobei sich beides ja nicht notwendigerweise gegenseitig ausschließt.« Er grinste sie an, während er sich den Hut auf den Kopf stülpte.

»Sehen Sie den Herrn da drüben?«, fragte Rebus und wies

auf Bell, der gerade aufhörte, mit der Presse zu reden. »Wenn ich ihm erzählen würde, wer Sie sind und was Sie tun, wäre er bestimmt hellauf begeistert.«

»Sie meinen Mr. Bell? Bei unserer Ankunft hier haben wir als Allererstes seine Petition unterschrieben, stimmt doch Kleiner, oder?« Er blickte hinunter auf seinen Gefährten. Bob schien keine Ahnung zu haben, worum es ging, nickte aber dennoch. »Wir haben also ein reines Gewissen«, fuhr Johnson fort.

»Das erklärt noch nicht im Mindesten, wieso Sie hier sind... es sei denn, Ihr reines Gewissen ist in Wahrheit reines Schuldbewusstsein.«

»Das war ein Schlag unter die Gürtellinie, wenn ich das so sagen darf.« Johnson zuckte theatralisch zusammen. »Sag gute Nacht zu den netten Polizisten«, fuhr er fort, Evil Bob auf die Schulter klopfend.

»Gute Nacht, nette Polizisten.« Ein mageres Lächeln erschien auf dem wohlgenährten Gesicht. Johnson hatte sich bereits wieder der Menge angeschlossen, den Kopf gebeugt, wie in mönchischer Versunkenheit. Bob schloss sich mit ein paar Schritten Abstand seinem Herrn und Meister an und glich frappierend einem Hund beim Gassigehen.

»Irgendeine Idee, was die beiden hier wollten?«, fragte Siobhan.

Rebus schüttelte langsam den Kopf.

»Vielleicht lagen Sie mit dem ›Schuldbewusstsein‹ gar nicht so weit daneben.«

»Wäre schön, den Schweinehund wegen irgendetwas dranzukriegen.«

Sie sah ihn fragend an, aber seine Aufmerksamkeit galt nun Jack Bell, der Kate etwas ins Ohr flüsterte. Kate nickte, und der Parlamentarier umarmte sie.

»Glauben Sie, aus ihr wird mal eine Politikerin?«, sinnierte Siobhan.

»Ich hoffe inständig, dass ihre Ambitionen nur darin bestehen«, murmelte Rebus und zeigte seinem Zigarettenstummel gegenüber wenig Gnade, als er ihn unter seinem
Absatz zermalmte.

Dritter Tag

Donnerstag

8

»Ist dieses Land nicht wirklich das Letzte?«, fragte Bobby Hogan.

Rebus fand die Frage etwas unfair. Sie befanden sich auf der Autobahn M 74, einer der gefährlichsten Straßen Schottlands. Die Reifen von Sattelschleppern schleuderten eine Mixtur gegen Hogans Passat, die zu neun Zehnteln aus Splitt und einem Zehntel aus Wasser bestand. Die Scheibenwischer arbeiteten auf Hochtouren, allerdings ohne rechten Erfolg, trotzdem versuchte Hogan, hundertzwanzig zu fahren. Hundertzwanzig zu fahren bedeutete jedoch, dass man die Laster überholen musste, und eine Reihe von LKW-Fahrern vergnügte sich mit einem ausgedehnten Elefantenrennen, wodurch sich hinter ihnen eine lange Schlange von PKWs bildete.

Am frühen Morgen war die Hauptstadt in milchiges Sonnenlicht getaucht gewesen, aber Rebus hatte gewusst, dass es nicht so schön bleiben würde. Dazu war der Himmel zu diesig gewesen, verschwommen, wie die Versprechungen eines Betrunkenen. Hogan hatte gewollt, dass sie sich in St. Leonard's trafen, und als sie dort aufbrachen, war bereits die gesamte obere Hälfte der Gesteinsmassen von Arthur's Seat in den Wolken verschwunden. Rebus bezweifelte, dass David Copperfield den Trick genauso bravourös hinbekommen würde. Wenn Arthur's Seat teilweise unsichtbar war, folgte garantiert Regen. Noch ehe sie die Stadtgrenze erreicht hatten, war es damit losgegangen, und Hogan hatte die Scheibenwischer erst auf Intervall gestellt, dann auf Stufe 1. Inzwischen – sie waren südlich von Glasgow auf der M74 – rasten die Wischer hin und her wie Roadrunners Beine in den Zeichentrickfilmen.

»Ich meine, das Wetter… den Verkehr… wieso ertragen wir das alles?«

»Bußfertigkeit?«, schlug Rebus vor.

»Da würde bedeuten, wir hätten etwas Verwerfliches getan.«

»Wie du schon sagtest, Bobby, es muss einen Grund geben, wieso wir an Ort und Stelle bleiben.«

»Vielleicht sind wir einfach träge.«

»Das Wetter können wir nicht ändern. Eigentlich sollten wir in der Lage sein, etwas gegen den vielen Verkehr zu unternehmen, aber offenbar schaffen wir das nicht, also was soll's?«

Hogan streckte einen Zeigefinger in die Höhe. »Genau. Uns geht einfach zu viel am Arsch vorbei.«

»Glaubst du, das ist ein Fehler?«

Hogan zuckte die Achseln. »Es ist wohl kaum eine Tugend, oder?«

»Nein, vermutlich nicht.«

»Das Land geht vor die Hunde. Jobs verschwinden auf Nimmerwiedersehen, die Politiker kriegen die Schnauze nicht mehr aus dem Futtertrog, Kinder haben keine… ich weiß auch nicht.« Er atmete geräuschvoll aus.

»Ein bisschen in Victor-Meldrews-Stimmung heute Vormittag, Bobby?«

Hogan schüttelte den Kopf. »Das ist schon ewig meine Meinung.«

»Vielen Dank übrigens, dass ich den Beichtvater spielen darf.«

»Weißt du was, John? Du bist noch zynischer als ich.«

»Das stimmt nicht.«

»Beweis es.«

»Ich glaube ans Jenseits. Außerdem glaube ich, dass wir beide früher als erwartet dort sein werden, wenn du nicht endlich den Fuß vom...«

Hogan lächelte zum ersten Mal an diesem Vormittag, blinkte und wechselte auf die mittlere Spur. »Besser?«, fragte er.

»Besser«, gab Rebus zu.

Dann, ein paar Sekunden später: »Glaubst du wirklich, dass es nach dem Tod irgendwie weitergeht?«

Rebus dachte nach, ehe er antwortete: »Ich glaube, es war eine gute Methode, dich dazu zu bringen, langsamer zu fahren.« Er drückte auf den Zigarettenanzünder des Autos und bereute es sofort. Hogan bekam mit, wie er zusammenzuckte.

»Immer noch so schlimm.«

»Wird langsam besser.«

»Erzähl doch noch mal, wie das passiert ist.«

Rebus schüttelte langsam den Kopf. »Reden wir lieber über Carbrae. Was, glaubst du, werden wir von Robert Niles erfahren?«

»Mit etwas Glück mehr als seinen Namen, seinen Dienstrang und seine Dienstnummer«, sagte Hogan und scherte wieder aus, um zu überholen.

Das Carbrae Special Hospital befand sich, Hogan zufolge, in der »tiefsten Walachei«. Keiner der beiden war je dort gewesen. Man hatte Hogan gesagt, er solle in Dumfries die A 711 nehmen, die von dort aus in westlicher Richtung nach Dalbeattie führte. Sie verpassten allerdings die richtige Autobahnausfahrt, und Hogan fluchte auf die dichte Kette von LKWs auf der Außenspur, denn er nahm an, sie hätten die Sicht auf das Schild und die Abzweigung versperrt. So konnten sie die M 74 erst in Lockerbie verlassen, um dann, von Osten kommend, nach Dumfries hineinzufahren.

»Warst du in Lockerbie, John?«

»Nur ein paar Tage.«

»Erinnerst du dich an den Mist, den man damals mit den Leichen gebaut hat? Dass sie auf der Eisbahn aufgebahrt wurden?« Hogan schüttelte langsam den Kopf. Rebus erinnerte sich: Die Leichen waren am Eis festgefroren, und deshalb hatte die gesamte Eisbahn abgetaut werden müssen. »So was habe ich gemeint, als ich vorhin über Schottland sprach, John. Das ist typisch für uns.«

Rebus war anderer Ansicht. Er fand, das ruhige, würdevolle Verhalten der Bewohner des Ortes im Anschluss an den Absturz von Pan Am 103 verriet erheblich mehr über ihr Heimatland. Er fragte sich unwillkürlich, wie es den Leuten aus South Queensferry ergehen würde, sobald der Drei-Manegen-Zirkus aus Polizei, Presse und großmäuligen Politikern weitergezogen war. Er hatte sich eine Viertelstunde lang die Morgennachrichten im Fernsehen angeschaut und dabei seinen Kaffee geschlürft, sich allerdings gezwungen gesehen, den Ton auszuschalten, als Jack Bell auf dem Bildschirm erschien, einen Arm um Kate geschlungen, deren blasses Gesicht geisterhaft leuchtete.

Hogan hatte auf dem Weg nach St. Leonard's einen Packen Zeitungen geholt. Einige Redaktionen hatten es noch geschafft, Fotos von der Mahnwache in den späteren Ausgaben abzudrucken. Der Pfarrer beim Singen; der Parlamentsabgeordnete, wie er seine Petition hochhielt.

»Ich kann überhaupt nicht mehr schlafen«, wurde eine Bewohnerin des Ortes zitiert, »aus Angst, dass sich noch mehr solche Kerle da irgendwo herumtreiben.«

Angst: das entscheidende Wort. Die meisten Menschen wurden niemals Opfer eines Verbrechens, dennoch hatten sie Angst davor, und diese Angst war real und belastete sie. Aufgabe der Polizei war es, diese Befürchtungen zu zerstreuen, sie erwies sich jedoch allzu oft als fehlbar und machtlos, trat erst dann in Erscheinung, wenn es zu spät war, kümmerte sich um den angerichteten Schaden, statt ihn zu verhindern. Jemand wie Jack Bell hingegen erweckte den Eindruck, dass er wenigstens den Versuch unternahm, etwas zu ändern... Rebus kannte die Sprüche, die bei Seminaren aufgetischt wurden: proaktiv statt reaktiv. Eines der Boulevardblätter hieb in ebendiese Kerbe. Der Kommentator unterstützte Bells Kampagne, worin auch immer sie bestehen mochte: *Wenn unsere Ordnungskräfte nicht mit dieser spürbaren, stetig wachsenden Bedrohung fertig werden, dann ist es die Aufgabe von jedem von uns, sich als einzelner Bürger oder Teil einer Organisation gegen die Flut der Gewalt zu stemmen, die unsere Zivilisation bedroht...*

Das dürfte ziemlich leicht zu schreiben gewesen sein, nahm Rebus an, denn der Autor hatte bloß Bells Worte zu diktieren brauchen. Hogan blickte zu der Zeitung hinüber.

»Bell hat momentan ziemlich Oberwasser.«

»Das ändert sich auch wieder.«

»Hoffentlich. Das scheinheilige Arschloch kotzt mich an.«

»Darf ich Sie mit diesen Worten zitieren, Detective Inspector Hogan?«

»Journalisten: Noch so ein Grund, warum dieses Land wirklich das Letzte ist...«

In Dumfries legten sie eine Kaffeepause ein. Das Café fiel durch die schaurige Kombination aus Resopal und schlechter Beleuchtung auf, aber nachdem die beiden Männer den ersten Bissen von ihren mächtigen Schinkenbrötchen gegessen hatten, war ihnen das völlig egal. Hogan sah auf seine Uhr und stellte fest, dass sie fast zwei Stunden lang unterwegs gewesen waren.

»Wenigstens hat der Regen aufgehört«, sagte Rebus.

»Hipp, hipp, hurra«, erwiderte Hogan.

Rebus beschloss, es mit einem Themenwechsel zu versuchen. »Warst du schon mal hier?«

»Bestimmt bin ich irgendwann mal durch Dumfries gefahren. Kann mich aber nicht erinnern.«

»Ich hab einmal hier in der Nähe Urlaub gemacht. Camping am Solway Firth.«

»Wann war das?« Hogan leckte Butter von den Innenseiten seiner Finger.

»Ist eine Ewigkeit her... Sammy trug noch Windeln.« Sammy: Rebus' Tochter.

»Hast du viel Kontakt mit ihr?«

»Wir telefonieren ab und zu.«

»Wohnt sie noch unten in England?« Rebus nickte. »Grüß sie von mir.« Er klappte sein Brötchen auf und pulte einen Teil des Fettrands vom Schinken. »Das Essen in Schottland: noch so eine Plage, mit der wir uns rumschlagen müssen.«

»Meine Güte, Bobby, soll ich dich nachher in Carbrae lassen? Du kannst dich ja selbst einweisen, so ein Miesepeter wie du fehlt denen sicher noch.«

»Ich habe bloß gemeint...«

»Was hast du gemeint? Dass bei uns das Wetter beschissen ist und wir uns beschissen ernähren? Ich schlage vor, du lässt Grant Hood eine Pressekonferenz geben, denn das ist für unsere Landsleute bestimmt eine echte Neuigkeit.«

Hogan konzentrierte sich aufs Essen, kaute, allerdings ohne zu schlucken. »Vielleicht hab ich einfach zu lange im Auto gesessen«, sagte er schließlich.

»Zu lang mit dem Port-Edgar-Fall beschäftigt«, konterte Rebus.

»Das sind doch erst –«

»Egal, wie viele Tage. Erzähl mir nicht, dass du genug Schlaf kriegst. Kannst du an was anderes denken, wenn du abends nach Hause kommst? Abschalten? Verantwortung abgeben? Dich Kollegen anvertrauen...«

»Ich hab begriffen, was du meinst.« Hogan schwieg einen Moment. »Immerhin habe ich *dich* um Hilfe gebeten.«

»Klar, denn sonst hättest du wahrscheinlich allein hier runterfahren müssen.«

»Na und?«

»Und hättest niemanden zum Volljammern gehabt.« Rebus sah ihn an. »Hat's gut getan, es mal alles rauszulassen?«

Hogan lächelte. »Womöglich hast du Recht.«

»Na, das wäre ja eine echte Premiere.«

Beide lachten. Hogan bestand darauf, die Rechnung zu bezahlen, Rebus gab ein Trinkgeld. Sie fuhren weiter und fanden problemlos die Straße nach Dalbeattie. Fünfzehn Kilometer hinter Dumfries wies ein kleines Schild nach rechts, und sie folgten den Windungen der schmalen, bergan führenden Nebenstraße, auf der in der Mitte Gras wuchs.

»Herrscht nicht gerade reger Autoverkehr«, kommentierte Rebus.

»Ein bisschen zu abgelegen für großen Besucherandrang«, stimmte Hogan zu.

Carbrae war in den fortschrittlichen sechziger Jahren errichtet worden, ein längliches schachtelförmiges Gebäude mit mehreren Anbauten. Die beiden Männer sahen das alles aber erst, nachdem sie den Wagen abgestellt, sich am Tor ausgewiesen und in Begleitung hinter die dicke graue Betonmauer gelassen worden waren. Vor der Mauer gab es noch einen etwa sechs Meter hohen Stacheldrahtzaun, der hier und da mit Überwachungskameras bestückt war. Am Pförtnerhaus erhielten sie in Plastik eingeschweißte Besucherausweise, die sie sich an einem roten Band um den Hals hängen mussten. Schilder wiesen die Besucher darauf hin, dass sie bestimmte Dinge nicht mit auf das Gelände nehmen durften. Verboten waren Getränke, Speisen, Zeitungen und Zeitschriften. Dasselbe galt für scharfkantige Gegenstände. Ohne vorherige Erlaubnis durch das Personal durfte den Patienten nichts ausgehändigt werden. Handys waren nicht gestattet: »Manche unserer Patienten regen sich über Dinge auf, die Ihnen vollkommen unwichtig erscheinen mögen. Im Zweifelsfall FRAGEN Sie bitte nach!«

»Besteht die Möglichkeit, dass Robert Niles sich über uns aufregt?«, fragte Hogan und tauschte mit Rebus einen Blick.

»Wir sind doch die Harmlosigkeit in Person«, sagte Rebus und schaltete sein Handy aus.

Dann erschien der Aufseher, und sie durften hinein.

Sie gingen einen Weg entlang, der auf beiden Seiten von gepflegten Beeten gesäumt war. Hinter einigen Fenstern sah man Gesichter. Die Fenster hatten keine Gitter. Rebus hatte erwartet, dass die Aufseher Rausschmeißertypen sein würden, hünenhaft und schweigsam, gekleidet in Krankenhaus-Weiß oder irgendeine Art Uniform. Aber ihr Begleiter, Billy, war klein und fröhlich und trug, ganz leger, T-Shirt, Jeans und Schuhe mit weichen Sohlen. Rebus überkam eine Horrorvision: Die Irren hatten die Macht in der Anstalt übernommen und die richtigen Aufseher eingesperrt. Das würde Billys strahlendes, rotwangiges Gesicht erklären. Aber vielleicht hatte er auch nur einen Griff in den Medikamentenschrank getan.

»Dr. Lesser wartet in ihrem Zimmer auf Sie«, sagte Billy.

»Was ist mit Mr. Niles?«

»Sie werden sich dort mit ihm unterhalten. Er mag keine fremden Menschen in seinem Zimmer.«

»Ach, ja?«

»Er ist in dieser Hinsicht etwas eigen.« Billy zuckte die Achseln, so als wollte er sagen: Haben wir nicht alle unsere kleinen Macken? Er tippte auf einer Tastatur am Eingang eine Zahlenkombination ein und lächelte nach oben, in die Kamera, die auf ihn gerichtet war. Die Tür öffnete sich klickend, und sie betraten das Krankenhaus.

Es roch drinnen nach… nicht unbedingt nach Krankenhaus. Wonach sonst? Rebus fiel es ein: Es war der Geruch von neuem Teppichboden – genauer gesagt, des blauen Teppichbodens, mit dem der ganze Flur ausgelegt war, der sich vor ihnen erstreckte. Wände und Decke waren anscheinend frisch gestrichen. Auf den Farbeimern dürfte »Apfelgrün« gestanden haben, vermutete Rebus. Bilder an den Wänden, befestigt mit Klebe-Pads, keine Rahmen und keine Heftzwecken. Es war still. Ihre Schuhe machten kein Geräusch auf dem Teppich. Keine Musikberieselung, kein Geschrei. Billy führte sie den Flur entlang und blieb dann vor einer offenen Tür stehen.

»Dr. Lesser?«

Eine Frau saß an einem modernen Schreibtisch. Sie lächelte und schaute über den Rand ihrer Lesebrille hinweg.

»Da sind Sie ja«, verkündete sie.

»Tut mir Leid, dass wir ein paar Minuten zu spät kommen«, entschuldigte sich Hogan.

»So habe ich das nicht gemeint«, beruhigte sie ihn. »Es ist nämlich so, dass viele Leute an der Abzweigung vorbeifahren und uns dann anrufen, weil sie nicht herfinden.«

»Wir haben hergefunden.«

»Das sehe ich.« Sie kam zu ihnen, um ihnen zur Begrüßung die Hand zu geben. Hogan und Rebus stellten sich vor.

»Danke, Billy«, sagte sie. Billy verneigte sich leicht und zog sich zurück. »Kommen Sie doch herein. Ich beiße nicht.« Erneut lächelte sie. Rebus fragte sich, ob das zum Anforderungsprofil von Jobs in Carbrae gehörte.

Das Zimmer war klein und gemütlich. Ein gelbes zweisitziges Sofa; Bücherregal; Stereoanlage. Kein Aktenschrank. Rebus nahm an, dass die Patientenakten sorgsam vor neugierigen Blicken geschützt wurden. Dr. Lesser forderte die beiden Männer auf, sie Irene zu nennen. Sie war Ende zwanzig oder Anfang dreißig, hatte kastanienbraunes Haar, das ihr bis knapp über die Schultern reichte. Ihre Augen waren von derselben Farbe wie die Wolken, die am Morgen Arthur's Seat verhüllt hatten.

»Bitte setzen Sie sich.« Sie hatte einen englischen Akzent. Liverpool, vermutete Rebus.

»Dr. Lesser…«, fing Hogan an.

»Irene.«

»Ja, natürlich.« Hogan schwieg kurz, so als überlege er, ob er tatsächlich ihren Vornamen benutzen solle. Wenn er das tat, würde sie *ihn* wahrscheinlich auch mit Vornamen anreden, und das fände er eindeutig zu vertraulich. »Ihnen ist klar, warum wir hier sind?«

Lesser nickte. Sie hatte sich einen Stuhl genommen und sich gegenüber von den beiden Polizisten hingesetzt. Das Sofa reichte knapp für Hogan und Rebus: gemeinsam brachten sie etwa 200 Kilo auf die Waage…

»Und Ihnen ist klar«, sagte Lesser, »dass Robert das Recht hat, nicht mit Ihnen zu reden. Wenn es Anzeichen dafür gibt, dass ihn das Gespräch aufregt, dann wird es beendet, und zwar ohne Diskussionen.«

Hogan nickte. »Sie werden selbstverständlich anwesend sein.«

Sie hob eine Augenbraue. »Selbstverständlich.«

Diese Antwort hatten sie erwartet, dennoch waren sie enttäuscht.

»Frau Doktor«, sagte Rebus, »vielleicht können Sie uns mit ein paar vorbereitenden Tipps behilflich sein. Was haben wir von Mr. Niles zu erwarten?«

»Ich möchte Sie nicht beeinflussen –«

»Gibt es zum Beispiel Dinge, die wir nicht erwähnen sollten? Irgendwelche heiklen Wörter?«

Sie musterte Rebus. »Er wird nicht bereit sein, über das zu sprechen, was er seiner Frau angetan hat.«

»Deshalb sind wir auch nicht hier.«

Sie dachte einen Moment lang nach. »Er weiß nicht, dass sein Freund tot ist.«

»Er weiß nicht, dass Herdman tot ist?«, wiederholte Hogan.

»Unsere Patienten interessieren sich im Allgemeinen nicht für die Nachrichten.«

»Und es wäre Ihnen lieber, wenn er auch von uns nichts erfährt?«, fragte Rebus.

»Ich nehme an, Sie brauchen ihm nicht unbedingt zu erklären, wieso Sie sich so sehr für Mr. Herdman interessieren...«

»Nein, das ist nicht nötig.« Rebus sah Hogan an. »Wir müssen bloß aufpassen, dass wir uns nicht verplappern, was, Bobby?«

Während Hogan nickte, klopfte es an der immer noch offenen Tür. Die drei erhoben sich. Ein großer, muskulöser Mann stand vor ihnen. Stiernacken, tätowierte Arme. Einen Augenblick lang dachte Rebus: Ja, so sollte ein Aufseher aussehen. Dann nahm er Lessers Miene wahr und begriff, dass es sich bei dem Riesen um Robert Niles handelte.

»Robert...« Die Ärztin hatte wieder ihr Lächeln aufgesetzt, aber Rebus wusste, dass sie sich gerade fragte, wie lange Niles schon dort gestanden und was er alles mitbekommen hatte.

»Billy hat gesagt...« Die Stimme klang wie Donnergrollen.

»Stimmt. Kommen Sie, kommen Sie herein.«

Niles betrat das Zimmer, und Hogan ging zur Tür, um sie hinter ihm zu schließen.

»Nein, lassen Sie das«, befahl Lesser. »Die Tür bleibt immer offen.«

Zwei Deutungsmöglichkeiten: Offenheit, nichts zu verbergen; oder es hatte den Zweck, dass ein tätlicher Angriff schneller bemerkt werden würde.

Lesser forderte Niles mit einer Geste auf, ihren Stuhl zu nehmen, sie selbst ging zurück hinter den Tisch. Als Niles sich setzte, taten die beiden Polizisten es ihm nach und zwängten sich erneut auf das Sofa.

Niles starrte sie an, den Kopf gesenkt, die Augenlider halb geschlossen.

»Diese beiden Männer würden Ihnen gerne ein paar Fragen stellen, Robert.«

»Was für Fragen?« Niles trug ein blütenweißes T-Shirt und eine graue Jogging-Hose. Rebus bemühte sich, nicht auf die Tätowierungen zu starren. Sie waren angejahrt, stammten vermutlich aus seiner Militärzeit. Als Rebus zur Armee gegangen war, hatten alle Rekruten außer ihm während des ersten Heimaturlaubs den Beginn des Soldatenlebens gefeiert, indem sie sich mehrere Tätowierungen hatten machen lassen. Zu Niles' Sortiment gehörten eine Distel, ein paar gewundene Schlangen und ein Dolch, um den ein Banner gewickelt war. Rebus vermutete, der Dolch habe etwas mit seiner Zugehörigkeit zum SAS zu tun, auch wenn man bei dem Regiment solche Verzierungen missbilligte: Tätowierungen waren wie Narben – Erkennungsmerkmale. Das hieß, sie konnten sich als verräterisch erweisen, falls man gefangen genommen wurde …

Hogan beschloss, die Initiative zu ergreifen: »Wir möchten Ihnen ein paar Fragen über Ihren Freund Lee stellen.«

»Lee?«

»Lee Herdman. Besucht er Sie nicht manchmal?«

»Ja, manchmal.« Die Worte kamen ihm nur langsam über die Lippen. Rebus fragte sich, wie stark Niles unter Medikamenteneinfluss stand.

»Haben Sie ihn in letzter Zeit gesehen?«

»Ja, vor ein paar Wochen … glaube ich.« Niles schwenkte den Blick hinüber zu Dr. Lesser. Der Begriff der Zeit spielte in Carbrae vermutlich keine große Rolle. Lesser nickte ermutigend.

»Worüber sprechen Sie bei Ihren Treffen?«

»Über die alten Zeiten.«

»Irgendwelche speziellen Ereignisse?«

»Nur ... die alten Zeiten. Das Leben war schön damals.«

»War das auch Lees Ansicht?« Hogan sog nach dem Ende der Frage geräuschvoll Luft ein, denn er hatte gemerkt, dass er gerade in der Vergangenheitsform von Herdman gesprochen hatte.

»Was soll das alles?« Ein erneuter Blick auf Lesser, durch den sich Rebus an ein dressiertes Tier erinnert fühlte, das auf Anweisungen seines Besitzers wartete. »Muss ich hier bleiben?«

»Die Tür ist offen, Robert.« Lesser wies mit der Hand in die entsprechende Richtung. »Das wissen Sie doch.«

»Lee ist abgängig, Mr. Niles«, sagte Rebus und beugte sich ein wenig vor. »Wir würden gerne wissen, was mit ihm passiert ist.«

»Abgängig?«

Rebus zuckte die Achseln. »Es ist eine ziemlich lange Fahrt von Queensferry hierher. Sie beide müssen sich ziemlich nah gestanden haben.«

»Wir waren im selben Regiment.«

Rebus nickte. »SAS. Waren Sie auch in derselben Einheit?«

»C-Schwadron.«

»Da wär' ich auch beinahe hingekommen.« Rebus probierte es mit einem Lächeln. »Ich war bei den Paras ... und wollte ins Regiment.«

»Was ist passiert?«

Rebus versuchte, nicht an das zurückliegende Grauen zu denken. »Ausbildung geschmissen.«

»Zu welchem Zeitpunkt?«

Die Wahrheit zu sagen war einfacher als zu lügen. »Ich habe alles geschafft bis auf die Psycho-Tests.«

Ein breites Lächeln riss Niles' Miene auf. »Die haben Sie kleingekriegt.«

Rebus nickte. »So klein wie eine blöde Ameise, Kamerad.«

Kamerad: ein Soldaten-Wort.

»Wann war das?«

»Anfang der Siebziger.«

»Bisschen vor meiner Zeit also.« Niles dachte nach. »Man hat die Tests ändern müssen«, erinnerte er sich. »Waren vorher viel härter gewesen.«

»Ja, bei mir zum Beispiel.«

»Die haben Sie mit den Tests kleingekriegt. Was hat man denn mit Ihnen gemacht?« Niles kniff die Augen zusammen. Er wirkte wacher als zuvor, jetzt, da er ein richtiges Gespräch führte und jemand anders auf *seine* Fragen antwortete.

»Ich war in eine Zelle eingesperrt... es war die ganze Zeit laut und hell... aus den anderen Zellen kamen Schreie...«

Rebus merkte, dass ihm nun alle mit ungeteilter Aufmerksamkeit zuhörten. Niles klatschte in die Hände. »Der Heli?«, fragte er. Als Rebus nickte, klatschte er erneut und wandte sich dann an Dr. Lesser. »Du bekommst einen Sack über den Kopf und wirst in einen Heli verfrachtet, und dann sagen die Kerle dir, dass sie dich rausschmeißen, wenn du ihnen nicht erzählst, was sie hören wollen. Wenn sie dich dann rausschmeißen, stellst du fest, dass du nur zwei Meter überm Boden warst, aber das weißt du vorher natürlich nicht!« Er wandte sich wieder an Rebus. »Das ist richtig übel.« Dann streckte er Rebus eine Hand entgegen.

»Ja, ist es«, sagte Rebus und versuchte gleichzeitig, den rasenden Schmerz zu ignorieren, den ihm der Händedruck bereitet hatte.

»Für mich hört es sich ziemlich barbarisch an«, bemerkte Dr. Lesser, das Gesicht blasser als zuvor.

»Es macht dich zum Sieger oder zum Verlierer«, berichtigte Niles sie.

»Ich war ein Verlierer«, sagte Rebus. »Aber Sie, Robert... waren Sie hinterher ein Sieger?«

»Ja, für eine Weile.« Niles' Begeisterung ließ etwas nach. »Wenn man den Abschied nimmt... dann wird's einem klar.«

»Was?«

»Die Tatsache, dass alles, was man…« Er verstummte, wurde starr wie eine Statue. Hatte plötzlich die Wirkung irgendwelcher Medikamente eingesetzt? Aber hinter Niles schüttelte Lesser den Kopf, was wohl bedeuten sollte, dass es keinen Grund zur Sorge gab. »Ich hab einige von den Paras gekannt«, sagte er schließlich. »Das waren echt coole Arschlöcher.«

»Ich war bei der Rifle Company, 2. Para.«

»Waren also in Nordirland im Einsatz.«

Rebus nickte. »Und anderswo.«

Niles klopfte mit dem Finger gegen den Nasenflügel. Rebus stellte sich vor, wie seine Finger einen Messergriff umschlossen und er die Klinge über die glatte, helle Haut eines Halses zog.

»Psst… Vorsicht ist die Mutter der Porzellankiste«, sagte Niles.

Das Wort, an das Rebus gedacht hatte, war allerdings »Ehefrau« gewesen. »Als Sie Lee das letzte Mal gesehen haben«, fragte er ruhig, »schien da mit ihm alles in Ordnung zu sein? Hatte er vielleicht irgendwelche Sorgen?«

Niles schüttelte den Kopf. »Lee bewahrt immer Haltung. Ich habe ihn noch nie gesehen, wenn's ihm schlecht geht.«

»Aber Sie wissen, *dass* es ihm manchmal schlecht geht?«

»Wir sind dafür ausgebildet, es uns nicht anmerken zu lassen. Wir sind schließlich *Männer*!«

»Ja, das sind wir«, bestätigte Rebus.

»In der Armee ist kein Platz für Memmen. Eine Memme schafft's nicht, jemanden Wildfremdes zu erschießen oder mit einer Handgranate fertig zu machen. Man muss in der Lage sein… man wird dafür ausgebildet, dass man…« Aber Niles brachte die Worte nicht heraus. Er rang die Hände, als wolle er sie durch den Druck zum Leben erwecken. Er schaute zwischen Rebus und Hogan hin und her.

»Später … später wissen sie dann manchmal nicht, wie sie einen entschärfen sollen …«

Hogan lehnte sich ihm entgegen. »Trifft das Ihrer Ansicht nach auf Lee zu?«

Niles starrte ihn an. »Er hat was Schlimmes getan, hab ich Recht?«

Hogan verkniff sich eine Antwort und sah Dr. Lesser Rat suchend an. Aber zu spät. Niles erhob sich langsam von seinem Stuhl.

»Ich gehe jetzt«, sagte er und bewegte sich auf die Tür zu. Hogan öffnete den Mund, um etwas zu sagen, aber Rebus verhinderte es, indem er ihn am Arm berührte, denn er war überzeugt, Hogan hätte Niles sonst das verbale Pendant einer Handgranate zugeworfen: *Dein Kumpel ist tot, und er hat vorher zwei Jungen abgeknallt …* Dr. Lesser stand auf und ging zur Tür, um sich zu vergewissern, dass Niles sich nicht noch in der Nähe herumdrückte. Nachdem sie sich davon überzeugt hatte, setzte sie sich auf den Stuhl, der jetzt frei war.

»Er wirkt ziemlich normal.«

»Normal?«

»Er scheint sich unter Kontrolle zu haben. Liegt das an irgendwelchen Medikamenten?«

»Die Medikamente spielen dabei auch eine Rolle.« Sie schlug eines ihrer behosten Beine über das andere. Rebus fiel auf, dass sie überhaupt keinen Schmuck trug, weder Armbänder noch Halsketten noch Ohrringe.

»Wenn er … ›kuriert‹ ist … muss er dann zurück ins Gefängnis?«

»Die Leute glauben, der Aufenthalt in einer Einrichtung wie dieser sei die bequemere Alternative. Ich versichere Ihnen, dass dem nicht so ist.«

»Das habe ich nicht andeuten wollen. Ich habe mich bloß gefragt —«

»Wenn ich mich recht entsinne«, unterbrach Hogan ihn,

»hat Niles damals mit keinem Wort erklärt, wieso er seiner Frau die Kehle durchgeschnitten hat. War er Ihnen gegenüber mitteilsamer, Frau Doktor?«

Sie sah ihn an, ohne zu blinzeln. »Das ist für den Anlass Ihres Besuchs unerheblich.«

Hogan zuckte die Achseln. »Sie haben Recht. Ich war bloß neugierig.«

Lesser wandte ihre Aufmerksamkeit Rebus zu. »Man könnte es vielleicht als eine Art Gehirnwäsche bezeichnen.«

»Wieso Gehirnwäsche?«, fragte Hogan.

Rebus antwortete an ihrer Stelle. »Dr. Lesser stimmt mit Niles überein. Sie glaubt, die Armee trainiert den Männern das Töten an, tut aber nichts, um sie zu entschärfen, ehe sie ins Zivilleben zurückkehren.«

»Es gibt viele Fallbeispiele, die das nahe legen«, sagte Lesser. Sie legte die Hände auf die Oberschenkel, eine Geste, die signalisieren sollte, dass die Zeit um war.

Rebus stand gleichzeitig mit ihr auf, Hogan dagegen zögerte.

»Wir haben eine lange Fahrt auf uns genommen, Frau Doktor«, sagte er.

»Ich glaube nicht, dass Sie heute von Robert noch mehr erfahren werden.«

»Wir werden vermutlich nicht genug Zeit haben, um ein weiteres Mal herzukommen.«

»Das ist Ihr Problem.«

Schließlich erhob Hogan sich vom Sofa. »Wie oft sehen Sie Niles?«

»Täglich.«

»Ich meine, wie oft führen Sie Einzelgespräche mit ihm?«

»Wieso wollen Sie das wissen?«

»Vielleicht könnten Sie ihn ja nächstes Mal nach seinem Freund Lee fragen.«

»Vielleicht.«

»Und wenn er Ihnen irgendetwas erzählt...«

»Werde ich es streng vertraulich behandeln.«

Hogan nickte. »Ärztliche Schweigepflicht, verstehe. Aber bei uns gibt es zwei Familien, die gerade den Sohn verloren haben. Wie wär's, wenn Sie zur Abwechslung auch mal an die Opfer denken?« Hogans Tonfall war harscher geworden. Rebus bugsierte ihn in Richtung Tür.

»Ich muss mich für meinen Kollegen entschuldigen«, sagte er zu Lesser. »So ein Mordfall nimmt einen ziemlich mit.«

Ihre Miene wurde etwas verständnisvoller. »Ja, natürlich... warten Sie einen Moment, dann hole ich Billy.«

»Wir finden den Weg zum Ausgang allein«, sagte Rebus. Aber als sie den Flur betraten, kam ihnen Billy schon entgegen. »Danke für Ihre Hilfe, Frau Doktor.« Dann, zu Hogan: »Sag danke schön zu der netten Frau Doktor.«

»Vielen Dank«, brachte Hogan missmutig zustande. Er machte sich von Rebus los, begann, den Flur entlangzugehen, und Rebus machte Anstalten, ihm zu folgen.

»DI Rebus?«, rief Lesser. Rebus drehte sich zu ihr um. »Vielleicht sollten Sie auch einmal mit jemandem reden. Mit einem Therapeuten, meine ich.«

»Es ist dreißig Jahre her, dass ich aus der Armee ausgeschieden bin.«

Sie nickte. »Man sollte eine Last nicht so lange mit sich herumtragen.« Sie verschränkte die Arme. »Denken Sie darüber nach, ja?«

Rebus nickte und entfernte sich, rückwärts gehend. Er winkte ihr zum Abschied zu, drehte sich um und beschleunigte seine Schritte, ihren Blick im Rücken spürend. Rebus holte den Aufseher ein.

»Das hat uns richtig weitergeholfen«, bemerkte er zu Billy, wusste aber genau, dass Hogan es hören konnte.

»Freut mich.«

»Hat sich gelohnt, die Fahrt hierher.«

Billy nickte, zufrieden darüber, dass jemand anders genauso gut gelaunt war wie er selbst.

»Billy«, sagte Rebus und legte dem jungen Mann eine Hand auf die Schulter, »schauen wir uns das Buch mit dem Besucherverzeichnis hier oder vorne im Pförtnerhaus an?«

Billy wirkte verblüfft. »Haben Sie nicht mitgekriegt, wie Dr. Lesser davon gesprochen hat?«, redete Rebus unbeirrt weiter. »Wir brauchen bloß die Daten von Herdmans Besuchen.«

»Das Buch liegt im Pförtnerhaus.«

»Dann werden wir's da kurz durchblättern.« Rebus schenkte dem Aufseher ein charmantes Lächeln. »Besteht die Chance auf einen Kaffee, während wir das erledigen?«

Im Pförtnerhaus gab es einen Wasserkocher, und der Pförtner kochte ihnen zwei Becher Nescafé. Billy marschierte zurück zum Hauptgebäude.

»Glaubst du, er wird schnurstracks zu Lesser gehen?«, sagte Hogan leise.

»Sehen wir zu, dass wir uns beeilen.«

Das war nicht so einfach, denn der Pförtner interessierte sich ungemein für sie, stellte Fragen über das Leben eines CID-Beamten. Wahrscheinlich litt er unter Vereinsamung, schließlich saß er den ganzen Tag in seiner Kabine, die Monitore der Überwachungskameras vor sich, und nur ab und zu kam ein Auto mit Leuten, die durchgelassen werden wollten… Hogan erzählte ihm kleine Anekdoten, von denen die meisten, nach Rebus' Einschätzung, erfunden waren. Bei dem Besucherbuch handelte es sich um ein altmodisches Geschäftsbuch mit Spalten für Datum, Uhrzeit, Name und Adresse des Besuchers und den Namen des besuchten Insassen. Letztere Spalte war noch einmal unterteilt, damit sowohl der Name des Patienten als auch der seines Arztes notiert werden konnten. Rebus begann mit den Namen der

Besucher und fuhr mit dem Finger rasch über drei Seiten, bis er Lee Herdman fand. Fast genau einen Monat her, Niles' Schätzung war also einigermaßen korrekt gewesen. Einen weiteren Monat zurück der nächste Besuch. Rebus kritzelte die Details in sein Notizbuch, darauf bedacht, den Stift nicht zu fest anzufassen. Jetzt würden sie wenigstens irgendein Ergebnis mit nach Edinburgh nehmen.

Er hielt kurz inne, um einen Schluck aus dem angestoßenen, mit Blumenmuster bedruckten Becher zu trinken. Die Flüssigkeit schmeckte wie eine dieser billigen Supermarkt-Sorten, mehr Zichorie als Kaffee. Sein Vater hatte immer dasselbe Zeug gekauft, um jeweils ein paar Pence zu sparen. Einmal hatte der halbwüchsige Rebus eine teurere Marke gekauft, die sein Vater jedoch verschmäht hatte.

»Guter Kaffee«, sagte er nun zu dem Aufseher, der sich über das Kompliment zu freuen schien.

»Bist du fertig?«, fragte Hogan, des Geschichtenerzählens überdrüssig.

Rebus nickte, ließ aber dann den Blick ein letztes Mal über eine der Spalten gleiten. Diesmal nicht die mit den Besuchern, sondern mit den besuchten Patienten...

»Wir kriegen Gesellschaft«, warnte ihn Hogan. Rebus schaute hoch. Hogan zeigte auf einen der Monitore. Dr. Lesser kam in Begleitung von Billy aus dem Krankenhausgebäude geeilt und lief den Weg mit den Beeten entlang.

Rebus richtete den Blick wieder auf das Buch und sah erneut den Namen R. Niles. R.Niles/Dr. Lesser. Ein anderer Besucher, nicht Lee Herdman.

Danach haben wir sie nicht gefragt! Rebus hätte sich in den Hintern beißen können.

»Wir sollten verschwinden, John«, sagte Bobby Hogan und stellte seinen Becher ab. Aber Rebus rührte sich nicht. Hogan starrte ihn an, und Rebus zwinkerte bloß. Dann flog die Tür auf, und Lesser stand vor ihnen.

»Wer hat Ihnen das erlaubt?«, blaffte sie. »Das ist ein vertrauliches Verzeichnis.«

»Wir haben vergessen, Sie nach anderen Besuchern zu fragen«, erklärte Rebus ihr seelenruhig. Dann klopfte er mit seinem Finger auf eine Stelle in dem Buch. »Wer ist Douglas Brimson?«

»Das geht Sie nichts an.«

»Woher wollen Sie das wissen?« Rebus schrieb, während er das sagte, den Namen in sein Notizbuch.

»Was tun Sie da?«

Rebus klappte das Notizbuch zu und steckte es in die Tasche. Dann nickte er in Hogans Richtung.

»Noch mal vielen Dank, Frau Doktor«, sagte Hogan, um sich endlich zu verabschieden. Sie beachtete ihn gar nicht, sondern funkelte Rebus an. »Ich werde mich über Sie beschweren«, sagte sie drohend.

Er zuckte die Achseln. »Spätestens heute Abend bin ich sowieso vom Dienst suspendiert. Nochmals vielen Dank für die Hilfe.« Er quetschte sich an ihr vorbei und folgte Hogan zum Parkplatz.

»Jetzt geht's mir besser«, sagte Hogan. »Das war zwar gemein von uns, aber immerhin haben wir einen Treffer gelandet.«

»Die gemeinen Treffer sind oft die besten«, fügte Rebus hinzu.

Hogan blieb bei dem Passat stehen und kramte nach den Schlüsseln. »Douglas Brimson?«, fragte er.

»Er hat Niles besucht«, erklärte Rebus. »Und eine Adresse in Turnhouse angegeben.«

»Turnhouse?« Hogan runzelte die Stirn. »Meinst du den Edinburgher Flughafen?«

Rebus nickte.

»Was gibt's denn da draußen überhaupt?«

»Du meinst, außer dem Flughafen?« Rebus zuckte die

Achseln. »Sollten wir vielleicht überprüfen«, sagte er, als die Zentralverriegelung des Autos die Türschlösser klackend entriegelte.

»Was sollte die Bemerkung, dass man dich suspendieren wird?«

»Irgendetwas musste ich doch sagen.«

»Aber warum ausgerechnet *das*?«

»Herrje, Bobby, kaum sind wir die Psycho-Tante los, fängst du mit solchem Mist an.«

»Falls da irgendetwas ist, das ich wissen sollte, John ...«

»Da ist nichts.«

»Ich habe dich mit ins Boot geholt, und ich kann dich jederzeit rausschmeißen. Vergiss das nicht.«

»Du bist wirklich ein toller Motivationskünstler, Bobby.« Rebus schloss die Beifahrertür. Es würde eine lange Fahrt werden ...

9

MAKE MY DAY (C.O.D.Y.).

Siobhan starrte die Nachricht erneut an. Dieselbe Schrift wie gestern, da war sie sich sicher. Briefmarke zweiter Klasse, aber der Brief war innerhalb eines Tages bei ihr angekommen. Die Adresse war absolut korrekt, auch die Postleitzahl von St. Leonard's stimmte. Keine Unterschrift dieses Mal, aber das war ja auch nicht nötig, oder? Denn gerade das wollte der Verfasser offenbar betonen.

Make my day: bereite mir einen schönen Tag. Eine Anspielung auf Clint Eastwoods Dirty Harry? Kannte sie jemanden namens Harry? Nein. Ihr war nicht klar, ob sie verstehen sollte, was C.O.D.Y. bedeutete, aber sie hatte es sofort gewusst: Come On, Die Young – Na los, stirb jung. Sie wusste es, weil es der Titel einer Mogwai-CD war, die sie vor einer Weile gekauft hatte. Es war, wenn sie sich richtig erinnerte, ein Spruch, den eine amerikanische Jugend-Gang als Erkennungszeichen an Wände sprühte. Kannte sie jemanden, der ihre Vorliebe für Mogwai teilte? Sie hatte Rebus vor Monaten ein paar CDs geliehen. Auf der Wache kannte eigentlich niemand ihren Musikgeschmack. Grant Hood war ein paar Mal in ihrer Wohnung gewesen... Eric Bain sogar ziemlich oft... Vielleicht hatte sie die Bedeutung gar nicht verstehen sollen, zumindest nicht ohne Nachforschungen. Die meisten Fans der Band waren bestimmt jünger als sie, unter zwanzig oder knapp darüber. Außerdem waren sie wahrscheinlich größtenteils männlichen Geschlechts. Mogwai spielte Instrumentals, eine Mischung aus Ambient-Gitarrensound und ohrenbetäubendem Lärm. Sie konnte sich nicht erinnern, ob Rebus ihr die CDs schon zurückgegeben hatte... war *Come On, Die Young* eine davon gewesen?

Ohne es zu merken, war sie von ihrem Tisch zum Fenster gegangen und spähte nun hinunter auf die St. Leonard's Lane. Im CID-Büro war nichts los, die Port-Edgar-Befragungen waren erledigt. Sie mussten noch transkribiert und zusammengefügt werden. Dann würde man alle Informationen in den Zentralcomputer eingeben, um festzustellen, ob die Technik etwas fand, das den Sterblichen zuvor entgangen war...

Der Verfasser der Nachricht wollte von ihr, dass sie ihm einen schönen Tag bescherte. *Der* Verfasser? Sie sah sich die eine Zeile genau an. Vielleicht würde ein Experte erkennen, ob sie von einem Mann oder einer Frau geschrieben worden war. Siobhan nahm an, dass die Person versucht hatte, ihre Handschrift zu verstellen. Daher das Gekritzel. Sie ging zurück zu ihrem Tisch und rief Ray Duff an.

»Ray, hier ist Siobhan – schon irgendein Ergebnis?«

»Auch Ihnen einen schönen guten Morgen, DS Clarke.

Habe ich nicht gesagt, dass ich mich bei dir melde, wenn – *falls* – ich etwas herausfinden würde.«

»Das heißt also, du hast noch nichts gefunden?«

»Das heißt, dass ich bis zum Hals in Arbeit stecke. Das heiß, dass ich es noch nicht geschafft habe, mich eingehend mit deinem Brief zu befassen, wofür ich mich nur mit dem Hinweis entschuldigen kann, dass ich leider auch bloß ein Mensch bin.«

»Tut mir Leid, Ray.« Sie seufzte und drückte mit zwei Fingern gegen ihren Nasenrücken.

»Du hast einen weiteren Brief bekommen?«, tippte er.

»Ja.«

»Gestern einen, heute einen?«

»Stimmt.«

»Willst du mir den neuen auch schicken?«

»Nein, ich glaube, ich behalte ihn lieber, Ray.«

»Sobald ich Neuigkeiten habe, rufe ich an.«

»Ja, ich weiß. Entschuldige, dass ich dir lästig falle.«

»Red mit jemandem über die Sache.«

»Hab ich schon getan. Tschüss, Ray.«

Sie legte auf, wählte Rebus' Handynummer, aber er ging nicht dran. Sie verzichtete darauf, etwas auf die Mailbox zu sprechen. Faltete den Zettel mit der Nachricht zusammen, schob ihn zurück in den Umschlag und steckte den Umschlag in ihre Tasche. Auf ihrem Tisch stand das Notebook eines toten Teenagers, ihre heutige Aufgabe. Es waren über hundert Dateien auf der Festplatte, einiges davon war Software, aber das meiste waren Dokumente, die Derek Renshaw erstellt hatte. Siobhan hatte sich bereits ein paar davon angeschaut: Briefe, Referate für die Schule. Nichts über den Autounfall, bei dem sein Freund gestorben war. Es schien, als habe er eine Art Jazz-Fanzine gründen wollen. Ein paar gelayoutete Seiten, mit Fotos, die zum Teil eingescannt waren, zum Teil aus dem Netz stammten. Großer Enthusiasmus, aber kaum journalistisches Talent. *Miles war ein Er-neuerer, keine Frage, aber später fungierte er mehr als eine Art Ta-lentscout, versammelte die besten jungen Musiker um sich, in der Hoffnung, dass etwas von ihnen auf ihn abfärbte...* Siobhan konnte nur hoffen, dass Miles es geschafft hatte, die Farbe später wieder abzuwaschen. Sie saß vor dem Notebook, starrte es an und versuchte, sich zu konzentrieren. Das Wort CODY schwirrte ihr im Kopf herum. Vielleicht war das eine Spur... die zu jemandem mit diesem Nachnamen führte. Sie konnte sich nicht erinnern, je einem Cody begegnet zu sein. Ihr kam ein schrecklicher Gedanke: Fairstone lebte noch, und die verkohlte Leiche war ein Mann namens Cody gewesen. Sie verscheuchte diese Idee mit einem Kopfschüt-teln, atmete tief durch und machte sich wieder an die Arbeit.

Und stieß augenblicklich gegen eine Mauer. Für den Zu-gang zu Derek Renshaws E-Mail-Account brauchte sie sein Passwort. Sie griff nach dem Telefonhörer und rief in South Queensferry an. Zum Glück hob Kate ab und nicht ihr Vater.

»Kate, hier ist Siobhan Clarke.«

»Ja?«

»Ich habe Dereks Notebook hier.«

»Das hat Dad mir schon erzählt.«

»Leider habe ich vergessen, nach seinem Passwort zu fra-gen.«

»Wozu brauchen Sie das?«

»Um nachzuschauen, ob neue E-Mails für ihn gekommen sind.«

»Wieso?« Sie klang verärgert, wollte vermutlich, dass die Sache endlich vorbei war.

»Weil es zu meinem Beruf gehört, Kate.« Schweigen am anderen Ende. »Kate?«

»Was?«

»Ich wollte bloß sichergehen, dass Sie nicht aufgelegt haben.«

217

»Oh… ach so.« Und dann war die Leitung plötzlich tot. Kate hatte aufgelegt. Siobhan stieß einen stummen Fluch aus, beschloss, es später noch einmal zu versuchen oder Rebus zu bitten, dass er das übernahm. Schließlich war er ein Verwandter. Außerdem gab es einen Ordner mit Dereks alten E-Mails – auf die sie auch ohne Passwort Zugriff hatte. Sie scrollte bis zum Anfang und stellte fest, dass sich E-Mails aus den letzten vier Jahren in dem Ordner befanden. Hoffentlich hatte Derek Ordnung gehalten und alle Spam-Mails gelöscht. Als sie sich fünf Minuten ihrer Aufgabe gewidmet hatte und bereits von den vielen Rugby-Ergebnissen und Spielberichten gelangweilt war, klingelte das Telefon.

Es war Kate. »Tut mir wirklich Leid«, sagte die Stimme.

»Keine Ursache. Ist schon in Ordnung.«

»Nein, ist es nicht. Sie tun bloß Ihre Arbeit.«

»Trotzdem muss das *Ihnen* ja nicht unbedingt gefallen. Wenn ich ehrlich sein soll, gefällt es auch mir manchmal nicht.«

»Sein Passwort lautete ›Miles‹.«

Natürlich. Siobhan hätte bloß ein paar Minuten lang assoziativ nachdenken müssen.

»Danke, Kate.«

»Er hat gerne gesurft. Dad hat sich eine Weile jeden Monat wegen der Telefonrechnung beschwert.«

»Sie standen sich sehr nahe, Derek und Sie, oder?«

»Ja, ich glaube schon.«

»Sonst hätte er Ihnen wohl auch kaum sein Passwort verraten.«

Ein Schnauben, das fast wie ein Lachen klang. »Ich hab's erraten. Schon nach drei Versuchen hatte ich's raus. Er hat versucht, meines zu erraten, und ich seines.«

»Hat er es geschafft?«

»Er ist mir drei Tage lang damit auf die Nerven gegangen, ständig kam er mit einer neuen Idee an.«

Siobhan hatte den linken Arm mit dem Ellbogen auf den Tisch gestützt. Sie schloss die Hände zur Faust und legte ihren Kopf darauf. Womöglich würde es ein langes Telefonat werden, ein Gespräch, das für Kate wichtig war.

Erinnerungen an Derek.

»Hatten Sie denselben Musikgeschmack wie er?«

»Um Himmels willen, nein. Das Zeug, das er hörte, war mir zu kopflastig. Er blieb stundenlang in seinem Zimmer, und wenn man zu ihm reinging, saß er gedankenverloren im Schneidersitz auf dem Bett. Ich habe ihn ein paar Mal in Diskos in der Stadt mitgeschleppt, aber er sagte, er fände solche Läden deprimierend.« Erneutes Schnauben. »Wussten Sie, dass er einmal verprügelt worden ist?«

»Wo?«

»In Edinburgh. Ich glaube, seitdem blieb er lieber zu Hause. Er war ein paar Typen über den Weg gelaufen, denen sein ›schnöseliger‹ Akzent nicht gefiel. Von denen gibt's viele. *Wir* sind alle Snobs, weil unsere Eltern stinkreich sind und uns auf die Privatschule schicken. *Sie* sind alle Prolls und werden später arbeitslos sein… damit fängt alles an.«

»Fängt was an?«

»Die Aggressionen. Ich erinnere mich, dass wir in meinem Abschlussjahr in Port Edgar einen Brief bekamen, in dem uns ›geraten‹ wurde, in der Stadt keine Schuluniform zu tragen, es sei denn, wir befänden uns auf einem Ausflug mit der ganzen Klasse.« Sie stieß einen langen Seufzer aus. »Meine Eltern haben jeden Penny dreimal umgedreht, damit wir auf die Privatschule gehen konnten. Vielleicht war das sogar der Grund für ihre Trennung.«

»Da irren Sie sich bestimmt.«

»Bei ihren Streitereien ging es oft um Geld…«

»Trotzdem…«

Einen Augenblick war es still in der Leitung. »Ich habe viel im Netz herumgesucht.«

»Wonach?«

»Nach Erklärungen... ich habe wissen wollen, wieso er das getan hat.«

»Sie meinen Lee Herdman?«

»Es gibt ein Buch von einem Amerikaner. Er ist Psychiater, glaube ich. Wollen Sie wissen, wie es heißt?«

»Wie denn?«

»Bad Men Do What Good Men Dream. Glauben Sie, da ist was Wahres dran?«

»Dafür müsste ich wahrscheinlich erst das Buch lesen.«

»Wenn ich es richtig verstanden habe, behauptet er, dass wir es alle in uns tragen, das Potential für... na ja... Sie wissen schon.«

»Ich kenne mich mit so etwas nicht aus.« Siobhan dachte noch immer an Derek Renshaw. Dass man ihn verprügelt hatte, war eine weitere Sache, über die Siobhan in seinen Dateien bisher nichts gelesen hatte. Geheimnisse über Geheimnisse...

»Kate, dürfte ich Sie etwas fragen...?«

»Was?«

»Derek litt doch nicht an Depressionen, oder? Immerhin hat er zum Beispiel gerne Sport getrieben.«

»Ja, aber wenn er zu Hause war...«

»Hat er am liebsten in seinem Zimmer gesessen?«, riet Siobhan.

»Mit seinen Jazz-CDs und dem Internet.«

»Irgendwelche Netz-Adressen, die er besonders oft besucht hat?«

»Er war Mitglied in ein paar Foren und Chatgroups.«

»Lassen Sie mich raten: Sport und Jazz?«

»Hundert Punkte.« Einen Moment herrschte Stille. »Wissen Sie noch, was ich über Stuart Cotters Familie gesagt habe?«

Stuart Cotter: das Unfallopfer. »Ja, ich erinnere mich.«

»Haben Sie mich deswegen für verrückt gehalten?« Kate bemühte sich, dabei munter zu klingen.

»Wir werden der Sache nachgehen, keine Sorge.«

»Ich habe es nicht so gemeint. Ich glaube eigentlich nicht, dass Stuarts Familie... dass sie so etwas tun würde.«

»Ich verstehe schon.« Erneut herrschte Stille in der Leitung. »Haben Sie wieder aufgelegt?«

»Nein.«

»Gibt es noch etwas, worüber Sie reden möchten?«

»Ich sollte Sie jetzt weiterarbeiten lassen.«

»Sie können mich jederzeit anrufen, Kate. Wann immer Sie wollen.«

»Danke, Siobhan. Das ist sehr nett von Ihnen.«

»Tschüss, Kate.« Siobhan beendete das Gespräch und starrte erneut auf den Bildschirm. Sie drückte mit einer Faust gegen ihre Jackentasche, spürte den Umriss des Briefumschlags.

C.O.D.Y.

Plötzlich kam ihr das nicht mehr so wichtig vor.

Sie machte sich wieder an die Arbeit, schloss das Notebook an eine Telefonbuchse an, gab Dereks Passwort ein und bekam einen Batzen E-Mails, von denen sich die meisten als Spam-Mails oder Sport-Newsletter entpuppten. Ein paar stammten von Absendern, deren Namen sie aus dem Archiv-Ordner kannte. Es waren Freunde, denen Derek wahrscheinlich nie von Angesicht zu Angesicht begegnet war, Freunde aus fremden Ländern, die seine Leidenschaften teilten. Freunde, die nichts von seinem Tod wussten.

Sie setzte sich gerade hin und glaubte zu spüren, wie die Rückenwirbel knackten. Ihr Nacken war steif, und ihre Uhr verriet ihr, dass es schon fast zu spät zum Mittagessen war. Sie hatte keinen Hunger, wusste aber, dass sie etwas essen sollte. Worauf sie wirklich Lust hatte, war ein doppelter Espresso, vielleicht mit einer Tafel Schokolade als Beilage.

Die doppelte Dröhnung aus Zucker und Koffein, die dem Leben Schwung verlieh.

»Nur nicht schwach werden«, sagte sie zu sich selbst. Sie würde ins Engine Shed gehen, wo es vegetarische Gerichte und Früchtetee gab. Sie fischte ein Taschenbuch und ihr Handy aus ihrer Schultertasche und schloss die Tasche anschließend in der unteren Schreibtischschublade ein – man konnte in einer Polizeiwache nicht vorsichtig genug sein. Das Taschenbuch war die Abhandlung einer Autorin über Rockmusik. Sie wollte es schon seit einer Ewigkeit zu Ende lesen. Gerade als sie dabei war, das Büro zu verlassen, kam George »Hi-Ho« Silvers herein.

»Geh nur kurz Mittag essen«, sagte sie zu ihm.

Er schaute sich in dem leeren Büro um. »Was dagegen, wenn ich mitkomme?«

»Tut mir Leid, George, ich bin verabredet«, log sie unbekümmert. »Außerdem muss einer von uns hier die Stellung halten.«

Sie ging nach unten, dann durch den Haupteingang der Wache nach draußen und bog nach links in die St. Leonard's Lane ab. Ihre Augen waren auf das winzige Display des Handys gerichtet, um zu sehen, ob neue Nachrichten für sie eingegangen waren. Eine Hand landete schwungvoll auf ihrer Schulter. Eine tiefe Stimme knurrte: »He.« Siobhan wirbelte herum, ließ Handy und Taschenbuch fallen. Sie packte ein Handgelenk, verdrehte es ruckartig und riss den Arm des Angreifers hoch, so dass er auf die Knie fiel.

»Verdammte Scheiße!«, keuchte der Mann. Sie konnte nicht viel von ihm sehen. Kurze, dunkle Haare, mit Gel stachelig nach oben frisiert. Anthrazitfarbener Anzug. Er war massig, nicht besonders groß…

Eindeutig nicht Martin Fairstone.

»Wer sind Sie?«, zischte Siobhan. Sie hielt das Handgelenk weit oben am Rücken fest und drückte es nach vorne. Sie hörte, wie Autotüren geöffnet und wieder geschlossen wurden, schaute hoch und sah einen Mann und eine Frau auf sie zugelaufen kommen.

»Ich wollte nur ein paar Worte mit Ihnen reden«, keuchte der Kurzhaarige. »Ich bin Reporter. Holly… Steve Holly.«

Siobhan ließ das Handgelenk los. Holly hielt sich den schmerzenden Arm, während er aufstand.

»Was ist hier los?«, fragte die Frau. Siobhan erkannte sie wieder: Whiteread, die Ermittlerin vom Militär. Simms war bei ihr, ein dünnes Lächeln auf den Lippen, und nickte Siobhan anerkennend zu, bestimmt wegen ihrer guten Reflexe.

»Nichts«, sagte Siobhan zu ihnen.

»Das kam mir nicht so vor.« Sie starrte Steve Holly an.

»Er ist Reporter«, erklärte Siobhan.

»Hätten wir das gewusst«, sagte Simms, »dann hätten wir mit dem Eingreifen etwas länger gewartet.«

»Danke schön«, murmelte Holly, während er sich den Ellbogen rieb. Er schaute zwischen Simms und Whiteread hin und her. »Ich habe Sie schon mal gesehen… auf der Straße vor Herdmans Wohnung, wenn ich mich nicht irre. Dabei dachte ich, dass ich alle Leute vom CID kenne.« Er richtete sich auf und streckte Simms die Hand entgegen, da er ihn offenbar für den Ranghöheren hielt. »Steve Holly.«

Simms schaute auf Whiteread, und Holly begriff sofort seinen Irrtum. Er drehte sich ein wenig zur Seite, so dass seine Hand nun auf die Frau zeigte, und wiederholte seinen Namen. Whiteread ignorierte ihn.

»Behandeln Sie die vierte Gewalt immer auf diese Weise, DS Clarke?«

»Manchmal nehme ich sie auch in den Schwitzkasten.«

»Genau, man soll seine Kampfmethode öfter wechseln«, stimmte Whiteread ihr zu.

»Auf diese Weise bleibt man für den Gegner unberechenbar«, ergänzte Simms.

»Wieso habe ich das Gefühl, dass Sie drei sich auf meine Kosten amüsieren?«, fragte Holly.

Siobhan hatte sich inzwischen gebückt, um ihr Handy und ihr Buch aufzuheben. Sie überprüfte, ob das Handy noch heil war. »Was wollen Sie?«

»Ihnen ein paar Fragen stellen.«

»Worüber?«

Holly schaute die beiden Armeeangehörigen an. »Sind Sie sicher, dass Sie Publikum wollen, DS Clarke?«

»Ich werde Ihnen sowieso nichts sagen«, erwiderte Siobhan.

»Woher wollen Sie das jetzt schon wissen?«

»Weil Sie mich nach Martin Fairstone fragen werden.«

»Werde ich das?« Holly zog eine Augenbraue hoch. »Also, vielleicht hatte ich das ursprünglich vor... aber mich würde auch interessieren, wieso Sie so schreckhaft sind, und wieso Sie sich weigern, über Fairstone zu reden.«

Ich bin *wegen* Fairstone so schreckhaft, hätte Siobhan am liebsten gebrüllt. Doch stattdessen schnaubte sie abfällig. Das Engine Shed kam nicht mehr in Frage; unmöglich, Holly daran zu hindern, ihr dorthin zu folgen und sich neben sie zu setzen... »Ich gehe wieder rein«, sagte sie.

»Hoffentlich klopft Ihnen da drin niemand auf die Schulter«, sagte Holly. »Und richten Sie DI Rebus aus, dass es mir Leid tut...«

Siobhan beabsichtigte nicht, auf den Trick hereinzufallen. Sie drehte sich zur Tür um, nur um festzustellen, dass Whiteread ihr den Weg versperrte.

»Hätten Sie einen Moment Zeit für uns?«, fragte sie.

»Ich mache gerade Mittagspause.«

»Ich könnte auch einen Happen vertragen«, sagte Whiteread und schaute ihren Kollegen an, der sofort zustimmend nickte. Siobhan seufzte.

»Okay, kommen Sie mit.« Sie schob sich durch die Drehtür, Whiteread folgte dicht dahinter. Simms wollte sich ihnen schon anschließen, hielt dann aber inne und wandte sich an den Journalisten.

»Sind Sie Zeitungsreporter?«, fragte er. Holly nickte. Simms lächelte ihn an. »Ich hab mal jemanden mit einer Zeitung umgebracht.« Dann drehte er sich um und ging den beiden Frauen nach.

In der Kantine gab es kaum noch Auswahl. Whiteread und Siobhan nahmen ein Sandwich, Simms eine große Portion Bohnen mit Pommes Frites.

»Was hatte die Bemerkung über Rebus zu bedeuten?«, fragte Whiteread, während sie Zucker in ihren Tee rührte.

»Unwichtig«, sagte Siobhan.

»Sind Sie sich da sicher?«

»Hören Sie…«

»Wir sind nicht Ihre Feinde, Siobhan. Ich kann mir vorstellen, wie das ist: wahrscheinlich trauen Sie nicht einmal den Polizisten vom Nachbarrevier, geschweige denn Leuten wie uns, die von außen kommen. Aber wir drei stehen auf derselben Seite.«

»Das mag wohl sein, aber die Sache eben hatte nichts mit Port Edgar, Lee Herdman oder dem SAS zu tun.«

Whiteread starrte sie an, nahm es dann achselzuckend hin.

»Also, was wollen Sie von mir?«, fragte Siobhan.

»Eigentlich hatten wir gehofft, mit DI Rebus sprechen zu können.«

»Er ist nicht da.«

»Das hat man uns in South Queensferry auch schon gesagt.«

»Aber Sie sind trotzdem hergekommen?«

Whiteread betrachtete ostentativ den Belag ihres Sandwiches. »Sieht ganz so aus.«

»Er ist nicht hier… aber Sie wussten, dass ich da bin.«

Whiteread lächelte. »Rebus hat an der Ausbildung für den SAS teilgenommen, aber ohne Erfolg.«

»Das erwähnten Sie bereits.«

»Hat er Ihnen jemals erzählt, was damals passiert ist?«

Siobhan zog es vor, nicht zu antworten, denn sie wollte nicht zugeben, dass er ihr diesen Teil seines Lebens stets vorenthalten hatte. Whiteread genügte ihr Schweigen als Antwort.

»Er ist zusammengeklappt. Bekam einen Nervenzusammenbruch und bat um seine Entlassung aus der Armee. Lebte anschließend eine Weile am Meer, irgendwo nördlich von hier.«

»In Fife«, fügte Simms hinzu, den Mund voller Pommes Frites.

»Woher wissen Sie das alles? Sie sind doch wegen Herdman hier.«

Whiteread nickte. »Es ist nur so, dass wir Lee Herdman nicht im Visier hatten.«

»Im Visier?«

»Als potentiellen Psychopathen«, sagte Simms. Whiteread funkelte ihn kurz an, und er schluckte heftig und kümmerte sich wieder um seine Mahlzeit.

»Psychopath ist nicht der richtige Ausdruck«, berichtigte Whiteread ihn, Siobhan zuliebe.

»Aber Sie hatten John im Visier«, riet Siobhan.

»Ja«, gab Whiteread zu. »Der Nervenzusammenbruch… Und dann wurde er Polizist, sein Name tauchte regelmäßig in der Presse auf…«

Und wird jetzt wieder auftauchen, dachte Siobhan. »Ich verstehe immer noch nicht, was das mit Ihrer Untersuchung zu tun hat«, fragte sie, in der Hoffnung, gelassen zu klingen.

»Womöglich verfügt DI Rebus über Kenntnisse, die sich als nützlich erweisen könnten«, erklärte Whiteread. »DI Hogan scheint jedenfalls dieser Ansicht zu sein. Schließlich hat er Rebus mit nach Carbrae genommen. Um Robert Niles einen Besuch abzustatten.«

»Noch so eine spektakuläre Fehleinschätzung von Ihnen«, fühlte sich Siobhan bemüßigt zu sagen.

Whiteread beschränkte ihre Reaktion darauf, ihr Sandwich, von dem sie kaum abgebissen hatte, zurück auf den Teller zu legen und ihre Teetasse in die Hand zu nehmen. Siobhans Handy klingelte. Sie schaute auf das Display: Rebus.

»Entschuldigung«, sagte sie, stand auf und ging zum Getränkeautomaten. »Wie war's?«, fragte sie.

»Wir sind auf einen neuen Namen gestoßen: Können Sie den Mann überprüfen?«

»Wie heißt er?«

»Brimson.« Rebus buchstabierte ihn. »Vorname Douglas. Adresse in Turnhouse.«

»Beim Flughafen?«

»Ja, scheint so. Er hat Niles besucht...«

»Und wohnt nicht weit von South Queensferry entfernt, also besteht die Möglichkeit, dass er Lee Herdman kannte.« Siobhan blickte zu Whiteread und Simms hinüber, die miteinander sprachen. »Ich habe Ihre Armee-Kumpel hier. Soll ich sie bitten, sich nach diesem Brimson zu erkundigen, für den Fall, dass er ein Ex-Soldat ist?«

»Auf gar keinen Fall. Können die beiden zuhören?«

»Ich esse gerade gemeinsam mit ihnen in der Kantine zu Mittag. Keine Sorge, sie sind außer Hörweite.«

»Und was machen die beiden in St. Leonard's?«

»Whiteread hat sich für ein Sandwich entschieden, Simms vertilgt einen Teller Pommes.« Sie schwieg kurz. »Aber viel lieber würden die beiden mich abkochen.«

»Soll ich darüber lachen?«

»Entschuldigung. Lahmer Versuch. Hat Templer schon mit Ihnen gesprochen?«

»Nein. Wie ist ihre Laune?«

»Ich hab's geschafft, mich den ganzen Vormittag von ihr fern zu halten.«

»Wahrscheinlich trifft sie sich mit den Pathologen, ehe sie mich am Spieß braten wird.«

»Na, wer versucht jetzt, witzig zu sein?«

»Ich wünschte, es wäre ein Witz, Siobhan.«

»Wann kommen Sie wieder hierher?«

»Heute nicht mehr, wenn ich es vermeiden kann. Bobby will mit dem Richter reden.«

»Wieso?«

»Um ein paar Dinge zu klären.«

»Und dafür brauchen Sie den Rest des Tages?«

»Sie haben auch ohne mich genug zu tun. Und kein Wort zum Duo Infernale.«

Das Duo Infernale: Sie schaute in Richtung der beiden. Sie hatten aufgehört zu reden und aufgegessen. Und starrten sie an.

»Steve Holly hat ebenfalls hier herumgeschnüffelt«, sagte Siobhan zu Rebus.

»Ich nehme an, Sie haben ihm in die Eier getreten und ihn weggescheucht.«

»Da liegen Sie gar nicht so verkehrt…«

»Lassen Sie uns das vorm Spielende noch mal besprechen.«

»Ich bin hier.«

»Schon was im Notebook gefunden?«

»Noch nicht.«

»Bleiben Sie am Ball.«

Aus dem Telefon kam kein Laut mehr, und dann verriet eine Serie munterer Piepser, dass Rebus aufgelegt hatte. Siobhan ging zum Tisch und setzte ein Lächeln auf.

»Ich muss wieder zurück.«

»Wir können Sie im Auto mitnehmen«, bot Simms an.

»Ich meinte, zurück nach oben.«

»Sind Sie in South Queensferry mit allem fertig?«, fragte Whiteread.

»Ich habe hier noch ein paar Kleinigkeiten zu erledigen.«

»Kleinigkeiten?«

»Überbleibsel alter Fälle.«

»Papierkram, was?«, erkundigte sich Simms mitfühlend. Aber Whitereads Miene verriet, dass sie sich nicht täuschen ließ.

»Ich bringe Sie rasch zur Tür.«

»Sagen Sie, wie sieht so ein Büro vom CID aus?«, fragte Whiteread. »Ich wollte schon immer mal…«

»Ich führe Sie bei Gelegenheit gerne herum«, erwiderte Siobhan. »Wenn wir nicht so viel um die Ohren haben.«

Damit musste Whiteread sich wohl oder übel abfinden, aber Siobhan sah, dass es ihr genauso gut gefiel, wie ihr ein Mogwai-Konzert gefallen hätte.

10

Lord Jarvies war Ende fünfzig. Bobby Hogan hatte Rebus auf der Rückfahrt nach Edinburgh über die familiäre Situation des Richters informiert. Nachdem seine erste Ehe geschieden worden war, hatte er wieder geheiratet, und Anthony war das einzige Kind aus dieser Verbindung. Die Familie wohnte in Murrayfield.

»Gibt viele gute Schulen in der Gegend«, hatte Rebus bemerkt, der sich wunderte, denn Murrayfield war ziemlich weit von South Queensferry entfernt. Doch dann erfuhr er, dass Orlando Jarvies auch in Port Edgar zur Schule gegangen war. Er hatte sogar nach dem Abitur in der Ehemaligen-Rugby-Mannschaft der Schule gespielt.

»Auf welcher Position?«, hatte Rebus gefragt.

»John«, hatte Hogan geantwortet, »um mein Rugby-Wissen aufzuschreiben, reicht das Papier auf deinem Zigarettenstummel.«

Hogan hatte erwartet, den Richter zu Hause anzutreffen, von Entsetzen und Trauer erfüllt. Aber ein paar Telefonanrufe ergaben, dass Jarvies bereits wieder arbeitete, und sich daher im Sheriff Court an der Chambers Street aufhielt, in dem Gebäude gegenüber von dem Museum, in dem Jean Burchill arbeitete. Rebus spielte mit dem Gedanken, sie anzurufen – vielleicht wäre Zeit für einen schnellen Kaffee –, aber entschied sich dagegen. Ihr würden natürlich seine Hände auffallen. Besser, er machte sich rar, bis sie verheilt waren. Er spürte immer noch den Händedruck, den Robert Niles ihm verabreicht hatte.

»Hast du je mit Jarvies zu tun gehabt?«, fragte Hogan, als sie im Parkverbot vor dem Gebäude hielten, in dem sich früher die städtische Zahnklinik befunden hatte, das aber inzwischen eine Diskothek und eine Bar beherbergte.

»Ein paar Mal. Und du?«

»Ein oder zweimal.«

»Hast du ihm Anlass gegeben, sich an dich zu erinnern?«

»Das werden wir bald rausfinden«, sagte Hogan und hängte innen an die Windschutzscheibe ein Schild mit der Aufschrift »Polizei in dienstlichem Einsatz«.

»Ich an deiner Stelle würde lieber ein Knöllchen riskieren.«

»Wieso das?«

»Überleg mal.«

Hogan runzelte nachdenklich die Stirn, dann nickte er. Nicht jeder, der aus dem Gerichtsgebäude kam, war gut auf die Polizei zu sprechen. Ein Strafmandat kostete höchstens 30 Pfund. Kratzer im Lack würden ein klein wenig teurer kommen. Hogan entfernte das Schild.

Sheriff Court war ein modernes Gebäude, aber die Kundschaft hatte bereits ihre Spuren hinterlassen. Getrocknete Spucke auf den Fenstern, Graffiti an den Wänden. Der Richter befand sich im Umkleideraum, und dorthin wurden Rebus und Hogan geführt, um sich mit ihm zu treffen. Der Justizangestellte verbeugte sich kurz, ehe er wieder hinausging.

Jarvies hatte gerade seine Robe ausgezogen und präsentierte sich jetzt wieder in einem Nadelstreifenanzug, inklusive Weste und Uhrkette. Der Knoten seiner weinroten Krawatte saß perfekt, und an den Füßen trug er blank polierte Budapester. Sein Gesicht, dessen Wangen von einem Geflecht aus roten Äderchen durchzogen waren, wirkte ebenfalls blank poliert. Auf einem langen Tisch lag die Arbeitskleidung anderer Richter: schwarze Roben, weiße Kragen, graue Perücken, jeweils mit dem Namen des Besitzers versehen.

»Setzen Sie sich, falls Sie einen Stuhl finden«, sagte Jarvies. »Ich habe nicht viel Zeit.« Er schaute hoch, und sein Mund stand offen, genau wie es im Gerichtssaal oft der Fall war. Als Rebus das erste Mal bei Jarvies als Zeuge aufgetreten war, hatte ihn diese Eigenart verunsichert, denn er hatte die ganze Zeit gedacht, der Richter werde ihn gleich unterbrechen. »Ich habe noch einen weiteren Termin, darum konnte ich, wenn überhaupt, nur hier empfangen.«

»Kein Problem, Sir«, sagte Hogan.

»Offen gestanden«, fügte Rebus hinzu, »haben wir uns angesichts des tragischen Ereignisses gewundert, Sie hier anzutreffen.«

»Wir können uns doch von solchen Mistkerlen nicht unterkriegen lassen, oder?«, erwiderte der Richter. Es klang, als müsse er diese Erklärung nicht zum ersten Mal liefern. »Also, was kann ich für Sie tun?«

Rebus und Hogan tauschten einen Blick, konnten es beide kaum glauben, dass der Mann vor ihnen gerade seinen Sohn verloren hatte.

»Es geht um Lee Herdman«, sagte Hogan. »Er war mit Robert Niles befreundet.«

»Niles?« Der Richter merkte auf. »Ich erinnere mich ... hat seine Frau erstochen, richtig?«

»Die Kehle durchgeschnitten«, berichtigte ihn Rebus. »Er wurde für schuldfähig erklärt, ist aber inzwischen in Carbrae.«

»Wir fragen uns«, fuhr Hogan fort, »ob Sie je Anlass hatten, einen Racheakt zu befürchten.«

Jarvies stand langsam auf, holte seine Uhr hervor, ließ den Deckel aufspringen und schaute auf das Zifferblatt. »Ich glaube, ich verstehe«, sagte er. »Sie suchen nach einem Motiv. Können Sie sich denn nicht mit der Erklärung begnügen, dass Herdman schlicht und einfach den Verstand verloren hat?«

»Womöglich werden wir am Ende zu genau diesem Schluss kommen«, räumte Hogan ein.

Der Richter betrachtete sich in dem mannshohen Spiegel des Zimmers. Rebus spürte einen leichten Geruch in der Nase, und ihm fiel ein, woher er ihn kannte. Es war der Geruch von Herrenoberbekleidungsgeschäften, jenen Läden, in die er als Kind mitgenommen wurde, wenn bei seinem Vater für einen neuen Anzug Maß genommen wurde. Jarvies drückte ein einzelnes widerspenstiges Haar an den Kopf. Er hatte graumelierte Schläfen, aber davon abgesehen war sein Haar kastanienbraun. Fast zu braun, dachte Rebus, der sich fragte, ob vielleicht mit Farbe nachgeholfen worden war. Die Frisur des Richters mit dem akkuraten linken Scheitel sah aus, als habe er seit seiner Schulzeit niemals einen anderen Haarschnitt ausprobiert.

»Sir?«, hakte Hogan nach. »Robert Niles ...?«

»Ich habe nie irgendeine Drohung in Zusammenhang mit ihm erhalten, Detective Inspector Hogan. Und den Namen Herdman habe ich zum ersten Mal nach der Tat gehört.« Er wandte sich vom Spiegel ab. »Reicht Ihnen das als Antwort?«

»Ja, Sir.«

»Wenn Herdman es auf Anthony abgesehen hatte, wieso hat er dann auch auf die anderen Jungs geschossen? Und wieso hat er nach der Verurteilung so lange gewartet?«

»Ja, Sir.«

»Nicht immer liegt ein konkretes Motiv vor...«

Plötzlich klingelte Rebus' Handy, und das Geräusch klang fehl am Platz, zu modern für diese Umgebung.

Er lächelte entschuldigend und trat hinaus auf den mit rotem Teppich ausgelegten Flur.

»Rebus«, sagte er.

»Ich komme gerade von zwei interessanten Begegnungen zurück«, sagte Gill Templer, bemüht, sich im Zaum zu halten.

»Ach ja?«

»Die kriminaltechnische Untersuchung von Fairstones Küche hat ergeben, dass er wahrscheinlich gefesselt und geknebelt war. Damit ist es Mord.«

»Vielleicht hat auch nur jemand versucht, ihm ordentlich Angst einzujagen.«

»Du wirkst nicht sehr überrascht.«

»Mich überrascht heutzutage kaum noch etwas.«

»Du wusstest es bereits, habe ich Recht?« Rebus schwieg; er hatte nicht vor, Dr. Curt zu verpetzen. »Und du kannst dir sicher denken, mit wem ich mich anschließend getroffen habe.«

»Carswell«, sagte Rebus. Assistant Chief Constable Colin Carswell: der stellvertretende Polizeipräsident.

»Richtig.«

»Und ich muss mich ab sofort bis zum Ende der Ermittlungen gegen mich als suspendiert betrachten?«

»Ja.«

»Okay. Ist das alles?«

»Man wird dich in Kürze zu einer ersten Befragung ins Präsidium zitieren.«

»Durch wen? Das Complaints Department?«

»Vermutlich, vielleicht aber auch die PSU.« Gemeint war die Professional Standards Unit.

»Oh, der militärische Arm der Complaints.«

»John …« Ihr Ton klang zugleich warnend und verärgert.

»Ich freue mich schon auf das Gespräch mit den Jungs«, sagte Rebus und beendete das Telefonat. Hogan kam nämlich gerade aus dem Ankleidezimmer und dankte dem Richter, dass er sich für sie Zeit genommen hatte. Er schloss die Tür von außen und sagte leise: »Er scheint es gut zu verkraften.«

»Ich glaube eher, er verdrängt es«, sagte Rebus, neben Hogan hergehend. »Ich habe übrigens eine kleine Neuigkeit.«

»Aha?«

»Man hat mich vom Dienst suspendiert. Und ich riskiere die Behauptung, dass Carswell momentan versucht, dich zu erreichen, um es dir mitzuteilen.«

Hogan blieb stehen und drehte sich zu Rebus um. »Deine Vorhersage in Carbrae ist also eingetroffen.«

»Ich bin neulich Abend zusammen mit einem Typ zu ihm nach Hause gegangen. In derselben Nacht ist er dort verbrannt.« Hogan senkte ruckartig den Blick auf Rebus' Handschuhe. »Da gibt es keinen Zusammenhang, Bobby. Reiner Zufall.«

»Wo liegt dann das Problem?«

»Der Kerl hat Siobhan mehrfach belästigt.«

»Und?«

»Und es scheint so, als sei er an einen Stuhl gefesselt gewesen, als das Feuer ausbrach.«

Hogan stieß die Luft aus. »Irgendwelche Zeugen?«

»Offenbar hat man mich gesehen, als ich mit ihm ins Haus ging.«

Hogans Handy klingelte, ein anderer Ton als der von Rebus' Mobiltelefon. Beim Anblick des Namens auf dem Display zuckten Hogans Lippen.

»Carswell?«, rief Rebus.

»Präsidium.«

»Dann ist er's.«

Hogan nickte und steckte das Handy zurück in die Tasche.

»Du hast keinen Grund, es aufzuschieben«, sagte Rebus zu ihm.

Aber Bobby Hogan schüttelte den Kopf. »Und ob ich einen Grund habe, John. Im Übrigen hat man dich von der Polizeiarbeit suspendiert, und die besteht darin, Verbrecher zu fangen, nicht wahr? Im Port-Edgar-Fall braucht aber gar kein Verbrecher gefangen zu werden. Wir versuchen bloß, ein bisschen Ordnung zu schaffen.«

»Stimmt eigentlich.« Rebus zeigte ein schiefes Lächeln. Hogan klopfte ihm auf den Arm. »Keine Sorge, John. Onkel Bobby wird seine Hand über dich halten...«

»Danke, Onkel Bobby«, sagte Rebus.

»... es sei denn, irgendwann fängt die Kacke richtig an zu dampfen.«

Als Gill Templer nach St. Leonard's zurückkehrte, hatte Siobhan bereits Douglas Brimsons Adresse ermittelt. Das war zugegebenermaßen nicht besonders schwierig gewesen, denn Brimson stand im Telefonbuch. Zwei Adressen und Telefonnummern: eine privat und eine geschäftlich. Templer war Tür knallend in ihrem Büro auf der anderen Seite des Flurs verschwunden. George Silvers hatte von seinem Schreibtisch hochgeschaut.

»Klingt als wäre sie auf dem Kriegspfad«, hatte er gesagt, woraufhin er seinen Kugelschreiber eingesteckt und umgehend die Flucht ergriffen hatte. Siobhan hatte versucht, Rebus telefonisch zu erreichen, aber vergebens, denn es war besetzt gewesen. Höchstwahrscheinlich hatte er in dem Augenblick – ebenso vergebens – versucht, den Tomahawk-Schlägen der Chief Super auszuweichen.

Nach Silvers Abgang war Siobhan erneut allein im CID-Büro. DCI Pryde hielt sich irgendwo im Gebäude auf, desgleichen DC Davie Hynds. Aber beide zogen es vor, nicht in Erscheinung zu treten. Siobhan starrte auf den Bildschirm von Derek Renshaws Notebook, zu Tode gelangweilt von der Durchsicht der Harmlosigkeiten, die darauf abgespeichert waren. Derek war mit Sicherheit ein braver Junge gewesen, aber auch ein Langweiler. Er hatte bereits gewusst, wie sein weiteres Leben aussehen würde: drei oder vier Jahre an der Universität, BWL mit Informatik als Nebenfach, dann ein Bürojob, vielleicht im Rechnungswesen. Genug Geld, um ein Penthouse am Hafen zu kaufen, und dazu einen Sportwagen und die beste Hi-Fi-Anlage, die zu haben war...

Aber diese Zukunftspläne waren Makulatur, hatten sich nur in Form von Worten auf einem Bildschirm, Bytes auf einer Festplatte erfüllt. Der Gedanke ließ sie erzittern. Von einem Augenblick auf den nächsten hatte sich alles geändert... Sie vergrub das Gesicht in den Händen, rieb sich die Augen, war sich in einem Punkt ganz sicher: Sie wollte nicht da sein, wenn Gill Templer aus ihrem Büro auftauchte. Sie befürchtete, sie würde ihrer Chefin gehörig die Meinung sagen, und vielleicht noch ein paar andere Dinge. Sie hatte absolut keine Lust, irgendjemandem als Blitzableiter zu dienen. Sie sah das Telefon an, dann das Notizbuch mit Brimsons Adressen und Telefonnummern. Entschlossen klappte sie das Notebook zu und verstaute es in ihrer Schultertasche. Nahm ihr Handy und das Notizbuch.

Ging.

Ein kurzer Abstecher: Sie fuhr zu Hause vorbei, wo sie ihr Exemplar von *Come On, Die Young* fand. Sie spielte die CD unterwegs, suchte beim Zuhören dabei nach Hinweisen. Nicht besonders einfach, wenn das meiste Instrumentals waren...

Brimsons Privatadresse gehörte zu einem modernen Bungalow an einer schmalen Straße zwischen Flughafen und den Gebäuden, in denen sich früher das Gogaburn Hospital befunden hatte. Als Siobhan aus dem Auto stieg, hörte sie aus der Ferne Baustellenlärm: Das ehemalige Krankenhaus wurde abgerissen. Sie glaubte sich zu erinnern, dass das Gelände an eine der großen Banken verkauft worden war, die dort ihre neue Firmenzentrale errichten wollte. Das Haus vor ihr stand hinter einer hohen Hecke, die an einer Stelle von einem grünen schmiedeeisernen Tor unterbrochen war. Siobhan öffnete das Tor und ging mit knirschenden Schritten über rosafarbenen Kies. Klingelte an der Haustür und spähte dann durch die Fenster links und rechts davon. Eines gehörte zu einem Wohnzimmer, das andere zu einem Schlafzimmer. Das Bett war gemacht, und das Wohnzimmer wirkte wenig benutzt. Auf dem blauen Ledersofa lagen ein paar Zeitschriften mit Fotos von Flugzeugen auf dem Titel. Der Vorgarten war größtenteils gepflastert, es gab nur zwei Beete mit Rosenstöcken, die erst noch wachsen mussten. Ein schmaler Weg zwischen Haus und Garage endete bei einem weiteren Tor, das aufging, als Siobhan am Öffner drehte, und das in den eigentlichen Garten führte. Der Garten bestand hauptsächlich aus einer großzügigen, abschüssigen Rasenfläche, jenseits derer sich etliche Hektar Land erstreckten, die vermutlich zu einem Bauernhof gehörten. Es gab einen Wintergarten mit hölzernen Streben, der erst vor kurzem angebaut zu sein schien. Seine Tür war abgeschlossen. Fenster gewährten Siobhan den Blick in eine geräumige, sehr weiße Küche und in ein weiteres Schlafzimmer. Sie sah keine Anzeichen von Familienleben; kein Spielzeug im Garten, keinen Hinweis auf weiblichen Einfluss. Aber trotzdem war das Haus in makellosem Zustand. Als sie den schmalen Weg zurückging, fiel ihr eine Glasscheibe in der Seitentür der Garage auf. Drinnen stand ein Jaguar, und zwar eines der sportlicheren Modelle, aber sein Besitzer war eindeutig nicht zu Hause.

Sie stieg in ihren eigenen Wagen, fuhr zum Flughafen und hielt vor dem Abflug-Terminal an. Ein Wachmann warnte sie, dass sie im Parkverbot stand, winkte sie aber weiter, als sie ihm ihren Dienstausweis zeigte. In der Abflughalle war viel Betrieb: lange Schlangen von Leuten, die vermutlich eine Pauschalreise in die Sonne gebucht hatten. Geschäftsleute, die ihren Koffer eilig zu den Fahrstühlen rollten. Siobhan sah sich die Hinweisschilder an, entdeckte eines, das auf den Informationsschalter verwies, begab sich dorthin und sagte der Frau hinter dem Tresen, sie wolle mit Mr. Brimson sprechen. Ein kurzes Klappern der Computer-Tastatur, dann ein Kopfschütteln.

»Den Namen habe ich nicht.«

Siobhan buchstabierte ihn, und die Frau bestätigte nickend, dass sie ihn richtig eingegeben hatte. Sie rief jemanden an, und dann war sie diejenige, die den Namen buchstabierte: B-r-i-m-s-o-n. Kurz darauf zog sie die Mundwinkel nach unten und schüttelte erneut den Kopf.

»Sind Sie sich sicher, dass er hier arbeitet?«

Siobhan zeigte ihr den Eintrag aus dem Telefonbuch, den sie abgeschrieben hatte.

Die Frau lächelte.

»Da steht *Flugplatz*, meine Liebe«, erklärte sie. »Das hier ist der Flug*hafen*«. Sie beschrieb den Weg zum Flugplatz, Siobhan bedankte sich und ging weg, schamrot im Gesicht, weil ihr ein so dummer Fehler unterlaufen war. Der Flugplatz war nur ein besserer Acker. Er grenzte an den eigentlichen Flughafen an, und man erreichte ihn, indem man halb um das Flughafengelände herumfuhr. Es waren dort kleinere Flugzeuge untergebracht, und einem Schild am Tor zufolge, gab es auch eine Flugschule. Auf dem Schild stand eine Telefonnummer: die Nummer, die Siobhan aus dem Telefonbuch abgeschrieben hatte. Das hohe Eisentor war mit einem Vorhängeschloss gesichert, aber daneben befand sich ein altmodisches Telefon in einem Holzkasten, der an einem Pfahl befestigt war. Siobhan nahm den Hörer ab und hörte es klingeln.

»Ja, bitte.« Eine Männerstimme.

»Ich suche Mr. Brimson.«

»Sie sprechen mit ihm, Gnädigste. Was kann ich für Sie tun?«

»Mr. Brimson, ich bin Detective Sergeant Siobhan Clarke, von der Lothian and Borders Police. Ich würde gerne mit Ihnen reden.«

Einen Moment lang herrschte Stille. Dann: »Warten Sie ein Momentchen. Ich muss das Tor aufschließen.«

Siobhan wollte sich schon wieder bedanken, aber die Leitung war tot. Sie sah ein paar Hangars und zwei Flugzeuge. Das eine hatte einen Propeller vorne in der Mitte, das andere zwei, einen an jeder Tragfläche. Beides waren anscheinend Zweisitzer. Es standen auch einige flache Bürogebäude in Fertigbauweise auf dem Gelände, und aus einem davon tauchte ein Mann auf und schwang sich in einen offenen, betagt aussehenden Landrover. Ein Flugzeug, das zur Landung auf dem Flughafen ansetzte, übertönte das Geräusch beim Anlassen des Autos. Der Landrover fuhr ruckartig los und raste die etwa hundert Meter bis zum Tor. Der Mann sprang wieder heraus. Er war groß, braun gebrannt und wirkte muskulös. Wahrscheinlich Anfang fünfzig, mit einem Gesicht voller Fältchen, das er zu einem kurzen Begrüßungslächeln verzog. Ein kurzärmeliges Hemd im selben olivgrünen Farbton wie der Landrover gab den Blick auf die silbergrauen Haare frei, mit denen seine Unterarme bedeckt waren. Brimsons dichtes Haupthaar hatte dieselbe Farbe und war in seiner Jugend wahrscheinlich aschblond gewesen. Das Hemd steckte in einer grauen Leinenhose und ließ einen Bauchansatz erkennen.

»Es muss immer abgeschlossen sein«, sagte er als Erklärung, in der Hand ein dickes Schlüsselbund, das er vom Zündschloss des Landrovers abgezogen hatte. »Sicherheitsbestimmungen.«

Sie nickte als Zeichen, dass sie begriff. Sie fand den Mann auf Anhieb sympathisch. Vielleicht lag es an der Energie und Selbstsicherheit, die er ausstrahlte, oder den rollenden Bewegungen seiner Schultern, als er zum Tor kam. Oder an dem kurzen, gewinnenden Lächeln.

Aber als er ihr das Tor öffnete, bemerkte sie, dass sein Gesicht einen ernsteren Ausdruck angenommen hatte. »Ich nehme an, Sie sind wegen Lee hier«, sagte er in trockenem Ton. »Das musste ja früher oder später passieren.« Dann wies er sie mit einer Handbewegung an, aufs Gelände zu fahren. »Parken Sie neben dem Büro«, sagte er. »Ich bin gleich bei Ihnen.«

Als sie an ihm vorbeifuhr, musste sie unwillkürlich über seine Wortwahl nachdenken.

Das musste ja früher oder später passieren.

Als sie ihm gegenüber im Büro saß, fragte sie ihn bei der ersten Gelegenheit danach.

»Ich meinte bloß«, antwortete er, »dass Sie irgendwann mit mir würden reden wollen.«

»Wieso?«

»Weil es Sie, wie ich annehme, interessiert, warum er es getan hat.«

»Und?«

»Und Sie von seinen Freunden gerne erfahren würden, ob sie Ihnen weiterhelfen können.«

»Sie waren also mit Lee Herdman befreundet?«

»Ja.« Er runzelte die Stirn. »Ist das denn nicht der Grund, warum Sie hier sind?«

»Indirekt ja. Wir haben herausgefunden, dass Sie und Lee Herdman beide denselben Insassen in Carbrae besucht haben.«

240

Brimson nickte langsam. »Wirklich schlau«, sagte er. Der Wasserkocher, in dem er Wasser aufgesetzt hatte, schaltete sich ab, und Brimson sprang auf, um zwei Becher Nescafé aufzugießen, von denen er einen dann Siobhan brachte. Das Büro war winzig, es passten kaum mehr als der Tisch und die beiden Stühle hinein. Die Tür führte zu einem Vorraum, in dem ein paar weitere Stühle und zwei Aktenschränke standen. An den Wänden hingen Poster mit verschiedenen Flugzeugmotiven.

»Sind Sie Fluglehrer, Mr. Brimson?«, fragte Siobhan, als sie den Becher entgegennahm.

»Nennen Sie mich bitte Doug.« Brimson setzte sich wieder hin. In dem Fenster hinter ihm tauchte ein Mann auf. Klopfte mit den Fingerknöcheln gegen die Scheibe. Brimson drehte den Kopf herum, winkte, und der andere Mann winkte zurück.

»Das ist Charlie«, erklärte er. »Will ein paar Runden drehen. Er ist Banker und sagt, er würde jederzeit den Job mit mir tauschen, wenn das bedeuten würde, dass er mehr Zeit in der Luft verbringen kann.«

»Sie vermieten also Ihre Flugzeuge?«

Brimson brauchte einen Moment, um ihre Frage zu begreifen. »Nein, nein«, sagte er schließlich. »Charlie besitzt sein eigenes Flugzeug, er hat es nur bei mir untergestellt.«

»Der Flugplatz gehört aber Ihnen?«

Brimson nickte. »Na ja, ich habe das Gelände von der Flughafengesellschaft gepachtet. Aber in gewisser Weise ist das hier alles meins.«

Er streckte die Arme weit aus und lächelte erneut.

»Wann haben Sie Lee Herdman kennen gelernt?«

Er ließ die Arme sinken, gleichzeitig erstarb das Lächeln. »Vor mehreren Jahren.«

»Geht das etwas genauer?«

»Kurz nachdem er hierher gezogen ist.«

»Vor sechs Jahren also?«

»Wenn Sie meinen.« Er verstummte. »Entschuldigung, ich habe Ihren Namen vergessen…«

»Detective Sergeant Clarke. Haben Sie beide sich nahe gestanden?«

»Nahe?« Brimson zuckte die Achseln. »Lee hat niemand besonders ›nahe‹ an sich rangelassen. Ich meine, er war freundlich, gesellig und so weiter…«

»Aber?«

Brimson schien konzentriert nachzudenken. »Ich war mir nie ganz sicher, was bei ihm hier oben vorging.« Er klopfte sich gegen den Kopf.

»Was haben Sie gedacht, als Sie von der Schießerei hörten?«

Er zuckte die Achseln. »Ich konnte es einfach nicht glauben.«

»Wussten Sie, dass Herdman eine Pistole besaß?«

»Nein.«

»Er hat sich offenbar sehr für Waffen interessiert.«

»Mag sein… aber er hat mir nie eine gezeigt.«

»Auch nie mit Ihnen über Waffen gesprochen?«

»Nie.«

»Worüber haben Sie beide denn geredet?«

»Flugzeuge, Boote, die Armee… Ich habe sieben Jahre in der Royal Air Force gedient.«

»Als Pilot?«

Brimson schüttelte den Kopf. »Bin damals nur selten geflogen. Ich war das Elektronik-Genie, hab dafür gesorgt, dass die Kisten oben in der Luft blieben.« Er beugte sich vor. »Sind Sie je geflogen?«

»Nur in den Urlaub.«

Er legte das Gesicht in Falten. »Ich meine, wie Charlie dort.« Er zeigte mit dem Daumen aufs Fenster, wo gerade ein Sportflugzeug mit dröhnenden Motoren vorbeirollte.

»Ich finde es schon schwierig genug, Auto zu fahren.«

»Flugzeug fliegen ist einfacher, glauben Sie mir.«

»Diese ganzen Anzeigen und Schalter sind also bloß zur Zierde da?«

Er lachte. »Wir könnten sofort starten, wie wär's?«

»Mr. Brimson...«

»Doug.«

»Mr. Brimson, ich habe jetzt wirklich keine Zeit für eine Flugstunde.«

»Morgen vielleicht?«

»Ich überleg's mir.« Sie musste lächeln, denn ihr fiel ein, dass sie in fünfhundert Metern Höhe über Edinburgh vermutlich vor Gill Templer sicher wäre.

»Sie werden begeistert sein, das verspreche ich Ihnen.«

»Mal sehen.«

»Wenn, dann werden Sie sicher nach Feierabend kommen. Was bedeutet, dass Sie mich dann Doug nennen dürfen, stimmt's?« Er wartete, bis sie genickt hatte. »Und wie werde ich Sie dann nennen dürfen, Detective Sergeant Clarke?«

»Siobhan.«

»Ein irischer Name?«

»Gälisch.«

»Ihr Akzent klingt aber...«

»Ich bin nicht hier, um über meinen Akzent zu sprechen.«

Er hob theatralisch die Hände, wie um sich zu ergeben.

»Warum haben Sie sich nicht gemeldet?«, fragte sie. Er schien nicht zu begreifen, was sie meinte. »Nach der Schießerei haben einige Freunde von Mr. Herdman bei uns angerufen.«

»Ach ja? Weshalb?«

»Aus den verschiedensten Gründen.«

Er dachte über seine Antwort nach. »Ich sah keinen Sinn darin, Siobhan.«

»Lassen Sie uns die Vornamen für später aufsparen, okay?«

Brimson neigte entschuldigend den Kopf. Plötzlich ertönte ein elektrostatisches Rauschen, dann verzerrte Stimmen.

»Der Tower«, erklärte er und langte hinter dem Tisch nach unten, um die Lautstärke des Funkgeräts herunterzudrehen. »Das ist Charlie, der den Tower bittet, ihm einen Slot für den Start zuzuteilen.« Er sah auf die Uhr. »Dürfte um diese Zeit kein Problem sein.«

Siobhan lauschte einer Stimme, die den Piloten anwies, über der Innenstadt auf einen Hubschrauber zu achten.

»Roger, Ground Conrol.«

Brimson drehte das Funkgerät noch leiser.

»Ich würde gerne einen Kollegen zu Ihnen schicken, um mit Ihnen zu reden«, sagte Siobhan. »Wäre Ihnen das recht?«

Brimson zuckte die Achseln. »Sie sehen ja, wie sehr ich im Stress bin. Viel los ist bei mir nur am Wochenende.«

»Ich wünschte, das könnte ich von mir auch behaupten.«

»Sie wollen doch nicht behaupten, dass bei Ihnen am Wochenende nicht viel los ist? Bei einer gut aussehenden Frau wie Ihnen?«

»Ich meinte …«

Er lachte erneut. »Ich habe Sie nur ein bisschen aufgezogen. Immerhin tragen Sie keinen Ehering.« Er deutete auf ihre linke Hand. »Glauben Sie, ich könnte die Aufnahmeprüfung fürs CID bestehen?«

»Mir fällt auf, dass auch Sie keinen Ring tragen.«

»Ja, ich bin noch zu haben. Meine Freunde sagen, es liegt daran, dass ich immer über den Wolken schwebe.« Er zeigte nach oben. »Da oben laufen nicht viele Singles rum.«

Sie lächelte und merkte dann, dass ihr die Unterhaltung Spaß machte – stets ein schlechtes Zeichen. Sie wusste, dass sie ihm noch weitere Fragen stellen sollte, aber ihr fiel partout nicht ein, welche.

»Also dann vielleicht morgen«, sagte sie und stand auf.

»Ihre erste Flugstunde?«

Sie schüttelte den Kopf. »Das Gespräch mit meinem Kollegen.«

»Aber Sie kommen mit, oder?«

»Wenn ich es schaffe.«

Er schien sich damit zufrieden zu geben und ging mit ausgestreckter Hand um den Tisch herum. »Hat mich gefreut, Siobhan.«

»Mich auch, Mr....« Sie zögerte, als er warnend den Zeigefinger hob. »Doug«, fügte sie folgsam hinzu.

»Ich bringe Sie zum Tor.«

»Nicht nötig.« Sie öffnete die Tür, denn sie wollte einen etwas größeren Abstand zu ihm.

»Tatsächlich? Gehört zu Ihren Fähigkeiten also auch das Schlösser-Knacken?«

Ihr fiel das Vorhängeschloss wieder ein. »Ach ja, natürlich«, sagte sie und ging genau in dem Augenblick nach draußen, als Charlies Flugzeug das Ende der Startbahn erreichte und sich die Räder vom Boden abhoben.

»Hat Gil Sie schon erreicht?«, fragte Siobhan ins Handy, während sie zurück in die Stadt fuhr.

»Jawohl«, antwortete Rebus. »Allerdings habe ich mich auch nicht vor ihr versteckt.«

»Und das Ergebnis?«

»Vom Dienst suspendiert. Bobby lässt das aber nicht gelten. Ich soll ihm auch weiterhin helfen.«

»Das heißt, dass Sie mich auch weiterhin brauchen, oder?«

»Ich glaube, ich könnte, wenn es sein muss, inzwischen wieder selbst fahren.«

»Aber es muss nicht sein...«

Er lachte. »Ich wollte Sie nur ein bisschen ärgern. Von mir aus können Sie den Job behalten.«

»Gut, denn ich habe einiges über Brimson rausbekommen.«

»Alle Achtung. Wer ist er?«

»Betreibt eine Flugschule draußen in Turnhouse.« Sie schwieg kurz. »Ich war bei ihm. Ich weiß, ich hätte vorher fragen sollen, aber bei Ihnen war besetzt.«

»Sie war bei Brimson«, hörte sie Rebus zu Hogan sagen. Hogan murmelte eine Erwiderung. »Bobby vertritt die Ansicht«, übermittelte Rebus ihr, »dass Sie das nicht hätten tun sollen, ohne zuvor eine Erlaubnis einzuholen.«

»Hat er das wörtlich so gesagt?«

»Genau genommen hat er mit den Augen gerollt und ein paar Flüche ausgestoßen. Ich habe mir erlaubt, zu interpretieren.«

»Danke, dass Sie auf meine weibliche Empfindsamkeit Rücksicht nehmen.«

»Was haben Sie von Brimson erfahren?«

»Er war mit Herdman befreundet. Ähnlicher Werdegang: Armee und Luftwaffe.«

»Und woher kennt er Robert Niles?«

Siobhans Mund zuckte. »Das habe ich ihn zu fragen vergessen. Aber ich habe sowieso gesagt, dass wir noch mal wiederkommen würden.«

»Klingt, als müssten wir das auch. Hat er überhaupt irgendwas von Interesse erzählt?«

»Er meinte, er habe nicht gewusst, dass Herdman Waffen besessen hat, und wisse nicht, wieso er die Sache in der Schule getan hat. Wie war's bei Niles?«

»Hat uns keinen Deut weitergebracht.«

»Und was nun?«

»Treffen wir uns in Port Edgar. Wir sollten uns mal mit Miss Teri unterhalten.« Es herrschte Stille, und Siobhan dachte schon, die Verbindung sei unterbrochen, aber dann fragte er: »Hat sich unser Freund wieder gemeldet?«

Damit war der Briefschreiber gemeint; wegen Hogan sollte es möglichst unverfänglich klingen.

»Heute Morgen war eine weitere Nachricht in der Post.«

»Ja?«

»Ganz ähnlich wie die erste.«

»Haben Sie sie nach Howdenhall geschickt?«

»Das fand ich zwecklos.«

»Gut. Ich würde gerne einen Blick drauf werfen. Wie lange brauchen Sie bis zur Schule?«

»Circa eine Viertelstunde.«

»Ich wette fünf Pfund, dass wir eher da sind.«

»Abgemacht«, sagte Siobhan und drückte etwas stärker aufs Gaspedal. Es dauerte ein paar Sekunden, bis ihr einfiel, dass sie gar nicht wusste, von wo aus Rebus angerufen hatte...

Wie befürchtet, wartete Rebus bereits auf dem Parkplatz der Port Edgar School auf sie, gegen Hogans Passat gelehnt, einen Fuß über dem anderen, die Arme verschränkt.

»Sie haben gemogelt«, sagte sie beim Aussteigen.

»Abgemacht ist abgemacht. Ich kriege fünf Pfund von Ihnen.«

»Kommt nicht in Frage.«

»Sie haben die Wette freiwillig angenommen, Siobhan. Eine Dame bleibt nie etwas schuldig.«

Sie schüttelte den Kopf und griff in ihre Tasche. »Hier ist übrigens der Brief«, sagte sie, als sie den Umschlag hervorholte. Rebus streckte die Hand danach aus. »Kostet Sie fünf Pfund, wenn Sie ihn lesen wollen.«

Rebus sah sie an. »Ich soll dafür bezahlen, dass Sie in den Genuss meiner Expertenmeinung kommen?« Er ließ die Hand ausgestreckt, doch der Umschlag blieb kurz außerhalb seiner Reichweite. »Okay, einverstanden«, sagte er, als seine Neugier die Oberhand gewann.

Auf der Fahrt zu den Cotters las er die Nachricht mehrmals durch.

»Fünf Pfund zum Fenster rausgeschmissen«, meinte er schließlich. »Wer ist Cody?«

»Ich glaube, es bedeutet Come On, Die Young. Der Wahlspruch einer Jugend-Gang aus den USA.«

»Woher wissen Sie das?«

»Ein Mogwai-Album heißt so. Ich habe es Ihnen mal geliehen.«

»Vielleicht ist es einfach ein Name. Buffalo Bill hieß zum Beispiel so.«

»Und die Verbindung wäre…«

»Keine Ahnung.« Rebus faltete den Zettel wieder zusammen, studierte den Knick im Papier, spähte in den Umschlag.

»Prima Sherlock-Holmes-Nummer«, sagte Siobhan.

»Was sollte ich denn Ihrer Meinung nach tun?«

»Sie könnten sich geschlagen geben.« Sie hielt ihm die Hand hin. Rebus schob die Nachricht in den Umschlag und gab ihn ihr.

»Make my day… Dirty Harry?«

»Das vermute ich auch«, meinte Siobhan.

»Dirty Harry ist Polizist…«

Sie starrte ihn an. »Sie glauben, jemand aus St. Leonard's steckt dahinter?«

»Sie wollen doch nicht etwa behaupten, dass Ihnen dieser Gedanke noch nicht gekommen ist?«

»Nein«, gab sie schließlich zu.

»Aber es müsste jemand sein, der von Ihrer Verbindung zu Fairstone weiß.«

»Ja.«

»Bleiben also nur Gill Templer und ich übrig.« Er legte eine kurze Pause ein. »Und ich nehme nicht an, dass Sie Gill in letzter Zeit irgendwelche CDs geliehen haben.«

Siobhan zuckte die Achseln, den Blick geradeaus auf die Straße gerichtet. Sie schwieg eine Weile, und Rebus ebenso, bis er eine Adresse in seinem Notizbuch überprüfte, sich vorbeugte und zu ihr sagte: »Wir sind da.«

Long Rib House war ein schmales, weiß getünchtes Gebäude, das aussah, als wäre es ursprünglich eine Scheune gewesen. Es war einstöckig, allerdings deuteten eine Reihe von Fenstern in dem roten Ziegeldach darauf hin, dass der Dachboden ausgebaut worden war. Ein hölzernes Tor versperrte den Weg, war aber nicht abgeschlossen. Siobhan öffnete es, stieg wieder in den Wagen und fuhr die kurze, mit Kies bedeckte Auffahrt hinauf. Als sie das Tor wieder geschlossen hatte, war die Haustür aufgegangen, und im Türrahmen stand ein Mann. Rebus, der bereits ausgestiegen war, stellte sich vor.

»Sie müssen Mr. Cotter sein«, sagte er dann.

»William Cotter«, bestätigte Miss Teris Vater. Er war Anfang vierzig, klein und stämmig, mit modisch wirkendem, rasiertem Schädel. Er gab Siobhan die Hand, als sie ihm ihre hinhielt, schien jedoch nicht verstimmt zu sein, dass Rebus seine behandschuhten Hände weiterhin herabhängen ließ. »Kommen Sie rein«, sagte er.

Sie betraten einen langen, mit Teppich ausgelegten Flur, dekoriert mit Gemälden und einer Standuhr. Links und rechts gingen Zimmer ab, die Türen waren jedoch allesamt geschlossen. Cotter führte sie ans Ende des Flurs, von wo aus sie in einen offenen Wohnbereich mit angrenzender Küche gelangten. Dieser Hausteil schien ein Anbau neueren Datums zu sein. Durch Glastüren sah man eine Terrasse, den großen Garten und einen weiteren Anbau aus Holz, dessen viele Fenster verrieten, was sich darin befand.

»Ein überdachter Pool«, sinnierte Rebus. »Bestimmt sehr praktisch.«

»Ein Pool im Freien ist hierzulande wenig sinnvoll«, scherzte Cotter. »Wie kann ich Ihnen helfen?«

Rebus sah Siobhan an, die den Raum mit dem L-förmigen, cremefarbenen Ledersofa, der B&O-Hi-Fi-Anlage und dem Fernseher mit Flachbildschirm betrachtete. Der Fernseher lief, aber ohne Ton. Es war Ceefax eingeschaltet, und auf dem Bildschirm sah man ein Diagramm mit den Kursbewegungen an der Börse. »Wir würden gerne mit Teri sprechen«, sagte Rebus.

»Sie steckt doch nicht in Schwierigkeiten, oder?«

»Nein, keine Sorge, Mr. Cotter. Es hat mit Port Edgar zu tun. Nur ein paar abschließende Fragen.«

Cotter kniff die Augen zusammen. »Vielleicht kann ich Ihnen stattdessen weiterhelfen...?« Er war sichtlich darauf erpicht, Näheres zu erfahren.

Rebus hatte beschlossen, sich auf das Sofa zu setzen. Vor ihm stand ein Couchtisch, auf dem eine Zeitung lag, aufgeschlagen beim Wirtschaftsteil. Außerdem ein schnurloses Telefon, eine Lesebrille, ein leerer Becher, ein Stift und ein A4-Block. »Sie sind Geschäftsmann, Mr. Cotter?«

»Ja, das stimmt.«

»Dürfte ich fragen, welche Branche?«

»Risikokapital.« Cotter schwieg kurz. »Sie wissen, was das ist?«

»Investitionen in Startup-Firmen?«, schaltete sich Siobhan ein, die aus dem Fenster blickte.

»Mehr oder weniger. Ich betätige mich ein bisschen auf dem Immobilienmarkt. Wenn jemand zu mir kommt, der eine lohnende Idee hat...«

Rebus blickte sich demonstrativ in dem Zimmer um. »Sie machen Ihre Arbeit anscheinend ziemlich gut.« Er ließ das Kompliment einen Moment lang wirken. »Ist Teri zu Hause?«

»Ich bin mir nicht sicher«, sagte Cotter. Er sah Rebus' Blick und lächelte entschuldigend. »Bei Teri weiß man nie. Manchmal ist sie mucksmäuschenstill. Und wenn man an ihre Tür klopft, reagiert sie nicht.« Er zuckte die Achseln.

»Also kein typischer Teenager.«

Cotter schüttelte den Kopf.

»Ja, den Eindruck hatte ich auch bei unserem ersten Treffen«, fügte Rebus hinzu.

»Sie haben schon einmal mit ihr gesprochen?«, fragte Cotter. Rebus nickte. »War sie in voller Montur?«

»Ich nehme nicht an, dass sie in dieser Aufmachung zur Schule geht.«

Cotter schüttelte erneut den Kopf. »Den Kindern ist noch nicht einmal erlaubt, Nasenstecker zu tragen. Dr. Fogg ist in dieser Hinsicht sehr streng.«

»Könnten wir vielleicht einfach mal bei ihr klopfen?«, fragte Siobhan und wandte sich dabei Cotter zu.

»Spricht nichts dagegen«, sagte Cotter. Sie gingen wieder den Flur entlang und dann eine kurze Treppe hinauf. Auch hier erstreckte sich vor ihnen ein langer, schmaler Flur mit etlichen Türen. Auch hier waren alle Türen geschlossen.

»Teri?«, rief Cotter, als sie am oberen Ende der Treppe waren. »Bist du da, Schatz?« Das letzte Wort verschluckte er halb, und Rebus nahm an, seine Tochter habe ihm verboten, sie so zu nennen. Vor der letzten Tür blieben sie stehen, und Cotter hielt das Ohr dagegen und klopfte sacht.

»Womöglich schläft sie«, sagte er leise.

»Dürfte ich mal…?« Ohne auf eine Antwort zu warten, drückte Rebus die Türklinke herunter. Die Tür ging nach innen auf. Das Zimmer lag im Halbdunkel, denn vor dem Fenster hingen geschlossene schwarze Gazevorhänge. Cotter schaltete das Licht an. Überall standen Kerzen. Schwarze Kerzen, von denen viele fast vollständig heruntergebrannt waren. An den Wänden hingen Drucke und Poster. Rebus erkannte, dass einige von H. R. Giger stammten, den er deshalb kannte, weil er ein Plattencover für ELP entworfen hatte. Sie zeigten alle eine Art Edelstahl-Hölle. Die Motive der anderen Bilder waren genauso düster.

»Tja, Teenager«, lautete der einzige Kommentar des Vaters. Bücher von Poppy Z. Brite und Anne Rice. Eines mit dem

Titel *The Gates of Janus,* offenbar verfasst von dem »Moor-mörder« Ian Brady. Eine Menge CDs, ausschließlich von Krachmachern. Die Laken auf dem schmalen Bett waren schwarz. Desgleichen der schimmernde Bezug der Bettde-cke. Die Wände waren fleischfarben gestrichen, die Decke in vier Quadrate unterteilt, von denen zwei schwarz und zwei rot waren. Siobhan stand vor einem Computertisch. Die Geräte, die sich darauf befanden, sahen teuer aus. Ein PC mit DVD-Spieler und Flachbildschirm, ein Scanner und eine Webcam.

»Ich nehme an, so was gibt es nicht in schwarz«, bemerkte sie.

»Nein, sonst würde Teri es haben«, meinte Cotter.

»Als ich so alt war wie Ihre Tochter«, sagte Rebus, »waren die einzigen Goths, die ich kannte, Pubs.«

Cotter lachte. »Ja, Gothenbergs. Das waren genossen-schaftlich betriebene Lokale, stimmt's?«

Rebus nickte. »Falls Teri sich nicht unter dem Bett ver-steckt, ist sie nicht hier. Irgendeine Idee, wo wir sie finden könnten?«

»Ich könnte sie auf ihrem Handy anrufen...«

»Meinen Sie das hier?«, sagte Siobhan und hielt ein klei-nes schwarz glänzendes Telefon hoch.

»Ja«, antwortete Cotter.

»Sieht einem Mädchen in ihrem Alter gar nicht ähnlich, ihr Handy zu Hause zu lassen.«

»Na ja, es ist so... Teris Mutter ist bisweilen...« Er be-wegte die Schultern hin und her, als wäre ihm plötzlich un-behaglich zu Mute.

»Was ist sie bisweilen?«, soufflierte Rebus.

»Sie kontrolliert gerne, was Teri tut, stimmt's?«, vermutete Siobhan. Cotter nickte, erleichtert, dass sie ihm erspart hatte, es selbst auszusprechen.

»Teri wird spätestens heute Abend wieder hier sein«, sagte er. »Hat es bis dahin Zeit?«

»Wir würden das lieber gleich erledigen, Mr. Cotter«, erklärte Rebus.

»Also ...«

»Zeit ist Geld, das versteht jemand wie Sie doch bestimmt.«

Cotter nickte. »Versuchen Sie es in der Cockburn Street. Da treffen sich regelmäßig ein paar ihrer Freunde.«

Rebus sah Siobhan an. »Wieso ist uns das nicht selbst eingefallen?«, sagte er. Siobhan verzog den Mund kurz als Zeichen der Zustimmung. Die Cockburn Street, eine abknickende Verbindungsstraße zwischen der Royal Mile und dem Waverly-Bahnhof, hatte schon immer einen zweifelhaften Ruf genossen. Vor Jahrzehnten hatten sich dort Hippies und Aussteiger versammelt und indische Hemden, gebatikte T-Shirts und Zigaretten-Papers verkauft. Rebus war Stammkunde bei einem gut sortierten Second-Hand-Plattenstand gewesen, ohne sich je für die Kleidung zu interessieren. Heutzutage beherrschten die neuen alternativen Gruppen die Straße. Eine sehenswerte Szenerie, sofern man ein Faible für bizarre oder bekiffte Gestalten besaß.

Als sie zurück zur Treppe gingen, fiel Rebus auf, dass an einer der Türen ein kleines Porzellanschild hing, das verkündete, es sei »Stuarts Zimmer«. Rebus blieb davor stehen.

»Ihr Sohn?«

Cotter nickte langsam. »Charlotte ... meine Frau ... sie will es so belassen, wie es vor dem Unfall war.«

»Das ist doch nicht ehrenrührig«, meinte Siobhan, die Cotters Verlegenheit spürte.

»Nein, vermutlich nicht.«

»Eine Frage«, sagte Rebus. »Hat Teris Goth-Phase vor oder nach dem Tod ihres Bruders begonnen?«

Cotter sah ihn an. »Kurz danach.«

»Standen die beiden sich sehr nah?«, erkundigte Rebus sich.

»Ich glaube schon… Aber ich begreife nicht, was das mit der Sache in der Schule…«

Rebus zuckte die Achseln. »Reine Neugier. Tut mir Leid; typische Berufskrankheit von Leuten wie mir.«

Cotter gab sich damit zufrieden und brachte sie nach unten an die Haustür.

»Ich kaufe dort öfters CDs«, sagte Siobhan. Sie saßen wieder im Auto und waren auf dem Weg zur Cockburn Street.

»Dito«, erwiderte Rebus. Und er hatte die Goths schon öfters gesehen, wie sie sich auf dem Bürgersteig und den Treppen des ehemaligen *Scotsman*-Gebäudes breit machten, Zigaretten kreisen ließen und über die neusten Bands fachsimpelten. Sie tauchten eine Weile nach Schulschluss dort auf, wahrscheinlich mussten sie erst ihre Schuluniform gegen das erforderliche schwarze Outfit tauschen. Dazu Make-up und auffälliger Modeschmuck, in der Hoffnung, sowohl dazuzugehören als auch aufzufallen. Nur waren die Leute heutzutage schwerer zu schockieren als früher. Es hatte Zeiten gegeben, da reichte es schon, wenn man Haare hatte, die bis zum Kragen reichten. Dann kam der Glam-Rock, gefolgt von seinem rotzigen Sprössling, dem Punk. Rebus erinnerte sich noch an einen Samstag, an dem er Platten kaufen wollte. Kaum hatte er den langen Anstieg die Cockburn Street hinauf in Angriff genommen, hatte er die ersten Punks überholt: schlurfende Schritte, provokantes Grinsen, stacheliges Haar und Metallketten. Für die Frau mittleren Alters hinter ihm war das zu viel gewesen. »Könnt ihr denn nicht wenigstens wie richtige Menschen gehen«, hatte sie die Punks angeschnauzt und ihnen damit wahrscheinlich die größte Freude des Tages bereitet.

»Wie wär's, wenn wir unten parken und dann hochgehen«, schlug Siobhan vor, als sie sich der Cockburn Street näherten.

»Ich würde lieber oben parken und runtergehen«, konterte Rebus.

Sie hatten Glück: Direkt vor ihnen wurde eine Parklücke frei, daher konnten sie sogar in der Cockburn Street parken, nur wenige Meter von der Stelle entfernt, an der eine Gruppe Goths herumlungerte.

»Bingo«, sagte Rebus, als er Miss Teri erblickte, die sich lebhaft mit zweien ihrer Freunde unterhielt.

»Sie müssen als Erster aussteigen«, sagte Siobhan zu ihm. Rebus erkannte das Problem: Am Kantstein standen einige volle Müllsäcke und blockierten die Fahrertür. Er stieg aus und hielt die Tür auf, damit Siobhan herüberrutschen und den Wagen verlassen konnte. Plötzlich ertönten rasche Schritte auf dem Bürgersteig, und einer der Müllsäcke wurde weggerissen. Rebus blickte auf und sah fünf Jugendliche am Wagen vorbeilaufen, bekleidet mit Kapuzen-Sweatshirts und Baseballmützen. Einer von ihnen schleuderte den Müllsack in die Gruppe der Goths hinein. Der Sack zerplatze, und der Inhalt flog in alle Richtungen. Lautes Rufen und Schreie. Es hagelte Fußtritte und Faustschläge. Ein Goth flog kopfüber die Steinstufen hinunter. Ein anderer wich auf die Straße zurück und wurde von einem vorbeifahrenden Taxi gestreift. Passanten stießen Warnrufe aus, Ladenbesitzer kamen an ihre Tür. Jemand schrie, man solle die Polizei holen.

Die Schlägerei zerfiel in einzelne Kämpfe entlang der Straße, die Goths wurden gewürgt oder gegen Schaufenster geschleudert. Nur fünf Angreifer und ein Dutzend Goths, aber die fünf waren kräftig und brutal. Siobhan rannte los, um sich einen von ihnen zu schnappen. Rebus sah, wie Miss Teri in einen Laden floh und die Tür hinter sich zuknallte. Es war eine Glastür, und ihr Verfolger sah sich nach einem Gegenstand um, den er durch die Scheibe werfen konnte. Rebus holte tief Luft und brüllte:

»Rab Fisher! He, Rab! Hier bin ich!« Der Verfolger hielt inne und schaute in Rebus' Richtung. Rebus winkte mit einer behandschuhten Hand. »Du erinnerst dich doch an mich, Rab?«

Fisher verzog den Mund zu einem höhnischen Lächeln. Ein anderer aus seiner Gang hatte Rebus ebenfalls erkannt. »Bullen!«, schrie er, und die übrigen Lost Boys reagierten sofort. Sie versammelten sich schwer atmend in der Mitte der Straße.

»Na, habt ihr jetzt Lust auf den Ausflug nach Saughton, Jungs?«, fragte Rebus mit lauter Stimme und machte einen Schritt auf sie zu. Vier von ihnen drehten sich um und trabten die Straße hinunter. Rab Fisher blieb noch einen Moment stehen, dann versetzte er der Tür einen trotzigen Tritt und sprintete seinen Freunden hinterher. Siobhan half einigen der Goths auf die Beine, erkundigte sich, ob jemand verletzt war. Es waren weder Messer noch Wurfgeschosse benutzt worden. Verletzt worden war vor allem der Stolz der Angegriffenen. Rebus ging zu der Glastür. Bei Miss Teri stand inzwischen eine Frau in einem weißen Kittel, wie ihn Ärzte und Apotheker tragen. Rebus sah eine Reihe von Kabinen, aus denen Licht drang. Ein Sonnenstudio, und dem Aussehen nach hatte es gerade erst eröffnet. Die Frau strich mit einer Hand über Teris Haar, während Teri versuchte, sich von ihr loszumachen. Rebus öffnete die Tür.

»Weißt du noch, wer ich bin, Teri?«, fragte er.

Sie musterte ihn, dann nickte sie. »Der Polizist, den ich unten im Ort getroffen habe.«

»Sie müssen Teris Mutter sein. Ich bin DI Rebus.«

»Charlotte Cotter«, sagte die Frau und gab ihm die Hand. Sie war Ende dreißig und hatte eine gewellte Mähne aschblonden Haars. Ihr Gesicht war leicht gebräunt und schimmerte beinahe. Sie und ihre Tochter ähnelten einander äußerlich kaum. Wenn einem jemand gesagt hätte, dass die beiden miteinander verwandt waren, hätte man wahrscheinlich angenommen, sie wären eine Generation: zwar nicht

Schwestern, aber womöglich Cousinen. Die Mutter war etwa fünf Zentimeter kleiner, schlanker und wirkte körperlich fitter. Rebus ahnte, wer am meisten Gebrauch von dem Pool machte.

»Was hatte das zu bedeuten?«, fragte er Teri.

Sie zuckte die Achseln. »Nichts.«

»Habt ihr oft solchen Ärger?«

»Ständig haben sie Ärger«, antwortete ihre Mutter statt ihrer und bekam als Dank einen wütenden Blick zugeworfen. »Manchmal werden sie beschimpft, manchmal passiert mehr.«

»Du hast doch keine Ahnung«, verkündete ihre Tochter.

»Ich habe Augen im Kopf.«

»Hast du darum diesen Laden hier aufgemacht? Um mich zu beobachten?« Teri spielte inzwischen mit ihrer goldenen Halskette herum. Rebus fiel auf, dass die Kette einen Diamant-Anhänger hatte.

»Teri«, sagte Charlotte Cotter seufzend. »Versteh doch, dass ich bloß –«

»Ich verzieh mich«, murmelte Teri.

»Wär's möglich, dass wir kurz miteinander reden?«, fragte Rebus rasch.

»Ich werde auf keinen Fall Anzeige erstatten!«

»Sehen Sie, wie stur sie ist?«, sagte Charlotte Cotter in gereiztem Ton. »Ich habe gehört, wie Sie einen Namen gerufen haben, Inspector. Heißt das, Sie kennen diese Verbrecher? Dann können Sie die Kerle doch verhaften…«

»Ich bin mir nicht sicher, ob das etwas nützen würde, Mrs. Cotter.«

»Aber Sie haben doch alles mit angesehen!«

Rebus nickte. »Und die Jungs sind jetzt gewarnt. Vielleicht reicht das schon. Übrigens bin ich nicht zufällig hier. Ich wollte mit Teri sprechen.«

»Ach?«

»Dann kommen Sie mit«, sagte Teri und packte ihn am Arm. »Tut mir Leid, Mum, ich muss der Polizei bei ihren Ermittlungen helfen.«

»Warte mal, Teri...«

Aber zu spät. Charlotte Cotter konnte nur noch zusehen, wie ihre Tochter den Inspector nach draußen zerrte, über die Straße zu ihren Freunden, deren Stimmung sich bereits gebessert hatte. Kampfspuren wurde verglichen. Ein Junge roch an den Aufschlägen seines schwarzen Trenchcoats und rümpfte die Nase, um deutlich zu machen, dass der Mantel unbedingt in die Reinigung musste. Der Müll aus dem kaputten Plastiksack war zusammengesammelt worden – hauptsächlich von Siobhan, nahm Rebus an. Sie versuchte gerade, Freiwillige zu finden, die ihr halfen, das ganze Zeug in den Sack zu füllen, den ein Ladenbesitzer spendiert hatte.

»Alles okay?«, fragte Teri. Die anderen lächelten und nickten. Es schien Rebus, als würden sie die Situation genießen. Sie waren wieder einmal Opfer – und zufrieden mit ihrem Los. Wie die Punks bei der Frau, hatten sie eine Reaktion provoziert. Der Zusammenhalt in der Gruppe war stärker geworden: gemeinsam erlebte Kriegsgeschichten, die man sich gegenseitig erzählen konnte. Andere Jugendliche – die auf dem Heimweg von der Schule einen Umweg machten – waren stehen geblieben und lauschten den Berichten. Rebus ging mit Miss Teri in den nächstgelegenen Pub.

»Leute wie die da kriegen hier nichts!«, blaffte die Frau hinter der Theke.

»Wenn ich dabei bin, dann schon!«, blaffte Rebus zurück.

»Sie ist noch minderjährig«, maulte die Frau.

»Dann trinkt sie eben was Alkoholfreies.« Er wandte sich an Teri. »Was willst du?«

»Wodka-Tonic.«

Rebus lächelte. »Geben Sie ihr eine Cola. Ich nehme einen Laphroaig mit einem Schuss Wasser.« Er bezahlte die Getränke und traute sich sogar, nicht bloß Scheine, sondern auch Münzen aus der Tasche zu holen.

»Wie geht's den Händen?«, fragte Teri Cotter.

»Gut«, sagte er. »Trotzdem darfst du die Gläser tragen.« Ein paar der anderen Gäste starrten sie an, während sie zu einem leeren Tisch gingen. Teri schien sich darüber zu freuen, deutete ein Küsschen in Richtung eines Mannes an, der daraufhin schnaubte und wegschaute.

»Wenn du hier drin Streit anfängst«, warnte Rebus sie, »kannst du nicht auf mich zählen.«

»Ich kann mich selber verteidigen.«

»Stimmt, das sah man deutlich, als du zu deiner Mama gelaufen bist, kaum dass die Lost Boys angerückt sind.«

Sie funkelte ihn an.

»Gute Taktik, nebenbei bemerkt«, fügte er hinzu. »Der beste Teil der Tapferkeit ist Verteidigung, heißt es doch. Stimmt es, was deine Mutter gesagt hat – passiert so etwas öfters?«

»Nicht so oft, wie sie offenbar glaubt.«

»Und trotzdem kommt ihr immer wieder in die Cockburn Street?«

»Wieso nicht?«

Er zuckte die Achseln. »Entschuldigung, blöde Frage. Ein bisschen Masochismus hat noch niemandem geschadet.«

Sie starrte ihn an, dann lächelte sie und schaute hinunter in ihr Glas.

»Prost«, sagte er, als er seines hob.

»Das Zitat war falsch«, sagte sie. »Es heißt: ›Der beste Teil der Tapferkeit ist Vernunft.‹ *Shakespeare, Heinrich IV, Erster Teil.*«

»Allerdings würde ich dich und deine Freunde nicht gerade als vernünftig bezeichnen.«

»Das wollen wir auch nicht sein.«

»Gelingt euch gut. Als ich die Lost Boys erwähnte, wirktest du nicht überrascht. Bedeutet das, du kennst sie?«

Sie schaute wieder nach unten, und ihr Haar fiel in ihr bleiches Gesicht. Ihre Finger fuhren über das Glas, die Nägel schwarz schimmernd. Schlanke Hände und Handgelenke. »Haben Sie eine Zigarette?«, fragte sie.

»Zünd mir auch eine an«, sagte Rebus, nachdem er die Schachtel aus seiner Jacke geklaubt hatte. Sie steckte ihm die brennende Zigarette zwischen die Lippen.

»Die Leute werden über uns tuscheln«, sagte sie, während sie Rauch ausatmete.

»Das bezweifle ich, Miss Teri.« Er sah, wie die Tür aufging und Siobhan hereinkam. Sie entdeckte ihn und machte mit erhobenen Händen eine Kopfbewegung Richtung Toiletten, um ihm zu signalisieren, dass sie sich die Hände waschen wollte.

»Du bist gerne Außenseiterin, habe ich Recht?«

Teri Cotter nickte.

»Und das ist auch der Grund, wieso du Lee Herdman mochtest: Er war auch ein Außenseiter.« Sie schaute ihn an. »Wir haben ein Foto von dir in seiner Wohnung gefunden. Ich vermute daher, dass du ihn kanntest.«

»Ja, ich kannte ihn. Darf ich das Foto mal sehen?«

Rebus holte es aus der Tasche. Es befand sich in einer Klarsichthülle. »Wo ist das aufgenommen, hier?«, fragte er.

»Hier in der Straße«, sagte sie und zeigte nach draußen.

»Du hast ihn ziemlich gut gekannt, oder?«

»Er mochte uns. Die Goths, meine ich. Ich habe eigentlich nie begriffen, warum.«

»Er hat ab und zu Partys gegeben, stimmt's?« Rebus erinnerte sich an die CDs in Herdmans Wohnung: Tanzmusik für Gothic-Fans.

Teri nickte und blinzelte, um nicht zu weinen. »Ein paar von uns haben ihn öfters in seiner Wohnung besucht.« Sie hielt das Foto hoch. »Wo haben Sie das gefunden?«

»In einem seiner Bücher.«

»In was für einem Buch?«

»Warum willst du das wissen?«

Sie zuckte die Achseln. »Nur so.«

»In einer Biographie, glaube ich. Über einen Soldaten, der sich umgebracht hat.«

»Glauben Sie, das ist ein Hinweis?«

»Hinweis?«

Sie nickte. »Wieso Lee Selbstmord begangen hat.«

»Kann schon sein. Hast du je Freunde von ihm kennen gelernt?«

»Ich glaube, er hatte nicht viele Freunde.«

»Was ist mit Doug Brimson?« Die Frage kam von Siobhan. Sie rutschte gerade auf die Sitzbank.

Teri verzog das Gesicht. »Ja, den kenne ich.«

»Du klingst nicht gerade besonders begeistert«, bemerkte Rebus.

»Das kann man wohl sagen.«

»Was hast du gegen ihn?«, wollte Siobhan wissen. Rebus sah förmlich, wie sie die Stacheln aufstellte.

Teri zuckte bloß die Achseln.

»Die zwei toten Jungen«, sagte Rebus. »Waren die je bei einer der Partys?«

»Kein Gedanke.«

»Das heißt?«

Sie sah ihn an. »Die standen auf andere Sachen. Rugby und Jazz und die Kadetten.« Als ob das alles erklären würde.

»Hat Lee oft über seine Militärzeit gesprochen?«

»Nein, nur selten.«

»Aber du hast ihn danach gefragt?« Sie nickte langsam. »Und du wusstest, dass er ein Faible für Waffen hatte?«

»Ich wusste, dass er Fotos…« Sie biss sich auf die Lippen.

»In der Tür seines Kleiderschranks hängen hatte«, fügte Siobhan hinzu. »So was weiß nicht jeder x-beliebige Bekannte, Teri.«

»Das hat nichts zu bedeuten!« Ihre Stimme war lauter geworden. Erneut spielte sie mit ihrer Halskette.

»Du stehst hier nicht vor Gericht«, sagte Rebus. »Wir wollen bloß rausfinden, wieso er es getan hat.«

»Woher soll ich das wissen?«

»Weil du ihn offenbar gut kanntest, was man sonst von kaum jemandem behaupten kann.«

Teri schüttelte den Kopf. »Er hat mir nie etwas über sich erzählt. Das war das Besondere an ihm – als hüte er irgendwelche Geheimnisse. Aber ich hätte niemals vermutet, dass er...«

»Wirklich?«

Sie fixierte Rebus, sagte aber nichts.

»Hat er dir je eine Waffe gezeigt?«, fragte Siobhan.

»Nein.«

»Je angedeutet, dass er eine besaß?«

Kopfschütteln.

»Du sagst, er habe sich dir niemals anvertraut... wie war es anders herum?«

»Was meinen Sie damit?«

»Hat er dich nach privaten Dingen gefragt? Hast du ihm vielleicht von deiner Familie erzählt?«

»Schon möglich.«

Rebus beugte sich vor. »Es tut uns Leid, was mit deinem Bruder passiert ist, Teri.«

Siobhan beugte sich ebenfalls vor. »Vielleicht hast du Lee Herdman gegenüber den Autounfall erwähnt.«

»Oder vielleicht hat es einer deiner Freunde getan«, fügte Rebus hinzu.

Teri merkte, dass die beiden sie einkreisten. Ihren Blicken und Fragen war nicht zu entrinnen. Sie hatte das Foto auf den Tisch gelegt und betrachtete es mit ganzer Aufmerksamkeit.

»Das hat jemand anders als Lee gemacht«, sagte sie, wie um das Thema zu wechseln.

»Fällt dir jemand ein, mit dem wir reden sollten, Teri?«, fragte Rebus. »Gäste bei Lees kleinen Soireen?«

»Ich habe keine Lust mehr, irgendwelche Fragen zu beantworten.«

»Warum?«, fragte Siobhan stirnrunzelnd, als wäre sie ehrlich verblüfft.

»Darum.«

»Die Namen von Leuten, mit denen wir reden könnten...«, sagte Rebus. »Dann bräuchten wir dich vielleicht nicht mehr zu löchern.«

Teri Cotter saß noch einen Augenblick lang reglos da, dann erhob sie sich, kletterte auf die Sitzbank, stieg auf den Tisch und sprang auf der anderen Seite wieder hinunter. Ohne sich noch einmal umzudrehen, lief sie zur Tür, öffnete sie und knallte sie hinter sich zu. Rebus sah Siobhan an und lächelte verdrießlich.

»Irgendwie hat das Mädchen Stil«, sagte er.

»Wir haben sie in Panik versetzt«, gab Siobhan zu. »Und zwar ziemlich genau in dem Augenblick, als wir den Tod ihres Bruders erwähnten.«

»Kann sein, dass die beiden sich einfach sehr nah standen«, meinte Rebus. »Sie halten nicht besonders viel von dem Rache-Motiv?«

»Und trotzdem«, sagte sie. »Irgendetwas...« Die Tür ging wieder auf, Teri Cotter marschierte auf den Tisch zu und stützte sich mit beiden Händen darauf ab, das Gesicht dicht an denen ihrer Quälgeister.

»James Bell«, zischte sie. »Sie wollten doch unbedingt einen Namen hören.«

»War er auf Herdmans Partys?«, fragte Rebus.

Teri Cotter nickte bloß, dann drehte sie sich um und verschwand erneut. Die Stammgäste, die ihren Abgang beobachteten, schüttelten den Kopf und widmeten sich wieder ihren Getränken.

»Bei der Befragung, die wir uns angehört haben«, sagte Rebus. »Was hat James Bell da über Herdman gesagt?«

»Irgendetwas übers Wasserskilaufen.«

»Ja, aber seine Worte waren: ›wir sind uns hie und da begegnet‹ oder so ähnlich.«

Siobhan nickte. »Das hätte uns wahrscheinlich auffallen sollen.«

»Jedenfalls müssen wir mit ihm reden.«

Siobhan nickte weiter, schaute jedoch gleichzeitig auf dem Tisch umher. Dann blickte sie auf den Fußboden.

»Vermissen Sie irgendwas?«, fragte Rebus.

»Ich nicht, aber Sie.«

Rebus sah sich auch um, dann dämmerte es ihm. Teri hatte das Foto mitgenommen.

»Ob sie nur deshalb zurückgekommen ist?«, fragte Siobhan.

Rebus zuckte die Achseln. »Vermutlich ist sie der Ansicht, es gehöre ihr … ein Andenken an einen Toten, der ihr viel bedeutet hat.«

»Glauben Sie, die beiden waren ein Paar?«

»Ich habe schon Merkwürdigeres erlebt.«

»In diesem Fall wäre es denkbar…«

Aber Rebus schüttelte den Kopf. »Dass sie ihre weiblichen Reize eingesetzt hat, um ihn zu einem Mord zu verleiten? Jetzt machen Sie mal halblang.«

»Ich habe schon Merkwürdigeres erlebt«, kam es als Echo von ihr zurück.

»Apropos: wären Sie eventuell bereit, mir einen Drink zu spendieren?

Er hielt sein leeres Glas hoch.

»Auf gar keinen Fall«, sagte sie und stand auf, um zu gehen. Missmutig folgte er ihr auf die Straße hinaus. Sie stand neben ihrem Wagen und starrte wie gebannt irgendetwas an. Rebus konnte nichts Besonderes entdecken. Die Goths lungerten an derselben Stelle herum wie zuvor, wenn auch ohne Miss Teri. Von den Lost Boys keine Spur. Ein paar Touristen blieben stehen, um Fotos zu machen.

»Was ist los?«, fragte er.

Sie wies mit dem Kinn in Richtung eines Wagens, der an der anderen Straßenseite geparkt war. »Sieht wie Doug Brimsons Landrover aus.«

»Sind Sie sich sicher?«

»Ich habe den Wagen draußen in Turnhouse gesehen.« Sie sah die Cockburn Street hinauf und hinunter. Brimson war nirgends zu sehen.

»Die Karre ist ja noch älter als mein Saab.«

»Ja, aber Sie haben keinen Jaguar zu Hause in der Garage stehen.«

»Ein Jaguar und ein museumsreifer Landrover?«

»Ich glaube, es geht ums Image ... Männer und ihre Spielzeuge.« Sie schaute erneut die Straße hinauf und hinunter. »Ich frage mich, was er hier tut.«

»Vielleicht spioniert er Ihnen nach«, schlug Rebus vor. Als er ihren Gesichtsausdruck sah, zuckte er entschuldigend die Achseln. Sie richtete ihren Blick wieder auf das Auto, überzeugt davon, dass es seines war. Zufall, sagte sie zu sich selbst, mehr nicht.

Purer Zufall.

Dennoch notierte sie die Autonummer.

11

Abends saß sie auf ihrem Sofa und versuchte, Interesse fürs Fernsehprogramm aufzubringen. Zwei schick angezogene Moderatorinnen verkündeten einer bedauernswerten Hausfrau, dass sie in all ihren Kleidern furchtbar aussah. Auf einem anderen Sender wurde ein Haus »entkrempelt«. Was bedeutete, dass Siobhan die Wahl zwischen einem tristen

Spielfilm, einer grässlichen Comedy-Serie und einem Dokumentarfilm über Aga-Frösche hatte.

Selber schuld, denn sie hätte ja unterwegs in der Videothek vorbeischauen können. Ihre private Filmsammlung war klein – beziehungsweise »erlesen«, wie sie es gerne nannte. Sie hatte jeden davon mindestens schon ein halbes Dutzend Mal gesehen, kannte viele Dialoge auswendig und wusste haargenau, was in welcher Szene passierte. Sie spielte mit dem Gedanken, eine CD aufzulegen, den Ton des Fernsehers abzustellen und sich ein eigenes Skript für den öden Film auszudenken. Oder sogar für die Aga-Frösche. Sie hatte bereits eine Zeitschrift durchgeblättert, ein Buch in die Hand genommen und wieder weggelegt, die Chips und die Schokolade gegessen, die sie an einer Tankstelle gekauft hatte. Auf dem Küchentisch stand eine halb aufgegessene Portion chinesische Bratnudeln, die sie vielleicht noch in die Mikrowelle schieben würde. Am schlimmsten war, dass sie keinen Wein mehr hatte, in der Wohnung gab es nur lauter leere Flaschen, die auf den Transport zum Altglascontainer warteten. Im Schrank stand eine Flasche Gin, aber zum Mixen hatte sie bloß Diät-Cola, und *so* verzweifelt war sie nun auch wieder nicht.

Zumindest noch nicht.

Sie konnte eine ihrer Freundinnen anrufen, aber sie wusste, dass sie nicht besonders unterhaltsam sein würde. Auf ihrem Anrufbeantworter war eine Nachricht ihrer Freundin Caroline, die sie fragte, ob sie Lust habe, mit ihr irgendwo ein Glas zu trinken. Die blonde, schlanke Caroline erregte immer viel Aufmerksamkeit, wenn sie beide zusammen ausgingen. Siobhan hatte beschlossen, auf den Anruf vorerst nicht zu reagieren. Sie war zu erschöpft, und der Port-Edgar-Fall schwirrte ihr hartnäckig im Kopf herum. Sie hatte sich einen Becher Kaffee aufgegossen und beim ersten Schluck festgestellt, dass sie vergessen hatte, den Wasserkocher anzustellen. Dann hatte sie ein paar Minuten damit verbracht, in der Küche nach Zucker zu suchen, ehe ihr schließlich einfiel, dass sie überhaupt keinen Zucker in den Kaffee tat. Seit ihrer Jugend eigentlich nicht mehr.

»Altersdemenz«, murmelte sie halblaut. »Außerdem führst du Selbstgespräche: ein weiteres Symptom.«

Schokolade und Chips waren nicht gerade ein Bestandteil ihrer Anti-Panik-Diät. Salz, tierisches Eiweiß, Zucker. Ihr Herz raste zwar nicht direkt, aber sie wusste, dass sie vorm Zubettgehen irgendwie abschalten, sich entspannen musste. Sie hatte eine Weile aus dem Fenster gestarrt und die Leute im Haus gegenüber beobachtet, danach die Nase gegen die Scheibe gedrückt, um die Autos besser sehen zu können, die zwei Etagen tiefer vorbeifuhren. Es herrschte kaum Verkehr, meist lag die Straße im Dunkeln, und nur die Bürgersteige waren vom orangefarbenen Laternenlicht erhellt. Kein einziger Bösewicht draußen, nichts, wovor sie Angst zu haben brauchte.

Sie erinnerte sich, dass sie vor vielen Jahren, in der Zeit, als sie noch Zucker in den Kaffee tat, eine Weile lang Angst vor der Dunkelheit gehabt hatte. Sie war damals dreizehn oder vierzehn gewesen: zu alt, um sich ihren Eltern anzuvertrauen. Sie investierte ihr gesamtes Taschengeld in Batterien für ihre Taschenlampe, die sie die ganze Nacht brennen ließ, unter der Bettdecke dabeihatte, wenn sie die Luft anhielt und horchte, ob in ihrem Zimmer auch keine fremden Atemzüge zu hören waren. Die wenigen Male, die ihre Eltern sie erwischten, dachten sie, dass sie nur deshalb so spät noch wach war, weil sie lesen wollte. Sie schaffte es nicht, sich zu entscheiden, was besser war: die Tür offen lassen, damit sie notfalls schnell fliehen konnte, oder die Tür fest zumachen, um Eindringlinge fern zu halten. Sie sah mehrfach am Tag unterm Bett nach, obwohl dort kaum Platz war: Es war nämlich der Aufbewahrungsort für ihre Schallplatten. Seltsamerweise hatte sie niemals Albträume. Wenn sie schließlich irgendwann in den Schlaf sank, war dieser Schlaf tief und erfrischend. Sie hatte niemals Panikattacken. Und irgendwann vergaß sie ihre Angst schlicht und einfach. Die Taschenlampe wanderte zurück in die Kommode. Das Geld, das sie für Batterien vergeudet hatte, gab sie von da an für Schminke aus.

Sie war sich nicht mehr sicher, was zuerst da gewesen war: ihr Interesse an Jungen oder deren Interesse an ihr.

»Lang, lang ist's her, meine Liebe«, sagte sie nun zu sich selbst. Draußen gab es keine Bösewichter, aber auch nur herzlich wenig Ritter, mit oder ohne Rüstung. Sie ging zum Esstisch und sah sich ihre Unterlagen über den Fall an. Sie waren ohne jegliches System ausgebreitet – alles, was man ihr am ersten Tag ausgehändigt hatte. Berichte der Pathologen und der Kriminaltechniker, Fotos des Tatorts und der Opfer. Sie betrachtete die beiden Gesichter, das von Derek Renshaw und das von Anthony Jarvies. Beide sahen gut aus, wenn auch auf etwas farblose Weise. Der feste Blick aus Jarvies' leicht geschlossenen Augen vermittelte den Eindruck von Intelligenz und Überheblichkeit. Renshaw wirkte viel weniger selbstsicher. Vielleicht war es eine Frage der Klassenzugehörigkeit, und Jarvies' Herkunft machte sich bemerkbar. Allan Renshaw war bestimmt stolz darauf gewesen, dass Derek den Sohn eines Richters zu seinen Freunden hatte zählen dürfen. Deshalb schickte man schließlich seine Kinder auf eine Privatschule. Man wollte, dass sie die richtigen Leute kennen lernten, Leute, die ihnen im späteren Leben nützlich sein könnten. Siobhan kannte Polizisten, und nicht nur Bezieher eines CID-Gehalts, die ständig knauserten, um ihrem Nachwuchs den Besuch von Schulen zu ermöglichen, auf die sie selbst nicht hatten gehen können. Wieder das Thema Klassenzugehörigkeit. Sie dachte über Lee

Herdman nach. Er war in der Armee gewesen, beim SAS...
war von Offizieren herumkommandiert worden, die auf den
richtigen Schulen gewesen waren, das richtige Englisch sprachen. War es womöglich so simpel? War seine Tat vielleicht
nur in tief sitzendem Neid auf eine Elite begründet?

Völlig klare Sache... Als ihr die Bemerkung wieder einfiel, die sie Rebus gegenüber gemacht hatte, musste sie laut
lachen. Wenn es so klar war, worüber grübelte sie dann
nach? Wieso ackerte sie von früh bis spät? Was hinderte sie
daran, den Fall für eine Weile aus ihren Gedanken zu verbannen und sich zu entspannen?

»Ach, was soll's«, sagte sie, setzte sich an den Tisch, schob
den Papierkram beiseite und stellte Derek Renshaws Notebook vor sich hin. Sie startete es und stöpselte das Internet-
Kabel in die Telefonbuchse ein. Es galt, sich die restlichen
E-Mails anzuschauen, und das waren genug, um sie, wenn
nötig, die halbe Nacht wachzuhalten. Außerdem gab es
noch jede Menge anderer Dateien, die überprüft werden
mussten. Sie wusste, die Arbeit würde beruhigend auf sie
wirken. Beruhigend deshalb, weil es Arbeit war.

Sie machte sich einen zweiten Becher entkoffeinierten
Kaffee und vergaß dieses Mal nicht, den Wasserkocher anzustellen. Ging mit dem heißen Gebräu ins Wohnzimmer.
Mit dem Passwort »Miles« kam sie an die neuen Nachrichten, aber die meisten waren bloß Spam-Mails, abgeschickt
von Leuten, die jemandem eine Versicherung oder Viagra
andrehen wollten, von dem sie nicht wissen konnten, dass er
tot war. Ein paar stammten auch von Leuten, denen aufgefallen war, dass Derek sich nicht mehr an den Diskussionen
in den verschiedenen Chatgroups und Foren beteiligte.
Siobhan hatte eine Idee und bewegte den Maus-Pfeil an den
oberen Rand des Bildschirms, wo sie »Favoriten« anklickte.
Es erschien eine Liste mit Internet-Adressen, die für Derek
offenbar von besonderem Interesse gewesen waren. Seine

Chatgroups und Foren gehörten dazu, außerdem die üblichen Verdächtigen: Amazon, BBC, Ask Jeeves ... Aber eine Adresse war ungewöhnlich. Siobhan klickte sie an. Es dauerte nur ein paar Sekunden, bis die Verbindung aufgebaut war.

WILLKOMMEN IN MEINER FINSTERNIS!

Die Worte waren mattrot und pulsierten. Den Rest des Fensters nahm ein leerer Hintergrund ein. Siobhan bewegte den Pfeil auf das W und machte einen Doppelklick. Diesmal dauerte der Aufbau der Seite etwas länger. Die Innenaufnahme eines Zimmers wurde sichtbar. Das Bild war relativ unscharf. Sie versuchte, am Kontrast und der Helligkeit des Bildschirms etwas zu ändern, aber das Bild an sich schien nicht das Problem zu sein, daher konnte sie wenig ausrichten. Sie sah ein Bett und dahinter ein von Vorhängen verdecktes Fenster. Sie bewegte den Pfeil auf dem Bildschirm hin und her, aber es tauchten keine verborgenen Markierungen auf, die sie anklicken konnte. Es gab nicht mehr als das, was sie sah. Sie lehnte sich mit verschränkten Armen zurück, überlegte, was das zu bedeuten hatte, wieso sich Derek Renshaw für diesen Anblick interessiert haben mochte. Vielleicht war es sein Zimmer. Vielleicht war die »Finsternis« eine weitere Facette von ihm. Dann tat sich etwas auf dem Bildschirm, ein sonderbares gelbliches Licht streifte durch das Zimmer. Eine technische Störung? Siobhan beugte sich vor, klammerte sich an der Tischkante fest. Sie wusste nun, was es war. Es war das Scheinwerferlicht eines vorbeifahrenden Wagens, das durch die Vorhänge schien. Also kein Foto, kein Standbild.

»Eine Webcam«, flüsterte sie. Sie sah eine Übertragung in Echtzeit aus einem Zimmer. Und sie wusste sogar, wessen Zimmer es war. Das Scheinwerferlicht hatte ausgereicht. Sie stand auf, ging zum Telefon und wählte eine Nummer.

Siobhan stöpselte den Computer ein und startete ihn neu. Das Notebook stand auf einem Stuhl – das Kabel war nicht lang genug, um von Rebus' Telefonbuchse bis zum Esstisch zu reichen.

»Wirklich sehr geheimnisvoll«, sagte er, als er ein Tablett brachte – für jeden von ihnen einen Becher Kaffee. Sie roch Essig: wahrscheinlich hatte es Fish & Chips gegeben. Sie musste an die Bratnudeln bei sich zu Hause denken, und ihr wurde klar, wie ähnlich sie einander waren – Essen zum Mitnehmen, niemand, der zu Hause auf einen wartete… Er hatte offenbar Bier getrunken, denn neben seinem Sessel stand eine leere Flasche Deuchars auf dem Fußboden. Und Musik gehört: die Best-of-CD von Hawkwind, die sie ihm zu seinem letzten Geburtstag geschenkt hatte. Vielleicht hatte er sie auch gerade erst aufgelegt, damit sie glaubte, er würde sie regelmäßig hören.

»Gleich geht's los«, sagte sie nun. Rebus hatte die Musik ausgestellt und rieb sich die Augen mit seinen bloßen, glühend heiß aussehenden Händen. Kurz vor zehn. Als sie angerufen hatte, saß er schlafend in seinem Sessel und hätte nichts dagegen gehabt, bis zum nächsten Morgen dort zu bleiben. Weniger aufwändig, als sich auszuziehen. Weniger aufwändig, als Schuhbänder aufzubinden und an Knöpfen herumzufummeln. Er hatte sich nicht die Mühe gemacht aufzuräumen. Dafür kannten sich Siobhan und er zu gut. Aber er hatte die Küchentür geschlossen, damit sie das schmutzige Geschirr nicht sah. Wenn sie es sähe, würde sie anbieten abzuwaschen, und das wollte er nicht.

»Jetzt muss ich nur noch ins Netz gehen.«

Rebus hatte sich einen der Esstisch-Stühle geholt, um sich draufzusetzen. Siobhan kniete vor dem Notebook auf dem Boden. Sie veränderte den Neigungswinkel des Bildschirms ein wenig, und er ließ sie mit einem Nicken wissen, dass er gut sah.

WILLKOMMEN IN MEINER FINSTERNIS!

»Der Alice-Cooper-Fanclub?«, riet er.

»Warten Sie einen Moment.«

»Die königliche Blindengesellschaft?«

»Wenn ich auch nur eine Sekunde lang lächele, haben Sie die Erlaubnis, mir mit dem Tablett eins überzubraten.« Sie lehnte sich ein wenig zurück. »Da… schauen Sie sich's an.«

Das Zimmer lag nicht mehr vollständig im Dunkeln. Jemand hatte Kerzen angezündet. Schwarze Kerzen.

»Teri Cotters Zimmer«, stellte Rebus fest. Siobhan nickte. Rebus betrachtete die flackernden Kerzen.

»Eine Filmaufnahme?«

»Das ist live, sofern ich mich nicht völlig irre.«

»Und das bedeutet?«

»An ihren Computer ist eine Webcam angeschlossen. Von der stammen die Aufnahmen. Als ich mir vorhin die Seite zum ersten Mal angeschaut habe, war das Zimmer dunkel. Anscheinend ist sie inzwischen nach Hause gekommen.«

»Soll das irgendwie interessant sein?«, fragte Rebus.

»Manche Leute schauen sich so etwas gerne an. Manche von denen *bezahlen* sogar dafür.«

»Aber wir bekommen die Show gratis geboten?«

»Offenbar.«

»Glauben Sie, dass sie die Kamera ausschalten wird, wenn sie reinkommt?«

»Dann wäre das Ganze doch völlig witzlos.«

»Sie lässt die Kamera ständig laufen?«

Siobhan zuckte die Achseln. »Vielleicht finden wir's bald heraus.«

Teri Cotter war auf dem Bildschirm erschienen und vollführte ruckartige Bewegungen, denn die Kamera übertrug nur eine Abfolge von Einzelaufnahmen, zwischen denen jeweils ein kurzer Augenblick verstrich.

»Kein Ton?«, erkundigte sich Rebus.

Siobhan glaubte es nicht, stellte aber trotzdem den Lautstärkeregler höher. »Kein Ton«, bestätigte sie.

Teri hatte sich im Schneidersitz auf das Bett gesetzt. Sie trug dieselben Sachen wie bei dem Gespräch der beiden mit ihr. Es sah aus, als schaue sie in die Kamera. Sie beugte sich vor und streckte sich dann der Länge nach aus, das Kinn in die Hände gestützt, das Gesicht nun dicht vor der Kamera.

»Wie ein Stummfilm«, sagte Rebus. Siobhan wusste nicht, ob er damit die Bildqualität oder den fehlenden Ton meinte. »Was wird eigentlich von uns erwartet?«

»Wir sind ihr Publikum.«

»Sie weiß, dass wir hier sitzen?«

Siobhan schüttelte den Kopf. »Wahrscheinlich hat sie keine Möglichkeit herauszufinden, wer zuschaut – und ob das überhaupt jemand tut.«

»Aber Derek Renshaw hat zugeschaut?«

»Das nehme ich an.«

»Glauben Sie, dass sie es wusste?«

Siobhan zuckte die Achseln und trank einen Schluck von dem bitter schmeckenden Kaffee. Es war kein entkoffeinierter, was sie später möglicherweise würde büßen müssen, aber es war ihr egal.

»Also, was halten Sie davon?«, fragte er.

»Es ist nicht allzu ungewöhnlich, dass ein Mädchen in ihrem Alter exhibitionistisch veranlagt ist.« Sie schwieg einen Moment. »Allerdings ist mir so etwas wie das hier noch nie begegnet.«

»Ich frage mich, wer alles davon weiß.«

»Ihre Eltern vermutlich nicht. Sollten wir Teri fragen?«

Rebus dachte nach. »Wie kommt man da hin?« Er zeigte auf den Bildschirm.

»Es gibt Listen mit Homepages. Sie braucht bloß einen Link zu setzen und vielleicht eine Beschreibung liefern.«

»Schauen wir mal nach.«

Also verließ Siobhan die Seite und begab sich im Cyberspace auf die Suche, indem sie die Worte »Miss« und »Teri« eingab. Eine lange Liste mit Treffern war das Ergebnis, von denen die meisten zu Porno-Websites führten oder zu Leuten, die Terry, Terri oder Teri hießen.

»Es könnte eine Weile dauern.«

»So sieht also das aus, was mir entgeht, weil ich kein Modem besitze?«

»Hier sind alle Spielarten menschlicher Existenz vertreten, und die meisten davon sind ein klein bisschen deprimierend.«

»Genau das Richtige nach einem Tag in der Tretmühle.«

Ihr Gesicht verzog sich zu einem Ausdruck, den man fast als Lächeln hätte deuten können. Rebus streckte demonstrativ die Hand nach dem Tablett aus.

»Ich glaube, ich hab's«, sagte Siobhan ein paar Minuten später. Rebus sah auf die Worte, unter denen sie mit dem Fingern entlang fuhr.

Myss Teri – besucht meine 100% unpornographische (sorry, Jungs!) Homepage!

»Warum ›Myss‹?«, fragte Rebus.

»Vielleicht waren alle anderen Schreibweisen schon vergeben. Meine Mail-Adresse lautet ›66Siobhan‹.«

»Weil fünfundsechzig Siobhans eher da waren?«

Sie nickte. »Und dabei dachte ich immer, ich hätte einen seltenen Namen.« Siobhan hatte den Link angeklickt. Teri Cotters Homepage baute sich auf. Es war ein Foto von ihr in voller Goth-Montur zu sehen, auf dem sie die Hände neben das Gesicht hielt, die offenen Handflächen dem Betrachter zugewandt.

»Sie hat sich Pentagramme auf ihre Hände gezeichnet«, bemerkte Siobhan. Rebus sah genauer hin: je ein fünfzackiger Stern, umgeben von einem Kreis. Keine weiteren Fotos, nur ein kurzer Text, der eine Auflistung von Teris Interessen enthielt, die Information, auf welche Schule sie ging sowie den Hinweis: »Ihr könnt mich meistens am Samstagnachmittag in der Cockburn Street bewundern…« Es gab die Möglichkeit, ihr eine E-Mail zu schicken, einen Eintrag in ihr Gästebuch zu schreiben oder verschiedene Links anzuklicken, von denen die meisten den Besucher zu anderen Goth-Seiten weiterleiten würden, einer jedoch »Tor zur Finsternis« benannt war.

»Da landet man bestimmt bei der Webcam«, sagte Siobhan. Um sicherzugehen, probierte sie den Link aus. Auf dem Bildschirm erschienen die bekannten Worte: WILLKOMMEN IN MEINER FINSTERNIS! Ein weiterer Klick – und sie befanden sich wieder in Teri Cotters Zimmer. Inzwischen lag sie auf dem Rücken, den Kopf gegen das Kopfbrett gelehnt, die Knie hochgezogen. Sie schrieb etwas in ein Ringbuch.

»Sieht nach Schularbeiten aus«, sagte Siobhan.

»Vielleicht auch ihre Sammlung von Zaubertränken«, meinte Rebus. »Jeder, der ihre Homepage besucht, erfährt, wie alt sie ist, auf welche Schule sie geht und wie sie aussieht.«

Siobhan nickte. »Und wo sie sich Samstagnachmittag aufhält.«

»Ein gefährliches Hobby«, murmelte Rebus. Er dachte daran, wie leicht sie die Beute eines der Jäger werden konnte, die sich in der Stadt herumtrieben.

»Vielleicht ist das für sie der Reiz an der Sache.«

Rebus rieb sich erneut die Augen. Er erinnerte sich an die erste Begegnung mit ihr. Daran, dass sie gesagt hatte, sie sei neidisch auf Derek und Anthony… und an ihre Bemerkung zum Abschied: *Sie können mich jederzeit sehen.* Jetzt war klar, was sie damit gemeint hatte.

»Genug gesehen?«, fragte Siobhan und klopfte dabei gegen den Bildschirm.

Er nickte. »Ihre spontane Einschätzung, DS Clarke?«

»Tja… *falls* sie und Herdman ein Liebespaar gewesen sind, und *falls* Herdman zur Eifersucht geneigt hat…«

»Das ergibt nur Sinn, wenn Anthony Jarvies von der Homepage gewusst hat.«

»Jarvies war Dereks bester Freund: Wie groß ist die Wahrscheinlichkeit, dass Derek ihm *nicht* davon erzählt hat?«

»Gutes Argument. Das sollten wir überprüfen.«

»Und noch einmal mit Teri reden?«

Rebus nickte langsam. »Haben wir die Möglichkeit, uns das Gästebuch anzuschauen?«

Sie hatten, aber es war nicht besonders ergiebig. Keine Einträge, deren Verfasser Derek Renshaw oder Anthony Jarvies hießen, bloß das Gesülze einiger Bewunderer von Miss Teri, die, ihrem Englisch nach zu urteilen, in der Mehrzahl im Ausland beheimatet waren. Rebus sah zu, wie Siobhan das Notebook ausschaltete.

»Haben Sie den Fahrzeughalter ermittelt?«, fragte er.

Sie nickte. »Das habe ich kurz vor Feierabend noch gemacht. Es ist Brimson.«

»Eigenartig, sehr eigenartig…«

Siobhan klappte den Bildschirm zu. »Wie kommen Sie zurecht?«, fragte sie. »Ich meine mit dem Ausziehen und Anziehen.«

»Alles bestens.«

»Sie schlafen nicht in Ihren Sachen?«

»Nein.« Er versuchte, gekränkt zu klingen.

»Ich kann also morgen mit einem sauberen Hemd bei Ihnen rechnen?«

»Hören Sie auf, mich zu bemuttern.«

Sie lächelte. »Ich könnte Ihnen wieder ein Bad einlaufen lassen.«

»Nicht nötig.«

»Sicher?«, fragte sie.

»Todsicher.« Wieder musste er an seine erste Begegnung mit Teri Cotter denken... an ihre Frage, wie viele Tote er schon gesehen hatte... an ihren Wunsch zu wissen, wie es war, wenn man starb. Und gleichzeitig hatte sie eine Website, die manche Psychopathen geradezu als Einladung auffassen mussten.

»Ich möchte Ihnen etwas zeigen«, sagte Siobhan und kramte in ihrer Schultertasche. Sie holte ein Buch hervor und hielt es so, dass er den Umschlag lesen konnte: *I'm a Man* von Ruth Padel. »Es geht um Rockmusik«, erklärte sie und schlug es an einer markierten Seite auf. »Hören Sie sich das an: ›Der Traum vom Heldentum beginnt im Kinderzimmer des Teenagers.‹«

»Was bedeutet das?«

»Sie meint, dass für Teenager Musik eine Form von Rebellion ist. Vielleicht benutzt Teri ihr Zimmer zu dem Zweck.« Sie blätterte zu einer anderen Seite. »Hier ist noch etwas: ›Die Schusswaffe stellt die gefährdete männliche Sexualität dar.‹« Sie sah ihn an. »Leuchtet mir ein.«

»Sie wollen behaupten, dass Herdman eifersüchtig war?«

»Waren Sie nie eifersüchtig? So sehr, dass Sie einen Wutanfall hatten?«

Er überlegte einen Augenblick lang. »Vielleicht ein oder zwei Mal.«

»Kate hat mir gegenüber ein Buch erwähnt. Es heißt *Bad Men Do What Good Men Dream*. Vielleicht hat Herdman vor Wut die Kontrolle verloren.« Sie hielt sich eine Hand vor den Mund und versuchte, ein Gähnen zu unterdrücken.

»Zeit für Sie, ins Bett zu gehen«, sagte Rebus zu ihr. »Morgen gibt's sicher wieder reichlich Gelegenheit für laienhafte Analysen.« Sie zog die Kabel des Notebooks heraus und wickelte sie auf. Er brachte sie zur Tür und sah ihr dann vom Fenster aus nach, bis sie wohlbehalten in ihrem Wagen saß. Plötzlich stand ein Mann neben der Fahrertür. Rebus drehte sich um und rannte, zwei Stufen auf einmal nehmend, die Treppe hinunter. Riss die Haustür auf. Der Mann redete auf Siobhan ein, die Stimme so laut, dass er das Motorengeräusch übertönte. Er hielt etwas vor die Windschutzscheibe. Eine Zeitung. Rebus packte ihn an der Schulter, spürte ein glühendes Stechen in den Fingern. Drehte den Kerl zu sich herum – erkannte das Gesicht wieder.

Es war der Reporter Steve Holly. Rebus wurde klar, dass die Zeitung in seiner Hand vermutlich die Morgenausgabe des nächsten Tages war.

»Da ist ja der Mann, zu dem ich eigentlich will«, sagte Holly, schüttelte Rebus' Hand ab und setzte ein Grinsen auf. »Wie nett, dass unsere Polizisten auch privat Kontakt miteinander pflegen.« Er drehte sich zu Siobhan um, die den Motor ausgestellt hatte und gerade ausstieg. »Manch einer dürfte es etwas zu spät am Abend für eine unverbindliche Plauderei finden.«

»Was wollen Sie?«, fragte Rebus.

»Nur einen Kommentar.« Er hielt die Titelseite der Zeitung hoch, so dass Rebus die Überschrift lesen konnte. POLIZIST IN TÖDLICHES FEUER VERSTRICKT? »Bisher haben wir noch keine Namen genannt. Ich würde gerne Ihre Version der Geschichte hören. Stimmt es, dass Sie aufgrund eines Disziplinarverfahrens vorläufig vom Dienst suspendiert sind?« Holly faltete die Zeitung zusammen und holte einen Minirekorder aus der Tasche. »Das sieht wirklich übel aus.« Er deutete mit dem Kopf auf Rebus' bloße Hände. »Dauert eine Weile, bis Verbrennungen heilen, hab ich Recht?«

»John…« Siobhans warnender Ton sollte ihn ermahnen, nicht die Beherrschung zu verlieren. Rebus zeigte mit einem seiner verbrühten Finger auf den Reporter.

»Halten Sie sich von den Renshaws fern. Wenn Sie die Familie weiter belästigen, kriegen Sie's mit mir zu tun, verstanden?«

»Dann geben Sie mir doch ein Interview.«

»Auf gar keinen Fall.«

Holly sah auf die Zeitung hinunter, die er in Händen hielt. »Wie wär's mit folgender Schlagzeile: ›Polizist flieht vom Tatort‹?«

»Das findet mein Anwalt bestimmt einen prima Grund für eine Klage.«

»Meine Zeitung ist jederzeit für einen fairen Kampf zu haben, DI Rebus.«

»Da fangen die Probleme schon an«, sagte Rebus und strich mit der Hand über den Rekorder. »Ich kämpfe nämlich *nie* fair.« Er spuckte die Worte geradezu aus, dann bleckte er die Zähne. Der Reporter drückte auf die Stopp-Taste.

»Freut mich, dass unsere Standpunkte jetzt klar sind.«

»Halten Sie sich von den Angehörigen fern, Holly. Das meine ich ernst.«

»Vermutlich tun Sie das auf Ihre klägliche, törichte Art wirklich. Träumen Sie süß, Detective Inspector.« Er vollführte eine leichte Verbeugung vor Siobhan und marschierte von dannen.

»Arschloch«, zischte Rebus.

»Machen Sie sich nichts draus«, sagte Siobhan in besänftigendem Ton. »Schließlich liest nur ein Viertel der Bevölkerung seine Zeitung.« Sie stieg wieder ins Auto, ließ den Motor an und parkte rückwärts aus. Winkte beim Wegfahren. Holly war am Ende der Straße in Richtung Marchmont Road um die Ecke verschwunden. Rebus ging hinauf in seine Wohnung und nahm seinen Autoschlüssel. Zog die Handschuhe an. Drehte den Wohnungsschlüssel auf dem Weg nach unten zweimal im Schloss um.

Kein Verkehr auf der Straße, auch Steve Holly war nirgends zu sehen. Allerdings suchte Rebus auch nicht unbedingt nach ihm. Er stieg in seinen Saab, fasste das Lenkrad so fest an, wie ihm möglich war, und drehte es nach rechts und links. Vermutlich würde er es schaffen. Er fuhr die Marchmont Road hinunter und auf den Melville Drive in Richtung Arthurs Seat. Statt Musik zu hören, dachte er an die Ereignisse der letzten Tage, ließ Gesprächsfetzen und Bilder ungehindert durch seinen Kopf schwirren.

Irene Lesser: *Vielleicht sollten Sie auch einmal mit jemandem reden ... man sollte eine Last nicht so lange mit sich herumtragen.*

Siobhan: die Zitate aus dem Buch.

Kate: *Bad Men Do ...*

Boethius: Gute Menschen leiden ...

Er hielt sich nicht für einen schlechten Menschen, wusste aber, dass er wahrscheinlich auch kein guter Mensch war.

»I'm a Man«: Der Titel eines alten Blues-Songs.

Robert Niles, der aus dem SAS ausgeschieden war, jedoch ohne vorher »entschärft« worden zu sein. Auch Lee Herdman hatte eine Last mit sich herumgetragen. Rebus hatte das Gefühl, dass er sich selbst vielleicht besser verstehen würde, wenn es ihm gelänge, Herdman zu verstehen.

In der Easter Road war wenig los, die Pubs hatten noch offen, in einem Imbiss standen einige Leute Schlange. Rebus wollte zur Polizeiwache in Leith. Mit dem Fahren klappte es ganz gut, der Schmerz in den Händen war erträglich. Die verbrühte Haut schien sich zu spannen wie nach einem Sonnenbrand. Er entdeckte eine Parklücke, keine fünfzig Meter von der Wache entfernt, und manövrierte den Wagen hinein. Stieg aus, schloss ab. Auf der anderen Straßenseite stand eine Fernsehcrew, die wahrscheinlich die Wache als Hintergrund für einen Beitrag benutzte. Dann sah Rebus, wer gefilmt wurde: Jack Bell. Bell drehte sich um, erkannte Rebus und zeigte auf ihn, ehe er sich wieder der Kamera zuwandte. Rebus hörte ihn sagen: »... während Polizeibeamte wie der Herr hinter mir sich darauf beschränken, die Scherben aufzukehren, ohne je eine praktikable Lösung anzubieten ...«

»Schnitt«, sagte der Regisseur. »Tut mir Leid, Jack.« Er deutete auf Rebus, der die Straße überquert hatte und nun direkt hinter Bell stand.

»Was machen Sie hier?«, fragte Rebus.

»Wir drehen eine Reportage über Gewalt in der Gesellschaft«, blaffte Bell, verärgert über die Störung.

»Ich dachte, es sei vielleicht ein Ratgeber-Video«, knurrte Rebus.

»Was?«

»*Wissenswertes über den Straßenstrich* oder so ähnlich. Die meisten Mädels arbeiten neuerdings da hinten«, fügte Rebus hinzu und wies in Richtung Salamander Street.

»Wie können Sie es wagen!«, empörte sich der MSP. Dann wandte er sich an den Regisseur. »Sehen Sie, das ist symptomatisch für das Problem, vor dem wir stehen. Die Polizei zeichnet sich inzwischen nur noch durch Kleinlichkeit und Boshaftigkeit aus.«

»Natürlich ganz im Gegensatz zu Ihnen«, bemerkte Rebus. Erst jetzt fiel ihm auf, dass Bell ein Foto in der Hand hatte. Bell hielt es vor ihn hin.

»Thomas Hamilton«, verkündete er. »Niemand hat ihn für eine Bedrohung gehalten. Doch er hat sich als die Inkarnation des Teufels entpuppt, als er in die Schule in Dunblane marschiert ist.«

»Und wie hätte die Polizei das verhindern sollen?«, fragte Rebus und verschränkte dabei die Arme.

Ehe Bell antworten konnte, stellte der Regisseur Rebus eine Frage: »Hat man irgendwelche Videos oder Zeitschriften in Herdmans Wohnung gefunden? Gewaltverherrlichende Filme oder dergleichen?«

»Es gibt keinen Hinweis darauf, dass er Interesse für solches Zeug hatte. Aber selbst wenn, was hätte man vorher tun sollen?«

Der Regisseur zuckte bloß die Achseln, offenbar war ihm

klar, dass er von Rebus nicht die gewünschten Antworten bekommen würde. »Jack, vielleicht könnten Sie ein kurzes Interview mit… Entschuldigung, ich habe Ihren Namen nicht verstanden?« Er lächelte Rebus an.

»Ich heiße Leckt mich«, sagte Rebus, ebenfalls lächelnd. Dann ging er zurück auf die andere Straßenseite und betrat die Polizeiwache.

»Sie sind eine Schande für Ihren Berufsstand!«, rief Jack Bell ihm hinterher. »Eine echte Schande! Glauben Sie ja nicht, dass ich das auf sich beruhen lasse…«

»Wieder mal bemüht, neue Freunde zu gewinnen?«, fragte der Sergeant am Empfang.

»Scheine, was das angeht, ein Naturtalent zu sein«, teilte Rebus ihm mit und stieg die Treppe zu den Büros des CID hoch. Bei den Ermittlungen im Fall Herdman durften bezahlte Überstunden gemacht werden, deshalb arbeiteten sogar um diese Uhrzeit noch ein paar Kollegen. Sie tippten Berichte in ihren Computer oder plauderten bei einer Tasse Tee oder Kaffee. Rebus sah DC Mark Pettifer und ging zu ihm.

»Ich würde mir gerne was ausleihen, Mark«, sagte er.

»Was denn, John?«

»Ein Notebook.«

Pettifer lächelte. »Ich dachte immer, Ihre Generation schwört auf Gänsekiel und Pergament.«

Rebus ignorierte die Bemerkung und fuhr fort: »Und ich muss damit ins Internet kommen.«

»Dürfte eigentlich kein Problem sein.«

»Während Sie das Ding holen…« Rebus beugte sich näher zu ihm hinüber und senkte die Stimme. »Vor einer Weile hat man Jack Bell bei einer Razzia auf dem Straßenstrich aufgegriffen. Das waren eure Leute, stimmt's?«

Pettifer nickte langsam.

»Es gibt nicht zufällig einen Bericht darüber…?«

»Glaube nicht. Gegen Bell ist ja nie offiziell ermittelt worden.«

Rebus dachte kurz nach. »Und was ist mit den Kollegen, die seinen Wagen angehalten haben: Wär's möglich, mit denen zu reden?«

»Worum geht's denn?«

»Sagen wir, ich habe ein persönliches Interesse an der Sache«, erwiderte Rebus.

Wie sich herausstellte, war der junge Detective Constable, der Bells Personalien aufgenommen hatte, versetzt worden und arbeitete jetzt in der Wache an der Torphichen Street. Rebus gelang es, seine Handynummer zu bekommen. Er hieß Harry Chambers.

»Entschuldigen Sie die späte Störung«, sagte Rebus, nachdem er sich vorgestellt hatte.

»Keine Ursache, ich komme gerade aus der Kneipe und bin auf dem Nachhauseweg.«

»Ich hoffe, Sie hatten einen netten Abend.«

»Billard-Turnier. Hab's bis ins Halbfinale geschafft.«

»Glückwunsch. Ich rufe wegen Jack Bell an.«

»Was hat das schmierige Arschloch denn jetzt wieder angestellt?«

»Wir stolpern bei der Port-Edgar-Sache andauernd über ihn.« Das war die Wahrheit, wenn auch nicht die ganze. Rebus fand es nicht nötig, seinen Wunsch zu erwähnen, Kate von dem MSP fern zu halten.

»Dann sehen Sie mal zu, dass Sie ihn als Fußabtreter benutzen. Dazu taugt er ganz gut«, meinte Chambers.

»Ich spüre bei Ihnen eine leichte Aversion, Harry.«

»Nach der Razzia hat er versucht, mich wieder zur Schutzpolizei versetzen zu lassen. Und dann die Lügengeschichten, die er uns aufgetischt hat: Erst behauptete er, auf dem Heimweg gewesen zu sein … und dann, als er das nicht beweisen konnte, hieß es, er habe vor Ort die Notwendigkeit einer liberaleren Sperrbezirk-Regelung ›recherchiert‹. Von wegen. Die Nutte, mit der er gerade sprach, erzählte mir später, sie seien sich schon über den Preis einig gewesen.«

»Meinen Sie, das war sein erster Besuch in der Gegend?«

»Keine Ahnung. Ich weiß nur, dass er – und ich sage das mit größtmöglicher Objektivität – ein mieses, verlogenes rachsüchtiges Arschloch ist. Dieser Herdman hätte uns ruhig den Gefallen tun können, ihn abzuknallen, statt der armen Jungs …«

Nach Hause zurückgekehrt, baute Rebus das Notebook auf und versuchte sich an Pettifers Anweisung zu erinnern. Es war nicht das neuste Modell. Pettifers Kommentar: »Wenn Ihnen das Ding zu langsam ist, werfen Sie einfach eine Schippe Kohlen nach.« Rebus hatte gefragt, wie alt der Computer war. Antwort: zwei Jahre und bereits so gut wie unbrauchbar.

Rebus beschloss, ein so ehrwürdiges Gerät respektvoll zu behandeln. Er wischte Bildschirm und Tastatur mit einem feuchten Tuch ab. Genau wie er, war es ein Überlebender einer vergangenen Epoche.

»Okay, altes Haus«, sagte er zu ihm. »Dann zeig mal, was du kannst.«

Ein paar frustrierende Minuten später rief er Pettifer an und erreichte ihn schließlich auf seinem Handy – im Auto auf der Fahrt zum heimischen Bett. Weitere Instruktionen … Rebus behielt Pettifer so lange am Apparat, bis es klappte.

»Danke, Mark«, sagte er, beendete das Gespräch und stellte seinen Sessel so hin, dass er den Bildschirm im Blick hatte.

Kurz darauf saß er da, die Beine übereinander geschlagen, die Arme verschränkt, den Kopf leicht zur Seite geneigt.

Und schaute Teri Cotter beim Schlafen zu.

Freitag

12

»Sie haben in Ihren Sachen geschlafen«, stellte Siobhan fest, als sie ihn am nächsten Morgen abholte.

Rebus beachtete sie gar nicht. Auf dem Beifahrersitz lag die aktuelle Ausgabe eines gewissen Revolverblatts, dieselbe, die Steve Holly ihnen am gestrigen Abend vor die Nase gehalten hatte.

POLIZIST IN TÖDLICHES FEUER VERSTRICKT?

»Der Artikel ist ziemlich dürftig«, versicherte Siobhan ihm. Und das war er auch. Reich an Mutmaßungen, arm an Tatsachen. Und trotzdem hatte bei Rebus morgens um sieben, Viertel nach sieben und halb acht das Telefon geklingelt. Er hatte nicht abgenommen, denn er ahnte, wer es war: das Complaints Department, das einen Termin vereinbaren wollte, um ihn möglichst bald zu piesacken. Es gelang ihm, die Zeitung umzublättern, indem er die Finger seines Handschuhs anfeuchtete. »In St. Leonard's kursieren jede Menge Gerüchte«, fügte Siobhan hinzu. »Fairstone war an einen Stuhl gefesselt und geknebelt. Inzwischen wissen alle, dass Sie dort waren.«

»Habe ich das je bestritten?« Sie sah ihn an. »Es ist nur so: Als ich wegging, war er noch am Leben.« Er blätterte noch ein paar Seiten um, auf der Suche nach etwas Tröstlichem. Fand es in Form eines Artikels über einen Hund, der einen Ehering verschluckt hatte – der einzige Lichtblick in einer Zeitung voller deprimierender Überschriften. Messerstecherei in einem Pub, die Geliebte eines Prominenten packte aus, Ölteppich im Atlantik, Wirbelsturm in Amerika.

»Komisch, dass die Moderatorin einer Nachmittags-Talk-Show mehr Zeilen wert ist als eine Umweltkatastrophe«, bemerkte er, faltete die Zeitung zusammen und warf sie auf den Rücksitz. »Wohin fahren wir eigentlich?«

»Ich dachte, wir machen vielleicht einen Besuch bei James Bell.«

»Gute Idee.« Sein Handy klingelte, aber er ließ es in der Tasche stecken.

»Ihr Fanklub?«, vermutete Siobhan.

»Was soll ich machen, ich bin eben beliebt. Wie kommt's, dass Sie über den Klatsch und Tratsch in St. Leonard's auf dem Laufenden sind?«

»Ich war dort, ehe ich Sie abgeholt habe.«

»Ein Anfall von Masochismus also.«

»Ich war im Fitnessraum.«

»Tut mir Leid, aber das Wort höre ich zum ersten Mal.«

Sie lächelte. Als ihr eigenes Handy klingelte, sah sie Rebus erneut an. Er zuckte die Achseln, und sie überprüfte die Nummer auf dem Display.

»Bobby Hogan«, sagte sie, ehe sie den Anruf entgegennahm. Er konnte nur ihren Teil der Unterhaltung verstehen. »Wir kommen, so schnell es geht… wieso, was ist passiert?« Ein Seitenblick auf Rebus. »Er sitzt neben mir… vielleicht ist der Akku seines Handys leer… ja, ich richte es ihm aus.«

»Höchste Zeit, dass Sie sich eins von diesen Freisprechdingern anschaffen«, meinte Rebus, nachdem sie das Gespräch beendet hatte.

»Fahre ich einhändig so schlecht?«

»Nein, aber dann könnte ich mithören.«

»Bobby sagt, dass die Jungs vom Complaints Department nach Ihnen suchen.«

»Tatsächlich?«

»Sie haben ihm aufgetragen, die Nachricht an Sie weiterzuleiten. Wie es scheint, meldet sich unter Ihrer Handynummer niemand.«

»Vielleicht ist der Akku leer. Was hat er noch gesagt?«

»Er will sich mit uns im Yachthafen treffen.«

»Hat er verraten, warum?«

»Vielleicht will er uns einen Tagesausflug auf dem Wasser spendieren.«

»Das wird's sein. Ein Dankeschön für unsere sorgfältige, aufopferungsvolle Ermittlungsarbeit.«

»Seien Sie lieber nicht überrascht, wenn der Kapitän einer vom Complaints Department ist...«

»Heute schon Zeitung gelesen?«, fragte Bobby Hogan. Er führte sie den Beton-Pier hinunter.

»Ja, hab ich«, gab Rebus zu. »Und Siobhan hat deine Nachricht an mich weitergeleitet. Weder das eine noch das andere erklärt jedoch, was wir hier sollen.«

»Außerdem hat mich Jack Bell angerufen. Er spielt mit dem Gedanken, sich offiziell zu beschweren.« Hogan schaute Rebus an. »Was immer du getan hast, bitte weiter so.«

»Wenn das ein Befehl ist, werde ich ihn mit Freude befolgen.«

Rebus sah, dass das obere Ende der hölzernen Rampe, die zu den Stegen mit den Yachten und Jollen hinunterführte, abgesperrt war. Neben einem Schild mit der Aufschrift »Zutritt nur für Bootsbesatzungen« hielten drei Uniformierte Wache. Hogan hob das Plastikband an, damit sie darunter hindurchgehen konnten, und lief dann vor ihnen über die abschüssigen Planken.

»So was hätte uns nicht passieren dürfen.« Hogan runzelte die Stirn. »Natürlich übernehme ich die volle Verantwortung.«

»Natürlich.«

»Offenbar hat Herdman noch ein weiteres Boot besessen, ein etwas größeres. Seetüchtig.«

»Eine Segelyacht?«, rief Siobhan.

Hogan nickte. Sie kamen an etlichen vertäuten Booten vorbei, die sich auf und nieder bewegten. Das übliche klatschende Geräusch der Takelage. Oben in der Luft Möwen. Es blies eine steife Brise, gelegentlich durchmischt mit salzigen Spritzern. »Zu groß, um sie in seinem Schuppen zu lagern. Bestimmt hat er sie regelmäßig benutzt, sonst befände sie sich an Land.« Er deutete auf das Ufer, wo eine Reihe von Booten aufgebockt waren, geschützt vor der zersetzenden Wirkung des Salzwassers.

»Und?«, fragte Rebus.

»Seht's euch selber an ...«

Rebus sah, was er meinte. Er erblickte eine Gruppe Leute, erkannte einige als Angestellte der Zollfahndung. Wusste, was das bedeutete. Sie inspizierten etwas, das auf einer zusammengefalteten Plastikplane lag. Die Ecken der Plane wurden von Füßen auf den Boden gedrückt, damit sie nicht wegflog.

»Je eher wir das Zeug nach drinnen bringen, desto besser«, sagte einer der Fahnder. Ein anderer wandte ein, dass die Kriminaltechniker einen Blick darauf werfen sollten, ehe man es vom Fundort entfernte. Rebus stellte sich hinter einen der gebückt dastehenden Männer und sah sich den Fund an.

»Eve«, erklärte Hogan und schob die Hände in die Hosentaschen. »Circa tausend Stück. Genug Treibstoff für ein paar Rave-Partys.« Das Ecstasy befand sich in etwa einem Dutzend Tüten aus durchsichtigem blauen Plastik, die wie Gefrierbeutel aussahen. Hogan schüttete ein paar Pillen auf seine Hand. »Insgesamt ein Straßenverkaufswert von acht bis zehn Riesen.« Die Pillen hatten eine grünliche Farbe und waren halb so groß wie die Schmerztabletten, die Rebus am Morgen geschluckt hatte. »Es ist auch ein bisschen Koks dabei«, fuhr Hogan, an Rebus gewandt, fort. »Nur im Wert von etwa einem Riesen, vielleicht für den Eigenbedarf.«

»Sind nicht in seiner Wohnung Spuren von Koks entdeckt worden?«, fragte Siobhan.

»Ja, stimmt.«

»Und wo war das Zeug hier?«, fragte Rebus.

»In einem Kajütenschrank«, sagte Hogan. »Nicht besonders gut versteckt.«

»Wer hat es gefunden?«

»Das waren wir.«

Rebus drehte sich in die Richtung, aus der die Stimme gekommen war. Whiteread marschierte über das Brett zwischen Yacht und Steg, dicht hinter ihr ein selbstgefällig dreinschauender Simms. Sie tat mit großer Geste, als wische sie sich Staub von den Händen.

»Ich glaube kaum, dass auf dem Boot noch mehr zu finden ist, aber vielleicht sollten Ihre Leute es trotzdem durchsuchen.«

Hogan nickte. »Keine Sorge, das werden wir.«

Rebus stand vor den beiden Militär-Ermittlern. Whiteread erwiderte seinen Blick.

»Sie scheinen ja sehr zufrieden zu sein«, sagte Rebus. »Liegt es daran, dass Sie die Drogen gefunden haben, oder daran, dass Sie es geschafft haben, uns eins auszuwischen?«

»Wenn Sie Ihre Arbeit ordentlich gemacht hätten, DI Rebus...« Whiteread überließ es Rebus, den Satz selbst zu vervollständigen.

»Dennoch stellt sich mir die Frage nach dem ›Wie?‹«

Whiteread verzog den Mund. »In seinem Büro waren Unterlagen über das Boot. Danach brauchten wir nur noch mit dem Hafenmeister zu sprechen.«

»Sie haben das Boot durchsucht?« Rebus betrachtete die Yacht. Sie schien häufig benutzt worden zu sein. »Auf eigene Faust, oder haben Sie sich an die Vorschriften gehalten?«

Whitereads Lächeln verschwand. Rebus wandte sich an Hogan. »Amtsanmaßung, Bobby. Du solltest dich vielleicht einmal fragen, wieso die beiden das Boot durchsucht haben, ohne dich vorher zu informieren.« Er zeigte auf die beiden Ermittler. »Ich traue denen etwa genauso, wie ich einem Junkie mit einem Chemiebaukasten trauen würde.«

»Woher nehmen Sie das Recht, so etwas zu sagen?« Simms lächelte, aber nur mit den Lippen. Er musterte Rebus von oben bis unten. »Und wie war das mit dem Glashaus und den Steinen? Gegen *uns* laufen keine Ermittlungen wegen –«

»Das reicht, Gavin!«, zischte Whiteread. Der junge Mann verstummte. Plötzlich schien sich über den gesamten Yachthafen Stille gelegt zu haben.

»Das hilft uns jetzt auch nicht weiter«, sagte Bobby Hogan. »Schicken wir die Pillen erst einmal zur Analyse…«

»Ich weiß, wer hier eine Analyse nötig hätte«, murmelte Simms.

»…ins Labor. In der Zwischenzeit sollten wir uns gemeinsam überlegen, welche Auswirkungen dieser Fund auf die Ermittlungen hat. Einverstanden?« Er sah Whiteread an, die nickte und anscheinend zufrieden war. Doch dann richtete sie ihre Augen auf Rebus und starrte ihn durchdringend an. Er hielt stand, erwiderte ihren Blick, wohl wissend, dass er damit seine Aussage bekräftigte.

Ich traue euch nicht…

Bald darauf fuhren sie alle im Konvoi zur Port Edgar School. Draußen vor dem Tor standen weniger Gaffer und weniger Fernsehcrews als in den vergangenen Tagen, und entlang des Grundstücks patrouillierten auch keine Uniformierten mehr, um unbefugtes Betreten zu verhindern. Der Bürocontainer wurde nicht mehr benutzt; jemand war auf die Idee gekommen, eines der Unterrichtszimmer zu requirieren. Die Schule würde erst in ein paar Tagen den Betrieb wieder aufnehmen; allerdings würde das Zimmer, in dem die Tat geschehen war, bis auf weiteres verriegelt bleiben. Die Beamten setzten sich an die Pulte, an denen normalerweise Schüler saßen und ihrem Erdkundelehrer lauschten. An den Wänden hingen Landkarten, Diagramme mit Niederschlagsmengen, Bilder von afrikanischen Ureinwohnern, Fledermäusen und Iglus. Einige aus dem Ermittlungsteam zogen es vor zu stehen, die Beine leicht gespreizt, die Arme verschränkt. Bobby Hogan stand vor der makellos sauberen Tafel. Daneben befand sich ein Marker-Board, auf das nur ein einziges Wort geschrieben war, »Hausaufgaben«, versehen mit drei Ausrufungszeichen.

»Könnte für uns bestimmt sein«, meinte Hogan und klopfte auf das Marker-Board. »Dank unserer Freunde vom Militär…«, er nickte Whiteread und Simms zu, die sich dafür entschieden hatten, in der Tür zu stehen, »hat der Fall eine kleine Wendung erfahren. Eine seetüchtige Yacht und eine Ladung Drogen. Was schließen wir daraus?«

»Schmuggel«, ließ sich eine Stimme vernehmen.

»Nur zu Ihrer Information…« Der Sprecher stand an der Rückwand des Raums. Zollfahndung. »Der größte Teil des in England verkauften Ecstasys stammt aus Holland.«

»Wir sollten uns also Herdmans Logbücher ansehen«, verkündete Hogan. »Um festzustellen, wohin er gesegelt ist.«

»Logbücher können problemlos gefälscht werden«, fügte der Mann vom Zoll hinzu.

»Wir müssen uns außerdem beim Drogendezernat erkundigen, was die dort über die Ecstasy-Szene wissen.«

»Steht fest, dass es wirklich Ecstasy ist?«

»Was immer es ist, eine Ladung Pillen gegen Seekrankheit bestimmt nicht.« Das brachte ihm ein paar gequälte Lacher ein.

»Was meinen Sie, Sir, wird der Fall dem DMC übertragen werden?« DMC: Drugs and Major Crime, die Abteilung für Drogendelikte und Schwerverbrechen.

»Dazu kann ich noch nichts sagen. Wir sollten uns vorläufig darauf konzentrieren, die angefangene Arbeit weiterzuführen.« Hogan schaute sich im Raum um, denn er wollte sich vergewissern, dass alle ihm ihre Aufmerksamkeit schenkten. Der Einzige, der ihn nicht ansah, war John Rebus. Rebus starrte, die Augenbrauen nachdenklich zusammengezogen, die beiden Personen in der Tür an. »Wir müssen auch noch einmal mit der Lupe die Yacht absuchen, um sicherzugehen, dass nichts übersehen wurde.« Hogan sah, wie Whiteread und Simms einen Blick tauschten. »Okay – irgendwelche Fragen?«, sagte er. Es gab ein paar, die er kurz und knapp abhandelte. Einer der Anwesenden wollte wissen, wie viel eine Yacht wie die von Herdman kostete. Diese Information hatte der Hafenmeister bereits geliefert: Für eine Zwölf-Meter-Yacht mit sechs Kojen musste man sechzigtausend Pfund hinblättern. Wenn man sie gebraucht kaufte.

»Aus seinem Pensions-Fonds stammte das Geld jedenfalls nicht, das können Sie mir glauben«, bemerkte Whiteread.

»Wir sind schon dabei, Herdmans Finanzlage zu überprüfen«, erklärte Hogan, den Blick erneut auf Rebus gerichtet.

»Dürfen wir bei der Durchsuchung des Bootes dabei sein?«, fragte Whiteread. Hogan fiel kein Grund ein, ihr das abzuschlagen, und zuckte deshalb bloß mit den Achseln. Als sich die Zusammenkunft auflöste, kam Rebus zu ihm.

»Bobby«, murmelte er kaum hörbar. »Die Drogen könnten untergeschoben worden sein.«

Hogan sah ihn an. »Zu welchem Zweck?«

»Ich weiß nicht. Aber ich traue den beiden –«

»Das hast du bereits unmissverständlich klar gemacht.«

»Es sah so aus, als würden die Ermittlungen versanden. Jetzt haben Whiteread und ihr Hiwi einen Grund, hier zu bleiben.«

»Das leuchtet mir nicht ein.«

»Vergiss nicht, ich hab meine Erfahrung mit Leuten wie denen.«

»Und du hast nicht zufällig ein paar alte Rechnungen zu begleichen?« Hogan versuchte, leise zu sprechen.

»So ist das nicht.«

»Wie denn dann?«

»Wenn ein Ex-Soldat jemanden um die Ecke bringt, hüten sich seine ehemaligen Arbeitgeber, irgendwie in Erscheinung zu treten. Sie wollen keine schlechte Publicity.« Die beiden Männer befanden sich mittlerweile im Flur. Das Militär-Gespann war nirgends zu sehen. »Und vor allem wollen sie nicht, dass jemand ihnen die Schuld gibt. Darum halten sie sich schön fern.«

»Ja und?«

»Unser Duo Infernale hingegen krallt sich an dem Fall fest wie eine Zecke. Da muss noch etwas anderes im Spiel sein.«

»Etwas anderes als was?« Trotz aller Bemühungen hatte Hogan die Stimme erhoben. Einige Kollegen sahen zu ihnen herüber. »Herdman muss irgendwoher das Geld für das Boot gehabt haben…«

Rebus zuckte die Achseln. »Tu mir einen Gefallen, Bobby. Besorg mir Herdmans Militärakte.« Hogan starrte ihn an. »Ich würde einiges drauf wetten, dass Whiteread eine Kopie dabei hat. Du könntest sie danach fragen. Sag ihr, es sei reine Neugier. Vielleicht kauft sie dir das ab.«

»Himmelherrgott, John…«

»Du willst doch herausfinden, wieso Herdman es getan hat? Falls ich mich nicht irre, ist das der Grund, wieso du mich hergeholt hast.« Rebus sah sich um, weil er sicher sein wollte, dass niemand in Hörweite war. »Als ich ihnen das erste Mal begegnet bin, haben sie Herdmans Bootsschuppen gefilzt. Als Nächstes sind sie dann seiner Yacht zu Leibe gerückt. Jetzt wollen sie schon wieder dahin. Mir kommt es vor, als suchten sie etwas.«

»Was denn?«

Rebus schüttelte den Kopf. »Ich weiß es nicht.«

»John … Das Complaints Department ist gerade dabei, *dir* zu Leibe zu rücken.«

»Na und?«

»Könnte es nicht sein, dass du deshalb … ich weiß auch nicht …«

»Du glaubst, ich sehe Gespenster?«

»Du stehst unter großem Stress.«

»Bobby, entweder du bist der Ansicht, ich sei der Aufgabe gewachsen oder nicht.« Rebus verschränkte die Arme. »Also, was ist?« Rebus' Handy klingelte erneut.

»Willst du nicht rangehen?« Rebus schüttelte den Kopf. Bobby Hogan seufzte. »Okay, ich rede mit Whiteread.«

»Erwähne aber nicht meinen Namen. Und tu so, als wärst du nicht übermäßig an der Akte interessiert. Reine Neugier.«

»Reine Neugier«, hallte es von Hogan wider.

Rebus zwinkerte ihm zu und ging weg. Siobhan wartete am Eingang der Schule auf ihn.

»Wollen wir zu James Bell?«, fragte sie.

Rebus nickte. »Aber zuerst wollen wir herausfinden, wie gut Sie als Polizistin sind, DS Clarke.«

»Die Antwort dürfte uns wohl beiden klar sein.«

»Okay, Fräulein Schlaumeier. Sie sind beim Militär, relativ hoher Dienstrang, und sind für etwa eine Woche von Hereford nach Edinburgh abkommandiert. Wo quartieren Sie sich ein?«

Siobhan dachte nach, während sie in ihren Wagen stieg. Sie steckte den Schlüssel ins Zündschloss und drehte sich zu Rebus um. »Vielleicht Redford Barracks? Oder die Burg: Sind da nicht auch Soldaten stationiert?«

Rebus nickte: Das waren logische Antworten. Er glaubte bloß nicht, dass sie zutrafen. »Macht Whiteread den Eindruck, als habe sie es gerne spartanisch? Außerdem möchte sie nah am Geschehen sein.«

»Da ist was dran: also ein örtliches Hotel.«

Rebus nickte. »Das ist meine Vermutung. Entweder Hotel oder Bed and Breakfast.« Er kaute auf der Unterlippe.

»Das Boatman's hat ein paar Fremdenzimmer, oder?«

Rebus nickte bedächtig. »Gut, fangen wir dort an.«

»Erfahre ich auch, was wir vorhaben?«

Rebus schüttelte den Kopf. »Je weniger Sie wissen, desto besser – Ehrenwort.«

»Finden Sie nicht, dass Sie schon genug Ärger haben?«

»Ich glaube, es ist noch Platz für ein bisschen mehr.« Er bemühte sich um ein beruhigendes Zwinkern, aber Siobhan wirkte alles andere als überzeugt.

Das Boatman's hatte noch nicht geöffnet, aber als der Barkeeper Siobhan sah, ließ er sie hinein.

»Rod, stimmt's?«, sagte Siobhan. Rod McAllister nickte. »Das hier ist mein Kollege DI Rebus.«

»Hallo«, sagte McAllister.

»Rod kannte Herdman«, rief Siobhan Rebus ins Gedächtnis.

»Hat er Ihnen je Eve verkauft?«, fragte Rebus.

»Wie bitte?«

Rebus schüttelte bloß den Kopf. Nun, da sie im Pub waren, atmete er tief durch: der Geruch vom vorigen Abend nach Bier und Zigaretten, gegen den die Möbelpolitur nicht ankam. McAllister hatte sich gerade mit einem Stapel Papierkram beschäftigt, der auf der Theke lag. Er fuhr mit einer Hand unter sein weites T-Shirt und kratzte sich an der Brust. Die Farbe des T-Shirts war stark verblasst, an einer Schulter war die Naht gerissen.

»Sind Sie Hawkwind-Fan?«, fragte Siobhan. McAllister sah an dem T-Shirt hinunter. Der kaum noch sichtbare Aufdruck zeigte das Cover von *In Search of Space*. »Wir werden

Sie nicht lange aufhalten«, fuhr Siobhan fort. »Wir würden nur gerne wissen, ob bei Ihnen zwei Personen abgestiegen sind —«

Rebus unterbrach sie, um die Namen zu nennen, aber McAllister schüttelte bereits den Kopf. Er schaute Siobhan an, beachtete Rebus überhaupt nicht.

»Wo könnte man hier in der Stadt sonst noch Zimmer mieten?«, erkundigte sich Siobhan.

McAllister kratzte sich die Bartstoppeln, was Rebus daran erinnerte, dass man die Rasur, die er am Morgen vorgenommen hatte, bestenfalls als zaghaft bezeichnen konnte.

»Da gibt's mehrere Möglichkeiten«, meinte McAllister. »Sie haben letztes Mal gesagt, dass jemand vorbeikommen und mich über Herdman befragen würde...«

»Habe ich das...«

»Na ja, bis jetzt war niemand da.«

»Irgendeine Idee, wieso er es getan hat?«, fragte Rebus unvermittelt. McAllister schüttelte den Kopf. »Dann sollten wir uns auf die Adressen konzentrieren.«

»Die Adressen?«

»Bed and Breakfasts, Hotels...«

McAllister begriff. Siobhan holte ihr Notizbuch heraus, und er begann, die Namen aufzusagen. Nach einem halben Dutzend schüttelte er den Kopf, als Zeichen, dass Schluss war. »Gibt vielleicht noch mehr«, gab er achselzuckend zu.

»Das reicht uns fürs Erste«, sagte Rebus. »Wir lassen Sie jetzt wieder an die wirklich wichtige Arbeit gehen, Mr McAllister.«

»Okay... danke.« McAllister machte ansatzweise einen Diener und hielt Siobhan die Tür auf. Draußen besah sie sich die Einträge in ihrem Notizbuch.

»Das kann den Rest des Tages dauern.«

»Wenn wir wollen«, sagte Rebus. »Scheint so, als hätten Sie einen Verehrer.«

Sie schaute zum Hotelfenster hoch und sah dort das Gesicht von McAllister. Er schrak zurück, wandte sich ab. »Sie könnten es deutlich schlechter treffen – überlegen Sie nur, Sie müssten nie im Pub bezahlen…«

»Worum Sie sich ja schon immer bemühen.«

»Das ist unfair. Ich zahle, was ich zu zahlen habe.«

»Wenn Sie meinen.« Sie wedelte mit dem Notizbuch. »Es gibt übrigens eine einfachere Methode.«

»Ich höre.«

»Fragen Sie Bobby Hogan. Er weiß bestimmt, wo die beiden nächtigen.«

Rebus schüttelte den Kopf. »Es ist besser, Bobby nicht mit reinzuziehen.«

»Wieso beschleicht mich so ein mulmiges Gefühl, was diese Sache betrifft?«

»Los, gehen wir zurück zum Auto und rufen die Hotels und Pensionen an.«

Als sie einstieg, drehte sie sich zu ihm hin. »Eine Sechzig-Riesen-Yacht – woher hatte er das Geld?«

»Offenbar Drogenhandel.«

»Glauben Sie das wirklich?«

»Ich glaube, dass wir das glauben sollen. Nach allem, was wir bisher über Herdman erfahren haben, kommt er mir nicht wie ein Drogenbaron vor.«

»Abgesehen von der magischen Anziehungskraft auf gelangweilte Teenager.«

»Haben Sie denn auf der Polizeiakademie gar nichts gelernt?«

»Zum Beispiel?«

»Keine voreiligen Schlüsse zu ziehen.«

»Komisch, das ist doch Ihr Spezialgebiet.«

»Schon wieder eine unfaire Attacke. Passen Sie auf, sonst kriegen Sie's mit dem Schiedsrichter zu tun.«

Sie starrte ihn an. »Sie wissen etwas, stimmt's?«

Er hielt ihrem Blick stand und schüttelte langsam den Kopf. »Erst einmal erledigen Sie die Anrufe...«

13

Sie hatten Glück: Bereits bei der dritten Adresse wurden sie fündig. Es war ein Hotel am Rande des Ortes, mit Blick über die Road Bridge. Der dazugehörige Parkplatz war leer und vom Wind durchweht. Zwei einsame Fernrohre warteten auf Touristen. Rebus probierte eines aus, konnte aber nichts sehen.

»Sie müssen Geld reinstecken«, erklärte Siobhan und wies auf den Münzschlitz. Rebus verzichtete und machte sich stattdessen auf den Weg zur Rezeption.

»Sie sollten besser hier draußen warten«, sagte er warnend.

»Und mich um den spaßigen Teil bringen?« Sie folgte ihm, bemüht, sich nicht anmerken zu lassen, wie besorgt sie war. Er stand unter Schmerzmitteln... und spielte mit hohem Einsatz. Eine ungute Kombination. Sie hatte schon mehrmals miterlebt, wie er die Grenze des Erlaubten überschritten hatte, doch immer hatte er sich dabei im Griff gehabt. Aber jetzt, da seine Hände immer noch halb verbrüht waren und ihm eine Befragung durch das Complaints Department wegen der Verwicklung in einen möglichen Mordfall bevorstand... Hinter der Rezeption stand eine Hotelangestellte.

»Guten Tag«, sagte die Frau mit munterer Stimme.

Rebus hatte bereits seinen Dienstausweis gezückt. »Lothian and Borders Police«, sagte er. »Bei Ihnen wohnt eine Frau namens Whiteread.«

Eine Computer-Tastatur wurde klackend betätigt. »Ja, das stimmt.«

Rebus lehnte sich gegen den Tresen. »Ich verlange Zutritt zu ihrem Zimmer.«

Die Rezeptionistin wirkte verblüfft. »Ich weiß nicht...«

»Wenn Sie nicht entscheidungsbefugt sind, würde ich gerne mit jemand sprechen, der es ist.«

»Ich weiß nicht, ob das...«

»Oder Sie könnten uns den Aufwand ersparen und mir einfach den Schlüssel geben.«

Inzwischen war die Frau völlig verunsichert. »Ich muss meinen Vorgesetzten fragen«

»Tun Sie das.« Rebus kreuzte die Hände hinter dem Rücken, so als wäre er ungeduldig. Die Rezeptionistin versuchte, unter verschiedenen Telefonnummern jemanden zu erreichen, aber erfolglos. Vom Fahrstuhl her ertönte ein Klingeln, und die Türen glitten auf. Eine Putzfrau kam heraus, Staubwedel und Raumspray in Händen. Die Rezeptionistin legte den Hörer auf.

»Ich gehe sie suchen.« Rebus seufzte und sah auf die Uhr. Dann blickte er der Rezeptionistin hinterher, als sie durch eine Schwingtür verschwand. Er beugte sich erneut vor, und dieses Mal drehte er den Computer-Monitor herum, so dass er den Bildschirm sah.

»Zimmer 212«, sagte er zu Siobhan. »Bleiben Sie hier?«

Sie schüttelte den Kopf und folgte ihm zum Fahrstuhl. Er drückte den Knopf für die zweite Etage. Die Türen schlossen sich mit einem trockenen, schabenden Geräusch.

»Was, wenn Whiteread zurückkommt?«, fragte Siobhan.

»Sie ist mit der Durchsuchung der Yacht beschäftigt.« Rebus sah sie an und lächelte. Das Klingeln ertönte, und die Türen öffneten sich zitternd. Die Zimmermädchen waren noch, wie von Rebus erhofft, auf der Etage zugange: ein paar der üblichen Materialwagen standen im Flur. Häufchen aus Schmutzwäsche harrten des Abtransports. Er hatte schon eine Geschichte parat: etwas im Zimmer vergessen... Schlüssel unten an der Rezeption… könnten Sie mir vielleicht die Tür öffnen? Wenn das nicht klappte, würde vielleicht eine Fünf- oder Zehn-Pfund-Note den gewünschten Erfolg haben. Aber die Glückssträhne hielt an: Die Tür von 212 stand sperrangelweit offen. Das Zimmermädchen war im Bad. Er steckte den Kopf durch die Tür.

»Lassen Sie sich nicht stören«, sagte er zu ihr. »Ich muss nur schnell was holen.« Dann ließ er den Blick durchs Zimmer schweifen. Das Bett war gemacht. Auf der Frisierkommode befanden sich ein paar persönliche Habseligkeiten. Im schmalen Schrank hingen Kleidungsstücke. Whitereads Koffer war leer.

»Vielleicht nimmt sie immer alles mit«, flüsterte Siobhan. »Und bewahrt es im Wagen auf.«

Rebus reagierte überhaupt nicht. Er sah unterm Bett und in den beiden Schubladen der Kommode nach, dann zog er die Nachttisch-Schublade auf, in der sich eine Gideon-Bibel verbarg.

»Genau wie in dem Song *Rocky Raccoon*«, murmelte er halblaut. Er richtete sich wieder auf. Nichts zu entdecken. Im Bad hatte er bei seinem Blick durch die Tür auch nichts gesehen. Nun starrte er jedoch auf eine dritte Tür… eine Verbindungstür. Er drückte die Klinke hinunter, die Tür ging auf, und dahinter kam eine weitere zum Vorschein, allerdings ohne Klinke auf der Seite, auf der Rebus sich befand. Das machte aber nichts: Die Tür stand ein paar Zentimeter offen. Rebus drückte dagegen und betrat das Nachbarzimmer. Aus einer überdimensionalen, schwarzen Kunststoff-Sporttasche quollen Krawatten und Socken. Auf den beiden Stühlen des Zimmers lagen Kleidungsstücke. Auf dem Nachttisch Zeitschriften…

»Hier wohnt Simms«, sagte Rebus. Und, siehe da, auf der Frisierkommode, ein brauner Aktendeckel. Rebus drehte ihn um und las die Worte VERTRAULICH und PERSONAL-

ABTEILUNG. Las den Namen LEE HERDMAN. Simms'
Vorstellung von sicherer Aufbewahrung: die Akte mit der
Vorderseite nach unten hinlegen, damit niemand sah, was
sie enthielt.

»Wollen Sie es hier lesen?«, fragte Siobhan. Rebus schüttelte den Kopf. Es waren schätzungsweise vierzig bis fünfzig
Seiten.

»Glauben Sie, die Rezeptionistin wird uns davon Fotokopien machen?«

»Ich habe eine bessere Idee.« Siobhan griff nach der Akte.
»Am Empfang war ein Hinweisschild für einen Sekretariatsservice. Bestimmt gibt es dort einen Fotokopierer.«

»Gut, dann gehen wir.« Aber Siobhan schüttelte den Kopf.

»Einer von uns muss hier bleiben. Sonst sind wir ange-
schmiert, falls das Zimmermädchen inzwischen fertig wird
und hinter sich abschließt.«

Das sah Rebus ein, und er nickte. Siobhan verschwand
also mit der Akte, und Rebus nahm eine oberflächliche
Durchsuchung von Simms' Zimmer vor. Die Zeitschriften
waren die üblichen Männer-Magazine: *FHM, Loaded, GQ.*
Nichts unter dem Kopfkissen oder der Matratze. Keines von
Simms' Kleidungsstücken hatte es bis in eine der Schubladen geschafft, allerdings hingen je zwei Hemden und Anzüge
im Schrank. Miteinander verbundene Zimmer... er wusste
nicht, ob das irgendwas zu bedeuten hatte. Whitereads Tür
war zu gewesen, also konnte Simms nicht ohne weiteres in ihr
Zimmer. Simms hingegen hatte seine Tür einen Spalt offen
gelassen... Eine Einladung an seine Chefin, sich nachts zu
ihm zu gesellen? Im Badezimmer: Zahnpasta und elektrische Bürste. Er hatte sein eigenes Shampoo mitgebracht:
Anti-Schuppen. Doppelklingen-Rasierer und Schaum aus
der Spraydose. Zurück im Zimmer sah Rebus sich die Reise-
tasche näher an. Fünf Paar Socken und fünf Unterhosen.
Zwei Hemden im Schrank, zwei weitere auf den Stühlen.

Insgesamt also fünf. Kleidung für eine Woche. Simms hatte genug Sachen für einen einwöchigen Aufenthalt eingepackt. Rebus dachte nach. Ein Ex-Soldat richtet ein Blutbad an, die Armee schickt zwei Ermittler los, um zu verhindern, dass ein Zusammenhang zur Vergangenheit des Mörders hergestellt wird. Warum schickt man zwei Leute? Was für Leute würde man normalerweise schicken? Psychologen wahrscheinlich, die den Geisteszustand des Mörders untersuchen. Weder Whiteread noch Simms machten auf ihn den Eindruck, als hätten sie irgendwelche Kenntnisse in Psychologie, oder als wären sie an Herdmans Geisteszustand interessiert.

Sie waren Jäger oder vielleicht Sammler, die Jäger sammelten: eines von beidem, davon war Rebus überzeugt.

Es klopfte leise an der Tür. Rebus schaute durch den Spion: Siobhan. Er ließ sie herein, und sie legte die Akte zurück auf die Frisierkommode.

»Sind die Seiten in der richtigen Reihenfolge?«, fragte Rebus.

»Selbstverständlich.« Die Kopien steckten in einer gelben Versandtasche. »Wollen wir los?«

Rebus nickte und folgte ihr zur Zimmertür. Doch dann blieb er stehen und kehrte um. Die Akte lag mit der Vorderseite nach oben auf der Kommode. Er drehte sie um, blickte noch einmal umher und ging hinaus.

Sie hatten die Rezeptionistin angelächelt, als sie bei ihr vorbeigekommen waren. Angelächelt, aber nicht angesprochen.

»Glauben Sie, dass sie Whiteread etwas erzählen wird?«, hatte Siobhan gefragt.

»Das bezweifle ich.« Und er hatte die Achseln gezuckt, denn selbst wenn sie es täte, hätte Whiteread nichts gegen sie in der Hand. Sie hatten in ihrem Zimmer nichts liegen gelassen, und es fehlte dort auch nichts. Während Siobhan auf der A 90 Richtung Barnton fuhr, beschäftigte Rebus sich mit der Akte. Vieles davon war wertlos: verschiedene Testergebnisse und Berichte; medizinische Gutachten; Entscheidungen von Beförderungs-Komitees. Handgeschriebene Randbemerkungen mit Kommentaren über Herdmans Stärken und Schwächen. Seine körperliche Ausdauer wurde in Frage gestellt, aber seine Karriere verlief mustergültig: stationiert in Nordirland, auf den Falkland-Inseln, im Mittleren Osten. Trainingseinsätze in England, Saudi-Arabien, Finnland, Deutschland. Rebus blätterte eine Seite um und blickte auf ein Blatt Papier, auf dem lediglich drei maschinengeschriebene Worte standen: AUF ANORDNUNG ENTFERNT. Darunter eine unleserliche Unterschrift und ein gestempeltes Datum, das erst vier Tage zurücklag. Das Datum der Morde. Rebus blätterte weiter und erhielt Informationen über Herdmans letzte Monate in der Armee. Er hatte der zuständigen Dienststelle mitgeteilt, dass er den Dienst quittieren werde – eine Kopie des Briefs war beigefügt. Man hatte versucht, ihn von seinem Entschluss abzubringen, aber ohne Erfolg. Danach folgten eine Reihe ausgefüllter Formulare. Die Angelegenheit hatte ihren bürokratischen Verlauf genommen.

»Haben Sie das gesehen?«, fragte Rebus und tippte dabei auf die Worte AUF ANORDNUNG ENTFERNT.

Siobhan nickte. »Was hat es zu bedeuten?«

»Es bedeutet, dass irgendetwas aus der Akte herausgenommen wurde und wahrscheinlich im Hauptquartier des SAS unter Verschluss gehalten wird.«

»Geheime Informationen? Die Whiteread und Simms vorenthalten werden?«

Rebus überlegte. »Möglicherweise.« Er blätterte eine Seite zurück und konzentrierte sich auf die letzten Absätze. Sieben Monate, ehe Herdman aus dem SAS ausgeschieden war, hatte er beim Einsatz eines »Rettungsteams« auf Jura mitgewirkt. Beim ersten Überfliegen der Seite hatte Rebus das

Wort Jura gelesen und angenommen, es habe sich um eine Übung gehandelt. Jura: eine schmale Insel vor der Westküste. Kaum bewohnt, bloß eine Straße und ein paar Berge. Echte Wildnis. Rebus hatte dort selbst während seiner Militärzeit eine Übung absolviert. Lange Märsche durch Sumpfland, unterbrochen durch Bergsteigen. Er erinnerte sich an den Namen des Gebirgszuges: »Paps of Jura«. Erinnerte sich an die kurze Fährfahrt hinüber zur Insel Islay und daran, dass seine Kameraden und er nach dem Ende der Übung dort eine Whisky-Brennerei besucht hatten.

Aber Herdman war nicht auf einem Übungseinsatz gewesen. Er hatte zu einem »Rettungsteam« gehört. Was genau hatte dieses Team gerettet?

»Irgendwelche neuen Erkenntnisse?«, fragte Siobhan und bremste scharf, denn sie näherten sich dem Ende der vierspurigen Straße, und vor dem Kreisverkehr an der Barnton Junction staute sich der Verkehr.

»Ich bin mir nicht sicher«, gab Rebus zu. Er war sich auch nicht sicher, was er von Siobhans Beteiligung an seiner kleinen Beschaffungs-Aktion hielt. Er hätte ihr befehlen sollen, in Simms' Zimmer zu bleiben. Dann würde man sich beim Sekretariatsservice an sein Gesicht erinnern. Man würde Whiteread sein Aussehen beschreiben, falls sie je dort nachforschen sollte...

»Hat es sich denn nun gelohnt oder nicht?«, fragte Siobhan.

Er zuckte bloß die Achseln, machte ein nachdenkliches Gesicht, als sie am Kreisverkehr links abbogen, und schaute kurz darauf zu, wie Siobhan vor einer Einfahrt hielt und dann auf das Grundstück einbog. »Wo sind wir?«, fragte er.

»Beim Haus der Familie Bell«, sagte sie. »Wissen Sie noch? Wir wollten uns mit James unterhalten.«

Rebus nickte nur.

Es war ein modernes freistehendes Haus, mit kleinen

Fenstern und Rauputz-Wänden. Siobhan klingelte und wartete ab. Die Tür wurde von einer kleinen, gepflegt aussehenden Frau jenseits der fünfzig geöffnet, die stechend blaue Augen hatte und deren Haar im Nacken mit einem Samtband zusammengebunden war.

»Mrs. Bell?« Ich bin DS Clarke, das ist DI Rebus. Wäre es möglich, dass wir ein paar Worte mit James reden?«

Felicity Bell sah sich die Dienstausweise der beiden an und trat dann zur Seite, um sie hereinzulassen. »Jack ist nicht da«, sagte sie in einem Tonfall, dem jegliche Energie fehlte.

»Wir wollen ja auch mit Ihrem Sohn sprechen«, erklärte Siobhan, die absichtlich die Stimme senkte, um das zierliche, gehetzt wirkende Geschöpf nicht zu verängstigen.

»Aber trotzdem…« Mrs. Bell schaute sich hektisch um. Sie hatte die Polizisten ins Wohnzimmer geführt. In einem Versuch, sie zu beruhigen, nahm Rebus ein Foto von der Fensterbank.

»Sie haben drei Kinder, Mrs. Bell?«, fragte er. Sie sah, was er in der Hand hielt, ging zu ihm, nahm es ihm weg und bemühte sich, es haargenau dorthin zu stellen, wo es zuvor gestanden hatte.

»James ist der Jüngste«, sagte sie. »Die anderen zwei sind bereits verheiratet… schon längst das Nest verlassen und davongeflogen.« Sie vollführte eine kurze flatternde Bewegung mit einer Hand.

»Der Vorfall in der Schule muss ein furchtbarer Schock für Sie gewesen sein«, sagte Siobhan.

»Furchtbar, wirklich furchtbar.« Der hektische Blick erschien wieder auf ihrem Gesicht.

»Sie arbeiten im Traverse, richtig?«, fragte Rebus.

»Ja, das stimmt.« Es schien sie nicht zu überraschen, dass er das wusste. »Dieser Tage ist Premiere eines neuen Stücks… ich sollte eigentlich dort sein, um den anderen zu helfen, aber ich werde hier gebraucht.«

»Was für ein Stück ist das?«

»Eine Bühnenversion von *Wind in den Weiden*... hat einer von Ihnen Kinder?«

Siobhan schüttelte den Kopf. Rebus erklärte, dass seine Tochter schon zu alt war.

»Dafür ist man nie zu alt, nie«, sagte Felicity Bell mit ihrer bebenden Stimme.

»Ich nehme an, Sie bleiben zu Hause, um sich um James zu kümmern?«, sagte Rebus.

»Ja.«

»Er ist also oben?«

»Ja, in seinem Zimmer.«

»Und was meinen Sie, wird er ein paar Minuten Zeit für uns haben?«

»Hmm, ich weiß nicht...« Mrs. Bell hatte bei Rebus' Verwendung des Wortes »Minuten« die eine Hand auf das andere Handgelenk gelegt. Nun hielt sie es doch für angebracht, auf die Uhr zu schauen. »Herrje, schon fast Zeit fürs Mittagessen...« Sie wandte sich der Tür zu, wahrscheinlich, um in die Küche zu gehen, dann aber erinnerte sie sich an die Anwesenheit dieser beiden Fremden. »Vielleicht sollte ich Jack anrufen.«

»Ja, vielleicht«, räumte Siobhan ein. Sie betrachtete ein gerahmtes Foto des MSP, das ihn am Wahlabend in Siegerpose zeigte. »Wir würden gerne mit ihm sprechen.«

Mrs. Bell schaute hoch, richtete den Blick auf Siobhan und zog die Augenbrauen zusammen. »Wieso wollen Sie mit ihm sprechen?« Sie sprach mit leicht abgehacktem, gebildet klingendem Edinburgher Dialekt.

»Eigentlich wollen wir mit James sprechen«, erklärte Rebus und ging einen Schritt auf sie zu. »Er ist in seinem Zimmer, nicht wahr?« Er wartete, bis sie nickte. »Und das Zimmer ist oben, richtig?« Erneutes Nicken. »Dann tun wir jetzt Folgendes.« Er hatte eine Hand auf ihren spindeldürren Arm gelegt.

»Sie kümmern sich ums Mittagessen, und wir gehen alleine hoch. Für alle das Einfachste, meinen Sie nicht auch?«

Mrs. Bell schien eine Weile zu brauchen, um seine Worte zu begreifen, doch schließlich strahlte sie ihn an. »Gut, dann machen wir das so«, sagte sie und verschwand in der Diele. Rebus und Siobhan tauschten einen Blick. Die Frau hatte eindeutig nicht alle Tassen im Schrank. Sie stiegen die Treppe hoch und blieben vor dem Zimmer stehen, bei dem es sich um das von James handeln musste: An der Tür waren Spuren von abgekratzten Stickern zu erkennen, die er bestimmt als Kind angeklebt hatte. Jetzt wurde sie von alten Konzertkarten geschmückt, die meisten von Auftritten in englischen Städten – Foo Fighters in Manchester, Rammstein in London, Puddle of Mudd in Newcastle. Rebus klopfte, aber nichts passierte. Er öffnete die Tür. James saß aufrecht im Bett. Weiße Laken, weiße Steppdecke, leuchtend weiße, schmucklose Wände. Hellgrüner Teppichboden, zur Hälfte mit Brücken bedeckt. Mit Büchern voll gestopfte Regale. Computer, Stereoanlage, Fernseher … überall lagen CDs herum. Bell trug ein schwarzes T-Shirt. Er hatte die Knie hochgezogen und las in einer Zeitschrift, die auf seinen Oberschenkeln lag. Mit einer Hand blätterte er um, der andere Arm war mit einem Verband vor der Brust fixiert. Er hatte kurzes, schwarzes Haar, einen blassen Teint, auf einer Wange ein Muttermal. Kaum Anzeichen jugendlichen Aufbegehrens in diesem Zimmer. Als Rebus ein Teenager gewesen war, hatte sein Zimmer primär aus einer Reihe von Verstecken bestanden: Pornohefte unter dem Teppich (die Matratze war ungeeignet, da sie ab und zu gewendet wurde), Zigaretten und Streichhölzer hinter einem Schrankbein, ein Messer in der untersten Schublade der Kommode unter den langen Unterhosen. Er hatte das Gefühl, dass er in diesem Zimmer in den Schubladen nur Kleidung finden würde und unter dem Teppich bloß eine dicke Gummischicht.

Musik rieselte aus den Kopfhörern, die James Bell trug. Er hatte noch immer nicht von seiner Lektüre aufgeblickt. Rebus nahm an, dass er glaubte, seine Mutter sei hereingekommen, und entschlossen war, sie zu ignorieren. Er sah seinem Vater erstaunlich ähnlich. Rebus beugte sich ein wenig hinunter, schob den Kopf in den Nacken, und schließlich schaute James hoch. Vor Verblüffung riss er die Augen auf. Er nahm den Kopfhörer ab und schaltete die Musik aus.

»Entschuldige die Störung«, sagte Rebus. »Deine Mutter hat gesagt, wir sollen einfach hochgehen.«

»Wer sind Sie?«

»Wir sind von der Polizei, James. Du hast doch sicher einen Moment Zeit für uns.« Rebus stand am Bett, darauf bedacht, die große Flasche Wasser zu seinen Füßen nicht umzustoßen.

»Was wollen Sie?«

Rebus hatte sich die Zeitschrift auf dem Bett genommen. Es war eine Zeitschrift für Waffensammler. »Merkwürdiges Thema«, sagte er.

»Ich versuche, die Waffe zu entdecken, mit der er auf mich geschossen hat.«

Siobhan hatte sich die Zeitschrift von Rebus geben lassen. »Verstehe«, sagte sie. »Du willst über sie genau Bescheid wissen, hab ich Recht?«

»Ich habe sie ja kaum gesehen.«

»Bist du dir da ganz sicher, James?«, fragte Rebus. »Lee Herdman hat alles Mögliche gesammelt, was mit Waffen zu tun hatte.« Er deutete mit dem Kopf auf die Zeitschrift, die Siobhan inzwischen durchblätterte. »Hat die ihm gehört?«

»Was?«

»Hat er sie dir geliehen? Wir haben erfahren, dass du ihn etwas besser kanntest, als du zugegeben hast.«

»Ich habe nie behauptet, dass ich ihn nicht kannte.«

»»Wir sind uns hie und da begegnet« – deine genauen

Worte, James. Ich habe mir die Kassette angehört. Es klingt bei dir so, als wärt ihr euch im Pub oder Zeitungsladen über den Weg gelaufen.« Rebus schwieg einen Moment. »Aber er hat dir immerhin erzählt, dass er früher beim SAS war, und das war nicht bloß eine zufällige Bemerkung. Vielleicht habt ihr ja auf einer seiner Partys darüber gesprochen.« Ein weiteres kurzes Schweigen. »Du warst doch auf seinen Partys?«

»Auf einigen. Er war ein interessanter Typ.« James funkelte Rebus an. »Das habe ich wahrscheinlich bei dem Gespräch mit Ihren Leuten auch gesagt. Außerdem habe ich denen auch alles andere erzählt, ich habe erzählt, wie gut ich Lee kannte, dass ich auf Partys bei ihm war ... sogar, dass er mir einmal sein Gewehr gezeigt hat ...«

Rebus kniff die Augen halb zusammen. »Er hat es dir gezeigt?«

»Mein Gott, haben Sie sich die Kassetten angehört oder nicht?«

Rebus schaute unwillkürlich zu Siobhan hinüber. *Die* Kassetten ... sie hatten keine Lust gehabt, sich mehr als eine anzuhören. »Was für ein Gewehr war das?«

»Das Gewehr in seinem Bootshaus.«

»Hast du geglaubt, es sei echt?«, fragte Siobhan.

»Es sah zumindest so aus.«

»Als er es dir gezeigt hat – war da noch jemand dabei?« James schüttelte den Kopf.

»Die Pistole hast du aber nie gesehen?«

»Erst als er damit auf mich geschossen hat.« Er schaute hinunter auf seine verletzte Schulter.

»Auf dich und die beiden anderen«, korrigierte Rebus ihn. »Trifft es zu, dass er weder Anthony Jarvies noch Derek Renshaw kannte?«

»Soweit ich weiß, ja.«

»Aber dich hat er am Leben gelassen. Hattest du einfach nur Glück, James?«

James hielt die Finger seiner Hand dicht über die Wunde. »Ich habe darüber nachgedacht«, sagte er leise. »Vielleicht hat er mich im letzten Moment erkannt...«

Siobhan räusperte sich. »Und hast du auch darüber nachgedacht, wieso er das alles überhaupt getan hat?«

James nickte langsam, schwieg aber.

»Vielleicht«, fuhr Siobhan fort, »sah er etwas in dir, das er in den anderen beiden nicht sah.«

»Beide waren ziemlich aktive Mitglieder der CCF, vielleicht hatte es damit etwas zu tun«, sagte James.

»Wie meinst du das?«

»Na ja... Lee war das halbe Leben lang bei der Armee... und dann hat man ihn dort rausgeschmissen.«

»Hat er dir das so erzählt?«, fragte Rebus.

James nickte erneut. »Vielleicht hatte er einen Hass aufs Militär. Ich habe gesagt, dass er Renshaw und Jarvies nicht kannte, aber das heißt nicht, dass er sie nicht irgendwann mal gesehen hat... vielleicht in Uniform. Und das war so eine Art... Auslöser.« Er schaute hoch und lächelte. »Ich weiß – ich sollte die Amateurpsychologie den Amateurpsychologen überlassen.«

»Nein, das ist durchaus hilfreich«, sagte Siobhan, nicht weil sie wirklich dieser Meinung war, sondern weil sie glaubte, er sei auf ein wenig Lob aus.

»Die Sache ist die, James«, sagte Rebus, »wenn wir wüssten, wieso er dich am Leben gelassen hat, dann würden wir vielleicht auch herausfinden können, wieso die anderen sterben mussten. Verstehst du?«

James schien nachzudenken. »Spielt das denn noch eine Rolle?«

»Ja, für uns schon.« Rebus richtete sich auf. »Wer war noch auf den Partys, James?«

»Wollen Sie Namen hören?«

»Das war meine Absicht.«

»Es waren nicht jedes Mal dieselben Leute.«

»Teri Cotter?«, schlug Rebus vor.

»Ja, sie war manchmal da. Hat immer ein paar Goths mitgebracht.«

»Du bist aber kein Goth, oder?«, fragte Siobhan.

Er lachte kurz auf. »Seh ich so aus?«

Sie zuckte die Achseln. »Die Musik, die du hörst…«

»Das ist bloß Rockmusik, mehr nicht.«

Sie hob den kleinen Apparat hoch, an dem die Kopfhörer
hingen. »MP3-Player«, bemerkte sie, sichtlich beeindruckt.
»Was ist mit Douglas Brimson, hast du den jemals bei einer
der Partys gesehen?«

»Ist das der Flieger?« Siobhan nickte. »Ja, ich habe mich
einmal mit ihm unterhalten.« Nach kurzer Pause redete er
weiter. »Hören Sie, das waren keine richtigen Partys, zu denen man vorher eingeladen wird oder so. Es sind einfach
einige Leute bei ihm vorbeigekommen, es gab was zu trinken…«

»Auch Drogen?«, fragte Rebus in beiläufigem Ton.

»Manchmal«, gab James zu.

»Speed? Koks? Ecstasy?«

Der Junge schnaubte. »Wenn man Glück hatte, kreisten
ein paar Joints.«

»Keine härteren Sachen?«

»Nein.«

Es klopfte an der Tür. Mrs. Bell kam herein. Sie sah die
beiden Besucher an, als hätte sie komplett vergessen, wer sie
waren. »Oh«, sagte sie, kurzzeitig verwirrt. Dann: »Ich habe
dir Brote gemacht, James. Was möchtest du trinken?«

»Ich habe keinen Hunger.«

»Aber es ist Zeit fürs Mittagessen.«

»Willst du, dass ich kotze, Mum?«

»Nein… natürlich nicht.«

»Ich sag Bescheid, wenn ich Hunger habe.« Sein Tonfall

war schärfer geworden; nicht aus Wut, dachte Rebus, sondern weil ihm seine Mutter peinlich war. »Aber ich hätte gerne einen Becher Kaffee. Mit nur ein bisschen Milch.«

»In Ordnung«, sagte seine Mutter. Dann, an Rebus gewandt: »Möchten Sie vielleicht auch…«

»Wir gehen gleich. Trotzdem vielen Dank, Mrs. Bell.« Sie nickte, stand einen Moment lang da, als habe sie vergessen, was sie hatte tun wollen, dann drehte sie sich um und ging hinaus, ohne dass ihre Schritte auf dem Teppich ein Geräusch machten.

»Ist mit deiner Mutter alles in Ordnung?«, fragte Rebus.

»Sind Sie blind?« James setzte sich anders hin. »Zig Jahre mit meinem Vater… da ist es doch kein Wunder.«

»Du hältst nicht besonders viel von deinem Vater?«

»Nein, tu ich nicht.«

»Du weißt aber von seiner Initiative gegen Waffenmissbrauch?«

James verzog das Gesicht. »Das wird bestimmt super viel bringen.« Einen Moment lang war er still. »War es Teri Cotter?«

»War sie was?«

»Hat sie Ihnen gesagt, dass ich in Lees Wohnung war?« Die beiden Polizisten gaben keine Antwort. »Zutrauen würde ich's ihr.« Er setzte sich erneut anders hin, so als suche er eine bequeme Position.

»Soll ich dir helfen?«, bot Siobhan an.

James schüttelte den Kopf. »Ich glaube, ich brauch wieder mal ein paar Schmerztabletten.« Siobhan entdeckte sie in ihrer Folienverpackung neben dem Bett auf einem spielbereiten Schachbrett. Sie gab ihm zwei Tabletten, und er spülte sie mit Wasser hinunter.

»Eine Frage noch, James«, sagte Rebus. »Dann verschwinden wir.«

»Was?«

Rebus nickte in Richtung des Schachbretts. »Was dagegen, wenn ich mir ein paar Pillen klaue? Meine sind alle...«

Siobhan hatte eine halb volle Flasche abgestandenes Irn-Bru in ihrem Auto. Rebus nahm nach jeder Tablette einen großen Schluck davon.

»Passen Sie auf, dass Sie sich nicht allzu sehr dran gewöhnen«, sagte Siobhan.

»Wie fanden Sie das eben?«, fragte Rebus, um das Thema zu wechseln.

»Vielleicht ist was dran an dem, was er gesagt hat. Combined Cadet Force... Jungen, die in Uniform rumlaufen.«

»Er hat auch gesagt, dass Herdman aus der Armee rausgeschmissen wurde. Seiner Akte zufolge stimmt das nicht.«

»Ja und?«

»Also hat Herdman ihn angelogen, oder der liebe James hat es erfunden.«

»Rege Fantasie?«

»Die kann man in so einem Zimmer gut gebrauchen.«

»Stimmt, es war wirklich... aufgeräumt.« Siobhan ließ den Motor an. »Ist Ihnen nicht auch seine Bemerkung über Miss Teri aufgefallen?«

»Wieso, er hatte doch Recht: Sie ist diejenige, von der wir es wussten.«

»Ja, aber mir geht es um etwas anderes...«

»Was denn?«

Sie legte den ersten Gang ein und fuhr los. »Es war sein Tonfall... Sie wissen doch, was wir immer sagen, wenn jemand etwas zu heftig abstreitet?«

»James tut so, als würde er sie nicht mögen, weil er sie besonders gerne mag?«

Siobhan nickte. »Ob er wohl von ihrer Website weiß?«

»Keine Ahnung.« Siobhan hatte inzwischen den Wagen gewendet.

»Das hätten wir ihn fragen sollen.«

»Was ist denn das?«, sagte Siobhan und schaute erstaunt durch die Windschutzscheibe. Ein Streifenwagen mit blinkendem Blaulicht blockierte die Einfahrt. Als Siobhan anhielt, öffnete sich die hintere Tür des Streifenwagens. Der Mann war groß, hatte eine schimmernde Glatze und große Augen mit schweren Lidern. Er stellte sich hin, die Beine auseinander, die Hände vor dem Körper umklammert.

»Keine Sorge«, sagte Rebus zu Siobhan. »Das ist bloß meine Zwölf-Uhr-Verabredung.«

»Was für eine Verabredung?«

»Die Verabredung, die ich irgendwie vergessen habe zu treffen«, sagte Rebus zu ihr, öffnete die Tür und stieg aus. Dann beugte er sich noch einmal in den Wagen hinein. »Mit meinem persönlichen Scharfrichter…«

14

Der Glatzkopf hieß Mullen. Er gehörte zur Professional Standards Unit des Complaints Departments. Von nahem sah man, dass seine Haut leicht schuppte, was ihr, wie Rebus fand, gewisse Ähnlichkeit mit der Haut seiner verbrühten Hände verlieh. Seine überlangen Ohrläppchen hatten ihm in der Schulzeit wahrscheinlich einige Spitznamen à la Dumbo eingebracht, doch Rebus war vor allem von seinen Fingernägeln fasziniert. Sie war fast zu makellos: rosa, schimmernd, spiegelglatt und mit Nagelhaut in genau der richtigen Breite. Während der einstündigen Vernehmung war Rebus mehrfach versucht, selbst auch eine Frage zu stellen, nämlich sich bei Mullen zu erkundigen, ob er zur Maniküre ging.

Aber er fragte dann doch nur, ob er etwas zu trinken haben könne. Er hatte noch immer den Nachgeschmack von James Bells Schmerzmitteln im Mund. Die Tabletten selbst hatten prima gewirkt – auf jeden Fall besser als die harmlosen Dinger, die man ihm verschrieben hatte. Rebus war ganz entspannt im Hier und Jetzt. Es störte ihn nicht einmal, dass Assistant Chief Constable Colin Carswell, aufs Vorteilhafteste frisiert und parfümiert, an der Vernehmung teilnahm. Carswell hasste ihn wie die Pest, doch Rebus schaffte es beim besten Willen nicht, ihm das übel zu nehmen. Sie waren einfach zu oft aneinander geraten. Man befand sich in einem Büro im Polizeipräsidium an der Fettes Avenue, und nun war es an Carswell, Rebus zu Leibe zu rücken.

»Was zum Teufel ist gestern Abend in Sie gefahren?«

»Gestern Abend, Sir?«

»Jack Bell und der Fernsehregisseur. Beide verlangen eine Entschuldigung.« Er wies mit einem Finger auf Rebus. »Und Sie werden sie persönlich um Verzeihung bitten.«

»Wär's Ihnen auch Recht, wenn ich die Hose runterlasse und den beiden meinen Arsch anbiete?«

Carswells Gesicht schien vor Wut aufzuquellen.

»Ich möchte noch einmal auf meine Frage zurückkommen«, mischte sich Mullen ein, »was Ihre Absicht war, als Sie spätabends zusammen mit einem Vorbestraften in dessen Wohnung gingen, um mit ihm dort weiterzutrinken?«

»Mein Absicht war, kostenlos etwas zu trinken zu bekommen.«

Carswell stieß langsam und zischend Luft aus. Während der Vernehmung hatte er bereits viele Dutzend Mal die Beine übereinander geschlagen und wieder nebeneinander gestellt, die Arme verschränkt und wieder voneinander gelöst.

»Ich habe den Verdacht, dass hinter Ihrem Besuch noch etwas anderes steckte.«

Rebus zuckte bloß die Achseln. Er durfte nicht rauchen, also spielte er mit der halb vollen Schachtel herum, machte sie auf und zu, schnippte sie auf dem Tisch hin und her. Das tat er nur, weil er genau sah, wie sehr es Carswell auf die Nerven ging.

»Wann haben Sie Fairstones Wohnung verlassen?«

»Eine Weile ehe das Feuer ausbrach.«

»Können Sie das etwas präzisieren?«

Rebus schüttelte den Kopf. »Ich hatte einiges getrunken.« Mehr als ratsam gewesen war… viel, viel mehr. Er war seitdem ein braver Junge, versuchte Buße zu leisten.

»Also, eine Weile nachdem Sie weggegangen sind«, fuhr Mullen fort, »hat jemand anders die Wohnung betreten – ohne von den Nachbarn bemerkt zu werden – und hat Mr. Fairstone gefesselt und geknebelt, ehe er dann die Herdplatte unter der Fritteuse angeschaltet hat und wieder weggegangen ist?«

»Nicht unbedingt«, fühlte sich Rebus bemüßigt anzumerken. »Die Herdplatte könnte schon vorher angeschaltet worden sein.«

»Hat Mr. Fairstone gesagt, er wolle sich Pommes Frites machen?«

»Vielleicht hat er erwähnt, dass er ein bisschen Kohldampf hatte… aber sicher bin ich mir nicht.« Rebus setzte sich auf seinem Stuhl aufrecht hin und spürte seine Wirbel knacken. »Hören Sie, Mr. Mullen… mir ist klar, dass Sie eine hübsche Anzahl an Indizien hier drin versammelt haben…«, er klopfte auf einen Pappordner, der dem Ordner auf Simms' Tisch ähnelte, »…die beweisen, dass ich die letzte Person bin, die Martin Fairstone lebend gesehen hat.« Er schwieg einen Augenblick lang. »Aber *mehr* beweisen sie nicht, habe ich Recht? Und diese Tatsache bestreite ich überhaupt nicht.« Rebus lehnte sich abwartend zurück.

»Abgesehen vom Mörder«, sagte Mullen, so leise, als spräche er mit sich selbst. »Sie hätten eigentlich sagen müssen: ›dass ich abgesehen vom Mörder die letzte Person bin‹.« Er schaute unter seinen schweren Lidern hoch.

»So habe ich es gemeint.«

»Aber Sie haben es nicht gesagt, DI Rebus.«

»Sie müssen nachsichtig mit mir sein. Ich bin nicht hundertprozentig...«

»Stehen Sie unter irgendwelchen Betäubungsmitteln?«

»Ja, Schmerzmittel.« Rebus hob die Hände, um Mullen an den Grund dafür zu erinnern.

»Und wann haben Sie das letzte Mal Tabletten genommen?«

»Eine Minute bevor wir uns begegnet sind.« Rebus öffnete die Augen weit. »Das hätte ich wohl gleich am Anfang erwähnen sollen...«

Mullen schlug mit beiden Händen auf den Tisch. »Natürlich hätten Sie das tun sollen!« Jetzt sprach er eindeutig nicht mehr mit sich selbst. Sein Stuhl kippte um, als er aufstand. Carswell hatte sich ebenfalls erhoben.

»Ich verstehe nicht...«

Mullen beugte sich über den Tisch, um den Kassettenrekorder auszuschalten. »Es ist unzulässig, jemanden zu vernehmen, der unter dem Einfluss von Betäubungsmitteln steht«, erklärte er, an den Assistant Chief Constable gewandt. »Ich dachte, das wäre allgemein bekannt.«

Carswell murmelte, dass es ihm kurzzeitig entfallen wäre. Mullen starrte Rebus wütend an. Rebus zwinkerte ihm zu.

»Wir sprechen ein andermal miteinander, Detective Inspector.«

»Sobald ich keine Medikamente mehr nehme?« Rebus tat so, als sei das eine ernst gemeinte Frage.

»Ich brauche den Namen Ihres Arztes, damit ich mich erkundigen kann, wann das voraussichtlich sein wird.«

»Ich war in der Royal Infirmary«, verkündete Rebus munter. »Wie der Arzt hieß, habe ich leider vergessen.«

»Dann muss ich das eben selbst rausfinden.« Mullen klappte die Akte zu.

»Übrigens«, meldete sich Carswell zu Wort, »brauche ich Sie ja wohl nicht daran zu erinnern, dass ich von Ihnen eine Entschuldigung erwarte und Sie nach wie vor vom Dienst suspendiert sind.«

»Nein, Sir«, sagte Rebus.

»Das wirft natürlich die Frage auf«, sagte Mullen ruhig, »wieso ich Sie in Gesellschaft einer Polizistin vor Jack Bells Haus angetroffen habe?«

»DS Clarke hat mich im Auto mitgenommen, mehr nicht. Sie musste kurz bei der Familie Bell vorbeischauen, um mit dem Sohn zu reden.« Rebus zuckte die Achseln, während Carswell erneut hörbar ausatmete.

»Wir werden dieser Sache auf den Grund gehen, Rebus. Darauf können Sie sich verlassen.«

»Das bezweifle ich nicht, Sir.« Rebus war der letzte der drei, der sich erhob. »Also, ich will Sie jetzt nicht länger von der Arbeit abhalten. Und viel Spaß, wenn Sie unten auf dem Grund ankommen …«

Siobhan wartete, genau wie er vermutet hatte, draußen im Wagen auf ihn.

»Gutes Timing«, sagte sie. Der Rücksitz stand voller Einkaufstüten. »Ich habe zehn Minuten gewartet, um festzustellen, ob Sie gleich am Anfang damit rausrücken würden.«

»Und dann sind Sie einkaufen gegangen?«

»Im Supermarkt vorne an der Straßenecke. Hätten Sie Lust, heute Abend zum Essen zu mir zu kommen?«

»Hängt davon ab, wie sich der restliche Tag entwickelt.«

Sie nickte zustimmend. »Also, wann kam das Thema Schmerztabletten zur Sprache?«

»Vor etwa fünf Minuten.«

»Sie haben sich ziemlich viel Zeit gelassen.«

»Ich wollte hören, ob es irgendwas Neues gibt.«

»Und?«

Er schüttelte den Kopf. »Immerhin sieht es so aus, als

würden Sie nicht zu den Verdächtigen gehören«, sagte er zu ihr.

»Ich? Wieso sollte ich auch?«

»Weil er Sie belästigt hat… und weil jeder Polizist den guten alten Fritteusen-Trick kennt.«

»Noch so eine Bemerkung, und die Essenseinladung ist gestrichen.« Sie lenkte den Wagen zur Parkplatz-Ausfahrt. »Auf nach Turnhouse?«, fragte sie.

»Meinen Sie, ich täte gut daran, mit dem nächsten Flieger von hier zu verschwinden?«

»Wir wollten doch mit Douglas Brimson reden.«

Rebus schüttelte den Kopf. »Das überlass ich Ihnen. Setzen Sie mich vorher ab.«

»Wo denn?«

»Irgendwo in der George Street.«

Sie sah ihn an. »Verdächtig nah an der Oxford Bar.«

»Daran hatte ich noch gar nicht gedacht, aber jetzt wo Sie's erwähnen –«

»Alkohol und Schmerzmittel vertragen sich nicht, John.«

»Es ist schon anderthalb Stunden her, seit ich die Tabletten genommen habe. Außerdem bin ich suspendiert, schon vergessen? Ich darf ungezogen sein.«

Rebus wartete im Nebenraum der Oxford Bar auf Steve Holly.

Es war ein relativ kleiner Pub: nur zwei Räume, beide kaum größer als das Wohnzimmer eines durchschnittlichen Reihenhauses. Im ersten Raum herrschte meist einiger Betrieb, was vor allem daran lag, dass er schon bei drei oder vier Gästen gut gefüllt wirkte. Im Nebenzimmer standen Tische und Stühle, und Rebus hatte sich dort in der dunkelsten Ecke niedergelassen, so weit vom Fenster entfernt wie möglich. Die Wände hatten dieselbe gallengelbe Farbe wie an dem Tag vor rund dreißig Jahren, als er das erste Mal zur Tür hereingekommen war. Das karge, altmodische Interieur vermochte Neulinge abzuschrecken, aber Rebus hätte nicht darauf gewettet, dass es diese Wirkung auch auf den Reporter haben würde. Er hatte in der Edinburgher Redaktion der Boulevardzeitung angerufen. Seine Nachricht hatte kurz und knapp gelautet: »Ich will mit Ihnen reden. In der Oxford Bar. Sofort.« Er hatte aufgelegt, ehe Holly ihn in ein Gespräch verwickeln konnte. Rebus wusste, er würde kommen. Er würde kommen, weil der Anruf seine Neugier geweckt hatte. Er würde kommen, weil er die Story als Erster gebracht hatte. Er würde kommen, weil das sein Job war.

Rebus hörte, wie die Eingangstür auf- und wieder zuging. Wegen der Leute an den anderen Tischen machte er sich keine Sorgen. Sie würden alles, was sie zufällig mitbekamen, für sich behalten. Das war in dieser Sorte Pub so. Rebus hob sein fast leeres Glas hoch. Er konnte inzwischen fester zufassen. Um ein Glas an den Mund zu führen, brauchte er nur noch eine Hand, und der Schmerz beim Bewegen des Handgelenks war auszuhalten. Whisky verkniff er sich. Siobhan hatte ihm einen wirklich guten Rat gegeben, und dieses eine Mal würde er ihn befolgen. Er wusste, dass er bei vollem Verstand sein musste. Steve Holly würde wenig Bereitschaft zeigen, nach Rebus' Regeln zu spielen.

Schritte auf den Stufen, ein Schatten, der Hollys Eintritt in den Nebenraum vorausging. Er spähte ins Halbdunkel des Nachmittags und quetschte sich auf dem Weg zu Rebus zwischen den Stühlen an den anderen Tischen hindurch. Die Flüssigkeit in seinem Glas sah nach Bitter Lemon aus, dem vielleicht ein Schuss Wodka hinzugefügt worden war. Er nickte kurz und blieb stehen, bis Rebus ihn mit einer Handbewegung zum Hinsetzen aufforderte. Holly tat es, schaute aber immer wieder nach rechts und links, offenkundig behagte es ihm überhaupt nicht, mit dem Rücken zu den anderen Gästen zu sitzen.

»Keine Sorge, es wird sich hier niemand auf Sie stürzen und Sie abmurksen«, beruhigte ihn Rebus.

»Ich nehme an, ich sollte Sie beglückwünschen«, sagte Holly. »Wie ich höre, haben Sie es geschafft, Jack Bell gehörig auf den Geist zu gehen.«

»Und mir fällt auf, dass Ihre Zeitung seine Initiative unterstützt.«

Holly verzog den Mund. »Trotzdem ist er ein Arschloch. Ihre Leute hätten sich nicht ins Bockshorn jagen lassen sollen, nachdem sie ihn auf dem Strich erwischt haben. Oder besser noch, sie hätten meine Zeitung anrufen sollen, dann wären wir gekommen und hätten von ihm ein paar Schnappschüsse in flagranti gemacht. Haben Sie die Ehefrau kennen gelernt?« Rebus nickte. »Meschugge«, fuhr der Reporter fort. »Nervenleiden, heißt es.«

»Aber sie hat ihrem Mann zur Seite gestanden.«

»Das tun die Frauen von Abgeordneten doch immer, oder?«, meinte Holly abfällig. Dann: »Also, wie komme ich zu der Ehre? Haben Sie beschlossen, mir Ihre Version der Geschichte zu erzählen?«

»Sie sollen mir einen Gefallen tun«, sagte Rebus und legte die behandschuhten Hände auf den Tisch.

»Einen Gefallen?« Rebus nickte. »Und was kriege ich dafür?«

»Bevorzugte Behandlung.«

»Das bedeutet?« Holly hob sein Glas an den Mund.

»Das bedeutet, dass Sie von mir alles erfahren, was ich über den Herdman-Fall weiß.«

Holly schnaubte. Musste sich einen Teil seines Drinks vom Gesicht abwischen.

»Soweit ich weiß, sind Sie vom Dienst suspendiert.«

»Das hat mich nicht daran gehindert, Augen und Ohren offen zu halten.«

»Und was genau können Sie mir über Herdman erzählen,

das ich nicht aus einem Dutzend anderer Quellen erfahren kann?«

»Hängt von dem Gefallen ab. Dabei geht es um etwas, das niemand sonst weiß.«

Holly nahm einen weiteren Schluck seines Drinks und spülte ihn im Mund hin und her. Dann schluckte er und machte ein schmatzendes Geräusch.

»Versuchen Sie gerade, ein Ablenkungsmanöver zu starten, Rebus? Ich habe Sie wegen der Fairstone-Sache am Wickel. Das weiß jeder. Und jetzt bitten *Sie* mich um einen Gefallen?« Er lachte kurz, aber sein Blick wirkte nicht amüsiert. »Sie sollten mich anflehen, dass ich Ihnen nicht die Eier zerquetsche.«

»Das tun Sie ja doch nicht. Dafür haben Sie nicht den nötigen Mumm«, sagte Rebus und trank sein Bier aus. Dann schob er das leere Glas über den Tisch dem Journalisten zu. »Ein großes IPA, wenn's beliebt.« Holly sah ihn an, lächelte mit einer Hälfte des Mundes, stand auf und drängte sich wieder zwischen den Stühlen hindurch. Rebus hob das Glas mit Bitter Lemon an die Nase: eindeutig Wodka. Er schaffte es, sich eine Zigarette anzuzünden, und hatte sie bereits halb aufgeraucht, als Holly zurückkam.

»Der Barkeeper ist ziemlich arrogant, was?«

»Vielleicht hat ihm nicht gefallen, was Sie über mich gesagt haben«, erklärte ihm Rebus.

»Dann beschweren Sie sich doch beim Journalistenverband.« Holly gab ihm das Bierglas. Für sich selbst hatte er einen zweiten Wodka Bitter Lemon mitgebracht. »Aber offenbar haben Sie das bisher nicht getan«, fügte er hinzu.

»Nur weil Sie die Mühe nicht wert sind.«

»So redet jemand, dem ich einen Gefallen tun soll?«

»Einen Gefallen, den Sie sich bisher noch nicht einmal angehört haben.«

»Na, dann schießen Sie mal los...« Holly breitete die Arme aus.

»Es hat eine Rettungsaktion gegeben«, sagte Rebus ruhig. »Auf Jura, im Juni fünfundneunzig. Ich will wissen, worum es dabei ging.«

»Rettungsaktion?« Holly runzelte die Stirn, sein Instinkt war geweckt. »Ein Tankerunglück oder etwas in der Art?«

Rebus schüttelte den Kopf. »Die Aktion fand an Land statt. Der SAS war daran beteiligt.«

»Herdman?«

»Möglicherweise war er mit von der Partie.«

Holly kaute auf der Unterlippe, so als würde er versuchen, den Angelhaken zu entfernen, den Rebus ausgeworfen hatte. »Und was für eine Rolle spielt das?«

»Das wissen wir erst, wenn wir uns das Ganze näher angesehen haben.«

»Und wenn ich Ihre Bitte erfülle, was habe ich dann davon?«

»Wie gesagt, Sie erfahren alle Neuigkeiten als Erster.« Rebus schwieg kurz. »Außerdem habe ich möglicherweise Zugang zu Herdmans Militärakte.«

Hollys Augenbrauen hoben sich merklich. »Steht was Lohnendes drin?«

Rebus zuckte die Achseln. »Das möchte ich zum gegenwärtigen Zeitpunkt nicht kommentieren.« Er wollte den Reporter ködern – obwohl er genau wusste, dass in der Akte kaum etwas stand, das die Leser eines Boulevardblatts interessieren würde. Aber woher sollte Steve Holly das wissen?

»Okay, dann schlage ich vor, wir machen uns auf die Socken.« Er stand wieder auf. »Was du heute kannst besorgen ...«

Rebus betrachtete sein Bierglas, das noch drei viertel voll war. Holly hatte von seinem zweiten Drink noch keinen Tropfen getrunken. »Wozu die Eile?«, fragte Rebus.

»Sie glauben doch nicht, dass ich hergekommen bin, um mit Ihnen einen netten Nachmittag zu verbringen?«, entgegnete Holly. »Nehmen Sie's mir nicht übel, aber ich kann Sie nicht leiden, und trauen tue ich Ihnen schon gar nicht.«

»Kein Problem«, sagte Rebus und erhob sich, um hinter dem Reporter nach draußen zu gehen.

»Übrigens«, sagte Holly, »ich hätte da noch eine Frage.«

»Was denn?«

»Mir hat ein Typ erzählt, er könne jemanden mit einer Zeitung umbringen. Wissen Sie, ob das stimmt?«

Rebus nickte. »Mit einer Zeitschrift geht's besser, aber eine Zeitung tut's auch.«

Holly sah ihn an. »Und wie funktioniert das? Durch Ersticken, oder was?«

Rebus schüttelte den Kopf. »Man rollt das Ding zusammen und versetzt dem Gegner damit einen Schlag gegen den Hals. Wenn man kräftig genug zuschlägt, wird die Luftröhre eingedrückt.«

Holly starrte ihn an. »Haben Sie das bei der Armee gelernt?«

Rebus nickte erneut. »Genau wie derjenige, der Ihnen das erzählt hat.«

»Ich bin dem Kerl vor Ihrer Wache begegnet... er war in Begleitung eines ziemlichen Dragoners.«

»Sie heißt Whiteread, er Simms.«

»Militär-Ermittler?« Holly nickte ein paarmal, als sei ihm nun alles klar. Rebus unterdrückte ein Lächeln: Sein Plan bestand hauptsächlich darin, Holly auf Whiteread und Simms anzusetzen.

Inzwischen befanden sie sich draußen auf der Straße, und Rebus erwartete, dass sie sich in die Zeitungsredaktion begeben würden, aber Holly war nach links statt nach rechts gegangen und hielt seinen Autoschlüssel in Richtung der am Kantstein geparkten Wagen.

»Sie sind gefahren?«, fragte Rebus, als die Türen eines silbergrauen Audi TT klackend entriegelt wurden.

»Dafür sind Beine doch da«, klärte Holly ihn auf. »Los, steigen Sie ein.«

Während Rebus sich zur Tür hinunterbeugte, dachte er daran, dass Teri Cotters Bruder am Steuer eines Audi TT tödlich verunglückt war und Derek Renshaw neben ihm auf dem Beifahrersitz gesessen hatte, dort, wo er selbst sich nun hinsetzte... ihm fielen die Fotos vom Unfallort ein, von Stuart Cotters Körper, der an eine Stoffpuppe erinnerte... Er sah zu, wie Holly unter den Fahrersitz griff und ein flaches schwarzes Notebook hervorholte. Er stellte es auf den Oberschenkeln ab, klappte es auf und hielt sein Handy in der einen Hand, während er mit der anderen die Computer-Tastatur bediente.

»Infrarot-Verbindung«, erklärte er. »So kommen wir in null Komma nichts ins Netz.«

»Und warum wollen wir ins Netz?« Rebus musste eine plötzliche Erinnerung an seine Nachtwache bei Miss Teris Website beiseite schieben, peinlich berührt, weil er sich in ihre Welt hatte hineinziehen lassen.

»Weil sich dort der größte Teil des Archivs meiner Zeitung befindet. Ich brauche bloß das Passwort einzugeben...« Holly drückte rasch auf ein halbes Dutzend Tasten, und Rebus versuchte mitzubekommen, auf welche. »Nicht hingucken«, warnte Holly ihn. »Es ist hier alles Mögliche gespeichert: Zeitungsartikel, Geschichten, die nicht gedruckt worden sind...«

»Eine Liste mit den Namen der Polizisten, die Ihnen Informationen verkaufen?«

»Halten Sie mich für so dämlich?«

»Ich weiß nicht: Sind Sie's?«

»Die Leute reden mit mir, weil sie wissen, dass ich ein Geheimnis für mich behalten kann. Die Namen werde ich mit ins Grab nehmen.«

Holly wandte seine Aufmerksamkeit wieder dem Bildschirm zu. Rebus bezweifelte nicht, dass der Computer auf dem neusten Stand der Technik war. Die Verbindung war innerhalb weniger Sekunden zustande gekommen, und blitzschnell tauchte eine Internet-Seite nach der anderen auf. Das Notebook, das Rebus sich geliehen hatte, war im Vergleich dazu, genau wie Pettifer gesagt hatte, noch von einem Kohleofen betrieben.

»Suchbegriff…« Holly redete mit sich selbst. »Da gebe ich Monat und Jahr ein, und die Stichwörter Jura und Rettung… mal sehen, was unser Brainiac zu bieten hat.« Er drückte abschließend auf eine Taste, lehnte sich zurück und drehte sich erneut zu Rebus um, offenbar um zu sehen, wie beeindruckt er war. Rebus war total beeindruckt, hoffte allerdings, dass man ihm das nicht ansah.

Auf dem Bildschirm war wieder eine neue Seite erschienen. »Siebzehn Ergebnisse«, sagte Holly. »Mein Gott, ja, jetzt erinnere ich mich wieder.« Er drehte den Computer ein bisschen zur Seite, und Rebus beugte sich hinüber, um lesen zu können, was dort stand. Und plötzlich fiel es auch Rebus wieder ein, der Vorfall war ihm noch im Gedächtnis, aber er hatte sich nicht gemerkt, dass es auf Jura passiert war. Ein Militärhubschrauber mit einem halben Dutzend hochrangiger Offiziere an Bord. Waren beim Absturz alle ums Leben gekommen, genau wie der Pilot. Anfangs hatte es Spekulationen gegeben, ob es ein Anschlag gewesen war. In Nordirland war in gewissen Kreisen lauter Jubel ausgebrochen – und eine Splittergruppe der IRA übernahm die Verantwortung. Aber am Ende war ein »Pilotenfehler« als Absturzursache ermittelt worden.

»Kein Wort über den SAS«, bemerkte Holly.

Nur die vage Erwähnung eines »Bergungsteams«, das losgeschickt worden war, um die Trümmer und vor allem die Leichen zu finden. Die Überreste des Helikopters wurden in ein Labor gebracht, die Leichen zur Autopsie, ehe man sie für die Beerdigung freigab. Eine Untersuchung des Vorfalls wurde angeordnet, und es dauerte ewig, bis das Ergebnis vorlag.

»Die Familie des Piloten war damit nicht besonders glücklich«, sagte Holly, der bereits beim letzten Artikel angelangt war. Ein Toter, dessen Andenken mit dem Makel »Pilotenfehler« behaftet war.

»Blättern Sie noch mal zurück«, sagte Rebus, verärgert, weil Holly schneller lesen konnte als er. Holly gehorchte, und der Text sprang sofort um.

»Und Herdman gehörte zu dem Bergungsteam?«, fragte Holly. »Leuchtet ein, dass die Armee ihre eigenen Leute damit beauftragt...« Er wandte sich an Rebus.

»Worauf wollen Sie eigentlich hinaus?«

Rebus hatte nicht vor, ihm noch mehr zu verraten, also sagte er, dass er sich nicht sicher sei.

»Dann verschwende ich hier nur meine Zeit.« Holly drückte auf einen Knopf, und der Bildschirm erlosch. Er drehte sich mit dem Oberkörper um, so dass er Rebus direkt ansah. »Und wenn Herdman tatsächlich auf Jura war – na und? Was zum Teufel hat das mit der Sache in der Schule zu tun? Wollen Sie die Tat damit erklären, dass er irgendwie traumatisiert war?«

»Ich bin mir nicht sicher«, wiederholte Rebus. Er starrte den Reporter an. »Aber trotzdem vielen Dank.« Er öffnete die Tür und hievte sich aus dem tiefen Sitz.

»Das war's?«, blaffte Holly ihn an. »Ich zeige Ihnen, was ich habe, und Sie verdrücken sich?«

Rebus beugte sich hinunter in das Auto. »Ich habe was viel Interessanteres als Sie, mein Freund.«

»Für das eben brauchten Sie mich überhaupt nicht«, sagte Holly mit Blick auf das Notebook. »Mit Hilfe einer Suchmaschine hätten Sie binnen einer halben Stunde genauso viel rausgekriegt.«

Rebus nickte. »Ich hätte auch Whiteread und Simms fragen können, allerdings glaube ich nicht, dass die beiden besonders entgegenkommend gewesen wären.«

Holly blinzelte. »Und warum nicht?«

Da er den Köder geschluckt hatte, zwinkerte Rebus nur kurz, warf die Tür zu und ging zurück in die Oxford Bar, wo Harry gerade sein Bier in den Ausguss schütten wollte.

»Das erledige ich«, sagte Rebus und streckte dem Barkeeper die Hand entgegen. Er hörte das wütende Aufheulen des Audi-Motors, als Holly mit Kavaliersstart wegfuhr. Rebus war das egal. Er hatte bekommen, was er haben wollte.

Ein Hubschrauberabsturz. Mit hohen Offizieren an Bord. Das erklärte natürlich auch den Diensteifer zweier Militärermittler. Außerdem hatte Rebus, nachdem Holly zurückgeblättert hatte, in einem Artikel gelesen, dass ein paar von den Bewohnern der Insel bei der Suche geholfen hatten, Männer, die sich in den Bergen auf Jura gut auskannten. Einer von ihnen war sogar interviewt worden und hatte die Absturzstelle beschrieben. Er hieß Rory Mollison. Rebus trank sein Glas an der Theke stehend leer und starrte dabei den Fernseher an, ohne mitzubekommen, was für eine Sendung gerade lief. Für ihn war es nur ein Kaleidoskop aus Farben. Er war mit seinen Gedanken woanders, flog übers Land und dann übers Meer, glitt über Berge hinweg... Der SAS hatte den Auftrag bekommen, Leichen einzusammeln? Die Paps of Jura waren nicht übermäßig hoch, mit denen in den Grampains beispielsweise waren sie überhaupt nicht zu vergleichen. Wieso hatte die Armee ihre Eliteeinheit in Marsch gesetzt?

Er glitt über Moore, Seen, Buchten und Klippen... Rebus holte vorsichtig sein Handy aus der Tasche, zog einen Handschuh mit den Zähnen aus und drückte mit dem Daumennagel auf die Tasten. Wartete darauf, dass Siobhan abnahm.

»Wo sind Sie?«, fragte er.

»Unwichtig: Was zum Teufel ist in Sie gefahren, mit Steve Holly zu reden?«

Rebus blinzelte, ging rasch zur Tür und öffnete. Siobhan stand direkt vor ihm. Er steckte das Handy wieder ein. Sie tat dasselbe, als wäre sie sein Spiegelbild.

»Sie beschatten mich«, sagte er, um einen entrüsteten Tonfall bemüht.

»Nur weil es nötig ist, Sie zu beschatten.«

»Wo waren Sie?« Er zog sich den Handschuh wieder an.

Sie wies mit dem Kopf in Richtung North Castle Street. »Hab um die Ecke geparkt. Also, um auf meine Eingangsfrage zurückzukommen…«

»Unwichtig. Es bedeutet zumindest, dass Sie noch nicht beim Flugplatz waren.«

»Nein, war ich nicht.«

»Gut, denn Sie sollen mit ihm über etwas reden.«

»Mit wem? Brimson?« Sie sah ihn nicken. »Und anschließend erzählen Sie mir, was Sie mit Steve Holly zu schaffen hatten?«

Rebus sah sie an und nickte erneut.

»Und ich genieße dabei den Drink, den Sie mir spendieren werden?«

Sein Blick wurde deutlich missmutiger. Siobhan hatte das Handy wieder aus der Tasche geholt und wedelte damit vor Rebus' Gesicht herum.

»Okay«, grummelte er. »Jetzt rufen Sie den Typ endlich an.«

Siobhan schaute in ihrem Notizbuch, fand Brimsons Nummer und begann, sie einzutippen. »Was genau soll ich mit ihm besprechen?«

»Lassen Sie Ihren Charme spielen. Sie müssen ihn um einen großen Gefallen bitten. Vielleicht auch um mehr als nur einen… aber als Erstes fragen Sie ihn, ob es auf Jura irgendwo eine Landebahn gibt…«

Als Rebus bei der Port Edgar School ankam, sah er, dass Bobby Hogan in eine Diskussion mit Jack Bell verstrickt war. Bell war nicht allein: er hatte das bekannte Filmteam bei sich. Außerdem hielt er mit einer Hand Kate am Unterarm fest.

»Ich bin der Ansicht, dass es unser gutes Recht ist«, sagte der Abgeordnete gerade, »das Zimmer zu sehen, in dem ihr Bruder und mein Sohn niedergeschossen wurden.«

»Mit Verlaub, Sir, der Aufenthaltsraum ist ein Tatort. Ohne triftigen Grund erhält niemand Zutritt.«

»Wir sind die nächsten Verwandten, was meiner Ansicht nach der triftigste Grund überhaupt sein dürfte.«

Hogan zeigte auf die Filmcrew: »Gehören die auch alle zur Verwandtschaft ... ?«

Der Regisseur hatte Rebus näher kommen sehen. Er tippte Bell auf die Schulter. Bell drehte sich um und setzte ein eisiges Lächeln auf.

»Sie sind hier, um sich zu entschuldigen?«, vermutete er.

Rebus ignorierte ihn. »Geh da nicht rein, Kate«, sagte er und stellte sich direkt vor sie hin. »Es wäre ein Fehler.«

Sie wich seinem Blick aus. »Die Leute sollen Bescheid wissen.« Sie sprach mit leiser Stimme. Bell nickte zustimmend.

»Mag sein, aber man sollte ihnen keine verlogene PR-Aktion vorführen. Dadurch bekäme alles einen billigen Beigeschmack, verstehst du das denn nicht?«

Bell hatte seine Aufmerksamkeit wieder Hogan zugewandt. »Ich muss darauf bestehen, dass dieser Mann von hier verschwindet.«

»Müssen Sie das?«, erwiderte Hogan.

»Ich habe bereits offiziell Beschwerde eingelegt, weil er beleidigende Bemerkungen über mich und die Filmcrew gemacht hat ...«

»Davon habe ich noch jede Menge auf Lager«, bemerkte Rebus.

»John…« Hogan riet ihm mit einem warnenden Blick, sich zu mäßigen. »Es tut mir Leid, Mr. Bell, aber ich kann Filmaufnahmen in dem Raum nicht gestatten.«

»Wie wär's, wenn wir die Kamera draußen lassen?«, schlug der Regisseur vor. »Und nur Tonaufnahmen machen?«

Hogan schüttelte den Kopf. »Es wird Ihnen nicht gelingen, mich umzustimmen.« Er verschränkte die Arme, als wollte er die Diskussion für beendet erklären.

Rebus sah immer noch Kate an, versuchte, ihr in die Augen zu schauen. Offenbar gab es etwas in der näheren Umgebung, das ihren Blick magisch anzog. Vielleicht die Möwen auf dem Sportplatz oder die Rugby-Stangen…

»Wo dürfen wir denn filmen?«, fragte der Abgeordnete.

»Außerhalb des Schulgeländes, genau wie alle anderen«, antwortete Hogan. Bell atmete zornig aus.

»Sie können gewiss sein, dass ich mir Ihre mangelnde Kooperationsbereitschaft merken werde«, entgegnete er drohend.

»Vielen Dank, Sir«, sagte Hogan mit gleichmütiger Stimme, aber glühendem Blick.

Der Gemeinschaftsraum war leer geräumt worden: keine Stühle, Stereoanlage und Zeitschriften mehr. Der Direktor, Dr. Fogg, stand in der Tür, die Hände vor dem Körper ineinander verschränkt. Er trug einen schlichten anthrazitfarbenen Anzug, ein weißes Hemd, eine schwarze Krawatte. Unter den Augen hatte er dicke Ringe, sein Haar war mit Schuppen gesprenkelt. Er spürte, dass jemand hinter ihm stand, drehte sich um und schenkte Rebus ein mattes Lächeln.

»Ich muss entscheiden, was aus dem Raum werden soll«, erklärte er. »Die Schulgeistliche will ihn in eine Art Kapelle verwandeln, einen Ort, an dem die Schüler Einkehr halten können.«

»Keine schlechte Idee«, sagte Rebus. Der Direktor war zur Seite getreten, um Rebus in den Aufenthaltsraum hineinzulassen. Das Blut auf dem Boden und an den Wänden war längst getrocknet. Rebus versuchte, nicht auf die Flecken zu treten.

»Man könnte ihn auch abschließen und ein paar Jahre unbenutzt lassen. Dann sind die gegenwärtigen Schüler alle abgegangen... ein paar Schichten Farbe, ein neuer Teppich...«

»Fällt mir schwer, so weit in die Zukunft zu schauen«, sagte Fogg mit einem weiteren mühsamen Lächeln. »Nun gut, ich lasse Sie jetzt allein... damit Sie Ihre Arbeit...« Er verbeugte sich leicht, drehte sich um und ging zurück in sein Büro.

Rebus starrte auf die Blutspritzer an der Wand. Hier hatte Derek gestanden. Derek, ein Mitglied seiner Familie, das nun ausgelöscht war.

Lee Herdman... Rebus versuchte, ihn sich vorzustellen, als er an jenem Morgen aufgestanden war und die Pistole eingesteckt hatte. Was war geschehen? Was war anders als zuvor? Hatten beim Aufwachen Dämonen um sein Bett herumgetanzt? Hatten ihn innere Stimmen gequält? Die Teenager, mit denen er sich angefreundet hatte... war dieses Band durch irgendetwas zerrissen? Na wartet, Kinder, ihr werdet was erleben... Er fuhr zur Schule, parkte nicht, sondern stellte den Wagen einfach ab. So in Eile, dass er die Fahrertür offen stehen ließ. Durch den Seiteneingang ins Gebäude, ohne dass ihn eine Kamera erfasst hätte... den Flur entlang und in diesen Raum hinein. Da bin ich, Jungs. Streckte Anthony Jarvies mit einem Kopfschuss nieder. Wahrscheinlich war er der Erste. Bei der Armee lernte man, mitten auf die Brust zu zielen: größer als der Kopf, schwerer zu verfehlen und zumeist todbringend. Trotzdem entschied Herdman sich für den Kopf... Warum? Nach dem ersten Schuss war es mit dem Überraschungsmoment vorbei. Vielleicht versuchte Derek Renshaw auszuweichen und bekam als Lohn eine Kugel ins Gesicht. James Bell duckte sich, wurde von einem Schuss in der Schulter getroffen und kniff die Augen zusammen, als Herdman die Waffe auf sich selbst richtete...

Der dritte Kopfschuss, dieses Mal in die eigene Schläfe.

»Wieso, Lee? Mehr wollen wir nicht wissen«, flüsterte Rebus in die Stille. Er ging zur Tür, drehte sich um, betrat den Raum erneut, hielt seine behandschuhte rechte Hand so, als wäre sie die Pistole. Simulierte in rascher Abfolge verschiedene Schusshaltungen. Er wusste, dass die Kriminaltechniker genau dasselbe machen würden, allerdings im Computer. Sie würden das Geschehen in dem Aufenthaltsraum rekonstruieren, mit Hilfe der Schusswinkel den Standort des Schützen bei den einzelnen Schüssen bestimmen. Jedes noch so kleine Beweisstück leistete seinen Beitrag zur Wiedergabe des Geschehens. Hier stand er... dann hat er sich bewegt, einen Schritt nach vorn gemacht... Wenn wir den Eintrittswinkel der Kugel mit der Form der Blutspritzer in Zusammenhang bringen...

Am Ende würden sie jede Bewegung von Herdman kennen. Sie würden das Geschehen mit ihren Graphiken und ballistischen Untersuchungen anschaulich zum Leben erwecken. Und all das würde sie der Antwort auf die einzige bedeutsame Frage keinen Deut näher bringen.

Der Frage nach dem Warum.

»Nicht schießen«, sagte eine Stimme aus Richtung Tür. Es war Bobby Hogan, der mit erhobenen Armen dastand. In seiner Begleitung waren zwei Herren, die Rebus gut kannte. Claverhouse und Ormiston. Claverhouse, groß und mager, war Detective Inspector; Ormiston, kleiner, stämmig und mit chronischem Schnupfen, Detective Sergeant. Beide arbeiteten für das Dezernat Drugs and Major Crime und standen in enger Verbindung mit Assistant Chief Constable Colin Carswell. Wenn er schlecht gelaunt war, würde Rebus sie wahrscheinlich Carswells Männer fürs Grobe nennen. Er merkte, dass er seine Pistolen-Hand immer noch ausgestreckt hielt, und senkte sie.

»Ich habe gehört, dass der Faschisten-Look dieses Jahr total in ist«, sagte Claverhouse und zeigte dabei auf Rebus' Lederhandschuhe.

»Glückwunsch, dann ist Ihr Stil ja wieder topmodern«, erwiderte Rebus.

»Vertragt euch, Kinder«, ermahnte Hogan sie. Ormiston besah sich das Blut auf dem Fußboden, rieb mit der Schuhspitze daran.

»Also, was habt ihr beide hier rumzuschnüffeln?«, fragte Rebus, die Augen auf Ormiston gerichtet, der sich gerade mit dem Handrücken die Nase abwischte.

»Drogen«, sagte Claverhouse. Alle drei Knöpfe seines Jacketts waren zugeknöpft, wodurch er wie eine Schaufensterpuppe aussah.

»Anscheinend hat sich Ormy gerade eine Prise davon gegönnt.«

Hogan senkte den Kopf, um sein Lächeln zu verbergen. Claverhouse drehte sich ruckartig zu ihm hin. »Ich dachte, Rebus wär aus dem Verkehr gezogen.«

»Neuigkeiten machen wirklich schnell die Runde«, sagte Rebus.

»Klar, vor allem gute«, konterte Ormiston.

Hogan richtete sich zu voller Größe auf. »Seid ihr drei scharf auf eine Strafarbeit?« Keine Reaktion. »Um Ihre Frage zu beantworten, DI Claverhouse, John übt hier eine ausschließlich beratende Funktion aus, die er seinen Kenntnissen über die Armee verdankt. Er ›arbeitet‹ de facto gar nicht…«

»Also wie üblich«, murmelte Ormiston.

»Womit die Glashaus-Mannschaft schon kurz nach Anpfiff mit einem Steinwurf in Führung liegt«, teilte Rebus ihm mit.

Hogan hob eine Hand. »Und das hier ist die gelbe Karte vom Schiedsrichter. Wer sich nicht zusammenreißt, fliegt vom Platz, und das ist mein Ernst!« Seine Stimme klang jetzt barsch. Claverhouse verzog den Mund, sagte aber nichts. Ormiston presste seine Nase fast gegen einen der Blutflecke an den Wänden.

»Okay...«, beendete Hogan schwer seufzend das Schweigen. »Was haben Sie für uns?«

Claverhouse nahm das als Stichwort. »Die Untersuchung der Substanzen, die auf dem Boot sichergestellt wurden, hat ergeben: Ecstasy und Kokain. Das Kokain ist von ziemlich hohem Reinheitsgrad. Wahrscheinlich sollte es noch verschnitten werden...«

»Crack?«, fragte Hogan.

Claverhouse nickte. »Taucht an ein paar Orten regelmäßig auf – Hafenstädte im Norden, einige der Sozialsiedlungen hier und in Glasgow... guter Stoff im Wert von einem Riesen kann verschnitten das Zehnfache einbringen.«

»Außerdem scheint momentan ein Riesenbatzen Hasch auf dem Markt zu sein.«

Claverhouse bedachte ihn mit einem finsteren Blick, sauer, weil er ihm zuvorgekommen war. »Ormy hat Recht, das Angebot an Hasch ist größer als sonst.«

»Was ist mit Ecstasy?«, fragte Hogan.

Claverhouse nickte. »Wir dachten, das Zeug stamme aus Manchester. War womöglich ein Irrtum.«

»Aus Herdmans Logbüchern wissen wir, dass er öfters zwischen hier und dem Kontinent hin- und hergesegelt ist. Und jeweils in Rotterdam angelegt hat.«

»Gibt in Holland 'ne Menge Ecstasy-Labors«, stellte Ormiston beiläufig fest. Er betrachtete nach wie vor die Wand vor sich, die Hände in den Taschen und leicht nach hinten gebeugt, als mustere er ein Kunstwerk in einer Galerie. »Da drüben ist auch jede Menge Koks im Angebot.«

»Und der Zollfahndung sind seine Reisen nach Rotterdam nicht verdächtig vorgekommen?«, fragte Rebus.

Claverhouse zuckte die Achseln. »Die armen Kerle sind völlig überlastet. Sie können unmöglich jeden überprüfen, der von einem Trip auf den Kontinent zurückkommt, vor allem nicht, seit die Grenzen offen sind.«

»Das heißt also, dass Herdman euch durch die Maschen geschlüpft ist.«

Claverhouse und Ormiston tauschten einen Blick. »Genau wie die Zollfahndung sind wir auf Tipps aus der Szene angewiesen.«

»Vielleicht holt ihr euch mal einen Tipp für eine bessere Ausrede«, meinte Rebus dazu. »Übrigens, Bobby, hat schon jemand Herdmans Finanzen überprüft?«

Hogan nickte. »Keine größeren Einzahlungen oder Abbuchungen.«

»Dealer halten sich von Banken fern«, stellte Claverhouse fest. »Darum müssen sie ihr Geld irgendwie waschen. Dafür wär Herdmans Boots-Firma prima geeignet.«

»Was hat Herdmans Autopsie ergeben?«, fragte Rebus Bobby Hogan. »Irgendwelche Beweise, dass er Drogenkonsument war?«

Hogan schüttelte den Kopf. »Die Bluttests waren negativ.«

»Dealer sind nicht automatisch auch Konsumenten«, belehrte Claverhouse sie. »Die großen Fische sind bloß aufs Geld aus. Im letzten halben Jahr haben wir einmal auf einen Schlag hundertdreißigtausend Ecstasy-Pillen beschlagnahmt, insgesamt vierundvierzig Kilo, Verkaufswert anderthalb Millionen Pfund. Und vier Kilo Opium sichergestellt, die gerade aus dem Iran eingeflogen worden waren.« Er starrte Rebus an. »Eine Aktion der Zollfahnder, aufgrund eines Tipps aus der Szene.«

»Und wie viel wurde auf Herdmans Boot gefunden?«, fragte Rebus. »Ein Tropfen im Ozean, wenn die Formulierung gestattet ist.« Er war dabei, sich eine Zigarette anzuzünden, sah dann aber Hogans Blick, der ostentativ im Raum hin und her schaute. »Das ist hier doch keine Kirche, Bobby«, sagte er und machte weiter. Er nahm nicht an, dass es Derek oder Anthony stören würde. Und Herdmans Meinung war ihm egal …

»Vielleicht für den persönlichen Gebrauch gedacht«, schlug Claverhouse vor.

»Nur hat er keine Drogen genommen.« Rebus blies Rauch durch die Nase in Claverhouse' Richtung.

»Vielleicht hatte er ja Freunde, die was genommen haben. Soweit ich weiß, hat er ab und zu eine Party gegeben …«

»Von den Gästen hat uns bisher noch niemand erzählt, dass Herdman an den Abenden Koks oder Pillen angeboten hat.«

»Das würde ich der Polizei an deren Stelle auch nicht auf die Nase binden«, schnaubte Claverhouse. »Übrigens bin ich überrascht, dass Sie überhaupt jemanden auftreiben konnten, der zugibt, den Schweinehund gekannt zu haben.« Er schaute auf den blutbefleckten Fußboden hinunter.

Ormiston fuhr sich erneut mit der Hand unter der Nase entlang, nieste dann lautstark und bespritzte die Wand dadurch noch zusätzlich.

»Sie sind wirklich ein gefühlloses Arschloch, Ormy«, zischte Rebus.

»Er ist hier nicht derjenige, der Zigarettenasche auf dem Fußboden verteilt«, grummelte Claverhouse.

»Der Rauch ist mir in die Nase gestiegen«, sagte Ormiston. Rebus war zu ihm hinübermarschiert. »Verdammte Scheiße, das da stammt von einem Verwandten von mir!«, fauchte er, mit der Hand auf die Blutflecken deutend.

»War doch keine Absicht.«

»Was hast du eben gesagt, John?« Hogans Stimme glich einem leisen Donnergrollen.

»Nichts«, sagte Rebus. Aber es war zu spät. Hogan stand direkt neben ihm, schob, in Erwartung einer Erklärung, die Hände in die Taschen. »Allan Renshaw ist ein Cousin von mir«, gab Rebus zu.

»Und du bist nicht der Ansicht, dass du mich davon vielleicht hättest unterrichten müssen?« Hogans Gesicht war zornesrot angelaufen.

»Nein, Bobby, eigentlich nicht.« Über Hogans Schulter hinweg sah Rebus, wie sich auf Claverhouse' schmalem Gesicht ein breites Lächeln ausbreitete.

Hogan nahm die Hände aus den Taschen und wollte sie hinter dem Körper verschränken, fand diese Haltung aber offenbar unbefriedigend. Rebus wusste, was Bobby viel lieber mit den Händen getan hätte: Rebus gewürgt.

»Das spielt doch gar keine Rolle«, wandte er ein. »Wie du vorhin gesagt hast, bin ich hier als Berater, mehr nicht. Wir arbeiten nicht an einem Fall, der vor Gericht landen wird, Bobby. Du brauchst keine Angst zu haben, dass ein Anwalt aus einem Formfehler Kapital schlägt.«

»Das Arschloch war Drogenschmuggler«, unterbrach ihn Claverhouse. »Bestimmt hat er Komplizen gehabt. Und wenn wir die Kerle kriegen und einer davon einen dieser schlauen Rechtsverdreher engagiert...«

»Claverhouse«, sagte Rebus träge, »tun Sie uns allen einen Gefallen und« – plötzlich brüllte er los – »*halten Sie endlich die Schnauze!*«

Claverhouse lief auf ihn zu, Rebus nahm Kampfhaltung ein, und Hogan trat zwischen sie, obwohl er genau wusste, dass er genauso viel bewirken würde wie Handschellen aus Schokolade. Ormiston begnügte sich vorerst mit der Rolle eines Zuschauers; er würde höchstens dann eingreifen, wenn sein Partner den Kürzeren zog.

»Anruf für DI Rebus!«, erschallte es plötzlich lautstark von der Tür her. Siobhan stand dort, ein Handy in der ausgestreckten Hand. »Ich glaube, es ist dringend: Jemand vom Complaints Department.«

Claverhouse trat einen Schritt zurück und machte so Platz für Rebus. Er vollführte sogar mit einer Hand eine ironische Geste, die »bitte, nach Ihnen« besagen sollte. Und das Grinsen war auf sein Gesicht zurückgekehrt. Rebus schaute nach unten, denn Bobby Hogan hielt ihn immer noch mit einer Hand am Jackett fest. Hogan ließ ihn los, und Rebus ging zur Tür.

»Wollen Sie nicht draußen mit denen reden?«, schlug Siobhan vor. Rebus nickte und streckte die Hand nach dem Handy aus. Aber sie gab es ihm nicht, sondern ging mit ihm bis vor die Eingangstür des Gebäudes. Sie schaute sich um, sah, dass niemand in Hörweite war, und gab ihm das Handy.

»Ich rate Ihnen, so zu tun, als würden Sie mit jemandem sprechen«, empfahl sie ihm. Rebus hielt sich das Handy ans Ohr. Völlige Stille.

»Es hat gar keiner angerufen?«, fragte er. Sie schüttelte den Kopf.

»Ich dachte, jemand müsse Sie retten.«

Er lächelte verkniffen und hielt sich das Handy weiter ans Ohr. »Bobby weiß über die Renshaws Bescheid.«

»Ich weiß. Ich hab's mit angehört.«

»Haben Sie mir schon wieder nachspioniert?«

»Im Erdkunde-Raum war nichts los.« Sie gingen in Richtung des Bürocontainers. »Und was nun?«

»Egal, Hauptsache, wir hauen hier ab… damit Bobby Gelegenheit hat, sich wieder zu beruhigen.« Rebus drehte sich zur Schule um. Drei Gestalten standen an der Tür und beobachteten sie.

»Und Claverhouse und Ormiston Gelegenheit haben, wie-

der unter dem Stein zu verschwinden, unter dem sie hervor-
gekrochen sind?«

»Sie sind ja die reinste Gedankenleserin.« Er schwieg
einen Augenblick. »Und was denke ich jetzt gerade?«

»Sie denken, dass wir einen trinken gehen könnten.«

»Das wird mir langsam unheimlich.«

»Und Sie denken auch, dass Sie mich einladen wollen, als
Zeichen Ihrer Dankbarkeit, weil ich Ihnen aus der Patsche
geholfen habe.«

»Leider falsch. Aber immerhin zwei Richtige, und wie
heißt es doch schon bei Meat Loaf…« Sie waren bei ihrem
Wagen angekommen. Er gab ihr das Handy zurück. *Two out
of three ain't bad.*«

15

»Wenn auf Herdmans Konten kein Geld eingegangen ist«,
sagte Siobhan, »dann können wir die Auftragskiller-Theorie
abhaken.«

»Es sei denn, er hat von dem Geld Drogen gekauft«, antwortete Rebus pro forma. Es war inzwischen später Nachmittag, und sie befanden sich im Boatman's, zusammen mit
etlichen anderen Gästen: Arbeiter und Angestellte, die sich
nach Feierabend ein Glas genehmigten. Auch dieses Mal
stand Rod McAllister hinter der Theke. Rebus hatte ihn
scherzhaft gefragt, ob er zum Inventar gehöre.

»Tagschicht«, hatte McAllister geantwortet, ohne die Miene zu verziehen.

»Sie sind ein echter Pluspunkt des Ladens«, hatte Rebus
hinzugefügt, während er das Wechselgeld entgegennahm.

Jetzt saß er vor einem kleinen Glas Bier und den Über-
resten eines Whiskys. Siobhan trank eine grellfarbige Mischung aus Lime Juice und Soda.

»Halten Sie es wirklich für möglich, dass Whiteread und Simms die Drogen auf dem Boot deponiert haben?«

Rebus zuckte die Achseln. »Leuten wie Whiteread traue ich fast alles zu.«

»Weshalb?« Er sah sie an. »Ich meine«, fuhr sie fort, »Sie waren schon immer ziemlich schweigsam, was Ihre Militärzeit angeht.«

»Das waren auch nicht gerade die glücklichsten Jahre meines Lebens«, gestand er ein. »Ich habe miterlebt, wie Kameraden von der Armee seelisch zu Grunde gerichtet wurden. Auch ich hab's nur mit Ach und Krach geschafft, nicht wahnsinnig zu werden. Kurz bevor ich den Dienst quittiert habe, kriegte ich einen Nervenzusammenbruch.« Rebus versuchte, die Erinnerungen zu verdrängen. Er dachte an all die bequemen Binsenweisheiten: Vorbei ist vorbei ... nach vorne schauen und nicht zurück ... »Ein Typ – dem ich recht nahe stand – ist während der Ausbildung zusammengeklappt. Man hat ihn rausgeschmissen, ihn aber nicht entschärft ...« Seine Stimme erstarb.

»Was ist passiert?«

»Er gab mir die Schuld und wollte sich rächen. War lange vor Ihrer Zeit, Siobhan.«

»Sie verstehen also, wieso Herdman ausgerastet ist?«

»Vielleicht.«

»Aber Sie sind sich nicht sicher, dass es wirklich so war?«

»Normalerweise gibt es Warnzeichen. Herdman war kein typischer Einzelgänger. Es gab kein Waffenarsenal bei ihm zu Hause, nur die eine Pistole ...« Rebus schwieg einen Moment. »Wäre nicht schlecht, wenn wir wüssten, wann er sie gekauft hat.«

»Die Pistole?«

Rebus nickte. »Dann wüssten wir, ob er sie speziell für diesen einen Zweck gekauft hat.«

»Wenn er Drogenschmuggler war, dürfte er den Wunsch

nach irgendeiner Art von Schutz gehabt haben. Das würde die Mac 10 im Bootshaus erklären.« Siobhan beobachtete eine junge blonde Frau, die gerade hereingekommen war. Der Barkeeper kannte sie offenbar. Er schenkte ihr einen Drink ein, als sie noch gar nicht an der Theke stand. Anscheinend ein Barcadi-Cola. Ohne Eis.

»Die vielen Befragungen haben nichts gebracht?«, fragte Rebus.

Siobhan schüttelte den Kopf. Er hatte die Vernehmungen der Kriminellen und der Waffenhändler gemeint. »Bei der Brocock handelt sich's nicht um das neuste Modell. Wie es scheint, glaubt man inzwischen, dass er sie schon besaß, als er hierher gezogen ist. Und in Sachen Maschinengewehr tappt man im Dunkeln.«

Rebus dachte nach, und Siobhan schaute zu, wie Rod McAllister sich vorbeugte und mit den Unterarmen auf der Theke abstützte, während er in ein Gespräch mit der Blondine vertieft war... mit der Blondine, die Siobhan irgendwie bekannt vorkam. Er hatte den Kopf leicht zur Seite geneigt und wirkte viel zufriedener als sonst. Die Frau rauchte, blies aschgraue Rauchwolken deckenwärts.

»Tun Sie mir einen Gefallen«, sagte Rebus plötzlich. »Rufen Sie bei Bobby Hogan an.«

»Wieso?«

»Weil er momentan wahrscheinlich keine Lust hat, mit mir zu reden.«

»Und aus welchem Grund rufe ich ihn an?« Siobhan hatte ihr Handy bereits gezückt.

»Um ihn zu fragen, ob Whiteread Lee Herdmans Militärakte herausgerückt hat. Die Antwort lautet vermutlich nein, und in diesem Fall hat er sich bestimmt direkt an die Armee gewandt. Ich will wissen, ob er dort Erfolg hatte.«

Siobhan nickte und drückte auf die Handy-Tasten. Danach redete von den beiden vorläufig nur sie.

»DI Hogan, hier ist Siobhan Clarke…« Während sie zuhörte, schaute sie zu Rebus hoch. »Nein, ich habe keine Ahnung, worum es ging… ich glaube, man hat ihn ins Präsidium beordert.« Sie sah Rebus fragend an, und er nickte, als Zeichen, dass sie das Richtige gesagt hatte. »Ich rufe an, weil ich gerne gewusst hätte, ob Sie schon Gelegenheit hatten, Ms. Whiteread nach Herdmans Akte zu fragen?« Sie lauschte Hogans Antwort. »Na ja, John hat es mir gegenüber erwähnt, und ich dachte, ich frage mal nach…« Sie hörte erneut zu und kniff dabei die Augen fest zusammen. »Nein, er ist nicht hier und hört mit.« Sie öffnete die Augen wieder. Rebus zwinkerte ihr zu, um ihr zu sagen, dass sie das prima mache. »Mhm… hmm…« Sie hörte Hogan zu. »Klingt, als wäre sie nicht so kooperativ, wie wir das gerne hätten… Ja, ich glaube sofort, dass Sie ihr die Meinung gesagt haben.« Ein Lächeln. »Was hat sie geantwortet?« Erneutes Zuhören. »Und haben Sie den Rat befolgt?… Und was hat man in Hereford gesagt?« Gemeint war das Hauptquartier des SAS. »Man verweigert uns also Akteneinsicht?« Ein erneuter Blick auf Rebus. »Tja, er kann manchmal ein ziemlich schwieriger Zeitgenosse sein, das wissen Sie so gut wie ich.« Hogan sprach jetzt offenbar über Rebus und teilte Siobhan mit, dass er Rebus das alles selbst erzählt hätte, wenn die Situation im Aufenthaltsraum nicht eskaliert wäre. »Nein, ich hatte keine Ahnung, dass es Verwandte von ihm sind.« Siobhan formte mit den Lippen ein O. »Tja, das ist meine Version, und ich bleibe dabei.« Jetzt war sie es, die zwinkerte. Er fuhr sich mit dem Finger über die Kehle, doch sie schüttelte den Kopf. Sie genoss die Situation mittlerweile. »Ich wette, Sie könnten auch ein paar Geschichten über ihn beisteuern… das ist er, ich weiß.« Sie lachte. »Nein, nein, Sie haben vollkommen Recht. Meine Güte, was für ein Glück, dass er nicht hier ist…« Rebus versuchte, ihr das Handy wegzunehmen, aber sie drehte sich rechtzeitig weg. »Wirklich? Vielen

Dank. Nein, das ist ... Ja, ja, sehr gerne. Vielleicht können wir ja ... ja, nachdem diese Sache ... Ich freue mich drauf. Tschüss, Bobby.«

Lächelnd beendete sie das Gespräch. Nahm ihr Glas und trank einen Schluck.

»Ich glaube, das Wesentliche habe ich mitbekommen«, murmelte Rebus.

»Ich soll ihn ›Bobby‹ nennen. Er meint, ich sei eine gute Polizistin.«

»Ach, du meine Güte ...«

»Und er will mich zum Essen einladen, nachdem der Fall abgeschlossen ist.«

»Er ist verheiratet.«

»Ist er nicht.«

»Okay, seine Frau hat ihn verlassen. Außerdem ist er alt genug, um Ihr sein Vater zu können.« Rebus schwieg kurz. »Was hat er über mich gesagt?«

»Nichts Besonderes.«

»Sie haben gelacht, als er es gesagt hat.«

»Ich wollte Sie bloß ärgern.«

Rebus sah sie missmutig an. »Ich bezahle die Getränke und werde als Dank von Ihnen geärgert? Ist das die Basis unserer Beziehung?«

»Immerhin habe ich Ihnen angeboten, Sie heute Abend zu bekochen.«

»Stimmt, das haben Sie.«

»Bobby kennt ein nettes Restaurant in Leith.«

»Bin gespannt, welchen Kebab-Imbiss er meint ...«

Sie boxte ihn in den Arm. »Na los, holen Sie uns noch eine Runde.«

»Nach dem, was ich mir eben gefallen lassen musste?« Rebus schüttelte den Kopf. »Sie sind dran.« Er lehnte sich auf seinem Stuhl zurück, so als wollte er es sich bequem machen.

»Gut, wenn Sie unbedingt meinen ...« Siobhan stand auf.

Sie hatte sowieso vor, sich die Frau etwas näher anzuschauen. Doch die Blondine war im Aufbruch begriffen und steckte mit gesenktem Kopf Feuerzeug und Zigaretten in ihre Schultertasche, so dass nur ein Teil ihres Gesichts zu erkennen war.

»Bis bald!«, rief die Frau.

»Ja, bis bald«, rief McAllister zurück. Er wischte gerade die Theke mit einem feuchten Tuch ab. Das Lächeln wich aus seinem Gesicht, als Siobhan näher kam. »Noch mal dasselbe?«, fragte er.

Sie nickte. »Eine Freundin von Ihnen?«

Er drehte sich um, weil er den Whisky für Rebus abmessen wollte. »Gewissermaßen.«

»Ich habe das Gefühl, sie irgendwoher zu kennen.«

»Ach ja?« Er stellte das Glas vor sie hin. »Wieder ein kleines Bier?«

Sie nickte. »Und ein Lime Juice…«

»Mit Soda. Ich hab's mir gemerkt. Whisky pur, Lime Soda mit Eis.« Am anderen Ende der Theke wurde bereits die nächste Bestellung aufgegeben: zwei Lagerbier und ein Rum mit Johannisbeersaft. Er kassierte bei Siobhan, gab ihr zügig das Wechselgeld heraus, begann die Biere zu zapfen und vermittelte ihr dabei deutlich, dass er zu beschäftigt für eine Plauderei war.

Siobhan blieb noch ein paar Sekunden lang stehen, fand dann aber, dass es die Mühe nicht lohne. Auf halbem Weg zurück zum Tisch fiel ihr ein, wer die Frau war, und sie blieb so abrupt stehen, dass Rebus' Bier leicht überschwappte und ein paar Tropfen auf den zerschrammten Holzfußboden fielen.

»He, aufgepasst«, ermahnte Rebus sie, der sie von seinem Platz aus beobachtete. Sie trug die Gläser zum Tisch und stellte sie ab. Ging zum Fenster und spähte hinaus, aber die Blondine war nirgends zu sehen.

»Ich weiß jetzt, wer sie ist«, sagte sie.

»Wer?«

»Die Frau, die gerade rausgegangen ist. Sie müssen sie doch gesehen haben.«

»Langes blondes Haar, enges rosa T-Shirt, kurze Lederjacke? Schwarze Skihose und etwas zu hoch geratene Absätze?« Rebus trank einen Schluck Bier. »Ist mir nicht weiter aufgefallen.«

»Sie haben Sie also nicht wiedererkannt?«

»Wieso, hätte ich sollen?«

»Immerhin war heute auf der Titelseite einer gewissen Zeitung zu lesen, Sie hätten neulich den Freund der Blondine abgefackelt.« Siobhan lehnte sich zurück, ihr Glas in der Hand, und wartete auf die Wirkung ihrer Worte.

»Fairstones Freundin?«, sagte Rebus mit starrem Blick.

Siobhan nickte. »Ich habe sie nur ein einziges Mal gesehen, an dem Tag, als Fairstone freigesprochen wurde.«

Rebus schaute zur Theke hinüber. »Sind Sie sich sicher, dass sie es war?«

»Ziemlich sicher. Als ich ihre Stimme hörte... ja, hundertprozentig. Ich habe sie nach dem Ende der Verhandlung draußen vor dem Gericht gesehen.«

»Nur das eine Mal?«

Siobhan nickte erneut. »Es war jemand anders, der sie wegen des Alibis für ihren Freund vernommen hat.«

»Wie heißt sie?«

Siobhan dachte so angestrengt nach, dass sie dabei die Augen zusammenkniff. »Rachel Soundso.«

»Wo wohnt Rachel Soundso?«

Siobhan zuckte die Achseln. »Vermutlich in derselben Gegend wie ihr verstorbener Freund.«

»Das heißt, wir befinden uns also nicht direkt bei ihr um die Ecke.«

»Nicht direkt.«

»Wir sind, um genau zu sein, etwa fünfzehn Kilometer von ihr um die Ecke entfernt.«

»In etwa.« Siobhan hielt immer noch das Glas in der Hand; allerdings hatte sie bisher keinen Schluck davon getrunken.

»Haben Sie noch einen Brief bekommen?«

Sie schüttelte den Kopf.

»Glauben Sie, dass die Frau Sie verfolgt?«

»Jedenfalls nicht die ganze Zeit. Das wäre mir aufgefallen.« Inzwischen schaute auch Siobhan zur Theke hinüber. McAllisters kurzzeitige Betriebsamkeit war verebbt, und er spülte jetzt wieder Gläser ab. »Es kann natürlich auch sein, dass sie nicht meinetwegen hier war...«

Rebus ließ sich von Siobhan bei den Renshaws absetzen. Er sagte ihr, sie solle nach Hause fahren. Er werde später ein Taxi nehmen oder einen Streifenwagen für die Rückfahrt in die Stadt anfordern.

»Ich weiß nicht, wie lange ich bleiben werde«, sagte er. Kein dienstlicher Besuch, sondern ein familiärer. Sie hatte genickt und war weggefahren. Er hatte an der Haustür geklingelt, aber vergebens. Dann durchs Fenster gespäht. Im Wohnzimmer standen noch immer die Kartons mit den Schnappschüssen herum. Kein Anzeichen dafür, dass jemand zu Hause war. Er drückte probehalber den Türgriff hinunter, und der Griff bewegte sich. Die Tür war nicht abgeschlossen.

»Allan?«, rief er. »Kate?«

Er schloss die Tür hinter sich. Ein summendes Geräusch drang aus dem Obergeschoss herunter. Er rief erneut, bekam aber keine Antwort. Vorsichtig ging er die Treppe hoch. Im ersten Stock stand mitten auf dem Flur eine Aluminiumleiter, die zu einer offenen Luke in der Decke führte. Rebus stieg langsam von einer Strebe auf die nächste.

»Allan?«

Auf dem Dachboden brannte Licht, und das Summen war inzwischen lauter. Rebus streckte den Kopf durch die Luke. Sein Cousin saß im Schneidersitz auf dem Boden, eine Fernbedienung in der Hand, und ahmte das Geräusch des Spielzeugrennwagens nach, der über eine Bahn in Form einer liegenden Acht raste.

»Ich habe ihn jedesmal gewinnen lassen«, sagte Allan Renshaw, der dadurch jetzt endlich zu erkennen gab, dass er Rebus' Anwesenheit bemerkt hatte. »Derek meine ich. Wir haben ihm die Rennbahn irgendwann einmal zu Weihnachten geschenkt...«

Rebus sah einen offenen Karton, aus dem etliche überzählige Fahrbahnstücke gepurzelt waren. Geleerte Umzugskisten, geöffnete Koffer. Rebus sah Frauenkleider, Kinderkleidung, einen Stapel Singles. Er sah Zeitschriften mit Fotos längst vergessener Fernsehstars auf den Umschlägen. Er sah Teller und Nippes, ausgepackt aus den Zeitungen, in die sie zum Schutz eingewickelt gewesen waren. Bei einigen der Sachen dürfte es sich um Hochzeitsgeschenke gehandelt haben, die der Wandel im Geschmack in die Dunkelheit verbannt hatte. Ein zusammengeklappter Buggy harrte der Benutzung durch die nächste Generation. Rebus war am Ende der Leiter angekommen und setzte sich auf den Rand der Luke. Irgendwie hatte Allan Renshaw es geschafft, inmitten des vielen Krimskrams Platz für die Rennbahn zu schaffen. Sein Blick folgte dem roten Plastikauto, das unablässig seine Runden drehte.

»Hab den Reiz davon nie verstanden«, meinte Rebus. »Gilt genauso für Spielzeugeisenbahnen.«

»Mit Rennautos ist es was anderes. Man hat die Illusion von Geschwindigkeit... und man kann Wettrennen fahren. Außerdem...« Renshaw drückte den Geschwindigkeitsregler weiter nach unten, »wenn man zu schnell um eine Kurve fährt und die Kontrolle verliert…« Sein Wagen flog von der Fahrbahn. Er griff danach und schob den vorne angebrachten Stromabnehmer in den Spalt in der Fahrbahn. Drückte auf den Knopf, und der Wagen raste wieder los. »Siehst du?«, sagte er, mit Blick auf Rebus.

»Man kann immer wieder neu anfangen?«, vermutete Rebus.

»Alles ist wie zuvor. Alles noch heil«, sagte Renshaw nickend. »So als wäre nie etwas passiert.«

»Eine Illusion also«, schlussfolgerte Rebus.

»Eine tröstliche Illusion«, sagte sein Cousin zustimmend. Er schwieg kurz. »Hatte ich als Kind so eine Rennbahn? Ich kann mich nicht erinnern…«

Rebus zuckte die Achseln. »Ich weiß, dass ich keine hatte. Wenn es die Dinger damals schon gab, waren sie wahrscheinlich zu teuer.«

»Tja, was tut man nicht alles für seine Kinder, was, John?« Auf Renshaws Gesicht erschien der Schimmer eines Lächelns. »Man will ihnen alles bieten, gibt freiwillig den letzten Penny für sie aus.«

»Es muss ziemlich teuer gewesen sein, deine beiden nach Port Edgar zu schicken.«

»Billig war's nicht. Du hast nur die eine Tochter, stimmt's?«

»Ja, aber sie ist schon längst erwachsen, Allan.«

»Kate ist auch erwachsen… führt mehr und mehr ihr eigenes Leben.«

»Sie ist nicht auf den Kopf gefallen.« Rebus sah zu, wie der Wagen erneut von der Rennstrecke abkam. Er landete dicht bei ihm, also nahm er ihn und stellte ihn zurück auf die Fahrbahn. »Der Unfall, in den Derek verwickelt war«, sagte er. »Er hatte keine Schuld, oder?«

Renshaw schüttelte den Kopf. »Stuart war ein ziemlicher Draufgänger. Wir hatten Glück, dass Derek kaum etwas passiert ist.« Er ließ den Wagen wieder losfahren. Rebus hatte in dem Karton einen blauen Wagen gesehen und eine zweite Fernbedienung neben dem linken Schuh seines Cousins.

»Wie wär's mit einem Rennen?«, fragte er, beugte sich vor und griff nach dem kleinen schwarzen Apparat.

»Warum nicht?«, erwiderte Renshaw und stellte den zweiten Wagen für Rebus an der Startlinie auf. Seinen eigenen stoppte er direkt daneben, dann zählte er von fünf an rückwärts. Beide Wagen schossen auf die erste Kurve zu, und der von Rebus sauste geradeaus weiter. Rebus krabbelte hinüber, und er war gerade so weit, dass er weiterfahren konnte, da überrundete ihn Renshaw.

»Du hast mehr Übung als ich«, beklagte er sich, während er sich wieder hinsetzte. Abgesehen von der warmen Luft, die durch die Luke hinaufzog, war der Dachboden ungeheizt. Außerdem war er so niedrig, dass Rebus darin nicht aufrecht würde stehen können. »Wie lange bist du schon hier oben?«, fragte er. Renshaw fuhr sich über die Stoppeln im Gesicht, die inzwischen fast Bartlänge hatten.

»Seit heute früh«, sagte er.

»Wo ist Kate?«

»Hilft diesem Abgeordneten.«

»Die Haustür ist offen.«

»Ach ja?«

»Jeder x-beliebige könnte hereinspaziert kommen.« Rebus hatte gewartet, bis Renshaws Wagen wieder bei seinem war, und nun fuhren sie wieder um die Wette die Rennstrecke entlang, auf der sich an einer Stelle die Fahrspuren kreuzten.

»Weißt du, an wen ich gestern Abend gedacht habe?«, sagte Renshaw. »Ich glaube jedenfalls, dass es gestern war…«

»An wen?«

»An deinen Vater. Ich mochte ihn wirklich gerne. Er hat mir immer Zaubertricks vorgeführt, erinnerst du dich?«

»Zum Beispiel den mit der Münze, die er bei jemandem hinterm Ohr hervorgeholt hat?«

»Und dann hat er sie wieder verschwinden lassen. Er erzählte immer, er habe das in der Armee gelernt.«

»Gut möglich.«

»Er war in Fernost, stimmt's?«

Rebus nickte. Sein Vater hatte nie viel über seine Kriegserlebnisse gesprochen. Meistens erzählte er bloß Anekdoten, Geschichten, über die man lachen konnte. Aber später dann... gegen Ende seines Lebens, hatte er unabsichtlich Einzelheiten über einige der grauenvollen Ereignisse verraten, deren Zeuge er gewesen war.

Es waren keine Berufssoldaten, John, sondern Männer, die man eingezogen hatte – Bankangestellte, Bäcker, Fabrikarbeiter. Der Krieg hat sie verändert, hat uns alle verändert. Wie konnte es auch anders sein?

»Es ist nur Folgendes«, fuhr Allan Renshaw fort. »Als ich an deinen Vater gedacht habe, musste ich auch an dich denken. Weißt du noch – der Tag, an dem du mich in den Park mitgenommen hast?«

»Als wir Fußball gespielt haben?«

Renshaw nickte und lächelte matt. »Du erinnerst dich?«

»Wahrscheinlich nicht so gut wie du.«

»Oh ja, ich erinnere mich genau. Wir haben Fußball gespielt, und dann sind zwei Freunde von dir aufgetaucht, und während du dich mit ihnen unterhalten hast, musste ich allein spielen.« Renshaw verstummte. Erneut kreuzten sich die Wege der Wagen. »Fällt es dir wieder ein?«

»Nein, noch nicht.« Allerdings nahm Rebus an, dass es stimmen konnte. Jedes Mal, wenn er auf Urlaub gewesen war, hatten sich er und seine alten Schulfreunde viel zu erzählen gehabt.

»Dann sind wir zurückgegangen. Das heißt, du und deine Freunde ihr seid losgegangen, und ich bin euch gefolgt, mit dem Ball, den du uns gekauft hattest... und dann ist etwas passiert, das ich irgendwie verdrängt hatte...«

»Was denn?« Rebus konzentrierte sich auf das Rennen.

»Wir sind zu einem Pub gekommen. Erinnerst du dich, er war in einem Eckhaus?«

»Das Bowhill Hotel?«

»Genau. Vor dem Pub hast du dich zu mir umgedreht, auf mich gezeigt und mir gesagt, ich soll draußen warten. Deine Stimme war plötzlich ganz anders, viel unfreundlicher, so als wolltest du nicht, dass deine Freunde dachten, *wir* wären auch Freunde ...«

»Bist du dir sicher, dass es so war, Allan?«

»Völlig sicher. Ihr drei seid hinein gegangen, und ich habe draußen gewartet. Ich habe den Ball fest gehalten, und nach einer Weile bist du wieder rausgekommen, aber nur, um mir eine Tüte Chips zu geben. Dann bist du wieder rein, und dann tauchten ein paar andere Jungen auf, und einer von ihnen hat unseren Ball weggekickt, und dann rannten sie alle mit ihm die Straße hinunter. Ich fing an zu heulen und wollte nicht mehr warten, aber ich durfte ja nicht in den Pub. Also bin ich allein losgegangen. Unterwegs habe ich mich dann verirrt und musste jemanden nach eurer Straße fragen.«

Die Rennwagen rasten auf die Stelle zu, wo sich die Fahrspuren begegneten. Sie kamen gleichzeitig dort an, stießen zusammen, sprangen aus ihrer Fahrspur und landeten verkehrt herum auf dem Boden. Einen Augenblick lang herrschte auf dem Dachboden Stille.

»Irgendwann bist du dann nach Hause gekommen, und niemand hat wegen der Sache etwas zu dir gesagt, weil ich nichts gesagt hatte. Und weißt du, was für mich am schlimmsten war? Du hast nicht gefragt, was mit dem Ball passiert war, und ich wusste auch, wieso du nicht gefragt hast. Weil du ihn komplett vergessen hattest. Er war dir völlig egal.« Renshaw verstummte kurz. »Und ich war wieder nur ein kleiner Junge, statt dein Freund zu sein.«

»Mein Güte, Allan…« Rebus versuchte sich zu erinnern, aber vergebens. Bei ihm war von dem Tag im Gedächtnis geblieben, dass sie bei Sonnenschein Fußball gespielt hatten, mehr nicht.

»Es tut mir Leid«, sagte er schließlich.

Tränen rannen Renshaws Wangen hinunter. »Wir waren Verwandte, John, und du hast mich wie den letzten Dreck behandelt.«

»Glaub mir, Allan, ich habe bestimmt nicht gewollt –«

»Hau ab!«, brüllte Renshaw schniefend. »Verschwinde aus meinem Haus – sofort!« Er hatte sich ungelenk erhoben. Rebus war ebenfalls aufgestanden, und die Männer standen einander steifbeinig gegenüber, den Kopf wegen der Dachbalken gesenkt, den Rücken gekrümmt.

»Hör zu, Allan, wenn ich irgend –«

Aber Renshaw hatte ihn an der Schulter gepackt und schob ihn zur Luke.

»Schon gut, schon gut«, sagte Rebus. Als er versuchte, sich aus dem Griff des anderen zu befreien, stolperte Renshaw, und eins seiner Beine fiel durch die Luke. Rebus fasste ihn am Arm, und seine Finger brannten, als er fest zupackte. Renshaw rappelte sich wieder hoch.

»Alles in Ordnung?«, fragte Rebus.

»Hast du mich nicht verstanden?« Renshaw zeigte auf die Leiter.

»Wie du willst, Allan. Aber lass uns demnächst noch mal drüber reden, okay? Denn nur deshalb bin ich hergekommen: um mit dir zu reden, dich besser kennen zu lernen.«

»Du hattest die Gelegenheit, mich besser kennen zu lernen«, sagte Renshaw kühl. Rebus stieg die Leiter hinunter. Er spähte durch die Öffnung nach oben, aber sein Cousin war nicht zu sehen.

»Kommst du auch runter, Allan?«, rief er. Keine Antwort. Dann das summende Geräusch, als der Rennwagen wieder losfuhr. Rebus drehte sich um und ging ins Erdgeschoss. Er war sich unsicher, was er tun sollte, ob er Allan in dessen Zustand guten Gewissens allein lassen konnte. Er ging ins Wohnzimmer und von dort in die Küche. Der Rasenmäher draußen war noch immer nicht weggestellt worden. Auf dem Tisch lagen A4-Blätter, Computerausdrucke. Formulare einer Unterschriftensammlung für Waffenkontrolle, für bessere Sicherheitsvorkehrungen an Schulen. Bisher standen noch keine Namen darauf, die vielen Reihen aus Kästchen waren leer. Genau dasselbe hatte es nach Dunblane gegeben. Eine Verschärfung der gesetzlichen Bestimmungen. Ergebnis? Mehr illegale Waffen im Land als je zuvor. Rebus war klar, dass man sich in Edinburgh, sofern man wusste, wo man zu fragen hatte, in weniger als einer Stunde eine Waffe besorgen konnte. In Glasgow dauerte es angeblich nur zehn Minuten. Es war mit Waffen wie mit Videofilmen: Man konnte sie tageweise leihen. Wenn man sie unbenutzt zurückbrachte, bekam man einen Teil seines Geldes zurück; wenn nicht, dann nicht. Eine simple geschäftliche Transaktion, die sich von den Aktivitäten Peacock Johnsons nicht allzu sehr unterschied. Rebus erwog für einen Moment, den Aufruf zu unterschreiben, aber es wäre doch nur eine leere Geste gewesen. Auf dem Tisch lagen auch mehrere Zeitungsausschnitte und Fotokopien von Zeitschriftenartikeln herum. Thema: Die Auswirkungen von Gewalt in den Medien. Die üblichen reflexartigen Reaktionen, die ihn an die Behauptung erinnerten, ein Horrorvideo könne zwei Jungen veranlassen, ein Kleinkind umzubringen ... Er sah sich um, in der Hoffnung, Kate habe eine Nummer aufgeschrieben, unter der man sie erreichen konnte. Er wollte mit ihr über ihren Vater sprechen, ihr vielleicht sagen, dass Allan sie dringender brauchte als Jack Bell. Er blieb für eine Weile am Fuß der Treppe stehen und hörte sich die Geräusche auf dem Dachboden an, dann suchte er im Telefonbuch die Nummer einer Taxifirma heraus.

»Bin in zehn Minuten bei Ihnen«, verkündete die Stimme am anderen Ende. Eine muntere, weibliche Stimme. Fast hätte das genügt, ihn davon zu überzeugen, dass es irgendwo noch eine andere Art von Leben gab ...

Siobhan stand mitten in ihrem Wohnzimmer und sah sich um. Sie ging zum Fenster und schloss die Rollläden, um die Strahlen der untergehenden Sonne zu verbannen. Sie hob einen Becher und einen Teller vom Boden auf: Toastkrümel verrieten, was für eine Mahlzeit sie zuletzt in der Wohnung eingenommen hatte. Sie vergewisserte sich, dass keine neuen Nachrichten auf ihrem Anrufbeantworter waren. Da es Freitag war, würden Toni Jackson und die anderen Polizistinnen mit ihr rechnen, aber das Letzte, wonach ihr der Sinn stand, war die Munterkeit der Mädels und das angetrunkene Taxieren potentieller Pub-Bekanntschaften. Becher und Teller abzuwaschen und auf dem Ablaufbrett abzustellen dauerte eine halbe Minute. Ein kurzer Blick in den Kühlschrank. Die Lebensmittel, die sie eingekauft hatte, um für Rebus und sich selbst ein Essen zu kochen, würden sich noch ein paar Tage halten. Sie schloss die Kühlschranktür und ging ins Schlafzimmer, machte das Bett und stellte fest, dass sie am Wochenende unbedingt Wäsche waschen musste. Dann ins Bad, wo sie sich kurz im Spiegel betrachtete, ehe sie dann ins Wohnzimmer zurückkehrte und sich die Post dieses Tages ansah. Zwei Rechnungen und eine Postkarte. Die Karte stammte von einer Studienfreundin. Sie hatten es in diesem Jahr noch nicht geschafft, sich zu verabreden, obwohl sie in derselben Stadt wohnten. Die Freundin genoss gerade einen viertägigen Kurzurlaub in Rom ... dem Datum auf der Karte nach zu urteilen, war sie allerdings schon wieder daheim. Rom: Siobhan war noch nie dort gewesen.

Bin einfach ins Reisebüro marschiert und habe gefragt, was es kurzfristig noch gab. Es ist toll hier, ich lasse es ruhig angehen, sitze faul im Café, und wenn ich Lust dazu habe, mache ich ein bisschen in Kultur. Alles Liebe – Jackie.

Sie stellte die Karte auf den Kaminsims und überlegte, wann sie das letzte Mal richtig verreist gewesen war. Die eine Woche mit ihren Eltern? Der Wochenendtrip nach Dublin? Es war ein Junggesellinnen-Abschied für eine der Uniformierten gewesen ... die Frau erwartete inzwischen ihr erstes Kind. Sie schaute hoch zur Decke. Der Nachbar über ihr lief stampfend umher. Er tat das vermutlich nicht mit Absicht, sondern hatte schlicht und einfach den Gang eines Elefanten. Sie hatte ihn draußen auf dem Bürgersteig getroffen, als sie nach Hause gekommen war, und er hatte sich beschwert, dass er gerade seinen abgeschleppten Wagen hatte auslösen müssen.

»Der Wagen stand bloß zwanzig Minuten im Parkverbot ... als ich wiederkam, war er weg ... hundertdreißig Pfund, das ist doch unglaublich. Beinahe hätte ich den Leuten gesagt, dass die Karre gar nicht mehr so viel wert ist.« Dann zeigte er mit dem Finger auf sie. »Sie sollten so was verhindern.«

Weil sie bei der Polizei war. Weil die Leute glaubten, Polizisten könnten Beziehungen spielen lassen, hätten die Macht, Dinge zu ändern.

Sie sollten so was verhindern.

Er lief wütend im Wohnzimmer auf und ab, wie ein eingesperrtes Raubtier. Er arbeitete in der George Street. Angestellter bei einer Versicherungsagentur. Etwas kleiner als Siobhan, mit einer schmalen eckigen Brille. Hatte einen männlichen Mitbewohner, war allerdings nicht schwul, wie er Siobhan gegenüber betont hatte – eine Information, für die sie ihm gedankt hatte.

Stampf, rumms, polter.

Sie fragte sich, ob er mit seinen Bewegungen irgendeinen Zweck verfolgte. Machte er Schubladen auf und zu? Suchte er vielleicht eine verloren gegangene Fernbedienung? Oder waren seine Bewegungen Selbstzweck? Und wenn ja, was verriet das dann über ihre eigene Lautlosigkeit, darüber, dass sie dastand und lauschte, was er tat? Eine Postkarte auf dem Sims... ein Teller und ein Becher auf dem Abtropfbrett. Ein Fenster mit Rollladen davor und einer Querstange als Schutz vor Einbrechern, die sie aber nie befestigte. Es war hier drin sicher genug. Wie in einem Kokon. Zum Ersticken. Umhüllt. Eingesperrt.

»Was soll's?«, murmelte sie, drehte sich um und trat die Flucht an.

In St. Leonard's war nichts los. Sie hatte vorgehabt, ihren Frust im Fitnessraum abzuarbeiten, holte sich aber stattdessen eine Dose mit etwas Kühlem, Prickelnden aus dem Automaten und ging nach oben ins CID-Büro, um nachzuschauen, ob auf ihrem Schreibtisch Nachrichten für sie lagen. Ein weiterer Brief von ihrem geheimnisvollen Verehrer: TÖRNEN DICH SCHWARZE LEDERHANDSCHUHE AN?

Das bezog sich auf Rebus, mutmaßte sie. Außerdem fand sie einen Zettel vor, demzufolge Ray Duff um Rückruf bat, aber er wollte ihr bloß mitteilen, dass er es geschafft hatte, den ersten der anonymen Briefe zu überprüfen.

»Und ich habe, fürchte ich, keine guten Nachrichten.«

»Das heißt, du hast keinen Anhaltspunkt gefunden?«

»Nicht mal den allerkleinsten«, bestätigte er. Siobhan seufzte. »Tut mir wirklich Leid, dass ich dir nicht weiterhelfen kann. Darf ich dich vielleicht zur Ablenkung auf ein Bier einladen?«

»Vielleicht ein andermal.«

»Auch gut. Ich werde wahrscheinlich sowieso noch ein oder zwei Stunden hier zu tun haben.« »Hier« war das kriminaltechnische Labor in Howdenhall.

»Immer noch mit Port Edgar beschäftigt?«

»Ich muss Blutproben vergleichen, um die einzelnen Blut-spritzer den verschiedenen Personen zuzuordnen.«

Siobhan saß auf der Tischkante, den Hörer zwischen Wange und Schulter eingeklemmt, und sah die übrigen Zet-tel in ihrem Eingangskorb durch. Die meisten betrafen Fäl-le, mit denen sie sich vor Wochen beschäftigt hatte... Per-sonen, deren Namen ihr kaum noch etwas sagten.

»Dann lass ich dich wohl lieber weitermachen«, meinte sie.

»Auch immer noch fleißig, Siobhan? Du klingst müde.«

»Du weißt ja, wie es ist, Ray. Lass uns demnächst mal zu-sammen was trinken.«

»Das haben wir dann bestimmt bitter nötig.«

Sie lächelte in die Muschel. »Tschüss, Ray.«

»Pass auf dich auf, Shiv...«

Sie legte auf. Schon wieder: Jemand hatte sie Shiv genannt, weil er durch diese Kurzform ihres Vornamens eine gewisse Vertraulichkeit herzustellen glaubte. Ihr war schon öfter auf-gefallen, dass niemand dergleichen bei Rebus versuchte, nie-mand nannte ihn je Jock, Johnny, John-John oder JR. Denn jeder, der ihn ansah oder mit ihm sprach, wusste sofort, dass nichts von all dem passte. Er war John Rebus. Detective In-spector Rebus. Für seine engsten Freunde John. Dennoch dachten sich einige derselben Leute offenbar nichts dabei, aus ihr eine »Shiv« zu machen. Warum? Weil sie eine Frau war? Mangelte es ihr an Rebus' Respekt einflößender, stets etwas bedrohlicher Ausstrahlung? Versuchten die anderen bloß, sich ihre Zuneigung zu erschleichen? Oder wirkte sie in ihren Augen durch die Verwendung eines Spitznamens ver-wundbarer, umgänglicher, tendenziell harmloser?

Shiv... ein amerikanischer Slang-Ausdruck für ein Mes-ser als Waffe, oder? Also, momentan fühlte sie sich stumpfer denn je. Und nun betrat ein weiterer Spitznamenträger den Raum. DS George »Hi-Ho« Silvers. Er sah sich um, als suche er jemanden Bestimmtes. Als er sie sah, dauerte es nur einen Moment, bis er beschlossen hatte, dass sie seinen aktuellen Erfordernissen entsprechen könnte.

»Viel zu tun?«, fragte er.

»Wonach sieht es denn aus?«

»Lust auf einen kleinen Ausflug?«

»Sie sind nicht ganz mein Typ, George.«

Kurzes Schnauben. »Wir haben eine L-Sache.« L: Leiche.

»Wo?«

»Unten in Gracemount. Stillgelegte Bahnstrecke. Der Typ scheint von einer Fußgängerbrücke gefallen zu sein.«

»Also ein Unfall?« Genau wie Fairstones Fritteusen-Feuer: ein weiterer Unfall in Gracemount.

Silvers zuckte die Achseln, was allerdings dadurch erschwert wurde, dass er in ein Jackett eingezwängt war, das er sich vor drei Jahren auf Zuwachs gekauft hatte. »Es heißt, der Mann sei verfolgt worden.«

»Verfolgt?«

Ein weiteres Achselzucken. »Mehr werde ich erst vor Ort erfahren.«

Siobhan nickte. »Also, worauf warten wir noch?«

Sie nahmen Silvers' Auto. Er fragte sie nach South Queensferry, nach Rebus und dem Wohnungsbrand, ihre Antworten fielen jedoch sehr kurz aus. Irgendwann war die Botschaft bei ihm angekommen, und er schaltete das Radio ein und summte bei Oldtime Jazz mit, dem Musikstil, den sie am wenigsten leiden konnte.

»Hören Sie manchmal Mogwai, George?«

»Kenn ich nicht. Warum?«

»Ach, nur so …«

Die Brücke lag etwas abseits der Straße. Silvers parkte hinter einem Streifenwagen. Jenseits einer Bushaltestelle erstreckte sich eine Wiese. Siobhan und Silvers überquerten sie zu Fuß und kamen zu einem niedrigen, von Disteln und

Dornensträuchern überwucherten Zaun. An einer Stelle wurde der Zaun von einer kurzen Eisentreppe unterbrochen, die zu der Brücke über die Gleise führte. Auf der Brücke hatten sich bereits etliche Leute der benachbarten Wohnblocks versammelt. Ein Polizist in Uniform fragte jeden einzelnen, ob er oder sie etwas gehört oder gesehen hatte.

»Wie zum Teufel sollen wir da runterkommen?«, grummelte Silvers. Siobhan zeigte ans andere Ende der Brücke, wo man einen improvisierten Tritt aus Milchkisten und Mauersteinen errichtet und eine alte Matratze über den Zaun gehängt hatte. Als sie dort ankamen, beschloss Silvers nach einem kurzen Blick, sich die Kletterpartie zu ersparen. Er sagte nichts, sondern schüttelte bloß den Kopf. Siobhan dagegen kletterte über das Geländer und rutschte die steile Böschung hinunter, wobei sie sich bemühte, die Absätze ihrer Schuhe möglichst tief in den weichen Boden zu drücken, während ihr zugleich Brennnesseln in die Knöchel stachen und dornige Zweige sich an ihren Hosenbeinen festhakten. Um die bäuchlings daliegende Leiche hatten sich mehrere Personen versammelt. Siobhan erkannte einige Kollegen von der Polizeiwache in Craigmillar und Dr. Curt, den Gerichtsmediziner. Er sah sie und lächelte zur Begrüßung.

»Wir können von Glück sagen, dass man die Strecke noch nicht wieder in Betrieb genommen hat«, sagte er. »So ist der arme Kerl wenigstens noch in einem Stück.«

Sie schaute hinunter auf den verrenkten, leblosen Körper. Der Duffelcoat des Mannes war offen und gab den Blick auf ein weites, kariertes Hemd frei. Außerdem trug er eine braune Cordhose und braune Halbschuhe.

»Ein paar Leute haben angerufen«, sagte einer von den Detectives aus Craigmillar zu ihr, »und berichtet, sie hätten ihn auf den Straßen herumlaufen sehen.«

»Das dürfte hier in der Gegend nicht besonders ungewöhnlich sein …«

362

»Nur, dass er anscheinend auf der Suche nach jemandem war, weil er ihm ans Leder wollte. Hatte die ganze Zeit eine Hand in der Tasche, als habe er eine Waffe dabei.«

»Und hat er?«

Der Detective schüttelte den Kopf. »Vielleicht hat er sie fallen gelassen, als er verfolgt wurde. Sollen Jugendliche aus dem Viertel gewesen sein.«

Siobhan ließ den Blick zwischen der Leiche und der Brücke hin und her wandern. »Haben sie ihn erwischt?«

Der Detective zuckte die Achseln.

»Wissen wir, wer er ist?«

»In der Gesäßtasche steckte der Ausweis einer Videothek. Nachname Callis. Vorname fängt mit A an. Jemand von uns schaut gerade im Telefonbuch nach. Wenn das uns nicht weiterbringt, holen wir uns bei der Videothek die Adresse.«

»Callis?« Siobhan zog die Augenbrauen zusammen. Sie versuchte, sich zu erinnern, wo sie den Namen schon einmal gehört hatte… Dann fiel es ihr schlagartig ein.

»Andy Callis«, sagte sie, fast wie zu sich selbst.

Der Detective hatte es gehört. »Sie kannten ihn?«

Siobhan schüttelte den Kopf. »Aber ich kenne jemanden, bei dem das womöglich der Fall ist. Wenn es ein und derselbe Mann ist, dann hat er drüben in Alnwickhill gewohnt.« Sie griff nach ihrem Handy. »Ach, und noch etwas… wenn er es wirklich ist, dann war er einer von uns.«

»Ein Polizist.«

Sie nickte. Der Detective aus Craigmillar sog zwischen den Zähnen Luft ein und starrte mit neu erwachter Entschlossenheit hinauf zu den Zuschauern auf der Brücke.

16

Niemand zu Hause.

Rebus schaute sich seit knapp einer Stunde Miss Teris Zimmer an. Undurchdringliche Finsternis. Wie in seinem Gedächtnis. Er erinnerte sich noch nicht einmal, welche seiner Freunde er damals im Park getroffen hatte. Allan Renshaw hingegen war jener Tag auch mehr als dreißig Jahre später noch präsent. Unauslöschlich. Komisch, was man sich alles merkte und was nicht. Das Gehirn verblüffte einen jedes Mal von neuem, wenn ein Geräusch oder Gefühl ein längst vergessenes Ereignis heraufbeschwor. Rebus fragte sich, ob Allan womöglich nur deshalb zornig auf ihn war, weil sich dieser Zorn anbot. Was für einen Sinn hatte es, zornig auf Lee Herdman zu sein? Lee Herdman war nicht verfügbar, während Rebus eine gute Zielscheibe abgegeben hatte, so als wäre das der alleinige Zweck seines Besuchs gewesen.

Auf dem Bildschirm des Notebooks erschien der Bildschirmschoner, und Meteore kamen aus den Tiefen der Finsternis geflogen. Rebus drückte auf die Eingabe-Taste und war wieder in Teri Cotters Zimmer. Wieso schaute er sich das an? Weil es seine voyeuristischen Gelüste befriedigte? Aus diesem Grund hatte er immer gerne an Observierungen teilgenommen: Einblicke in fremder Leute Leben. Er fragte sich, was Teri von der Sache hatte. Geld brachte es ihr nicht ein. Es gab keinen unmittelbaren Austausch, keine Möglichkeit für die Zuschauer, mit ihr direkt in Kontakt zu treten, oder für sie, mit ihrem Publikum zu kommunizieren. Was war es dann? Das Bedürfnis, sich zur Schau zu stellen? Also vergleichbar mit ihrer Angewohnheit, in der Cockburn Street herumzulungern, wo sie angestarrt und manchmal sogar tätlich angegriffen wurde.

Sie hatte ihrer Mutter vorgeworfen, ihr nachzuspionieren,

und dennoch war sie beim Auftauchen der Lost Boys schnurstracks ins Sonnenstudio ihrer Mutter gelaufen. Schwer zu sagen, wie die Beziehung zwischen den beiden einzuordnen war. Rebus' Tochter hatte während der Pubertät mit ihrer Mutter in London gewohnt und war für Rebus all die Jahre ein Rätsel geblieben. Seine Ex-Frau hatte ihn ab und zu angerufen, um sich über Samanthas »Aufsässigkeit« oder ihre »Launen« zu beklagen, hatte bei ihm Dampf abgelassen und dann wieder aufgelegt.

Das Telefon.

Es klingelte. Das Handy. Es war ans Netzteil angeschlossen, um den Akku aufzuladen.

Er ging ran. »Ja bitte?«

»Ich habe versucht, Sie auf der Festnetz-Leitung anzurufen.« Siobhans Stimme. »Aber da war besetzt.«

Rebus schaute zum Notebook hinüber, das mit seiner Telefonbuchse verbunden war. »Was gibt's?«

»Der Freund von Ihnen, den Sie an dem Abend besucht haben, als wir uns zufällig begegnet sind…« Sie rief vom Handy an, es klang, als wäre sie irgendwo im Freien.

»Andy?«, sagte er. »Andy Callis?«

»Können Sie ihn beschreiben?«

Rebus erstarrte. »Was ist passiert?«

»Hören Sie, vielleicht ist er es ja gar nicht…«

»Wo sind Sie?«

»Beschreiben Sie ihn bitte… dann riskieren Sie nicht, umsonst loszufahren.«

Rebus kniff die Augen zusammen und sah im Geiste Andy Callis in seinem Wohnzimmer vor dem Fernsehapparat sitzen, die Füße hochgelegt. »Anfang vierzig, dunkelbraune Haare, eins achtundsiebzig, etwa achtzig Kilo, schätze ich…«

Sie schwieg einen Moment. »Okay«, sagte sie seufzend. »Vielleicht sollten Sie sich doch lieber auf den Weg hierher machen.«

Rebus war schon dabei, seine Jacke zu suchen. Dann fiel ihm das Notebook ein, und er beendete die Internet-Verbindung.

»Also, wo sind Sie?«, fragte er.

»Wie wollen Sie herkommen?«

»Mein Problem«, sagte er und sah sich nach seinen Schlüsseln um. »Geben Sie mir einfach die Adresse.«

Sie wartete am Straßenrand auf ihn, schaute zu, wie er die Handbremse anzog, die Fahrertür öffnete und ausstieg.

»Wie geht's den Händen?«, fragte sie.

»Bis ich losgefahren bin, ging's ihnen gut.«

»Schmerzmittel?«

Er schüttelte den Kopf. »Ich komme ohne aus.« Er sah sich um. Einige hundert Meter die Straße hinunter war die Bushaltestelle, wo der Taxifahrer wegen der Lost Boys angehalten hatte. Sie gingen in Richtung Brücke.

»Er hat sich einige Stunden lang auf verdächtige Weise in der Gegend herumgetrieben«, erläuterte Siobhan. »Zwei oder drei Leute haben deswegen die Polizei angerufen.«

»Und haben wir irgendetwas unternommen?«

»Es hatte kein Streifenwagen Zeit dafür«, sagte sie leise.

»Wenn einer Zeit gehabt hätte, würde Andy vielleicht noch leben«, erwiderte Rebus schroff. Sie nickte langsam.

»Dann hat eine Frau aus der Nachbarschaft lautes Rufen gehört. Sie glaubt, dass ein paar Jugendliche Jagd auf ihn gemacht haben.«

»Hat sie jemanden gesehen?«

Siobhan schüttelte den Kopf. Inzwischen standen sie auf der Brücke. Ein Teil der Schaulustigen war nach Hause gegangen. Die Leiche war in eine Decke gewickelt und auf eine Bahre gelegt worden, an der Seile befestigt waren, um sie die Böschung hochzuziehen. Ein Transporter vom gerichtsmedizinischen Institut parkte dicht hinter der Brücke. Silvers stand dort und plauderte, eine Zigarette rauchend, mit dem Fahrer.

»Wir haben alle Telefonbucheinträge mit dem Namen Callis überprüft«, sagte er zu Rebus und Siobhan. »Ohne Erfolg.«

»Geheimnummer«, sagte Rebus. »Genau wie Sie und ich.«

»Sind Sie sicher, dass er dieser Callis ist?«, fragte Silvers. Unten brüllte jemand, und der Fahrer schnippte seine Zigarette weg, um sich auf das Seil zu konzentrieren. Silvers rauchte weiter und ging dem Fahrer erst dann zur Hand, als er von ihm ausdrücklich darum gebeten wurde. Rebus hatte seine Hände in den Taschen vergraben. Sie brannten wie Feuer.

»Los, zieht!«, ertönte es. Weniger als eine Minute später wurde die Bahre über den Zaun gehievt. Rebus trat an sie heran, schob die Decke vom Gesicht. Als Erstes fiel ihm auf, wie friedlich der tote Andy Callis wirkte.

»Ja, er ist es«, sagte er und trat zurück, damit die Leiche in den Transporter geschoben werden konnte. Dr. Curt erreichte gerade mit Unterstützung des Detectives aus Craigmillar das obere Ende der Böschung. Er atmete schwer und hatte sichtlich Mühe, auf dem Tritt den Zaun zu überqueren. Als jemand auf ihn zuging, um ihm zu helfen, stieß er keuchend hervor, dass er das auch allein schaffe.

»Er ist es«, berichtete Silvers den neu Hinzugekommenen. »DI Rebus hat ihn identifiziert.«

»Andy Callis?«, fragte jemand. »War das nicht einer von den bewaffneten Schutzpolizisten?«

Rebus nickte.

»Irgendwelche Zeugen?«, fragte der Craigmillar-Detective.

Einer der Uniformierten antwortete: »Ein paar Leute haben Stimmen gehört, aber offenbar hat niemand etwas gesehen.«

»Selbstmord?«, mutmaßte jemand.

»Vielleicht hat er zu fliehen versucht«, bemerkte Siobhan, der auffiel, dass Rebus sich in Schweigen hüllte, obwohl er Andy Callis von allen Anwesenden am besten gekannt hatte. Vielleicht aber gerade deswegen…

Sie sahen dem Transporter nach, der über den unebenen Untergrund in Richtung Straße schaukelte. Silvers fragte Siobhan, ob sie auch zurück zur Wache wolle. Sie sah Rebus an und schüttelte den Kopf.

»John nimmt mich mit«, sagte sie.

»Alles klar. Wie's aussieht, werden sich sowieso die Jungs aus Craigmillar drum kümmern.«

Sie nickte und wartete darauf, dass Silvers verschwand. Dann, als sie mit Rebus allein war, fragte sie: »Alles okay?«

»Ich muss die ganze Zeit daran denken, dass kein Streifenwagen gekommen ist.«

»Und?« Er sah sie an. »Da steckt mehr dahinter, stimmt's?«

Nach einem Moment nickte er langsam.

»Mögen Sie's mir erzählen?«, fragte sie.

Er nickte weiter. Als er aufbrach, folgte sie ihm, über die Brücke und die Wiese zu der Stelle, wo der Saab stand. Das Auto war nicht abgeschlossen. Er öffnete die Fahrertür, hielt dann aber inne und gab Siobhan die Schlüssel. »Sie fahren«, sagte er. »Ich glaube, ich bin dazu nicht in der Lage.«

»Wohin geht's?«

»Kutschieren Sie einfach ein bisschen in der Gegend rum. Vielleicht haben wir ja Glück und landen im Niemalsland.«

Sie brauchte einen Moment, um die Anspielung zu entschlüsseln. »Die Lost Boys?«, sagte sie.

Rebus nickte und marschierte auf die andere Seite des Wagens.

»Und Sie erzählen mir unterwegs die Geschichte?«

»Ja, das werde ich.«

Und das tat er dann auch.

Folgendes war passiert: Andy Callis und sein Partner fuhren Streife. Sie wurden zu einer Disko in der Market Street gerufen, direkt hinter der Waverley Station. Es war ein beliebter Laden, die Leute standen vor dem Eingang Schlange. Einer von ihnen hatte bei der Polizei angerufen und gemeldet, dass jemand mit einer Pistole herumlief. Eine vage Beschreibung. Jugendlicher, grüner Parka, in Begleitung von drei anderen Kerlen. Hatte nicht in der Schlange gestanden, sondern bloß im Vorbeigehen seine Jacke geöffnet, damit die Leute sahen, was in seinem Hosenbund steckte.

»Als Andy eintraf«, sagte Rebus, »war der Typ nirgends zu sehen. Er war Richtung New Street verschwunden. Andy und sein Partner folgten ihm im Auto. Sie hatten sich von der Zentrale die Erlaubnis geholt, wenn nötig Waffengewalt anzuwenden... ihre Pistolen lagen im Schoß. Sie trugen kugelsichere Westen... Sicherheitshalber war Verstärkung unterwegs. Sie kennen doch die Stelle am Ende der New Street, wo die Bahngleise oben über die Straße hinwegführen?«

»Bei der Einmündung in die Calton Road?«

Rebus nickte. »Steinerne Brückenbogen. Ziemlich düster dort. Nicht besonders viele Straßenlaternen.«

Jetzt war es an Siobhan zu nicken: Die Ecke war wirklich trostlos.

»Außerdem alles sehr verwinkelt«, fuhr Rebus fort. »Andys Partner dachte, er habe im Halbdunkel etwas gesehen. Sie hielten an, stiegen aus. Sahen vier Gestalten... wahrscheinlich die Typen, die sie suchten. Blieben auf Distanz, fragten sie, ob sie bewaffnet seien. Befahlen ihnen, jegliche Waffen auf den Boden zu legen. Andys Schilderung zufolge war ihm, als würde er irgendwelche wabernden Schatten sehen...« Er legte den Kopf auf die Lehne des Sitzes und schloss die Augen. »Er war sich nicht sicher, ob er Schatten oder leibhaftige Menschen sah. Er löste gerade die Taschenlampe von seinem Gürtel, als er zu sehen glaubte, wie sich etwas bewegte, ein Arm ausgestreckt wurde, irgendein Gegenstand auf ihn zeigte. Er zielte mit seiner entsicherten Waffe ...«

»Und was passierte dann?«

»Etwas fiel zu Boden. Es war eine Pistole: ein Nachbau, wie sich herausstellte. Aber zu spät ...«

»Er schoss?«

Rebus nickte. »Zum Glück hat er niemanden getroffen. Er hatte auf den Boden gezielt. Der Abpraller hätte natürlich sonstwo einschlagen können ...«

»Aber das tat er nicht.«

»Nein.« Rebus schwieg einen Moment. »Wie immer in so einem Fall, gab es eine Untersuchung. Andys Partner sagte zu seinen Gunsten aus, aber Andy wusste, dass er es bloß aus Kameradschaft tat. Er zweifelte zunehmend an sich.«

»Und der Typ mit der Waffe?«

»Sie waren zu viert gewesen. Keiner gab zu, die Waffe bei sich gehabt zu haben. Drei von ihnen trugen einen Parka, und der Diskobesucher konnte den Schuldigen nicht identifizieren.«

»Die Lost Boys?«

Rebus nickte. »So werden sie hier in der Gegend genannt. Es sind die Typen, die wir in der Cockburn Street verscheucht haben. Der Anführer – er heißt Rab Fisher – wurde wegen Besitz des Nachbaus angeklagt, aber der Richter hat die Anklage vom Tisch gewischt ... wollte seine Zeit nicht damit vergeuden. Und die ganze Zeit über ließ Andy Callis das Geschehen wieder und wieder im Geiste Revue passieren, versuchte, zwischen Einbildung und Wirklichkeit zu unterscheiden ...«

»Und das hier ist das Revier der Lost Boys?«, erkundigte sie sich, während sie durch die Windschutzscheibe spähte.

Rebus nickte. Siobhan dachte nach, dann fragte sie: »Woher stammte die Pistole?«

»Ich vermute von Peacock Johnson.«

»Ist das der Grund, wieso Sie mit ihm reden wollten, als er zur Befragung in St. Leonard's war?«

Rebus nickte erneut.

»Und jetzt wollen Sie mit den Lost Boys reden?«

»Sieht aus, als hätten die Kerle Feierabend gemacht«, gab Rebus zu und drehte den Kopf, um aus dem Seitenfenster zu schauen.

»Sie glauben, Callis ist mit einer konkreten Absicht hergekommen?«

»Vielleicht.«

»Hatte vor, die Jungs zur Rede zu stellen?«

»Die vier sind ungeschoren davongekommen, Siobhan. Andy war darüber nicht gerade begeistert.«

Sie überlegte. »Und warum verraten wir das nicht den Kollegen in Craigmillar?«

»Ich werd's ihnen erzählen.« Er spürte ihren Blick. »Ehrenwort.«

»Es könnte auch ein Unfall gewesen sein. Die Gleise wirken auf den ersten Blick wie ein guter Fluchtweg.«

»Vielleicht.«

»Niemand hat etwas gesehen.«

Er drehte sich zu ihr um: »Los, raus damit.«

Sie verzog den Mund.

»Es ist bloß so, dass Sie es nicht sein lassen können, die Schlachten anderer Leute zu schlagen.«

»Ist das so?«

»Ja, manchmal.«

»Tja, tut mir Leid, wenn Sie das auf die Palme bringt.«

»Es bringt mich nicht auf die Palme. Aber manchmal…« Sie verkniff sich, was sie eigentlich hatte sagen wollen.

»Manchmal?«, hakte Rebus nach.

Sie schüttelte den Kopf, atmete geräuschvoll aus, streckte den Rücken und lockerte die Nackenmuskeln. »Gott sei Dank ist Wochenende. Haben Sie irgendwas vor?«

»Vielleicht unternehme ich eine kleine Bergwanderung…
stemme ein paar Gewichte im Fitness-Center…«

»Höre ich da einen Anflug von Sarkasmus?«

»Aber auch nur einen Anflug.« Er entdeckte etwas. »Fahren Sie langsamer.« Er drehte sich um, damit er aus dem hinteren Fenster schauen konnte. »Setzen Sie zurück.«

Sie tat es. Es war eine Straße mit flachen Wohnblocks. Ein Einkaufswagen stand, weit entfernt vom nächsten Supermarkt, auf dem Bürgersteig. Rebus spähte in eine Gasse zwischen zwei Häusern. Eine… nein zwei Gestalten. Bloß Schemen, und so dicht beieinander, dass sie zu verschmelzen schienen. Dann wurde Rebus klar, was die beiden taten.

»Der gute alte Quickie im Stehen«, bemerkte Siobhan. »Und da behaupten die Leute immer, es gäbe keine Romantik mehr.«

Eine der beiden Personen hatte offenbar das Geräusch des sich im Leerlauf drehenden Motors gehört, und eine raue männliche Stimme rief: »Gefällt dir das, Kumpel? So was gibt's bei dir zu Hause wohl nicht, was?«

»Fahren Sie los«, befahl Rebus.

Irgendwann hielten sie in St. Leonard's, denn Siobhan hatte erklärt, dass ihr Wagen dort stünde, ohne näher auf den Grund dafür einzugehen. Rebus hatte ihr versichert, es wäre für ihn kein Problem, selbst nach Hause zu fahren: Die Arden Street war nur fünf Autominuten entfernt. Aber als er vor seiner Wohnung angekommen war, brannten seine Hände wieder. Er schmierte im Badezimmer Salbe darauf und schluckte, in der Hoffnung auf einige Stunden Schlaf, ein paar Schmerztabletten. Ein Whisky würde sich bestimmt auch als hilfreich erweisen, also schenkte er sich eine großzügig bemessene Menge ein und setzte sich ins Wohnzimmer. Das Notebook hatte schon längst vom Bildschirmschoner-Modus in den Ruhezustand gewechselt. Er weckte es nicht auf, sondern ging stattdessen zum Esstisch. Er hatte dort zusätzlich zu der Kopie von Herdmans Personalakte ein paar Texte über den SAS ausgebreitet. Er nahm davor Platz.

Gefällt dir das, Kumpel?

So was gibt's bei dir zu Hause wohl nicht, was?

Gefällt dir das ...?

Fünfter Tag

Montag

17

Die Aussicht war herrlich.

Siobhan saß vorn, neben dem Piloten. Rebus hockte allein auf der hinteren Bank. Der Lärm der Propeller war ohrenbetäubend.

»Wir hätten auch den Geschäftsflieger nehmen können«, erklärte Doug Brimson, »aber der verbraucht enorme Mengen Sprit, und womöglich wäre die LZ für ihn zu kurz gewesen.«

LZ: die Landezone. Den Ausdruck hatte Rebus seit seiner Militärzeit nicht mehr gehört.

»Geschäftsflieger?«, fragte Siobhan.

»Ich habe noch einen Siebensitzer. Ich werde häufig von Firmen engagiert, um Manager zu Meetings zu fliegen – gern auch ›Sause‹ genannt. Ich serviere dann eisgekühlten Champagner in Kristallgläsern...«

»Klingt gut.«

»Tja, heute gibt's leider nur Tee aus der Thermosflasche.« Er lachte und wandte sich zu Rebus um. »Am Wochenende bin ich nach Dublin geflogen; ein paar Banker wollten sich ein Rugby-Match ansehen. Sie haben mir sogar die Übernachtung bezahlt.«

»Sie Glückspilz.«

»Vor ein paar Wochen war ich in Amsterdam: der Junggesellenabschied eines Geschäftsmanns.«

Rebus dachte an sein eigenes Wochenende zurück. Siobhan hatte ihn heute Morgen, als sie ihn abgeholt hatte, gefragt, was er gemacht habe.

»Nicht viel«, hatte er gesagt. »Und Sie?«

»Dito.«

»Komisch, die Kollegen in Leith haben mir erzählt, Sie hätten dort vorbeigeschaut.«

»Komisch, das Gleiche haben sie mir auch über Sie erzählt.«

»Und, gefällt's Ihnen bisher?«, fragte Brimson.

»Bisher ja«, sagte Rebus. In Wirklichkeit war er nicht ganz schwindelfrei. Trotzdem hatte er fasziniert auf Edinburgh hinuntergeschaut und erstaunt festgestellt, dass sich Fixpunkte wie die Burg und Calton Hill aus der Luft kaum von ihrer Umgebung unterschieden. Das Vulkangestein von Arthur's Seat ragte unverwechselbar empor, aber bei den Gebäuden erschwerte das Einheitsgrau das Wiedererkennen. Dennoch war das komplexe, geometrische Straßenmuster der New Town beeindruckend, und dann flogen sie auch schon auf den Firth of Forth hinaus und über South Queensferry und die Straßen- und die Eisenbahnbrücke hinweg. Rebus hielt nach der Port Edgar School Ausschau, entdeckte aber erst nur das Hopetoun House und dann das Schulgebäude, das weniger als einen Kilometer entfernt lag. Sogar der Bürocontainer war zu erkennen. Inzwischen flogen sie direkt nach Westen, der M8 Richtung Glasgow folgend.

Siobhan fragte Brimson, ob er oft von Firmen engagiert werde.

»Kommt ganz auf die Wirtschaftslage an. Wissen Sie, wenn vier oder fünf Leute von einer Firma zu einer Konferenz wollen, dann ist es oft günstiger, eine Maschine zu chartern, als Flüge in der Business-Class zu buchen.«

»Siobhan hat mir erzählt, dass Sie in der Armee waren, Mr. Brimson«, sagte Rebus und lehnte sich so weit vor, wie es sein Gurt zuließ.

Brimson lächelte. »Ich war bei der Air Force. Und Sie, Inspector? Auch ein militärisches Vorleben?«

Rebus nickte. »Ich hab sogar die Ausbildung für den SAS mitgemacht«, gab er zu. »Hab's allerdings nicht bis zum Ende durchgehalten.«

»Das schaffen auch nur wenige.«

»Von denen einige dann später außer Tritt geraten.«

Brimson sah sich erneut zu ihm um. »Meinen Sie damit Lee?«

»Und Robert Niles. Wie haben Sie ihn kennen gelernt?«

»Durch Lee. Er hat mir erzählt, dass er Robert ab und zu besucht. Ich hab gefragt, ob ich mal mitkommen darf.«

»Und danach sind Sie dann auch allein hingefahren?« Rebus dachte an die Einträge in dem Besucherbuch.

»Ja. Er ist ein interessanter Typ. Wir mögen uns.« Er sah Siobhan an. »Wie wär's, wenn Sie mal kurz das Steuer übernehmen, während ich weiter mit Ihrem Kollegen plaudere?«

»Den Teufel werde ich tun.«

»Okay, aber aufgeschoben… Ich glaube, es würde Ihnen Spaß machen.« Er zwinkerte ihr zu. Dann, an Rebus gewandt: »Die Armee benimmt sich ihren Ehemaligen gegenüber ziemlich mies, finden Sie nicht auch?«

»Ich weiß nicht. Es gibt Hilfen für die Rückkehr ins Zivilleben… so was gab's zu meiner Zeit nicht.«

»Es kommt zu überdurchschnittlich vielen Ehescheidungen und Psychosen. Die Zahl der Falkland-Veteranen, die Selbstmord begangen haben, übersteigt die Zahl der Soldaten, die damals bei den Kämpfen gefallen sind. Unter Obdachlosen findet man viele Ex-Soldaten…«

»Andererseits«, sagte Rebus, »kann man mit der Zugehörigkeit zum SAS heutzutage ordentlich Geld verdienen. Man kann einen Vertrag mit einem Buchverlag schließen oder sich als Bodyguard verdingen. Soweit ich gehört habe, sind alle vier SAS-Staffeln unterbesetzt. Zu viele quittieren den Dienst. Die Selbstmordrate ist relativ niedrig.«

Brimson schien gar nicht zuzuhören. »Ein Typ ist vor ein

paar Jahren aus dem Flugzeug gesprungen... vielleicht haben Sie auch davon gehört. Träger der QGM.«

»Queen's Gallantry Medal«, erklärte Rebus, an Siobhan gewandt.

»Hat versucht, seine Ex-Frau zu erstechen, weil er dachte, sie wolle ihn umbringen. Litt unter Depressionen. Irgendwann hielt er es nicht mehr aus, und da er sich gewissermaßen sowieso im freien Fall befand... Entschuldigen Sie den blöden Witz.«

»So was kommt vor«, sagte Rebus. Er dachte an das Buch in Herdmans Wohnung, aus dem Teris Foto herausgefallen war.

»Und ob das vorkommt«, fuhr Brimson fort. »Der SAS-Kaplan, der bei der Belagerung der iranischen Botschaft dabei war, hat später Selbstmord begangen. Ein anderer Ex-SAS-Mann hat seine Freundin erschossen; die Waffe hatte er aus dem Golfkrieg mitgebracht.«

»Und so was Ähnliches ist auch bei Lee Herdman passiert?«, fragte Siobhan.

»Sieht so aus«, sagte Brimson.

»Aber warum hat er sich dann ausgerechnet diese spezielle Schule ausgesucht?«, wandte Rebus ein. »Sie sind ein paar Mal auf seinen Partys gewesen, stimmt's, Mr. Brimson?«

»Er wusste, wie man eine Party feiert.«

»Waren auch immer eine Menge Teenager dabei.«

Brimson drehte sich erneut zu ihm um. »Sollte das eine Frage oder ein Kommentar sein?«

»Wurden an den Abenden Drogen genommen?«

Brimson schien sich auf die Anzeigen in der Armaturentafel zu konzentrieren. »Ab und zu wurde gekifft.«

»Was ist mit härteren Sachen?«

»Ich habe keine zu Gesicht gekriegt.«

»Das wollte ich nicht wissen. Haben Sie je das Gerücht gehört, Lee Herdman würde dealen?«

»Nein.«

»Oder Drogen schmuggeln?«

Brimson sah zu Siobhan hinüber. »Sollte ich vielleicht einen Anwalt hinzuziehen?«

Sie lächelte ihm beruhigend zu. »Ich glaube, der Detective Inspector macht nur ein bisschen Konversation.« Sie drehte sich zu Rebus um. »Hab ich Recht?« Ihr Blick gab Rebus zu verstehen, er solle sich ein bisschen zurückhalten.

»Ja, natürlich«, sagte er. »Nur eine Plauderei.« Er versuchte, nicht an die vielen Stunden zu denken, die er wach gelegen hatte, nicht an seine brennenden Hände, nicht an Andy Callis' Tod. Konzentrierte sich stattdessen auf den Blick aus dem Fenster, auf die wechselnde Landschaft unter ihm. Bald würden sie Glasgow überfliegen, und danach den Firth of Clyde, die Inseln Bute und Kintyre...

»Dann haben Sie Lee Herdman also nie mit Drogenhandel in Verbindung gebracht?«, fragte er.

»Ich hab ihn nie mit was Stärkerem als einem Joint gesehen.«

»Das ist keine Antwort auf meine Frage. Was würden Sie sagen, wenn ich Ihnen erzählen würde, dass man auf einem von Herdmans Booten Drogen gefunden hat?«

»Ich würde sagen, dass es mich nichts angeht. Lee war mein Freund. Erwarten Sie nicht, dass ich mich für Ihre Zwecke einspannen lasse, egal wie die auch –«

»Einige meiner Kollegen glauben, dass er Kokain und Ecstasy ins Land geschmuggelt hat«, erklärte Rebus.

»Was Ihre Kollegen glauben, interessiert mich nicht«, murmelte Brimson und schwieg.

»Ich habe Ihr Auto letzte Woche in der Cockburn Street gesehen«, sagte Siobhan, um das Thema zu wechseln. »Kurz nachdem ich bei Ihnen in Turnhouse war.«

»Ich bin wahrscheinlich bei der Bank gewesen.«

»Die Banken hatten zu der Zeit schon zu.«

Brimson schien nachzudenken. »Cockburn Street?« Dann nickte er. »Eine Bekannte von mir hat dort einen Laden. Ich habe kurz bei ihr vorbeigeschaut.«

»Was ist denn das für ein Laden?«

Er schaute sie an. »Eigentlich ist es gar kein Laden. Es ist ein Sonnenstudio.«

»Etwa das von Charlotte Cotter?« Brimson machte ein erstauntes Gesicht. »Wir haben ihre Tochter verhört. Sie geht auch auf diese Schule.«

»Stimmt.« Brimson nickte. Er hatte während der ganzen Zeit Kopfhörer aufgehabt, die eine Muschel aber halb vom Ohr hinuntergeschoben. Jetzt setzte er ihn wieder richtig auf und rückte das Mikro zurecht. »Ich höre, Tower«, sagte er. Dann ließ er sich von einem Fluglotsen erklären, welche Route er nehmen sollte, um sich von einer Passagiermaschine im Landeanflug auf den Flughafen Glasgow fern zu halten. Rebus starrte auf Brimsons Hinterkopf. Teri hatte nicht erwähnt, dass er ein Freund der Familie war... es hatte nicht so geklungen, als könne sie ihn gut leiden...

Die Cessna legte sich schräg in eine Kurve, und Rebus versuchte, sich nicht allzu fest an die Armlehne zu klammern. Wenig später überflogen sie Greenock und dann den schmalen Streifen Wasser, an dessen Westufer Dunoon lag. Die Landschaft unter ihnen wurde allmählich rauer: mehr Wälder, eine dünn besiedelte Gegend. Sie überquerten Loch Fyne und flogen hinaus auf den Sound of Jura. Der Wind frischte sofort auf und rüttelte an der Maschine.

»Hier bin ich noch nie gewesen«, gab Brimson zu. »Hab mir gestern Abend die Karte angesehen. Es gibt nur eine einzige Straße, oben an der Ostseite der Insel. Die untere Hälfte besteht meist aus Wald und ein paar mittelhohen Bergen.«

»Und die Landebahn?«, fragte Siobhan.

»Sie werden schon sehen.« Er wandte sich wieder zu Rebus um. »Lesen Sie manchmal Gedichte, Inspector?«

382

»Seh ich etwa so aus?«

»Offen gestanden, nein. Ich bin ein großer Verehrer von Yeats. Neulich Abend hab ich eins seiner Gedichte gelesen: ›Ich weiß, ich ende irgendwo, da oben in der Wolkenschicht. Die ich bekämpfe, hass ich nicht, die ich beschütze, lieb ich nicht.‹« Er sah Siobhan an. »Ist das nicht furchtbar traurig?«

»Glauben Sie, Lee hat auch so empfunden?«, fragte sie.

Er zuckte die Achseln. »Der arme Kerl, der aus dem Flugzeug gesprungen ist, bestimmt.« Er schwieg einen Moment. »Wissen Sie, wie das Gedicht heißt? ›Ein irischer Flieger sieht seinen Tod voraus.‹« Wieder ein Blick auf die Armaturentafel. »Das da unten ist Jura.«

Siobhan schaute hinaus und sah nichts als Wildnis. Das Flugzeug beschrieb eine enge Schleife, so dass die Küstenlinie wieder ins Blickfeld kam, und eine Straße, die parallel dazu verlief. Während das Flugzeug sank, schien Brimson die Straße nach etwas abzusuchen… vielleicht nach irgendeiner Markierung.

»Ich sehe keine Fläche, auf der man landen könnte«, sagte Siobhan. Aber sie bemerkte einen Mann, der ihnen mit beiden Armen zuwinkte. Brimson zog die Maschine wieder hoch und flog eine weitere Schleife.

»Wie ist die Verkehrslage?«, fragte er, als sie zum zweiten Mal dicht über die Straße hinwegflogen. Siobhan nahm an, er spräche über Mikro mit jemandem, mit irgendeinem Tower. Doch dann begriff sie, dass er mit ihr sprach. Und dass er den Verkehr auf der Straße unter ihnen meinte.

»Das ist ein Scherz, oder?«, fragte sie und blickte sich zu Rebus um, weil sie sehen wollte, ob er genauso fassungslos wie sie war, aber er schien sich mit aller Kraft zu bemühen, das Flugzeug durch bloße Willensanstrengung heil hinunterzubringen. Die Räder rumpelten über den Asphalt, und die Maschine hob noch einmal ab, als ziehe es sie in die Lüfte empor. Brimson hatte die Zähne zusammengebissen, lächelte aber dabei. Er sah Siobhan triumphierend an und ließ die Maschine auf der Fahrbahn ausrollen, bis sie den wartenden Mann erreichten, der immer noch die Arme schwenkte und das kleine Flugzeug durch ein geöffnetes Tor auf ein Stoppelfeld lotste. Sie holperten über die Furchen. Brimson schaltete die Motoren aus und nahm die Kopfhörer ab.

Neben dem Feld stand ein Haus und davor eine Frau, die zu ihnen herübersah, einen Säugling auf dem Arm. Siobhan öffnete die Tür, löste den Gurt und sprang hinaus. Ihr kam es vor, als würde der Boden unter ihren Füßen vibrieren, aber das war sicher nur eine Nachwirkung des Fluges.

»Auf einer Straße bin ich noch nie gelandet«, erklärte Brimson dem Mann mit einem Grinsen.

»Entweder die Straße oder das Feld – andere Möglichkeiten gibt's hier nicht«, erwiderte der Mann mit starkem Dialekt. Er war groß und muskulös, hatte lockiges, braunes Haar und leuchtend rote Wangen. »Ich bin Rory Mollison.« Er schüttelte Brimson die Hand und wurde dann Siobhan vorgestellt. Rebus, der sich gerade eine Zigarette ansteckte, nickte kurz, gab ihm aber nicht die Hand. »Haben Sie gut hergefunden?«, fragte Mollison, als wären sie mit dem Auto gekommen.

»Sieht ganz so aus«, sagte Siobhan.

»War mir fast sicher, dass es klappen würde«, sagte Mollison. »Die Typen vom SAS sind mit dem Hubschrauber gekommen, aber der Pilot hat damals gemeint, die Straße würde sich gut als Landebahn eignen. Keine Schlaglöcher, verstehen Sie?«

»Er hatte Recht«, sagte Brimson.

Mollison war der »ortsansässige Führer« des Rettungsteams gewesen. Als Siobhan Brimson um den Gefallen gebeten hatte – sie nach Jura zu fliegen –, hatte er gefragt, ob sie wisse, wo man dort landen könnte. Rebus hatte ihm daraufhin Mollisons Namen genannt...

Siobhan winkte der Frau zu, die ohne große Begeisterung zurückwinkte.

»Meine Frau Mary«, sagte Mollison. »Und unsere kleine Tochter, Seona. Wie wär's mit einer Tasse Tee?«

Rebus sah demonstrativ auf die Uhr. »Ist besser, wenn wir sofort aufbrechen.« Er wandte sich an Brimson. »Hoffentlich wird Ihnen die Zeit nicht allzu lang, bis wir zurück sind.«

»Was soll das heißen?«

»Es wird höchstens ein paar Stunden dauern…«

»Moment mal, ich komme natürlich mit. Mrs. Mollison wäre bestimmt nicht begeistert, wenn ich die ganze Zeit hier herumlungere. Und nachdem ich Sie hergeflogen habe, können Sie mir das wirklich nicht abschlagen.«

Rebus wechselte einen Blick mit Siobhan und gab sich mit einem Achselzucken geschlagen.

»Sie wollen sich bestimmt im Haus umziehen«, sagte Mollison. Siobhan nahm ihren Rucksack auf und nickte.

»Umziehen?«, wiederholte Rebus.

»Sie wollen doch rauf in die Berge.« Mollison musterte ihn. »Haben Sie keine anderen Sachen dabei?«

Rebus zuckte die Achseln. Siobhan hatte ihren Rucksack geöffnet und zeigte ihm Wanderstiefel, regendichte Jacke und eine Thermosflasche. »Eine echte Mary Poppins«, kommentierte Rebus.

»Ich kann Ihnen etwas leihen«, bot Mollison ihm an und ging mit den drei Besuchern zum Haus.

»Dann sind Sie also kein professioneller Bergführer?«, fragte Siobhan. Mollison schüttelte den Kopf.

»Aber ich kenne diese Insel wie meine Westentasche. Es gibt wahrscheinlich keine einzige Stelle, an der ich nicht irgendwann während der letzten zwanzig Jahre gewesen bin.« Sie waren mit Mollisons Landrover gefahren, so weit es die schlammigen Holzfällerwege zuließen, deren Bodenwellen ihnen fast die Füllungen aus den Zähnen geschüttelt hätten. Mollison war ein ausgezeichneter Fahrer – oder völlig verrückt. Zeitweise war überhaupt kein Weg zu erkennen gewesen, der Wagen schaukelte auf dem moosbedeckten Waldboden ruckartig hin und her, und nur wenn es Felsen oder Bachläufe zu überqueren galt, wurde einen Gang heruntergeschaltet. Doch irgendwann musste auch Mollison sich geschlagen geben. Von nun an ging es zu Fuß weiter.

Rebus hatte ein Paar altehrwürdige Bergstiefel an, deren Leder im Laufe der Jahre so knochenhart geworden war, dass er kaum den Fuß abrollen konnte. Dazu trug er eine wasserdichte, mit eingetrockneten Schlammspritzern übersäte Hose und eine speckige Barbour-Jacke. Nachdem der Motor des Jeeps verstummt war, herrschte Stille im Wald.

»Kennen Sie den ersten Rambo-Film?«, fragte Siobhan flüsternd. Rebus nahm nicht an, dass sie eine Antwort erwartete. Er wandte sich stattdessen an Brimson.

»Warum sind Sie eigentlich aus der Air Force ausgeschieden?«

»Ich glaube, ich war es einfach leid. War es leid, die Befehle von Leuten zu befolgen, vor denen ich keinen Respekt hatte.«

»Und Lee? Hat er jemals gesagt, warum er den SAS verlassen hat?«

Brimson zuckte die Achseln. Er hielt den Blick auf den Boden gerichtet, um Wurzeln und Pfützen auszuweichen. »Aus einem ähnlichen Grund, nehme ich an.«

»Aber er hat es nie explizit so gesagt?«

»Nein.«

»Worüber haben Sie beide sich unterhalten?«

Brimson sah zu ihm hoch. »Über alles Mögliche.«

»War er ein umgänglicher Typ? Haben Sie sich mal ernsthaft in die Haare bekommen?«

»Wir haben uns ab und zu über Politik gestritten... darüber, wo das alles hinführt. Aber er hat nie Andeutungen gemacht, dass sein Leben irgendwie aus dem Gleis geraten war. Sonst hätte ich ihm natürlich meine Hilfe angeboten.«

Gleis: Das Wort ließ Rebus daran denken, wie man Andy Callis' Leiche von den Eisenbahnschienen heruntergehoben hatte. Er fragte sich, ob seine Besuche Andy geholfen hatten oder ob sie ihm seine Situation bloß schmerzhaft in Erinnerung gebracht hatten. Dann fiel ihm ein, dass Siobhan ihm am Abend zuvor im Auto etwas hatte sagen wollen. Wahrscheinlich war es um den Grund dafür gegangen, wieso er, Rebus, meinte, sich in das Leben anderer Leute einmischen zu müssen … nicht immer zu deren Nutzen.

»Wann sind wir da?«, erkundigte Brimson sich bei Mollison.

»Ungefähr in einer Stunde.« Mollison trug einen Tornister über einer Schulter. Er musterte seine Begleiter, und sein Blick blieb an Rebus hängen. »Na ja, wohl eher in anderthalb«, verbesserte er sich.

Rebus hatte Brimson noch im Haus einen Teil von der Geschichte mit dem Hubschrauberabsturz erzählt und ihn gefragt, ob Herdman diesen Einsatz ihm gegenüber jemals erwähnt hatte. Brimson hatte den Kopf geschüttelt.

»Ich erinnere mich aber noch, was damals in der Zeitung stand. Es hieß, die IRA habe die Kiste abgeschossen.«

Nun, da sie mit dem Aufstieg begannen, meldete Mollison sich zu Wort. »Genau das haben die Soldaten auch mir erzählt: dass sie nach Beweisen für einen Raketenangriff suchen sollten.«

»Dann waren sie also gar nicht daran interessiert, die Leichen zu bergen?«, fragte Siobhan. Sie trug dicke Socken und hatte ihre Hosenbeine hineingestopft. Die Bergstiefel sahen neu aus, oder zumindest kaum getragen.

»Doch, das auch. Aber vor allem wollten sie die Absturzursache herausfinden.«

»Wie viele waren es denn?«, fragte Rebus.

»Ein halbes Dutzend.«

»Und die sind gleich zu Ihnen gekommen?«

»Ich nehme an, sie haben mit einem von der Bergrettung gesprochen, und der hat ihnen gesagt, dass sie hier keinen besseren Führer finden als mich.« Er machte eine Pause. »Nicht, dass es in dieser Hinsicht viel Konkurrenz gäbe.« Er machte wieder eine Pause. »Ich musste mich schriftlich zu Verschwiegenheit verpflichten.«

Rebus starrte ihn an. »Vorher oder nachher?«

Mollison kratzte sich hinterm Ohr. »Gleich zu Anfang. Eine reine Formalität, hat man mir gesagt.« Er sah Rebus an. »Heißt das, ich dürfte eigentlich nicht mit Ihnen reden?«

»Keine Ahnung… Haben Sie denn irgendetwas gefunden, das Ihrer Meinung nach geheim bleiben sollte?«

Mollison dachte nach und schüttelte dann den Kopf.

»Dann ist doch alles in Ordnung«, erklärte ihm Rebus. »Vielleicht war es wirklich nur eine Formalität.« Mollison setzte sich wieder in Bewegung, und Rebus versuchte, mit ihm Schritt zu halten, aber seine Stiefel hatten offenbar etwas dagegen. »Ist seitdem jemand hier gewesen?«, fragte er.

»Im Sommer kommen jede Menge Wanderer her.«

»Ich meinte, jemand vom Militär.«

Mollison hob die Hand wieder ans Ohr. »Einmal war so eine Frau hier, Mitte letzten Jahres, glaube ich. Sie hat versucht, wie eine Touristin zu wirken.«

»Aber nicht sehr überzeugend?«, vermutete Rebus und lieferte ihm eine Beschreibung von Whiteread.

»Volltreffer – das war sie«, bestätigte Mollison. Rebus und Shiobhan tauschten einen Blick.

»Möglicherweise bin ich einfach zu dumm«, sagte Brimson und blieb stehen, um zu verschnaufen, »aber was hat das alles mit der Tat von Lee zu tun?«

»Vielleicht rein gar nichts«, räumte Rebus ein. »Aber ein bisschen Bewegung kann nie schaden.«

Während des restlichen Weges, der jetzt ständig bergan führte, schwiegen alle, um Kräfte zu sparen. Schließlich traten sie aus dem Wald heraus. Den Steilhang unmittelbar vor ihnen zierten nur noch ein paar verkrüppelte Bäume. Zwischen Gras, Heide und Farn ragten gezackte Felsvorsprünge heraus. Mit dem Wandern war es vorbei: Wenn sie noch weiter wollten, würden sie klettern müssen. Rebus legte den Kopf in den Nacken und sah zu dem weit entfernten Gipfel hinauf.

»Keine Sorge«, sagte Mollison, »wir müssen da nicht rauf.« Er deutete auf den Hang. »Der Hubschrauber ist ungefähr auf halber Höhe gegen den Felsen geprallt und dann irgendwo hier heruntergekommen.« Mit einer Armbewegung deutete er auf die nähere Umgebung. »Ein großer Hubschrauber. Für mich sah es so aus, als hätte er einen Propeller zu viel.«

»Ein Chinook«, erklärte Rebus. »Zwei Rotoren, einer vorne, einer hinten.« Er sah Mollison an. »Das muss ein riesiger Trümmerhaufen gewesen sein.«

»Allerdings. Und dann die Leichen... na ja, die waren überall verstreut. Einer war an einem Felsvorsprung hundert Meter weiter oben hängen geblieben. Den hab ich selber mit einem von den Jungs runtergeholt. Sie haben eine Bergungsmannschaft angefordert, um die Wrackteile wegzuschaffen. Aber es war jemand dabei, der das Wrack untersucht hat. Er hat nichts gefunden.«

»Das heißt, es war keine Rakete?«

Mollison schüttelte als Bestätigung den Kopf. Er wies auf den Waldrand hinter ihnen. »Der Wind hatte eine Menge Papiere in der Gegend verteilt. Vor allem im Wald haben sie danach gesucht. Ein paar Blätter sind auch oben in den Bäumen hängen geblieben. Kaum zu glauben, aber die sind wirklich da hochgekraxelt, um sie zu holen!«

»Hat Ihnen irgendwer gesagt, warum?«

Mollison schüttelte erneut den Kopf. »Nicht direkt, aber als die Jungs mal wieder eine Teepause einlegten – das haben sie alle naslang getan – hörte ich sie darüber reden. Der Hubschrauber war auf dem Weg nach Nordirland, mit ein paar hohen Militärs an Bord. Sie müssen Dokumente dabeigehabt haben, die die Terroristen nicht zu Gesicht kriegen sollten. Vielleicht waren deshalb auch alle bewaffnet.«

»Bewaffnet?«

»Das Rettungsteam hatte Gewehre dabei. Ich fand das damals auch ein bisschen merkwürdig.«

»Haben Sie mal zufällig eins dieser Dokumente in der Hand gehabt?«, fragte Rebus. Mollison nickte.

»Aber ich hab's mir nicht angesehen. Hab's nur zusammengeknüllt und abgeliefert.«

»Schade«, sagte Rebus, nach Kräften bemüht, dabei ironisch zu lächeln.

»Schön ist es hier oben«, sagte Siobhan unvermittelt, die Augen gegen die Sonne abgeschirmt.

»Ja, nicht wahr?«, bestätigte Mollison, und ein Lächeln breitete sich auf seinem Gesicht aus.

»Apropos Teepause«, mischte sich Brimson ein, »haben Sie Ihre Thermosflasche dabei?« Siobhan öffnete ihren Rucksack und reichte sie ihm. Sie tranken reihum aus dem einen Plastikbecher. Es schmeckte, wie Tee aus Thermosflaschen immer schmeckt: heiß, aber irgendwie eigenartig. Rebus lief am Fuße des Hangs hin und her.

»Ist Ihnen damals irgendetwas merkwürdig vorgekommen?«, fragte er Mollison.

»Merkwürdig?«

»An dem Einsatz… an den Leuten oder an dem, was sie vorhatten?«

Mollison schüttelte den Kopf. »Hatten Sie denn viel Kontakt mit ihnen?«

»Wir waren nur zwei Tage hier oben.«

»Sie erinnern sich nicht zufällig an Lee Herdman?« Rebus hatte ein Foto mitgebracht. Er reichte es Mollison.

»Ist das der Typ, der die Schüler erschossen hat?« Mollison wartete, bis Rebus genickt hatte, dann starrte er wieder auf das Foto. »Doch, ich kann mich noch gut an ihn erinnern. Netter Kerl… ruhig. Nicht unbedingt ein Mannschaftsspieler.«

»Wie meinen Sie das?«

»Er ist am liebsten im Wald herumgelaufen, um die Zettel einzusammeln. Jedes noch so kleine Fitzelchen. Die anderen haben sich darüber lustig gemacht. Sie mussten ihn immer ein paar Mal rufen, wenn der Tee fertig war.«

»Vielleicht wusste er, dass es nicht lohnte, sich deshalb zu beeilen.« Brimson schnupperte an dem Becher.

»Soll das heißen, dass ich keinen Tee kochen kann?«, beschwerte sich Siobhan. Brimson hob beschwichtigend die Hände.

»Wie lange waren sie hier?«, fragte Rebus an Mollison gewandt.

»Wie ich schon sagte, zwei Tage. Das Bergungsteam traf erst am zweiten Tag ein. Die haben dann noch mal eine Woche gebraucht, um die Wrackteile auf ein Schiff zu verfrachten.«

»Haben Sie öfter mal mit ihnen gesprochen?«

Mollison zuckte die Achseln. »Waren alle so weit ganz nett. Ziemlich auf ihre Arbeit fixiert.«

Rebus nickte und ging ein Stück in den Wald hinein. Nicht allzu weit, aber es war erstaunlich, wie schnell man das Gefühl bekam, ganz allein zu sein, mit den anderen nichts mehr zu tun zu haben, obwohl ihre Gesichter noch zu sehen, ihre Stimmen noch zu hören waren. Wie hieß noch gleich die Platte von Brian Eno? *Another Green World*. Erst hatte er die Welt von oben gesehen, und nun das hier… ebenso fremd und voller Leben. Lee Herdman war in diesen

Wald hineingegangen und wäre fast nicht mehr herausgekommen. Sein letzter Einsatz, bevor er den SAS verließ. Hatte er hier irgendetwas erfahren? Oder entdeckt?

Rebus kam plötzlich der Gedanke, dass niemand den SAS je wirklich verließ. Ein unauslöschliches Mal blieb zurück, kaum überdeckt durch alltägliche Handlungen und Gefühle. Man stellte fest, dass es noch andere Welten, andere Wirklichkeiten gab. Man hatte Erfahrungen gemacht, die man in einem normalen Leben nie machen würde. Man war dazu ausgebildet worden, das Leben nur als einen weiteren Einsatz anzusehen, bei dem überall Tretminen und Angreifer lauerten. Rebus fragte sich, wie weit er selbst seine Zeit bei den Fallschirmjägern und die SAS-Ausbildung hinter sich gelassen hatte.

Oder befand er sich seither im freien Fall?

Und hatte Lee Herdman, wie der Flieger in dem Gedicht, seinen Tod vorausgesehen?

Er ging in die Hocke und fuhr mit der Hand über den Boden. Zweige und Blätter, weiches, federndes Moos, dazwischen einheimische Blumen und Gräser. Sah vor sich, wie der Hubschrauber gegen die Felswand prallte. Technischer Defekt oder Pilotenfehler.

Technischer Defekt, Pilotenfehler oder etwas noch Schlimmeres...

Sah im Geiste, wie der Himmel explodierte, als sich der Treibstoff entzündete, wie die Rotorblätter stockten, sich verbogen. Wie ein Stein musste er heruntergefallen sein, und die Körper derjenigen, die hinausgeschleudert worden waren, hatten sich beim Aufprall ziehharmonikaartig zusammengedrückt. Das dumpfe Geräusch, wenn ein Mensch mit großer Wucht auf einem harten Untergrund landet... dasselbe Geräusch, das auch Andy Callis' Körper gemacht haben durfte, als er auf den Gleisen aufschlug. Die Explosion setzte den Inhalt des Hubschraubers in Brand, ließ das

Papier an den Rändern verkohlen oder verwandelte es in Konfetti. Geheimunterlagen, die vom SAS sichergestellt werden mussten. Und Lee Herdman, der besonders eifrig suchte und immer tiefer in den Wald eindrang. Rebus fielen Teri Cotters Worte über Herdman ein: *Das war das Besondere an ihm – als hüte er irgendwelche Geheimnisse.* Er dachte an den fehlenden Computer, den Herdman für seine Firma gekauft hatte. Wo war er geblieben? Wer hatte ihn an sich genommen? Welche Geheimnisse mochte er enthüllen?

»Alles in Ordnung?« Siobhans Stimme. Sie hielt ihm den frisch gefüllten Becher hin. Rebus stand auf.

»Bestens«, sagte er.

»Ich habe nach Ihnen gerufen.«

»Ich habe nichts gehört.« Er nahm ihr den Becher aus der Hand.

»Ein Anflug des Lee-Herdman-Syndroms«, sagte sie.

»Möglich.« Er nahm schlürfend einen Schluck Tee.

»Werden wir hier irgendetwas finden?«

Er zuckte die Achseln. »Vielleicht reicht es, sich hier einfach mal umzusehen.«

»Sie glauben, er hat etwas mitgenommen, stimmt's?« Sie hielt seinen Blick fest. »Sie glauben, er hat etwas mitgenommen, das die Armee zurückhaben will.« Keine Frage mehr, sondern eine Feststellung. Rebus nickte langsam.

»Und inwiefern ist das für uns von Bedeutung?«, fragte sie.

»Vielleicht insofern, als wir gewisse Militärermittler nicht mögen«, antwortete Rebus. »Oder insofern, als sie es, was immer das auch sein mag, bisher nicht gefunden haben, was wiederum bedeutet, dass jemand anderes es womöglich gefunden hat. Vielleicht hat es letzte Woche jemand gefunden…«

»Und als Herdman das entdeckte, ist er Amok gelaufen?«

Rebus zuckte wieder die Achseln und gab ihr den leeren Becher zurück. »Sie mögen Brimson, stimmt's?«

Sie zuckte mit keiner Wimper, schaffte es aber, seinem Blick standzuhalten.

»Schon in Ordnung«, sagte er mit einem Lächeln. Sie deutete seinen Tonfall falsch und funkelte ihn an.

»Oh, dann hab ich also Ihre Erlaubnis, ja?«

Jetzt war es an ihm, beschwichtigend die Hände zu heben. »Ich meinte doch nur...« Aber egal, was er jetzt sagte, er würde sich nur noch weiter reinreiten, daher ließ er den Satz unvollendet. »Der Tee ist übrigens zu stark«, sagte er stattdessen und ging zurück in Richtung Felswand.

»Ich habe wenigstens daran gedacht, welchen mitzunehmen«, murmelte Siobhan, während sie die letzten Tropfen aus dem Becher schüttelte.

Auf dem Heimflug saß Rebus schweigend auf dem Rücksitz, obwohl Siobhan ihm angeboten hatte zu tauschen. Er hielt das Gesicht zum Fenster gewandt, als sei er von der vorbeiziehenden Aussicht gefesselt, wodurch Siobhan und Brimson Gelegenheit hatten, sich in Ruhe zu unterhalten. Brimson zeigte ihr die Steuerknüppel und wie man sie bediente und nahm ihr das Versprechen ab, eine Flugstunde bei ihm zu nehmen. Es schien, als hätten sie Lee Herdman völlig vergessen, und vielleicht, dachte Rebus im Stillen, hatten sie Recht. Die meisten Menschen in South Queensferry, selbst die Familien der Opfer, wollten einfach nur, dass das Leben weiterging. Was geschehen war, war geschehen, daran war nichts mehr zu ändern. Irgendwann musste man loslassen...

Wenn man konnte.

Plötzlich brach die Sonne durch die Wolken, und Rebus schloss die Augen. Sein Gesicht wurde von Licht und Wärme überströmt. Ihm wurde klar, dass er völlig erschöpft war und kurz davor einzuschlafen; nicht dass das ein Problem darstellte. Schlafen war gut. Doch schon nach wenigen Minuten schreckte er aus einem Traum wieder hoch, in dem er sich allein in einer fremden Stadt befunden hatte, nur mit einem altmodischen, gestreiften Pyjama bekleidet. Barfuß und ohne einen Penny in der Tasche, auf der Suche nach jemandem, der ihm helfen würde, während er gleichzeitig den Eindruck zu erwecken versuchte, als wäre er wie alle anderen. Er schaute durchs Fenster in ein Café hinein und sah, wie ein Mann eine Waffe unter den Tisch schob und auf seinem Schoß versteckte. Rebus wusste, dass er nicht hineingehen konnte, nicht ohne Geld. Also stand er nur da und schaute, die Hände gegen die Scheibe gepresst, und versuchte, keinen Wirbel zu machen…

Er blinzelte, bis er wieder scharf sah, und stellte fest, dass sie den Firth of Forth überflogen und in Kürze landen würden. Brimson sprach gerade.

»Ich habe schon oft überlegt, was für einen Schaden ein Terrorist anrichten könnte, selbst mit so einer kleinen Cessna. Denken Sie nur an das Werftgelände, die Fähre, die Straßen- und die Eisenbahnbrücke… an den Flughafen bei mir nebenan.«

»Stimmt, er hätte die Qual der Wahl«, bestätigte Siobhan.

»Ich wüsste allerdings ein paar Stellen in der Stadt, die er von mir aus ruhig platt machen dürfte«, warf Rebus ein.

»Oh, Sie sind wieder unter uns, Inspector. Ich sollte mich wohl dafür entschuldigen, dass unsere Gesellschaft nicht anregender war.« Brimson und Siobhan tauschten ein Lächeln, dem Rebus entnahm, dass man ihn nicht allzu schmerzlich vermisst hatte.

Die Landung war weich, und Brimson ließ die Maschine bis zu der Stelle rollen, wo Siobhans Wagen geparkt war. Rebus kletterte hinaus und schüttelte Brimson die Hand.

»Vielen Dank, dass Sie mich mitgenommen haben«, sagte Brimson.

»Ich habe zu danken. Schicken Sie uns die Rechnung über den Treibstoff und Ihr Pilotenhonorar.«

Brimson zuckte nur die Achseln und drückte Siobhan die Hand, wobei er sie etwas länger in der seinen behielt, als nötig gewesen wäre. Drohend hob er den Zeigefinger der freien Hand.

»Nicht vergessen, ich rechne mit Ihnen.«

Sie lächelte. »Versprochen ist versprochen, Doug. Aber wenn ich vorher noch eine unbescheidene Bitte äußern dürfte...«

»Nur zu.«

»Ich würde zu gern mal einen Blick in den Geschäftsflieger werfen, um zu sehen, wie die Gutbetuchten reisen.«

Er starrte sie einen Augenblick lang an, dann erwiderte er ihr Lächeln. »Kein Problem. Die Maschine steht im Hangar.« Brimson wandte sich schon zum Gehen. »Kommen Sie mit, Inspector?«

»Ich warte hier«, sagte Rebus. Nachdem sie gegangen waren, zündete er sich im Windschatten der Cessna mit einiger Mühe eine Zigarette an. Fünf Minuten später waren die beiden zurück, und Brimson wirkte gut gelaunt, was sich jedoch schlagartig änderte, als er die brennende Zigarette sah.

»Rauchen strengstens verboten«, sagte er. »Brandgefahr.«

Rebus zuckte entschuldigend die Achseln, schnippte die Zigarette auf den Boden und trat sie aus. Dann folgte er Siobhan zu ihrem Wagen, während Brimson in den Landrover stieg, um vorauszufahren und das Tor für sie zu öffnen.

»Netter Kerl«, sagte Rebus.

»Ja«, bestätigte Siobhan. »Netter Kerl.«

»Finden Sie das wirklich?«

Sie sah ihn an. »Sie nicht?«

Rebus zuckte die Achseln. »Er kommt mir vor wie ein Sammler.«

»Ein Sammler wovon?«

Rebus überlegte einen Moment. »Von interessanten Exemplaren der Gattung Mensch... von Typen wie Herdman und Niles.«

»Klar, und außerdem ist er mit den Cotters bekannt, nicht wahr?« Siobhan war offenbar noch nicht bereit, ihre Krallen wieder einzufahren.

»Hören Sie, ich will damit nicht sagen...«

»Sie wollen mich vor ihm warnen, hab ich Recht?«

Rebus schwieg.

»Hab ich Recht?«, wiederholte sie.

»Ich möchte nur verhindern, dass Ihnen dieser Geschäftsflieger-Glamour zu Kopf steigt.« Er hielt inne. »Wie war's denn überhaupt?«

Sie starrte ihn wütend an, lenkte dann aber ein. »Eher klein. Ledersitze. Auf den Flügen gibt es Champagner und eine warme Mahlzeit.«

»Kommen Sie mir ja nicht auf dumme Gedanken.«

Sie verzog nur den Mund, fragte, wohin er wollte, und er sagte es ihr: Die Polizeiwache in Craigmillar. Der zuständige Kriminalbeamte dort hieß Blake. Ein Detective Constable, der erst vor einem knappen Jahr die Uniform ausgezogen hatte. Rebus störte das nicht: Umso mehr würde er sich beweisen wollen. Also erzählte Rebus ihm alles, was er über Andy Callis und die Lost Boys wusste. Blake machte währenddessen ein konzentriertes Gesicht, unterbrach Rebus dann und wann, um eine Frage zu stellen, und notierte sich alles auf einem linierten A4-Block. Siobhan saß zusammen mit den beiden im Zimmer, die Arme verschränkt, den Blick meist starr auf die gegenüberliegende Wand gerichtet. Rebus vermutete, dass sie ans Fliegen dachte...

Am Ende des Gesprächs fragte Rebus, ob es schon irgendwelche Fortschritte gab. Blake verneinte.

»Immer noch keine Zeugen. Dr. Curt nimmt heute Nachmittag die Autopsie vor.« Er schaute auf seine Armbanduhr. »Ich fahre gleich dort hin. Wollen Sie mitkommen...?«

Rebus schüttelte den Kopf. Er hatte nicht das Bedürfnis mit anzusehen, wie sein Freund seziert wurde. »Werden Sie Rab Fisher vorladen?«

Blake nickte. »Keine Sorge, ich werde ihm auf den Zahn fühlen.«

»Erwarten Sie lieber nicht, dass er besonders kooperativ sein wird«, warnte Rebus.

»Ich werde mit ihm reden.« Der Tonfall des jungen Mannes verriet Rebus, dass er fast schon zu weit gegangen war.

»Niemand lässt sich gern sagen, wie er seine Arbeit erledigen soll«, räumte Rebus lächelnd ein.

»Jedenfalls nicht, solange er keinen Mist gebaut hat.« Blake stand auf, und Rebus tat es ihm nach. Die beiden Männer schüttelten sich die Hand.

»Netter Kerl«, sagte Rebus zu Siobhan, während sie zum Auto gingen.

»Ziemlich überheblich«, erwiderte sie. »Der denkt doch, dass er niemals Mist bauen wird...«

»Dann wird er es eben auf die harte Tour lernen müssen.«

»Das hoffe ich. Das hoffe ich wirklich sehr.«

18

Eigentlich hatten sie vor, zu Siobhan nach Hause zu fahren, wo sie das Abendessen kochen wollte, das sie ihm versprochen hatte. Beide schwiegen unterwegs, bis sie an der Kreuzung Leith Street und York Place vor einer roten Ampel halten mussten. Rebus drehte sich zu ihr um.

»Erst noch was trinken?«, schlug er vor.

»Und natürlich darf ich anschließend fahren.«

»Sie könnten ein Taxi nehmen und den Wagen morgen früh wieder abholen...«

Sie starrte auf die rote Ampel und überlegte. Als es Grün wurde, blinkte sie und bog in Richtung Queen Street ab.

»Gehe ich recht in der Annahme, dass wir das Ox mit unserer geschätzten Anwesenheit beehren werden?«, fragte Rebus.

»Welches andere Lokal könnte den Ansprüchen des gnädigen Herrn genügen?«

»Wissen Sie was? Wir trinken dort ein Glas, und danach dürfen Sie entscheiden.«

»Abgemacht.«

Und so tranken sie also ein Glas im verrauchten Schankraum der Oxford Bar, der von Feierabend-Geplauder erfüllt war, während der Nachmittag allmählich in den Abend überging. Der Discovery Channel zeigte eine Sendung über das alte Ägypten. Siobhan beobachtete die Stammgäste; das war unterhaltsamer als jedes Fernsehprogramm. Ihr fiel auf, dass Harry, der sonst stets mufflige Barkeeper, lächelte.

»Er wirkt ja geradezu fröhlich«, meinte sie zu Rebus.

»Ich glaube, der junge Mann ist verliebt.« Rebus war bemüht, sein Bier möglichst langsam zu trinken: Siobhan hatte immer noch nicht verraten, ob sie noch auf eine zweite Runde bleiben würden. Sie hatte ein kleines Glas Cider bestellt, das schon fast leer war. »Wollen Sie nicht noch ein Kleines?«, fragte er und deutete dabei auf ihr Glas.

»Nur eins, haben Sie gesagt.«

»Es wäre ja bloß, um mir Gesellschaft zu leisten.« Er hielt sein Bier in die Höhe, damit sie sah, wie viel noch übrig war. Aber sie schüttelte den Kopf.

»Ich weiß genau, was Sie im Schilde führen«, sagte sie. Er sah sie mit gespielter Empörung an, obwohl er wusste, dass sie garantiert nicht darauf hereinfallen würde. Weitere Stammgäste drängten in den überfüllten Raum. Drei Frauen saßen in dem ansonsten leeren Nebenzimmer an einem Tisch, aber hier vorn war Siobhan das einzige weibliche Wesen. Sie rümpfte die Nase angesichts der Enge und des ständig steigenden Lärmpegels, setzte ihr Glas an die Lippen und trank es aus.

»Kommen Sie, wir gehen«, sagte sie.

»Wohin?« Rebus runzelte die Stirn. Aber sie schüttelte nur den Kopf: Wird nicht verraten. »Ich habe meine Jacke aufgehängt«, erklärte er. Er hatte sie ausgezogen, weil er hoffte, sich damit einen psychologischen Vorteil zu verschaffen: ein Zeichen, wie sehr er sich hier zu Hause fühlte.

»Dann holen Sie sie«, forderte Siobhan ihn auf. Er tat es und stürzte noch hastig den Rest aus seinem Glas hinunter, bevor er ihr nach draußen folgte.

»Frische Luft«, sagte sie und atmete tief durch. Ihr Wagen parkte in der North Castle Street, aber sie gingen daran vorbei und steuerten die George Street an. Unmittelbar vor ihnen ragte die beleuchtete Burg in den tintenblauen Abendhimmel auf. Sie wandten sich nach links, und Rebus spürte, wie schwer seine Beine waren, eine Folge der Wanderung auf Jura.

»Werd nachher ausgiebig baden«, sagte er.

»Ich wette, so viel wie heute haben Sie sich seit Monaten nicht bewegt«, erwiderte Siobhan mit einem Lächeln.

»Seit Jahren«, verbesserte Rebus. Sie machte vor einer Treppe Halt und ging die Stufen hinunter. Die Bar ihrer Wahl befand sich im Souterrain, unter einem Laden. Die Einrichtung war elegant, das Licht und die Musik gedämpft.

»Waren Sie schon mal hier?«, fragte Siobhan.

»Soll das eine ernst gemeinte Frage sein?« Er steuerte auf die Theke zu, aber Siobhan zupfte ihn am Ärmel und wies auf eine leere Sitznische.

»Hier wird am Tisch bedient«, sagte sie, während sie sich setzten. Die Kellnerin stand schon vor ihnen. Siobhan bestellte einen Gin-Tonic, Rebus einen Laphroaig. Als sein Whisky kam, hob er das Glas und starrte es missbilligend an, so als habe man ihm zu wenig eingeschenkt. Siobhan rührte in ihrem Glas herum und zerdrückte die Limonenscheibe an den Eiswürfeln.

»Wollen Sie jetzt oder später zahlen?«, fragte die Bedienung.

»Später«, sagte Siobhan. Dann, als die Kellnerin gegangen war: »Sind wir denn nun der Antwort auf die Frage, warum Herdman die beiden Jungen erschossen hat, irgendwie näher gekommen?«

Rebus zuckte die Achseln. »Vielleicht werden wir das erst wissen, wenn wir sie gefunden haben.«

»Und bis dahin ist alles…?«

»Potentiell von Nutzen«, sagte Rebus, dem durchaus bewusst war, dass sie diesen Satz anders vollendet hätte. Er setzte sein Glas an die Lippen, aber es war schon leer. Von der Kellnerin weit und breit keine Spur. Hinter der Bar mixte gerade jemand einen Cocktail.

»Freitagabend, draußen bei den Bahngleisen«, sagte Siobhan, »hat Silvers mir etwas erzählt.« Sie machte eine Pause. »Er meinte, der Fall Herdman würde an die Abteilung Drug and Major Crime übergeben.«

»Klingt einleuchtend«, murmelte Rebus. Aber wenn Claverhouse und Ormiston das Kommando übernahmen, würden sie Siobhan und ihn absurvieren. »DMC… Gab's nicht mal eine Band, die so hieß, oder verwechsele ich das mit Elton Johns Plattenfirma?«

Siobhan nickte. »›Run DMC‹. Eine Rap-Band, glaube ich.«

»Und sicher zum Davonrennen, wie der Name schon sagt.«

»Den Rolling Stones konnten sie natürlich nicht das Wasser reichen.«

»Kein Wort gegen die Stones, DC Clarke. Den ganzen Kram, den Sie sich anhören, würde es ohne die Stones überhaupt nicht geben.«

»Ein Standpunkt, dessentwegen Sie sicher schon so manchen Streit ausgefochten haben.« Sie rührte wieder in ihrem Glas. Rebus konnte immer noch keine Kellnerin entdecken.

»Ich hol mir Nachschub«, sagte er und zwängte sich aus der Nische. Er wünschte, Siobhan hätte den Freitagabend nicht erwähnt. Das ganze Wochenende war ihm Andy Callis nicht aus dem Kopf gegangen. Ständig hatte er daran denken müssen, dass eine andere Abfolge der Ereignisse – winzige Verschiebungen bei Ort und Zeit – Andy vielleicht hätte retten können. Vielleicht auch Lee Herdman... und vielleicht Robert Niles davon abgehalten hätten, seine Frau umzubringen.

Und Rebus davon abgehalten, sich die Hände zu verbrühen.

Alles im Leben wurde von unzähligen Unwägbarkeiten bestimmt, und wenn man auch nur ein einziges kleines Detail manipulierte, konnte das unabsehbare Folgen für die Zukunft haben. Er wusste, dass es in der Naturwissenschaft eine Theorie gab, bei der es um irgendwelche Schmetterlinge ging, die im Urwald herumflatterten... Vielleicht musste er erst eine Weile durch die Luft flattern, damit er endlich bedient wurde. Der Barkeeper goss gerade eine grelle pinkfarbene Mixtur in ein Martiniglas und wandte Rebus den Rücken zu, als er sie servierte. Der Thekenbereich bestand aus zwei parallelen Tresen und teilte das Lokal in der Mitte. Rebus spähte hinüber ins Halbdunkel. Kaum Betrieb auf der anderen Seite. Genau die gleichen Sitznischen und Polsterstühle, die gleiche Dekoration und Klientel. Rebus war klar, dass er ungefähr dreißig Jahre älter als alle anderen Gäste war. Einer der jungen Männer nahm eine ganze Polsterbank für sich in Anspruch. Die Arme auf der Lehne ausgestreckt, die Beine übereinander geschlagen, blickte er selbstgefällig umher, legte es offensichtlich darauf an, von jedermann gesehen zu werden...

Nur sicher nicht von Rebus. Der Barkeeper war endlich bereit, Rebus' Bestellung aufzunehmen, aber er schüttelte den Kopf, ging ans Ende der Theke und durch den schmalen Gang auf die andere Seite. Durchquerte den Raum und blieb vor Peacock Johnson stehen.

»Mr. Rebus ...« Johnsons Arme rutschten von der Lehne. Suchend blickte er nach links und rechts, als erwarte er, dass Rebus Verstärkung mitgebracht habe. »Der schmucke Herr Polizist. Haben Sie etwa nach meiner Wenigkeit gesucht?«

»Eigentlich nicht.« Rebus rutschte gegenüber von Johnson auf die Bank. In dieser Beleuchtung wirkte das Hawaiihemd des jungen Mannes nicht ganz so schreiend bunt. Eine neue Kellnerin war aufgetaucht, und Rebus bestellte einen Doppelten. »Mein Freund hier bezahlt«, fügte er hinzu und nickte zur anderen Tischseite hinüber.

Johnson zuckte großzügig die Achseln und bestellte ein weiteres Glas Merlot. »Dann sind Sie also rein zufällig hier?«, fragte er.

»Wo ist Ihre zweibeinige Promenadenmischung?«, fragte Rebus und schaute sich um.

»Der kleine Racker hat nicht ganz das Format für ein Etablissement dieser Güteklasse.«

»Haben Sie ihn etwa draußen angebunden?«

Johnson grinste. »Ab und zu lass ich ihn auch von der Leine.«

»Das könnte dem Herrchen ein Bußgeld einbringen.«

»Er beißt nur, wenn Peacock es befiehlt.« Johnson trank gerade den letzten Schluck seines Weins, da kamen die neuen Getränke. Die Kellnerin stellte eine Schale mit Reiscrackern auf den Tisch. »Prosit allerseits«, sagte Johnson und hob seinen Merlot.

Rebus ignorierte ihn. »Ich hab übrigens gerade an Sie gedacht«, sagte er.

»Bestimmt mit besonderem Wohlwollen.«

»Nein, komischerweise nicht.« Rebus beugte sich vor und senkte die Stimme. »Ganz im Gegenteil, wenn Sie Gedanken lesen könnten, hätten Sie sich vor Angst bestimmt in die Hose gemacht.« Johnson war nun ganz Ohr. »Wissen Sie, wer letzten Freitag gestorben ist? Andy Callis. Sie erinnern sich doch an ihn, oder?«

»Kann ich nicht behaupten.«

»Er war der Streifenpolizist, der Ihren Freund Rab Fisher entwaffnet hat.«

»Rab und ich sind nicht befreundet, sondern nur flüchtig miteinander bekannt.«

»Immerhin kannten Sie ihn gut genug, um ihm die Waffe zu verkaufen.«

»Ein Nachbau, wenn ich daran erinnern darf.« Johnson holte eine Hand voll Cracker aus der Schale und schob sich einen nach dem anderen ins Maul, so dass er beim Sprechen immer wieder kleine Brocken davon durch die Luft spuckte.

»Ich habe mir nichts vorzuwerfen und verbitte mir jegliche Unterstellung.«

»Tatsache ist, dass Fisher mit der Waffe herumgelaufen ist und anderen Leuten Angst eingejagt hat, was ihn am Ende fast das Leben gekostet hätte.«

»Ich habe mir nichts vorzuwerfen«, wiederholte Johnson.

»Tatsache ist auch, dass mein Freund seit dem Tag mit den Nerven am Ende war, und dieser Freund jetzt tot ist. Sie haben jemandem eine Waffe verkauft, und jetzt ist jemand anderes deshalb gestorben.«

»Ein Nachbau, dessen Verkauf in diesem Land gegenwärtig vollkommen legal ist.« Johnson versuchte sichtlich, gelassen zu wirken und streckte die Hand erneut nach den Crackern aus. Rebus wollte die Hand wegschlagen, stieß aber bloß die Schüssel um, deren Inhalt sich daraufhin auf dem Tisch verteilte. Er packte den jungen Mann, so fest es seine noch immer schmerzenden Hände zuließen, am Handgelenk. Drückte zu.

»Legal oder nicht, Sie sind einer der miesesten Typen, der mir je über den Weg gelaufen ist.«

Johnson versuchte sich aus seinem Griff zu befreien. »Während Sie natürlich kein Wässerchen trüben können, was? Jeder weiß doch, wozu *Sie* fähig sind, Rebus!«

»Wozu denn bitteschön?«

»Zu jedem miesen Trick, nur um *mir* was anzuhängen! Ich weiß, dass Sie mich fertig machen wollten, indem Sie rumerzählt haben, ich würde entschärfte Waffen umbauen.«

»Von wem wissen Sie das?« Rebus hatte seinen Griff gelockert.

»Von allen möglichen Leuten!« Auf Johnsons Kinn klebten Speicheltropfen, durchmischt mit Reiskrümeln. »Man muss schon stocktaub sein, um das Gerede in der Stadt nicht zu hören.«

Es stimmte: Rebus hatte tatsächlich die Fühler ausgestreckt. Er hatte Peacock Johnson zur Strecke bringen wollen. Er hatte irgendeine – egal was für eine – Form von Vergeltung für das gewollt, was mit Callis passiert war. Und obwohl die Leute den Kopf geschüttelt und etwas von »Nachbauten« und »Souvenirs« und »entschärft« gemurmelt hatten, hatte Rebus weitergebohrt.

Und irgendwie hatte Johnson davon erfahren.

»Seit wann wissen Sie das schon?«

»Was?«

»Seit wann?«

Aber Johnson hob nur sein Glas, mit wachsamem Blick, als erwarte er, dass Rebus versuchen werde, es ihm aus der Hand zu schlagen. Aber Rebus griff nach seinem eigenen Glas und leerte es in einem einzigen, in seinem Mund brennenden Zug.

»Eines sollten Sie wissen«, sagte er und nickte bedächtig.

»Ich bin nachtragend. Gewisse Dinge vergesse ich mein Lebtag nicht: Sie werden es erleben.«

»Obwohl ich gar nichts getan habe?«

»Hören Sie, *irgendetwas* haben Sie garantiert getan.« Rebus stand auf. »Ich hab nur noch nicht herausgefunden, was – das ist alles.« Er zwinkerte Johnson zu und wandte sich zum Gehen. Hörte, wie der Tisch hinter ihm heftig beiseite gestoßen wurde, und drehte sich um. Johnson war aufgesprungen und hatte die Fäuste geballt.

»Na los, klären wir das jetzt sofort!«, rief er. Rebus schob die Hände in die Taschen.

»Wenn's recht ist, warte ich lieber bis zur Gerichtsverhandlung«, sagte er.

»Kommt nicht in Frage! Ich hab die Schnauze endgültig voll!«

»Gut«, sagte Rebus. Er sah, wie Siobhan im Durchgang erschien und ihn ungläubig anstarrte. Sie hatte wahrscheinlich angenommen, er sei zur Toilette gegangen. Ihr Blick war eindeutig: *Kann man Sie denn keine fünf Minuten allein lassen...?*

»Gibt's hier Ärger?« Die Frage kam nicht von Siobhan, sondern von einer Art Türsteher, stiernackig und mit einem engen schwarzen Anzug bekleidet, unter dem er ein schwarzes Poloshirt anhatte. Er trug einen Kopfhörer mit Mikrofon. Sein rasierter Schädel schimmerte in der schwachen Beleuchtung.

»Nur eine kleine Meinungsverschiedenheit«, versicherte ihm Rebus. »Vielleicht können Sie die Sache ja klären: Wie hieß die frühere Plattenfirma von Elton John?«

Der Türsteher sah ihn verblüfft an. Der Barkeeper hob die Hand. Rebus nickte ihm zu. »DJM«, sagte der Barkeeper.

Rebus schnippte mit den Fingern. »Stimmt genau! Zur Belohnung dürfen Sie sich einen Drink genehmigen, egal was er kostet...« Er war schon auf dem Weg zum Durchgang und zeigte über die Schulter auf Peacock Johnson. »Der Wichser da hinten bezahlt...«

»Sie reden nicht oft über Ihre Militärzeit«, sagte Siobhan, während sie zwei Teller aus der Küche hereintrug. Rebus hatte bereits Messer und Gabel und ein Tablett von ihr bekommen. Die Gewürze standen neben ihm auf dem Boden. Er nickte ihr dankend zu und nahm den Teller: gegrilltes Schweinekotelett mit Backkartoffeln und einem Maiskolben.

»Sieht gut aus«, sagte er und hob sein Weinglas. »Mein Lob an die Köchin.«

»Die Kartoffeln sind aus der Mikrowelle und der Maiskolben aus der Gefriertruhe.«

Rebus legte den Finger an die Lippen. »Man soll seine Geheimnisse hüten.«

»Ein Rat, den Sie vorbildlich beherzigen.« Sie blies auf das Stück Schweinefleisch auf ihrer Gabel. »Soll ich die Frage wiederholen?«

»Es war doch gar keine Frage, Siobhan.«

Sie dachte nach und sah ein, dass er Recht hatte. »Trotzdem«, sagte sie.

»Sie wollen, dass ich darauf antworte?« Er sah zu, wie sie nickte, und trank dann einen Schluck von seinem Wein. Chilenischer Rotwein, hatte sie gesagt. Drei Pfund die Flasche. »Was dagegen, wenn ich erst einmal esse?«

»Können Sie nicht gleichzeitig essen und reden?«

»Das gehört sich nicht, pflegte meine Mutter zu sagen.«

»Haben Sie denn immer auf Ihre Eltern gehört?«

»Immer.«

»Deren Worte waren also für Sie Gesetz?« Er nickte, während er auf einem Stück Kartoffelschale herumkaute. »Wie kommt es dann, dass wir gerade gleichzeitig reden und essen?«

Rebus spülte den Bissen mit einem Schluck Wein herunter. »Okay, ich gebe auf. Die Antwort auf die Frage, die Sie nicht gestellt haben, lautet ja.« Sie wartete auf die Fortsetzung, aber er konzentrierte sich schon wieder auf sein Essen.

»Was, ja?«

»Ja, es stimmt, dass ich nicht oft über meine Militärzeit rede.«

Siobhan stieß geräuschvoll Luft aus. »Verglichen mit Ihnen sind die Kunden der Gerichtsmedizin geradezu gesprächig.« Sie hielt inne und schloss eine Sekunde lang die Augen. »Tut mir Leid, das hätte ich nicht sagen sollen.«

»Schon in Ordnung.« Aber Rebus kaute trotzdem langsamer. Zwei der »Kunden« waren im Moment: ein Verwandter und ein Kollege. Merkwürdige Vorstellung, dass die beiden jetzt in benachbarten Kühlfächern auf Metallliegen lagen. »Und was meine Militärzeit angeht: Ich habe jahrelang versucht, diese Zeit zu vergessen.«

»Warum?«

»Aus den verschiedensten Gründen. Zunächst einmal hätte ich niemals auf der gepunkteten Linie unterschreiben sollen. Als ich dann zu Besinnung kam, war ich bereits in Nordirland und zielte mit einem Gewehr auf ein paar Kinder, die mit Molotow-Cocktails bewaffnet waren. Irgendwann habe ich mich dann beim SAS beworben und zugelassen, dass man mein Gehirn bei der Ausbildung durch den Wolf gedreht hat.« Er zuckte die Achseln. »Mehr gibt's nicht zu erzählen.«

»Und warum sind Sie später zur Polizei gegangen?«

Er hob das Glas an die Lippen. »Wer sonst hätte mich denn noch genommen?« Er stellte das Tablett beiseite und beugte sich vor, um Wein nachzuschenken. Er hob die Flasche in ihre Richtung, aber Siobhan schüttelte den Kopf. »Jetzt wissen Sie, warum man mich nie als Galionsfigur einer Werbekampagne für unseren Laden hat gewinnen können.«

Sie schaute auf seinen Teller. Er hatte das Kotelett kaum angerührt. »Sie sind doch nicht etwa zu den Vegetariern übergelaufen.«

Er tätschelte seinen Bauch. »Schmeckt prima, aber ich habe keinen großen Hunger.«

Sie überlegte einen Moment. »Es liegt am Fleisch, stimmt's? Ihnen tun beim Schneiden die Hände weh.«

Er schüttelte den Kopf. »Ich bin satt, das ist alles.« Aber er sah, dass sie wusste, dass sie Recht hatte. Sie begann wieder zu essen, während er sich weiter dem Wein widmete.

»Ich glaube, Sie sind Lee Herdman ziemlich ähnlich«, sagte sie schließlich.

»Ein wahrhaft zweifelhaftes Kompliment.«

»Die Leute haben geglaubt, ihn zu kennen, aber das war ein Irrtum. Er hat unglaublich viel vor ihnen verborgen.«

»Genau wie ich, meinen Sie?«

Sie nickte und hielt seinem Blick stand. »Warum sind Sie mit in Martin Fairstones Wohnung gegangen? Ich habe so ein Gefühl, dass es dabei nicht nur um mich ging.«

»Sie haben ›so ein Gefühl‹?« Er blickte in sein Glas und sah sein Spiegelbild, rotgefärbt und wabernd. »Ich wusste, dass er Ihnen ein blaues Auge verpasst hatte.«

»Was Ihnen den Vorwand für das Gespräch geliefert hat ... aber was wollten Sie in Wirklichkeit von ihm?«

»Fairstone und Johnson waren befreundet. Ich suchte nach Munition gegen Johnson.« Er unterbrach sich, weil er merkte, dass »Munition« vielleicht keine besonders feinfühlige Wortwahl war.

»Haben Sie welche bekommen?«

Rebus schüttelte den Kopf. »Die beiden hatten sich zerstritten. Fairstone hatte Peacock seit Wochen nicht gesehen.«

»Was war der Grund für den Streit?«

»Das wollte er mir nicht sagen. Aber ich hatte irgendwie den Eindruck, dass es um eine Frau ging.«

»Hat Peacock eine Freundin?«

»Er hat für jeden Tag des Jahres eine andere.«

»Dann ging es vielleicht um Fairstones Freundin?«

Rebus nickte. »Die Blondine aus dem Boatman's. Wie heißt sie noch?«

»Rachel.«

»Fällt uns inzwischen eine einleuchtende Erklärung ein, warum sie am Freitag in South Queensferry war?«

Siobhan schüttelte den Kopf.

»Und Peacock ist auch im Ort aufgetaucht, und zwar bei der Mahnwache.«

»Zufall?«

»Selbstverständlich«, sagte Rebus in ironischem Ton. Er stand auf und nahm die Flasche. »Sie müssen ein bisschen mithelfen.« Schenkte ihr nach, leerte dann den restlichen Wein in sein eigenes Glas. Ging zum Fenster hinüber. »Glauben Sie wirklich, dass ich Lee Herdman ähnele?«

»Ich glaube, dass Sie es beide nicht geschafft haben, die Vergangenheit hinter sich zu lassen.«

Er wandte sich um und sah sie an. Sie hob eine Augenbraue, offenbar um eine Reaktion herauszufordern, aber er lächelte nur, wandte sich wieder zum Fenster und starrte in die Nacht hinaus.

»Und vielleicht sind Sie auch ein bisschen wie Doug Brimson«, fuhr sie fort. »Wissen Sie noch, was Sie über ihn gesagt haben?«

»Was denn?«

»Dass er Leute sammelt.«

»Und das tue ich auch?«

»Das würde zumindest Ihr Interesse an Andy Callis erklären … und warum Sie so fuchsig werden, wenn Sie Kate und Jack Bell zusammen sehen.«

Er drehte sich langsam zu ihr um. »Gehören Sie damit auch zu den Exemplaren meiner Sammlung?«

»Ich weiß nicht. Was meinen *Sie* denn?«

»Ich glaube, dazu sind Sie ein zu harter Knochen.«

»Worauf Sie sich verlassen können«, sagte sie mit der Andeutung eines Lächeln.

Als er das Taxi bestellte, hatte er Arden Street als Ziel genannt, aber nur Siobhan zuliebe. Dem Fahrer erklärte er, er habe es sich anders überlegt: Er wolle kurz bei der Polizeiwache in Leith anhalten und dann nach South Queensferry. Am Ende der Fahrt verlangte Rebus eine Quittung – er würde versuchen, sie als Spesen einzureichen. Damit würde er sich allerdings beeilen müssen: Er konnte sich nicht vorstellen, dass Claverhouse ihm zwanzig Pfund für eine Taxifahrt genehmigen würde.

Er lief durch die dunkle Gasse und öffnete die Haustür. Der Wachposten war abgezogen worden, niemand kontrollierte mehr, wer Lee Herdmans Haus betrat oder verließ. Rebus stieg die Treppe hinauf und horchte auf Geräusche aus den anderen beiden Wohnungen. Er glaubte, einen Fernseher zu hören. Auf jeden Fall konnte er riechen, was es zum Abendessen gegeben hatte. Ein Knurren aus seinem Magen gab ihm zu bedenken, dass er, Schmerzen hin oder her, vielleicht doch mehr von dem Kotelett hätte essen sollen. Er zückte den Schlüssel zu Herdmans Wohnung, den er in Leith geholt hatte. Es war eine glänzende, nagelneue Kopie des Originals, und er musste ein bisschen daran ruckeln, ehe die Tür aufsprang. Rebus trat ein, schloss die Tür hinter sich und schaltete das Flurlicht ein. Es war kalt hier drin. Der Strom war noch nicht abgestellt, aber irgendjemand hatte daran gedacht, die Heizung abzudrehen. Herdmans Witwe war gebeten worden, nach Schottland zu kommen und die Wohnung auszuräumen, aber sie hatte abgelehnt. *Was könnte dieser Scheißkerl schon besitzen, das mich interessiert?*

Gute Frage, und Rebus war hergekommen, um ihr nach-zugehen. Lee Herdman hatte mit Sicherheit *irgendetwas* be-sessen, das andere Leute interessierte. Er sah sich die Rück-seite der Eingangstür an. Ein Riegel oben, einer unten, dazu zwei Steckschlösser und das Sicherheitsschloss. Die Steck-schlösser sollten Einbrecher abschrecken, aber die beiden Riegel hatte Herdman nur vorschieben können, wenn er zu Hause war. Wovor hatte er sich gefürchtet? Rebus ver-schränkte die Arme und trat ein paar Schritte zurück. Eine der möglichen Antworten lag auf der Hand. Der Drogen-dealer Herdman hatte Angst vor der Polizei gehabt. Aber Rebus hatte im Laufe seiner Karriere mit vielen Drogen-dealern zu tun gehabt. Normalerweise lebten sie in einer So-zialwohnung in irgendeiner Hochhaussiedlung, und ihre Wohnungstür war mit Stahl gepanzert und bot wesentlich mehr Widerstand als die von Herdman. Rebus hatte den Eindruck, dass Herdmans Sicherheitsvorkehrungen einzig und allein dazu dienten, ihm etwas Zeit zu verschaffen. Ge-nug Zeit, um Beweismittel die Toilette herunterzuspülen? Rebus glaubte nicht daran. Es gab keine Hinweise, dass die Wohnung je als Drogenlager gedient hatte. Außerdem stan-den Herdman genügend andere Verstecke zur Verfügung: das Bootshaus, die Boote. Er hatte es nicht nötig, seine Woh-nung als Aufbewahrungsort zu benutzen. Was war dann der Grund? Rebus drehte sich um, ging ins Wohnzimmer, suchte und fand den Lichtschalter.

Was war dann der Grund?

Er versuchte, sich in Herdman hineinzuversetzen, und merkte, dass es gar nicht nötig war. Hatte Siobhan nicht ge-nau das andeuten wollen? *Ich glaube, Sie sind Herdman ziem-lich ähnlich.* Er schloss die Augen und stellte sich vor, er stünde in seinem eigenen Zimmer. Das hier war sein Reich. Hier hatte er alles unter Kontrolle. Aber was, wenn sich je-mand Zutritt verschaffen wollte ... ein paar ungebetene Besucher. Er würde sie hören. Sie würden bestimmt probieren, die Schlösser zu knacken, würden aber an den Riegeln scheitern. Dann wären sie gezwungen, die Tür aufzubrechen. Und das würde Herdman Zeit verschaffen... Zeit, seine Waffe aus dem Versteck zu holen. Die Mac-10 hatte er im Bootshaus deponiert, für den Fall, dass dort jemand einbrach. Die Brocock aber verwahrte er hier, im Schrank, bei all den Fotos von Waffen. Herdmans kleiner Waffenschrein. Dank der Pistole würde er die Oberhand behalten, denn er rechnete nicht damit, dass die Eindringlinge bewaffnet waren. Sie würden ihm vermutlich Fragen stellen, ihn mitnehmen wollen, aber die Brocock würde sie daran hindern.

Rebus wusste, wen Herdman erwartet hatte: nicht unbedingt Simms und Whiteread persönlich, aber Leute mit vergleichbaren Absichten. Leute, die ihn mitnehmen und ihm Fragen stellen wollten... Fragen über Jura, über den Hubschrauberabsturz, über die Dokumente, die von den Bäumen herabgesegelt waren. Irgendetwas hatte Herdman vom Absturzort mitgenommen. Konnte einer der Jugendlichen es gestohlen haben? Vielleicht während einer der Partys? Allerdings hatten die beiden Toten ihn nicht gekannt, waren auf keiner seiner Partys gewesen. Im Gegensatz zu James Bell, dem einzigen Überlebenden. Rebus setzte sich in Herdmans Sessel und legte die Handflächen auf die Armlehnen. Hatte er die beiden anderen erschossen, um James Angst einzujagen? Damit James gestand? Nein, nein, nein, wieso hätte Herdman dann die Waffe gegen sich selbst richten sollen? James Bell... sehr distanziert und anscheinend unerschütterlich... hatte in einer Waffenzeitschrift geblättert, um sich das Modell anzusehen, mit dem er angeschossen worden war. Auch er ein interessantes Exemplar.

Rebus rieb sich vorsichtig mit der behandschuhten Hand über die Stirn. Er spürte, dass die Antwort zum Greifen nahe war. Er stand wieder auf, ging in die Küche und öffnete den Kühlschrank. Er enthielt ein paar Lebensmittel: eine ungeöffnete Packung Käse, einige Scheiben Schinken und eine Schachtel Eier. Das Essen eines Toten, dachte er, das kann ich nicht anrühren. Stattdessen ging er ins Schlafzimmer. Diesmal ohne nach dem Lichtschalter zu suchen: Durch die offene Tür fiel genügend Licht herein.

Wer war Lee Herdman? Ein Mann, der sich von Karriere und Familie verabschiedet hatte, um gen Norden zu ziehen. Dort eine Ein-Mann-Firma gründete und in einer Zweizimmerwohnung lebte. Der sich an der Küste niederließ und Boote besaß, mit denen er bei Bedarf fliehen konnte. Keine engen Bindungen. Brimson schien der einzige Freund gewesen zu sein, der ungefähr gleichaltrig war. Ansonsten hatte er Kontakt zu Teenagern gesucht: weil sie nichts vor ihm verbargen; weil er wusste, er würde mit ihnen fertig werden; weil sie von ihm beeindruckt waren. Aber nicht irgendwelche Jugendliche: Es mussten Außenseiter sein, aus dem gleichen Holz geschnitzt wie er… Rebus kam in den Sinn, dass auch Brimson offenbar ein Alleinunterhalter war und nur wenige oder gar keine Bindungen hatte. Sich jederzeit von der übrigen Welt entfernen konnte. Und ebenfalls beim Militär gewesen war.

Plötzlich hörte Rebus ein Pochen. Er erstarrte und versuchte, das Geräusch zu lokalisieren. Kam es aus der unteren Etage? Nein: von der Wohnungstür. Jemand klopfte. Rebus tappte den Flur entlang und hielt das Auge an den Spion. Erkannte das Gesicht und machte auf.

»'n Abend, James«, sagte er. »Schön, dass du wieder auf den Beinen bist.«

James Bell brauchte sichtlich einen Moment, um Rebus einzuordnen. Dann begrüßte er ihn mit einem Nicken und schaute an ihm vorbei in den Flur.

»Ich habe Licht brennen sehen und mich gefragt, wer in der Wohnung ist.«

414

Rebus öffnete die Tür etwas weiter. »Willst du reinkommen?«

»Wenn das möglich ist...?«

»Es ist sonst niemand hier.«

»Ich dachte nur... vielleicht machen Sie gerade eine Hausdurchsuchung.«

»Nein, nichts dergleichen.« Rebus forderte ihn mit einer Kopfbewegung auf einzutreten, und James Bell tat es. Er hatte den linken Arm in einer Schlinge und stützte ihn zusätzlich mit der rechten Hand. Von seinen Schultern hing ein klassischer schwarzer Wollmantel herab, dessen tiefrotes Futter immer wieder aufblitzte. »Was führt dich hierher?«

»Ich bin bloß spazieren gegangen.«

»Du bist aber ziemlich weit weg von zu Hause.«

James sah ihn an. »Sie sind doch schon einmal bei uns gewesen... da müssten Sie es eigentlich verstehen.«

Rebus nickte und schloss die Tür. »Du wolltest deiner Mutter für eine Weile entfliehen?«

»Ja.« James schaute sich im Flur um, als sähe er ihn zum ersten Mal. »Und meinem Vater.«

»Der hat immer viel zu tun, stimmt's?«

»Und ob.«

»Hör mal, ich habe neulich vergessen, dich etwas zu fragen...«, setzte Rebus an.

»Was?«

»Wie oft du hier gewesen bist.«

James zuckte mit der rechten Schulter. »Nicht sehr oft.« Rebus ging ihm voraus ins Wohnzimmer.

»Du hast immer noch nicht gesagt, wieso du hier bist.«

»Ich dachte, das hätte ich schon.«

»Nicht direkt.«

»Ich fand, dass sich South Queensferry genauso gut für einen Spaziergang eignet wie jeder andere Ort.«

»Aber du bist nicht den ganzen Weg von Barnton hierher gelaufen?«

James schüttelte den Kopf. »Ich bin mit verschiedenen Buslinien einfach so durch die Gegend gefahren. Irgendwann bin ich dann hier gelandet. Und als ich das Licht brennen sah…«

»Hast du dich gefragt, wer das wohl sein mag. Wen hast du erwartet?«

»Die Polizei, nehme ich an. Wen denn sonst?« Er sah sich im Zimmer um. »Allerdings ist da noch eine Sache…«

»Ja?«

»Es geht um ein Buch von mir. Lee hat es sich ausgeliehen, und ich dachte, ich hol's mir lieber zurück, ehe alle seine Sachen… also, bevor die Wohnung ausgeräumt wird.«

»Gute Idee.«

James fasste sich an die verletzte Schulter. »Sie können sich nicht vorstellen, wie das blöde Ding hier juckt.«

»Doch, das kann ich.«

James lächelte plötzlich. »Es ist mir ein bisschen peinlich…, aber ich habe vergessen, wie Sie heißen.«

»Rebus. Detective Inspector Rebus.«

Der junge Mann nickte. »Mein Vater hat Sie erwähnt.«

»Und mich sicher in den höchsten Tönen gelobt.« Es fiel schwer, den Sohn anzuschauen, ohne dabei in seinem Blick den Vater zu sehen.

»Ich fürchte, er hat ständig das Gefühl, von unfähigen Menschen umringt zu sein… die eigene Verwandtschaft eingeschlossen.«

Rebus hatte sich auf die Armlehne des Sofas gesetzt und nickte in Richtung des Sessels, aber James Bell schien lieber zu stehen. »Hast du die Waffe noch gefunden?«, fragte Rebus. James sah ihn verwirrt an. »Als ich bei euch zu Besuch war«, erklärte Rebus, »hast du in einer Waffenzeitschrift nach der Brocock gesucht.«

»Ach ja, stimmt.« James nickte versonnen. »Die Zeitungen hatten Fotos von ihr abgedruckt. Mein Vater hat sämtliche Artikel gesammelt, er will wohl eine Gesetzesinitiative starten.«

»Du klingst nicht gerade begeistert.«

James' Blick wurde starr. »Das liegt vielleicht daran, dass…« Er brach ab.

»Woran?«

»Dass ich auf einmal nützlich für ihn bin, aber nicht, weil ich bin, wer ich bin, sondern weil diese Sache passiert ist.« Er fasste sich wieder an die Schulter.

»Trau niemals einem Politiker«, sagte Rebus mitfühlend.

»Lee hat mir mal etwas erklärt. Er sagte: ›Wenn man Waffenbesitz gesetzlich verbietet, dann werden nur noch Gesetzesbrecher Zugang zu Waffen haben.‹« James lächelte versonnen.

»Er selbst war offenbar auch ein Gesetzesbrecher. Mindestens zwei Fälle von unerlaubtem Waffenbesitz. Hat er dir je erzählt, wieso er glaubte, eine Waffe zu brauchen?«

»Ich hab immer gedacht, er interessiere sich für die Dinger… wegen seiner Vergangenheit als Soldat.«

»Hattest du manchmal den Eindruck, dass er sich bedroht fühlte?«

»Von wem denn?«

»Keine Ahnung«, gab Rebus zu.

»Wollen Sie damit sagen, dass er Feinde hatte?«

»Hast du dich nie gefragt, was die vielen Schlösser an seiner Wohnungstür sollten?«

James ging zur Tür und warf einen Blick in den Flur. »Das hab ich auch auf seine Vergangenheit geschoben. Im Pub hat er sich beispielsweise immer in eine Ecke gesetzt, von der aus er die Tür im Blick hatte.«

Rebus musste lächeln, weil er dieselbe Angewohnheit besaß. »Damit er sofort jeden sah, der hereinkam?«

»So hat er mir das erklärt.«

»Hört sich an, als wärt ihr beide ziemlich gut befreundet gewesen.«

»So gut, dass er auf mich geschossen hat.« James' Blick wanderte zu seiner Schulter.

»Hast du ihm mal irgendwann etwas geklaut, James?«

Der junge Mann runzelte die Stirn. »Warum hätte ich das tun sollen?«

Rebus zuckte nur die Achseln. »Hast du, oder hast du nicht?«

»Nein, habe ich nicht.«

»Oder hat Lee mal erwähnt, dass er etwas vermisste? War er irgendwann einmal völlig außer sich?«

James schüttelte den Kopf. »Ich weiß wirklich nicht, worauf Sie hinauswollen.«

»Seine Paranoia – ich möchte wissen, wie ausgeprägt die war.«

»Ich habe nicht behauptet, er sei paranoid gewesen.«

»Die Schlösser, der Eckplatz im Pub...«

»Vielleicht war er einfach nur vorsichtig?«

»Vielleicht.« Rebus schwieg einen Moment. »Du hast ihn gemocht, stimmt's?«

»Wahrscheinlich mehr als er mich.«

Rebus dachte an seine letzte Begegnung mit James Bell zurück und an die Bemerkung, die Siobhan hinterher gemacht hatte. »Was ist mit Teri Cotter?«, fragte er.

»Was soll mit ihr sein?« James war wieder ins Zimmer zurückgekommen, wirkte aber nach wie vor nervös.

»Wir halten es für möglich, dass Herdman und Teri ein Paar waren.«

»Und?«

»Weißt du etwas darüber?«

James wollte mit beiden Achseln zucken und fuhr vor Schmerz zusammen.

»Hast für einen Moment deine Wunde vergessen, stimmt's?«, bemerkte Rebus. »Ich erinnere mich, dass in deinem Zimmer ein Computer stand. Warst du schon mal auf Teris Homepage?«

»Sie hat eine Homepage?«

Rebus nickte langsam. »Dann hat Derek Renshaw dir also nichts davon erzählt?«

»Derek?«

Rebus nickte weiter. »Derek scheint so eine Art Fan von ihr gewesen zu sein. Du warst doch oft gleichzeitig mit Tony Jarvies und ihm im Aufenthaltsraum... ich nahm an, die beiden hätten vielleicht über die Homepage gesprochen.«

James schüttelte nachdenklich den Kopf. »Nicht, dass ich wüsste«, sagte er.

»Na ja, ist auch nicht so wichtig.« Rebus machte Anstalten aufzustehen. »Dein Buch – soll ich dir bei der Suche helfen?«

»Welches Buch?«

»Das Buch, das du wiederhaben willst.«

James lächelte über die eigene Begriffsstutzigkeit. »Ja, klar. Das wär prima.« Er sah sich in dem unordentlichen Zimmer um und ging zum Schreibtisch hinüber. »Warten Sie«, sagte er, »ich glaub, ich hab's schon.« Er hielt ein Taschenbuch in die Höhe.

»Wovon handelt es?«

»Von einem Soldaten, der ausgeklinkt ist.«

»Meinst du den, der versucht hat, seine Frau umzubringen, und dann aus dem Flugzeug gesprungen ist?«

»Sie kennen seine Geschichte?«

Rebus nickte. James blätterte das Buch kurz durch, dann klopfte er sich damit gegen den Oberschenkel. »Okay, das wär's«, sagte er.

»Willst du noch was anderes mitnehmen?« Rebus hielt eine CD hoch. »Ich fürchte, das ganze Zeug wandert sonst in den Müll.«

»Meinen Sie?«

»Seine Frau will jedenfalls nichts davon haben.«

»Was für eine Verschwendung…« Rebus hielt ihm die CD hin, aber James schüttelte den Kopf. »Das könnte ich nicht. Ich hätte ein komisches Gefühl dabei.«

Rebus nickte. Er erinnerte sich an seine eigenen Hemmungen, als er vor dem Kühlschrank stand.

»Ich lasse Sie jetzt wieder allein.« James klemmte sich das Buch unter den Arm und hielt Rebus die Hand hin. Der Mantel rutschte ihm dabei von den Schultern und fiel zu Boden. Rebus hob ihn auf und hängte ihn dem Jungen wieder um.

»Danke«, sagte James Bell. »Auf Wiedersehen.«

»Tschüss, James. Komm gut heim.«

Rebus blieb im Wohnzimmer zurück, das Kinn auf eine behandschuhte Hand gestützt, und wartete darauf, dass sich die Wohnungstür öffnete und wieder schloss. James war kilometerweit weg von zu Hause gewesen… war vom Licht in der Wohnung eines Toten angelockt worden. Rebus fragte sich noch immer, wen der junge Mann hier erwartet hatte… Leise Schritte entfernten sich auf den Steinstufen. Rebus ging zum Schreibtisch und besah sich die übrigen Bücher. Alle hatten das Militär zum Thema. Plötzlich fiel Rebus ein, wieso er sich an das Buch so gut erinnerte, das James Bell mitgenommen hatte.

Es war das Buch, das Siobhan bei ihrem ersten Besuch in der Wohnung hochgehalten hatte.

Das, aus dem das Foto von Teri Cotter herausgefallen war…

Sechster Tag

Dienstag

19

Am Dienstagmorgen verließ Rebus seine Wohnung, ging bis zum Ende der Marchmont Road und überquerte dann die Meadows, eine weitläufige Grünanlage nahe der Universität. Andauernd begegneten ihm Studenten, einige saßen auf klapprigen Fahrrädern, andere schlurften verschlafen zu ihren Seminaren. Der Himmel war bedeckt, so als habe das Schiefergrau der Dächer auf ihn abgefärbt. Rebus steuerte die Straße George IV Bridge an. Er war mittlerweile mit dem Prozedere in der Nationalbibliothek vertraut. Der Pförtner würde ihn durchlassen, aber dann würde er den Dienst habenden Bibliothekar davon überzeugen müssen, dass er ein äußerst dringendes Anliegen hatte und keine andere Bibliothek in Frage kam. Rebus zeigte seine Dienstmarke vor, erklärte, was er wollte, und wurde zum Mikrofiche-Raum geschickt. Zeitungen wurden nämlich seit einer Weile auf Mikrofilm archiviert. Vor ein paar Jahren, bei den Ermittlungen in einem bestimmten Fall, hatte Rebus sich noch in den Lesesaal gesetzt, wo ihm dann ein Bibliotheksdiener diensteifrig einen ganzen Rollwagen voll gebündelter Tageszeitungen auf den Tisch geladen hatte. Heute musste man nur den Bildschirm einschalten und eine Filmrolle in das Gerät einlegen.

Rebus hatte kein bestimmtes Datum im Sinn. Er hatte sich vorgenommen, einen Monat vor dem Absturz auf Jura anzufangen und dann einfach die Zeitungsausgaben vor seinen Augen vorbeiziehen zu lassen, um einen Eindruck davon zu bekommen, was damals alles passiert war. Als er zum

Tag des Absturzes kam, war er ziemlich genau im Bilde. Der *Scotsman* hatte einen Artikel über das Ereignis auf der Titelseite gebracht, ergänzt durch die Fotos von zweien der Opfer: Brigadier General Stuart Phillips und Major Kevin Spark. Da Phillips schottischer Herkunft war, druckte die Zeitung am nächsten Tag auch noch einen ausführlichen Nachruf, in dem Rebus mehr als genug über Werdegang und berufliche Leistungen dieses Mannes erfuhr. Er sah seine Notizen durch, rollte den Film bis zum Ende ab, ersetzte ihn durch einen, der die zwei Wochen davor dokumentierte, und spulte ihn bis zu einem Datum vor, das er sich notiert hatte, zu einem Artikel über einen Waffenstillstand mit der IRA in Nordirland und die Rolle, die Brigadegeneral Stuart Phillips in den noch laufenden Verhandlungen gespielt hatte. Die Vorbedingungen waren strittig; großes Misstrauen der paramilitärischen Organisationen auf beiden Seiten; Splittergruppen, die für den Frieden gewonnen werden mussten ... Rebus tippte mit dem Stift gegen seine Zähne, bis er merkte, dass ein anderer Archivbenutzer in seiner Nähe die Stirn runzelte. Rebus formte mit den Lippen das Wort »Entschuldigung« und überflog ein paar andere Zeitungsartikel: Weltgipfel, Kriege, Fußballberichte ... Jemand hatte das Antlitz Jesu Christi in einem Granatapfel gesehen; eine Katze war weggelaufen, hatte aber zu ihren Besitzern zurückgefunden, obwohl diese in der Zwischenzeit umgezogen waren ...

Das Foto der Katze erinnerte ihn an Boethius. Er ging zurück zum Bibliothekar und fragte, wo die Enzyklopädien standen. Dort schlug er unter Boethius nach. Römischer Philosoph, Übersetzer, Politiker ... wurde des Hochverrats angeklagt; verfasste, während er auf die Hinrichtung wartete, das Buch *Trost der Philosophie,* in dem er den Standpunkt vertrat, alles sei veränderlich und entbehre jeglicher Gewissheit ... alles, bis auf die Tugend. Rebus fragte sich, ob das Buch ihm helfen könnte, Derek Renshaws Schicksal und dessen Folgen für jene, die ihm nahe gestanden hatten, zu verstehen. Irgendwie bezweifelte er das. In der Welt, wie er sie kannte, kamen die Schuldigen nur allzu oft ohne Strafe davon, und niemand interessierte sich für die Opfer. Ständig widerfuhr guten Menschen Böses und umgekehrt. Wenn Gott das alles so vorherbestimmt hatte, dann besaß der Schweinehund einen ziemlich üblen Humor. Da ging man doch lieber davon aus, dass es keine Vorherbestimmung gab, dass der pure Zufall Lee Herdman in den Aufenthaltsraum der Schule geführt hatte.

Allerdings hatte Rebus den Verdacht, dass auch das nicht der Wahrheit entsprach...

Er beschloss, sich irgendwo in der Nähe einen Kaffee und eine Zigarette zu genehmigen. Er hatte Siobhan morgens angerufen, um ihr zu sagen, er habe Verschiedenes in der Stadt zu erledigen und würde sich deshalb nicht mit ihr treffen können. Sie hatte nichts dagegen einzuwenden gehabt; hatte nicht einmal wissen wollen, was er vorhatte. Sie schien sich mehr und mehr von ihm zu entfernen, was er ihr nicht verübeln konnte. Er hatte Schwierigkeiten schon immer magisch angezogen, und ihrer Karriere war der Umgang mit ihm bestimmt auch nicht gerade förderlich. Außerdem nahm er an, dass es noch an etwas anderem lag. Womöglich hielt sie ihn tatsächlich für einen Sammler – jemanden, der bestimmten Menschen, die er mochte oder interessant fand, zu nahe kam... manchmal unangenehm nahe. Er dachte an Miss Teris Website, daran, dass sie ihrem Zuschauer die Illusion verschaffte, er stünde mit ihr in Verbindung. Eine ziemlich einseitige Beziehung: Der Zuschauer konnte sie sehen, sie ihn aber nicht. War auch sie eines seiner »Exemplare«?

Als er im Elephant House vor einem großen Kaffee mit viel Milch saß, holte Rebus sein Handy aus der Tasche. Bevor er hereingekommen war, hatte er draußen auf der Straße eine Zigarette geraucht: heutzutage wusste man nie, ob in einem Lokal geraucht werden durfte oder nicht. Mit dem Daumennagel tippte er Bobby Hogans Handynummer ein.

»Ist das Deppen-Dezernat schon an der Macht, Bobby?«, fragte er.

»Noch nicht ganz.« Hogan wusste, wen Rebus meinte: Claverhouse und Ormiston.

»Aber sie treiben sich in unserem Revier rum?«

»Und schmeißen sich an deine Busenfreundin ran.«

Es dauerte etwas, bis Rebus begriff. »Whiteread?«

»Genau.«

»Claverhouse ist bestimmt ganz begierig darauf, ein paar nette Geschichten aus meiner Vergangenheit zu hören.«

»Das erklärt vielleicht sein breites Grinsen.«

»Was meinst du, wie sehr bin ich *persona non grata*?«

»Keine Ahnung. Wo steckst du überhaupt? Ist das Zischen bei dir im Hintergrund etwa eine Espressomaschine?«

»Frühstückspause, Chef, das ist alles. Ich wühle ein bisschen in Herdmans militärischer Vergangenheit herum.«

»Du weißt, dass ich bereits an der ersten Hürde gescheitert bin?«

»Mach dir nichts draus, Bobby. Ich hatte schon geahnt, dass die Leute vom SAS freiwillig nichts herausgeben würden und wir sie nicht ohne weiteres dazu zwingen können.«

»Und wie hast du es geschafft, an Infos über seine Militärzeit heranzukommen?«

»Auf Umwegen, sozusagen.«

»Könntest du das ein bisschen genauer erläutern?«

»Erst, wenn ich etwas Brauchbares gefunden habe.«

»John … die Zielrichtung der Ermittlungen hat sich offenbar verschoben.«

»Im Klartext, Bobby?«

»Das ›Warum‹ scheint nicht mehr so wichtig zu sein.«

»Weil der Drogenaspekt viel interessanter ist?«, vermutete Rebus. »Willst du mich vor die Tür setzen, Bobby?«

»So was tu ich nicht, John, und das weißt du genau. Ich wollte bloß sagen, dass ich vielleicht keinen Einfluss mehr darauf habe.«

»Und Claverhouse gehört nicht zu den Gründern meines Fanclubs.«

»Er steht nicht mal auf der Adressenliste.«

Rebus dachte nach. In die Stille hinein sagte Hogan: »So wie die Dinge hier stehen, könnte ich dir genauso gut beim Kaffee Gesellschaft leisten…«

»Hat man dich vom Platz gestellt?«

»Ja, bin vom Referee zum Ersatzlinienrichter degradiert worden.«

Bei der Vorstellung musste Rebus lächeln. Claverhouse als Schiri, und Ormiston und Whiteread seine Linienrichter…

»Gibt's sonst noch etwas Neues?«, fragte er.

»Herdmans Segelyacht, auf der der Stoff gefunden wurde; er hat sie damals in bar bezahlt – in Dollar, um genau zu sein. Der allgemein üblichen Währung des Drogenhandels. Und er hat im letzten Jahr etliche Reisen nach Rotterdam unternommen, von denen er die meisten zu vertuschen versucht hat.«

»Passt alles zusammen, was?«

»Claverhouse fragt sich, ob vielleicht auch Pornografie mit im Spiel ist.«

»Der Kerl hat wirklich eine schmutzige Fantasie.«

»Er könnte aber Recht haben: In Städten wie Rotterdam kriegt man problemlos Hardcore-Pornos. Außerdem scheint unser Freund Herdman kein Kostverächter gewesen zu sein.«

Rebus kniff die Augen zusammen. »Inwiefern?«

»Wir haben den Computer aus seiner Wohnung mitgenommen, weißt du noch?« Rebus erinnerte sich: Bei seinem ersten Besuch in Herdmans Wohnung war das Gerät schon nicht mehr da gewesen. »Die Computer-Spezis in Howdenhall haben tatsächlich rekonstruieren können, welche Websites er besucht hat. Und viele davon richten sich an Spanner.«

»Du meinst Voyeure?«

»Ganz genau. Mr. Herdman hat gern *zugeschaut*. Und das ist noch nicht alles: Einige der Webites sind in Holland registriert. Herdman hat die Gebühren für die Nutzung per Kreditkarte bezahlt.«

Rebus starrte aus dem Fenster. Es hatte zu regnen begonnen, ein leicht schräg fallender Nieselregen. Die Passanten gingen jetzt schneller und hielten den Kopf gesenkt.

»Hast du je gehört, dass ein Pornohändler dafür bezahlt, sich das Zeug anzusehen, Bobby?«

»Es gibt immer ein erstes Mal.«

»Das ist ein Holzweg, glaub mir…« Rebus machte eine Pause und kniff wieder die Augen zusammen. »Hast du dir die Websites angeschaut?«

»Ich bin verpflichtet, Beweismaterial zu sichten, John.«

»Beschreib sie mir.«

»Bist du scharf auf einen billigen Kick?«

»Für *Cheap Thrills* habe ich Frank Zappa. Zier dich nicht so, Bobby.«

»Ein Mädchen sitzt in Reizwäsche auf dem Bett. Und du kannst dann eintippen, was sie für dich machen soll.«

»Wissen wir, was sie für Herdman machen sollte?«

»Leider nicht. Auch den Künsten der Jungs in Howdenhall sind Grenzen gesetzt.«

»Hast du eine Liste mit den Websites, Bobby?« Rebus musste ein leises Lachen am anderen Ende der Leitung über sich ergehen lassen. »Es ist nur eine vage Vermutung, aber heißt eine davon vielleicht Miss Teri's oder Tor zur Finsternis?«

Stille am anderen Ende, dann: »Woher weißt du das?«

»In einem früheren Leben war ich Gedankenleser.«

»Ich meine es ernst, John: Woher weißt du das?«

»Siehst du? Ich wusste, dass du das fragen würdest.« Rebus beschloss, Hogan nicht länger auf die Folter zu spannen. »Miss Teri ist Teri Cotter. Sie ist Schülerin an der Port Edgar School.«

»Und macht nebenher ein bisschen in Pornografie?«

»Ihre Homepage ist nicht pornografisch, Bobby…« Rebus vertummte, aber zu spät.

»Du hast sie dir angesehen?«

»Sie hat eine Webcam in ihrem Zimmer«, gestand Rebus ein. »Die offenbar rund um die Uhr eingeschaltet ist.« Er zuckte zusammen, als ihm klar wurde, dass er schon wieder zu viel gesagt hatte.

»Und wie lange hast du zugeschaut, bis du zu diesem Schluss gelangt bist?«

»Ich wüsste nicht, was das für eine Rolle spielt…«

Hogan ignorierte den Einwand. »Ich muss Claverhouse darüber informieren.«

»Nein, musst du nicht.«

»John, wenn Herdman scharf auf dieses Mädchen war…«

»Ich will bei ihrer Vernehmung dabei sein.«

»Ich glaube nicht, dass du…«

»Ohne *mich* wüsstest du gar nichts davon, Bobby!« Rebus merkte, dass er laut geworden war und schaute sich um. Er saß an der Theke, dicht am Fenster, und sah gerade noch, wie zwei junge Frauen, wahrscheinlich Büroangestellte bei ihrer Pause, hastig den Blick abwandten. Wie lange hatten die beiden ihn schon belauscht? Rebus senkte die Stimme. »Versprich mir, dass ich dabei bin, Bobby. Das ist mir wirklich wichtig.«

Hogans Ton wurde etwas zugänglicher. »Ich werde sehen, was ich tun kann. Hoffen wir, dass Claverhouse kein Veto einlegt.«

»Können wir Claverhouse denn nicht außen vor lassen?«

»Wie meinst du das?«

»Wie wär's, wenn nur wir beide mit ihr reden…«

»So was mache ich nicht, John.« Der Ton war wieder kühler geworden.

»Gut, wenn du meinst, Bobby.« Rebus fiel etwas ein. »Ist Siobhan bei euch?«

»Ich dachte, sie wäre bei dir.«

»Nicht so wichtig. Du sagst mir Bescheid, sobald feststeht, wann ihr Teri vernehmt?«

»Ja.« Das Wort mündete in einen Seufzer.

»Tschüss, Bobby. Du hast was gut bei mir.« Rebus beendete das Gespräch und ging hinaus, obwohl er seinen Kaffee noch nicht ausgetrunken hatte. Draußen zündete er sich eine weitere Zigarette an. Die Büromiezen steckten die Köpfe zusammen und tuschelten hinter vorgehaltener Hand – vielleicht fürchteten sie, er könne von den Lippen ablesen. Sie vermieden es, ihn direkt anzuschauen. Er blies den Rauch gegen das Fenster und kehrte in die Bibliothek zurück.

Siobhan war früh nach St. Leonard's gefahren, hatte eine Weile im Fitnessraum trainiert und war dann ins CID-Büro hinaufgegangen. Dort gab es einen großen begehbaren Schrank, in dem die Unterlagen über alte Ermittlungen aufbewahrt wurden, aber als sie die Rücken der braunen Aktenkartons aus Pappe entlangfuhr, stellte sie fest, dass einer fehlte. Er war durch einen Zettel ersetzt.

Martin Fairstone. Auf dienstliche Anordnung entfernt. Gill Templers Unterschrift.

Verständlich. Fairstones Tod war kein Unfall gewesen. Man hatte Untersuchungen in einem Mordfall eingeleitet, verbunden mit einer internen Ermittlung. Gill Templer hatte die Akte an sich genommen, um sie den zuständigen Beamten zur Verfügung stellen zu können. Siobhan schloss die Schranktür wieder und drehte den Schlüssel herum, dann ging sie auf den Flur hinaus und lauschte an Gill Templers

Tür. Nichts zu hören bis auf das entfernte Klingeln eines Telefons. Sie schaute den Gang hinauf und hinunter. Nur zwei Kollegen im CID-Büro: DC Davie Hynds und »Hi-Ho« Silvers. Hynds war noch zu neu, um irgendwelche Fragen zu stellen, aber wenn Silvers sie entdeckte…

Sie holte tief Luft, klopfte und wartete, drehte dann am Knauf und drückte gegen die Tür.

Sie war nicht abgeschlossen. Siobhan zog sie hinter sich zu und schlich auf Zehenspitzen durch das Büro ihrer Chefin. Auf dem Schreibtisch selbst lag nichts herum, und die Schubladen waren nicht groß genug. Sie starrte den grünen Aktenschrank mit den vier Schubfächern an.

»Wennschon – dennschon…«, murmelte sie und zog das oberste Schubfach auf. Es war leer. Die anderen enthielten eine Menge Papierkram, aber nicht das, wonach sie suchte. Sie atmete geräuschvoll aus und blickte sich noch einmal suchend um. Was bezweckte sie damit? Hier gab es keine Verstecke. Der Raum war rein funktional eingerichtet. Früher hatten bei Gill Templer wenigstens ein paar Pflanzen auf der Fensterbank gestanden, aber selbst die waren verschwunden, entweder mangels Pflege eingegangen, oder bei einer Aufräumaktion aussortiert. Templers Vorgänger hatte auf dem Rand seines Schreibtischs lauter Fotos seiner vielköpfigen Familie stehen gehabt, jetzt hingegen sah man dem Büro nicht einmal an, dass hier eine Frau arbeitete. In der sicheren Überzeugung, nichts übersehen zu haben, öffnete Siobhan die Tür und stand direkt vor einem Mann, der sie stirnrunzelnd betrachtete.

»*Sie* habe ich gesucht«, sagte er.

»Ich wollte nur…« Siobhan schaute über die Schulter in das Büro, als fände sie dort ein plausibles Ende für ihren Satz.

»DCS Templer ist in einer Besprechung«, erklärte der Mann.

»Hab ich mir schon gedacht«, sagte Siobhan, als sie sich wieder gefangen hatte. Sie zog die Tür ins Schloss.

»Übrigens«, sagte der Mann, »mein Name ist –«

»Mullen.« Siobhan richtete sich kerzengerade auf, woraufhin er sie nur noch um wenige Zentimeter überragte.

»Natürlich«, sagte Mullen und lächelte verkniffen. »Sie waren DI Rebus' Fahrerin, an dem Tag, als ich ihn ins Präsidium mitgenommen habe.«

»Und jetzt wollen Sie mich über Martin Fairstone befragen?«, vermutete Siobhan.

»Richtig.« Er schwieg einen Moment. »Vorausgesetzt, Sie haben ein paar Minuten für mich Zeit.«

Siobhan zuckte die Achseln und lächelte, wie um ihm zu versichern, dass sie sich nichts Schöneres vorstellen konnte.

»Wenn Sie mir dann bitte folgen würden«, sagte Mullen.

Als sie an der offenen Tür des CID-Büros vorbeikamen, warf Siobhan einen Blick hinein und sah, dass Silvers und Hynds sich nebeneinander gestellt hatten. Beide hielten ihre Krawatte straff nach oben und hatten den Kopf zur Seite gekippt, so als baumelten sie am Galgen.

Das Letzte, was sie von der Zielscheibe ihres Spotts sahen, ehe sie außer Sicht verschwand, war ihr hochgestreckter Mittelfinger.

Siobhan folgte dem Mann vom Complaints Department, der erst die Treppe hinunterging und dann, kurz vor dem Eingangsbereich, die Tür zum Vernehmungsraum 1 aufschloss.

»Ich nehme an, Sie hatten einen überzeugenden Grund, sich in DCS Templers Büro aufzuhalten«, sagte er, während er seine Anzugjacke auszog und über die Lehne des einen der beiden Stühle hängte. Siobhan setzte sich und sah zu, wie er auf dem Stuhl gegenüber Platz nahm, zwischen ihnen der zerkratzte und mit Kugelschreiberspuren beschmierte Tisch. Mullen beugte sich vor und hob einen Pappkarton vom Boden auf.

»Ja, hatte ich«, sagte Siobhan und beobachtete, wie er den Deckel ausklappte. Das Erste, was sie sah, war ein Foto von Martin Fairstone, aufgenommen kurz nach seiner Verhaftung. Mullen nahm das Bild heraus und hielt es ihr hin. Unwillkürlich fiel ihr auf, dass seine Nägel absolut makellos waren.

»Glauben Sie, dieser Mann hat es verdient zu sterben?«

»Dazu habe ich eigentlich keine Meinung«, sagte sie.

»Das hier bleibt übrigens ganz unter uns.« Mullen senkte das Foto ein wenig tiefer, so dass die obere Hälfte seines Gesichts darüber auftauchte. »Keine Bandaufzeichnung, keine Zuhörer... eine private, zwanglose Unterhaltung.«

»Und nur um diesen zwanglosen Charakter zu unterstreichen, haben Sie Ihr Jackett ausgezogen, stimmt's?«

Er zog es vor, nicht zu antworten. »Ich frage Sie noch einmal, DS Clarke: Hat dieser Mann es verdient zu sterben?«

»Wenn Sie damit meinen, ob ich mir seinen Tod gewünscht habe, dann lautet die Antwort ›nein‹. Ich bin einer Menge Drecksäcke begegnet, die schlimmer waren als Martin Fairstone.«

»Wie stufen Sie ihn dann ein: als geringfügiges Ärgernis?«

»Ich würde mir nie die Mühe machen, ihn irgendwie einzustufen.«

»Sein Tod muss schrecklich gewesen sein. Als er aufwachte, war er von Flammen und Rauch umgeben, er hat dann verzweifelt versucht, seine Fesseln zu lösen... Nicht gerade die Art und Weise, die ich mir aussuchen würde, um aus dem Leben zu scheiden...«

»Kann ich mir denken.«

Ihre Blicke trafen sich, und Siobhan wusste, dass er jeden Moment aufstehen und im Zimmer auf und ab gehen würde, um sie nervös zu machen. Sie kam ihm zuvor, indem sie den Stuhl geräuschvoll zurückschob und aufstand. Mit verschränkten Armen ging sie zur anderen Seite des Raums, so dass Mullen gezwungen war, sich zu ihr umzudrehen.

»Sie haben das Zeug, es weit zu bringen, DS Clarke«, sagte er. »In fünf Jahren könnten Sie Detective Inspector sein, vielleicht sogar Chief Inspector, noch ehe Sie vierzig sind... Dann haben Sie zehn Jahre Zeit, um mit DCS Templer gleichzuziehen.« Er legte eine Kunstpause ein. »All das ist aber nur möglich, sofern Sie es schaffen, Untiefen zu umschiffen.«

»Ich bilde mir ein, ein ziemlich gutes Navigationssystem zu besitzen.«

»Das hoffe ich für Sie. DI Rebus hingegen... na ja, der Kompass, den er benutzt, scheint ihm ständig den Weg zum nächsten Abgrund zu weisen, oder?«

»Dazu habe ich eigentlich keine Meinung.«

»Dann wird es aber höchste Zeit, dass Sie sich eine bilden. Jemand, der so gute Karrierechancen wie Sie hat, sollte sich seine Freunde sorgfältig aussuchen.«

Siobhan ging auf die andere Seite des Zimmers. An der Tür drehte sie sich um. »Es muss doch jede Menge Gestalten in Fairstones Umfeld geben, die ihm den Tod gewünscht haben.«

»Wollen wir hoffen, dass die Ermittlung möglichst viele davon zu Tage befördert«, sagte Mullen achselzuckend. »Aber in der Zwischenzeit...«

»In der Zwischenzeit würden Sie DI Rebus gern gründlich auf den Zahn fühlen.«

Mullen musterte sie eingehend. »Warum setzen Sie sich nicht?«

»Mache ich Sie nervös?« Sie stützte sich mit den Knöcheln an der Tischkante ab und beugte sich über ihn.

»Wollten Sie das damit erreichen? Ich habe mich schon gewundert...«

Sie hielt seinem Blick stand, gab dann aber nach und setzte sich.

»Sagen Sie mal«, fuhr er ruhig fort, »als Sie zum ersten Mal davon hörten, dass DI Rebus an dem Abend, als Martin Fairstone starb, bei ihm zu Besuch gewesen war, was haben Sie da gedacht?«

Sie zuckte wortlos die Achseln.

»Es ist durchaus denkbar«, erklärte Mullen seelenruhig, »dass der Täter Fairstone lediglich einen Denkzettel verpassen wollte, und die Sache leider schief gegangen ist. Möglicherweise hat DI Rebus sogar versucht, zurück in die Wohnung zu gelangen, um den Mann zu retten…« Er verstummte. »Wir haben einen Anruf von einer Ärztin erhalten… einer Psychiaterin namens Irene Lesser. Sie hatte kürzlich wegen einer anderen Sache mit Rebus zu tun. Eigentlich wollte sie sich über ihn beschweren, wegen unerlaubten Zugriffs auf Patientendaten. Aber anschließend äußerte sie noch die Ansicht, John Rebus treibe seine unbewältigte Vergangenheit um.« Mullen beugte sich vor. »Würden Sie ihn als einen Getriebenen bezeichnen, DS Clarke?«

»Er nimmt sich seine Fälle manchmal zu sehr zu Herzen«, räumte Siobhan ein. »Ich weiß allerdings nicht, ob Sie das gemeint haben.«

»Dr. Lesser sagt, dass es ihm offenbar schwer fällt, in der Gegenwart zu leben… dass in ihm eine Wut gärt, die er schon seit vielen Jahren mit sich herumträgt.«

»Ich verstehe nicht, was das mit Martin Fairstone zu tun haben soll.«

»Das verstehen Sie nicht?« Mullen lächelte nachsichtig. »Würden Sie DI Rebus als einen Freund bezeichnen, als jemanden, mit dem Sie sich auch in Ihrer Freizeit treffen?«

»Ja.«

»Wie oft?«

»Gelegentlich.«

»Ist er ein Freund, mit dem Sie Probleme besprechen würden?«

»Schon möglich.«

»Aber Martin Fairstone stellte kein Problem dar?«

»Nein.«

»Das mag für Sie gelten.« Mullen ließ die Stille wirken, dann lehnte er sich auf seinem Stuhl zurück. »Haben Sie jemals das Gefühl gehabt, Rebus beschützen zu müssen, DS Clarke?«

»Nein.«

»Aber Sie haben ihn gefahren, seit die Sache mit seinen Händen passiert ist.«

»Das ist nicht dasselbe.«

»Hat er Ihnen eine glaubwürdige Erklärung geliefert, wie es zu den Verletzungen gekommen ist?«

»Er hat die Hände in kochend heißes Wasser getaucht.«

»Ich sagte ›glaubwürdig‹.«

»Ich glaube ihm.«

»Meinen Sie nicht auch, es hätte haargenau zu ihm gepasst, Ihr blaues Auge zu sehen, eins und eins zusammenzuzählen und sich auf der Stelle Martin Fairstone vorzuknöpfen?«

»Sie sind zusammen in dem Pub gewesen... Meines Wissens hat niemand berichtet, dass die beiden sich gestritten haben.«

»Vielleicht nicht in der Öffentlichkeit. Vielleicht erst, nachdem DI Rebus es geschafft hatte, von Fairstone nach Hause eingeladen zu werden... und als er dann allein mit ihm war...«

Siobhan schüttelte den Kopf. »Das kann ich mir nicht vorstellen.«

»Ich wünschte sehr, ich hätte so viel Vertrauen in andere Menschen, DS Clarke.«

»Vielleicht im Tausch gegen Ihre selbstgefällige Arroganz?«

Mullen schien darüber nachzudenken. Dann lächelte er und legte das Foto in den Karton zurück. »Ich glaube, das reicht vorläufig.« Siobhan machte keine Anstalten zu gehen.

»Es sei denn, Sie hätten noch etwas auf dem Herzen?« Mullens Augen funkelten.

»Habe ich tatsächlich.« Sie deutete auf den Karton. »Der Grund, warum ich in DCS Templers Büro war.«

Mullen blickte ebenfalls auf den Karton. »Ach ja?« Er klang neugierig.

»Eigentlich hat es nichts mit Fairstone zu tun. Es geht um die Ermittlungen im Port-Edgar-Fall.« Sie fand, dass sie sich nichts vergab, wenn sie ihm davon erzählte. »Fairstones Freundin ist in South Queensferry aufgetaucht.« Siobhan schluckte unauffällig, bevor sie zu der kleinen Notlüge griff. »DI Hogan will sie vernehmen, aber ich kann mich nicht an ihren Namen erinnern.«

»Und der steht hier drin?« Mullen klopfte auf den Karton, überlegte einen Moment und nahm den Deckel wieder ab. »Wüsste nicht, was dagegen spricht«, sagte er und schob ihn zu ihr hinüber.

Die Blondine hieß Rachel Fox und arbeitete in einem Supermarkt am Ende vom Leith Walk. Siobhan fuhr hin, vorbei an nicht sehr einladenden Bars, Secondhandläden und Tätowier-Studios. Leith, so schien es ihr, stand immer kurz vor der einen oder anderen Renaissance. Ob nun die Lagerhäuser in »Apartments mit Loft-Charakter« umgewandelt wurden, ein Multiplex eröffnete, oder die ausgemusterte königliche Yacht dort des Tourismus zuliebe einen ständigen Liegeplatz erhielt, jedesmal hatte man von einer »Wiederbelebung« des Hafenviertels gesprochen. In ihren Augen hatte sich der Ort jedoch nie verändert: dasselbe alte Leith, dieselben alten Leither. Sie hatte sich hier niemals bedroht gefühlt, nicht einmal mitten in der Nacht, wenn sie an die Tür eines Bordells oder einer Drogenhöhle klopfte. Aber der Stadtteil konnte auch sehr trostlos wirken, eine Gegend, wo dich ein Lächeln zum Außenseiter stempelte. Der Supermarkt-Parkplatz war komplett besetzt, also fuhr sie herum, bis sie schließlich eine Frau sah, die gerade Einkaufstaschen in ihren Kofferraum lud. Siobhan wartete mit laufendem Motor ab. Die Frau schimpfte mit einem schluchzenden Fünfjährigen. Zwei hellgrüne Rotzfäden verliefen zwischen den Nasenlöchern und der Oberlippe des Jungen. Seine Schultern hingen herab und zuckten bei jedem Schluchzer. Er trug eine bauschige silberfarbene Le-Coq-Sportif-Jacke, die ihm zwei Nummern zu groß war, so dass es aussah, als hätte er gar keine Hände. Als er sich die Nase am Ärmel abwischte, verlor seine Mutter die Beherrschung und schüttelte ihn heftig. Während Siobhan dabei zuschaute, merkte sie plötzlich, dass sie die Hand schon am Türgriff hatte. Aber sie stieg nicht aus, denn sie würde die Lage des Kindes durch ihre Einmischung nicht verbessern, und die Frau würde ihren Fehler wohl kaum einsehen, nur weil jemand Wildfremdes ihr eine Standpauke hielt. Der Kofferraum wurde zugeschlagen und das Kind ins Auto bugsiert. Während die Frau um den Wagen herum zur Fahrerseite ging, blickte sie zu Siobhan hinüber und zuckte die Achseln, als sähe sie in ihr eine Verbündete. *Sie wissen ja, wie das ist*, schien ihr Achselzucken zu sagen. Siobhan starrte sie nur finster an, und die Sinnlosigkeit dieser Reaktion hatte sie immer noch im Kopf, als sie längst eingeparkt hatte und ihren Einkaufswagen in den Laden schob.

Was wollte sie hier überhaupt? War sie wegen Fairstone hergekommen, wegen der Briefe, oder weil Rachel Fox im Boatman's gewesen war? Vielleicht aus allen drei Gründen. Rachel Fox arbeitete als Kassiererin, daher ließ Siobhan den Blick über die Kassen schweifen und entdeckte sie rasch. Sie trug die gleiche blaue Uniform wie die anderen Frauen und hatte ihr Haar oben auf dem Kopf festgesteckt, wobei über jedes Ohr eine Locke herabhing. Mit stumpfem Blick schob sie einen Artikel nach dem anderen über den Barcode-Scanner. Auf dem Schild über ihrer Kasse stand: »Höchstens neun Artikel«. Siobhan ging den ersten Gang hinunter, fand aber nichts, das sie brauchte. Sie wollte sich nicht an der Fisch- oder Wursttheke anstellen. Es wäre wirklich zu dumm, wenn Fox in der Zwischenzeit eine Pause oder vorzeitig Feierabend machte. Zwei Tafeln Schokolade wanderten in den Einkaufswagen, gefolgt von einer Packung Küchenrollen und einer Dose Scotch Broth. Vier Artikel. Am Ende des nächsten Gangs kontrollierte sie, ob Fox noch immer an der Kasse saß. Das tat sie, und drei Rentner warteten darauf, ihre Einkäufe zu bezahlen. Siobhan nahm sich noch eine Tube Tomatenmark. Eine Frau in einem elektrischen Rollstuhl surrte vorbei, deren Mann nur mühsam mit ihr Schritt halten konnte, während sie ihm mit kreischender Stimme Anweisungen erteilte: »Zahnpasta! Aber denk dran, keine normale Tube, sondern eine zum Pumpen! Und hast du an die Gurke gedacht?«

Der Mann zuckte zusammen, woraus Siobhan schloss, dass er die Gurke tatsächlich vergessen hatte und deshalb noch einmal würde zurückgehen müssen.

Die anderen Kunden schienen sich im Schneckentempo fortzubewegen, als wollten sie ihren Einkauf so lange wie möglich ausdehnen. Sie würden ihren Ausflug vermutlich mit einem Besuch im Café des Supermarktes abschließen, würden dort betont langsam ein Stück Kuchen verzehren und dazu schlückchenweise eine Tasse Tee trinken. Anschließend dann zurück nach Hause zu den nachmittäglichen Kochsendungen im Fernsehen.

Ein Paket Nudeln. Sechs Artikel.

Jetzt stand nur noch ein Rentner an der Express-Kasse an. Siobhan reihte sich hinter ihm ein. Er begrüßte Fox, die sich ein müdes »Hallo« abrang, um damit ein mögliches Gespräch im Keim zu ersticken.

»Herrlicher Tag heute«, sagte der Mann. Er schien kein Gebiss zu tragen, obwohl er eindeutig eines brauchte, und beim Reden lugte immer wieder seine nasse Zunge zwischen den Lippen hervor. Fox nickte nur und konzentrierte sich darauf, seine Einkäufe so schnell wie möglich über den Scanner zu schieben. Beim Blick auf das Laufband fielen Siobhan zwei Dinge auf: erstens, dass der Herr zwölf Artikel darauf gelegt hatte. Und zweitens, dass sie, genau wie er, eine Packung Eier hätte kaufen sollen.

»Acht achtzig«, sagte Fox. Der Mann zog gemächlich die Hand aus der Tasche und zählte das Geld. Runzelte die Stirn und zählte noch einmal. Fox hielt die Hand auf und nahm die Münzen entgegen.

»Fünfzig Pence zu wenig«, teilte sie ihm mit.

»Häh?«

»Es sind fünfzig Pence zu wenig. Sie müssen irgendwas hier lassen.«

»Hier, nehmen Sie«, sagte Siobhan und fügte dem Häufchen aus Münzen eine weitere hinzu. Der Mann sah hoch, lächelte zahnlos und neigte dankend den Kopf. Dann griff er nach seiner Tasche und schlurfte zum Ausgang.

Rachel Fox wandte sich ihrer nächsten Kundin zu. »Sie denken jetzt bestimmt ›armer Kerl‹«, sagte sie, ohne den Blick zu heben. »Aber der Alte probiert's fast jede Woche mit dieser Masche.«

»Schön blöd von mir«, sagte Siobhan. »Aber wenigstens habe ich uns erspart, dass er sein Geld noch mal in Zeitlupe durchzählt.«

Fox blickte kurz zu ihr hoch, dann wieder aufs Laufband, dann wieder hoch. »Irgendwoher kenne ich Sie.«

»Haben Sie mir ein paar Briefe geschickt, Rachel?«

Die Hand auf dem Nudelpaket erstarrte. »Wieso wissen Sie, wie ich heiße?«

»Es steht zum Beispiel auf Ihrem Namensschild.«

Aber Fox fiel es jetzt ein. Ihre Augen waren stark geschminkt. Sie kniff sie zusammen und starrte Siobhan an. »Sie sind die Polizistin, die gewollt hat, dass Marty verknackt wird.«

»Ich habe bei seinem Prozess als Zeugin ausgesagt.«

»Stimmt, ich erinnere mich an Sie… Und dann haben Sie einen Ihrer Kollegen dazu gebracht, ihn anzuzünden.«

»Sie sollten nicht alles glauben, was in der Boulevardpresse steht, Rachel.«

»Sie haben ihn terrorisiert.«

»Nein.«

»Er hat mir von Ihnen erzählt… er hat gesagt, Sie hätten ihn auf dem Kieker.«

»Das stimmt ganz und gar nicht.«

»Warum ist er dann tot?«

Der letzte von Siobhans sechs Artikeln war über den Scanner gewandert, und sie hielt Fox einen Zehn-Pfund-Schein hin. Die Kassiererin an der Nachbarkasse hatte ihre Arbeit unterbrochen und hörte ihnen zu, ebenso wie ihr Kunde.

»Kann ich hier irgendwo mit Ihnen sprechen, Rachel?« Siobhan sah sich um. »Allein?« Rachels Augen füllten sich mit Tränen. Sie erinnerte Siobhan an das Kind auf dem Parkplatz. In mancher Hinsicht, dachte sie, werden wir nie erwachsen. Was unsere Gefühle angeht, werden wir nie erwachsen…

»Rachel…«, sagte sie.

Aber Fox hatte die Kasse geöffnet, um Siobhan ihr Wechselgeld zu geben. Sie schüttelte langsam den Kopf. »Mit Leuten wie Ihnen rede ich nicht.«

»Was ist mit den Briefen, die ich bekommen habe, Rachel? Wissen Sie darüber etwas?«

»Ich habe keine Ahnung, was Sie meinen.«

Das Geräusch eines Elektromotors verriet Siobhan, dass die Frau im Rollstuhl direkt hinter ihr war. Zweifellos lagen genau neun Artikel im Einkaufswagen ihres Mannes. Siobhan wandte sich um und sah, dass die Frau einen Einkaufskorb auf dem Schoß hatte, der, wie es aussah, ebenfalls genau neun Artikel enthielt. Die Frau blickte Siobhan finster an, wollte, dass sie endlich wegging.

»Ich habe Sie im Boatman's gesehen«, sagte Siobhan zu Rachel Fox. »Was haben Sie dort gewollt?«

»Wo?«

»Im Boatsman's... in South Queensferry.«

Fox reichte Siobhan den Bon und das Wechselgeld und schnaubte verächtlich. »Rod arbeitet da.«

»Ist er ein... ein Freund von Ihnen?«

»Er ist mein Bruder«, sagte Rachel Fox. Als sie zu Siobhan aufsah, waren die Tränen in ihren Augen Wut gewichen. »Werden Sie ihn jetzt auch umbringen lassen? Na? Werden Sie?«

»Wir sollten uns lieber an einer anderen Kasse anstellen, Davie«, sagte die Frau im Rollstuhl zu ihrem Mann. Sie setzte schon zurück, als Siobhan sich ihre Tüte schnappte und zum Ausgang strebte, verfolgt von Rachels Stimme:

»Du hast ihn umgebracht, du Schlampe! Er hatte dir doch überhaupt nichts getan! Mörderin! *Mörderin!*«

Sie warf die Tasche auf den Beifahrersitz und setzte sich hinters Steuer.

»Du miese Fotze!« Rachel Fox kam auf ihren Wagen zumarschiert. »So eine wie dich fasst doch kein Mann freiwillig an!«

Siobhan drehte den Zündschlüssel herum und setzte aus der Lücke zurück, während Fox auf der Fahrerseite gegen das Rücklicht trat. Sie trug Turnschuhe, und ihr Fuß rutschte am Glas ab. Siobhan schaute nach hinten, um sicherzugehen, dass dort niemand stand. Als sie sich wieder umdrehte, zerrte Fox gerade an einer Reihe zusammengeschobener Einkaufswagen. Siobhan legte den ersten Gang ein und trat das Gaspedal durch. Sie hörte, wie die Einkaufswagen scheppernd am Heck ihres Autos vorbeischossen. Im Rückspiegel sah sie, dass die Wagen die Fahrbahn hinter ihr blockierten. Der vorderste war gegen einen parkenden VW Käfer geprallt.

Und sie sah Rachel Fox, die immer noch fluchte, beide Fäuste schwenkte, dann mit einem Finger auf das davonfahrende Auto wies und sich mit demselben Finger quer über die Kehle fuhr. Dazu nickte sie langsam, um Siobhan zu zeigen, dass es ihr ernst war.

»Ganz recht – nur zu, Rachel«, murmelte Siobhan und bog vom Parkplatz auf die Straße ein.

20

Es hatte Bobby Hogan seine gesamte Überzeugungskraft gekostet – und er würde dafür sorgen, dass Rebus das nicht vergaß. Der Blick, den er ihm zuwarf, sprach Bände: *Erstens, du bist mir etwas schuldig, und zweitens, wehe, du vermasselst diese Sache...*

Sie befanden sich in einem der Büros des so genannten »Big House«, dem Präsidium der Lothian and Borders Police in der Fettes Avenue. Hier war das Dezernat Drugs and Major Crime beheimatet, deshalb war Rebus bei der Vernehmung nur ein geduldeter Gast. Er hatte keine Ahnung, wie Hogan von Claverhouse die Erlaubnis bekommen hatte, Rebus mitzubringen, aber wie auch immer, nun saßen sie alle beisammen. Auch Ormiston, der jedesmal, wenn Rebus ihm zublinzelte, schniefte und die Augen fest zusammenkniff. Teri Cotter war in Begleitung ihres Vaters erschienen, und eine Polizistin in Uniform saß in ihrer Nähe.

»Bist du sicher, dass du deinen Vater dabeihaben möchtest?«, fragte Claverhouse nüchtern. Teri schaute ihn an. Sie war in voller Goth-Montur erschienen, bis hin zu kniehohen Stiefeln mit unzähligen glänzenden Schnallen.

»Das klang ja so«, ließ sich Mr. Cotter vernehmen, »als hätte ich lieber meinen Anwalt mitbringen sollen.«

Claverhouse zuckte nur die Achseln. »Ich habe das bloß gefragt, weil ich Teri die Peinlichkeit ersparen möchte, in Ihrer Gegenwart über gewisse Dinge zu reden…« Er verstummte und fixierte Teri.

»Peinlichkeit ersparen?«, wiederholte Mr. Cotter und schaute zu seiner Tochter hinüber, weshalb ihm entging, dass Claverhouse mit den Fingern auf den Tisch tippte wie auf eine Tastatur. Aber Teri sah es und wusste offenbar sofort, worum es ging.

»Dad«, sagte sie, »vielleicht wäre es wirklich besser, wenn du draußen wartest.«

»Ich weiß nicht, ob ich –«

»Dad.« Sie legte ihre Hand auf seinen Arm. »Alles okay. Ich erklär's dir später… versprochen.« Sie sah ihm mit bohrendem Blick in die Augen.

»Also, ich weiß nicht…« Cotter sah sich um.

»Das geht schon in Ordnung, Sir«, beruhigte ihn Claverhouse, während er sich zurücklehnte und die Beine übereinander schlug. »Kein Grund zur Sorge, es geht bloß um ein paar Hintergrundinformationen, bei denen uns Teri vielleicht weiterhelfen kann.« Er nickte zu Ormiston hinüber. »DS Ormiston zeigt Ihnen, wo die Kantine ist, ich schlage vor, Sie trinken etwas, und ehe Sie sich's versehen, sind wir hier auch schon fertig…«

Ormiston schaute unzufrieden drein, und sein Blick huschte kurz zu Rebus und Hogan hinüber, als wollte er seinen Partner fragen, warum er nicht einen von den beiden losschickte. Cotter betrachtete erneut seine Tochter.

»Ich lasse dich nur sehr ungern allein.« Aber sein Tonfall ließ erkennen, dass er sich bereits damit abgefunden hatte, und Rebus fragte sich, ob dieser Mann sich jemals Teri oder seiner Frau gegenüber hatte behaupten können. Ein Mann, der nur glücklich war, wenn er es mit Zahlenkolonnen und Kursbewegungen auf dem Aktienmarkt zu tun hatte; mit Dingen, die er glaubte vorhersagen und kontrollieren zu können. Vielleicht hatte der Autounfall, der Tod seines Sohnes, ihm den Glauben an sich selbst genommen, weil er ihm seine Schwäche und Machtlosigkeit gegenüber der Willkür des Zufalls vor Augen geführt hatte. Er war schon aufgestanden, Ormiston erwartete ihn an der Tür, und die beiden Männer verließen den Raum. Rebus musste plötzlich an Allan Renshaw denken und an die Auswirkungen, die der Verlust eines Sohnes auf den Vater haben kann…

Claverhouse strahlte Teri Cotter an, doch sie verschränkte daraufhin nur misstrauisch die Arme.

»Du weißt, worum es hier geht, Teri?«

»Weiß ich das?«

»Es war eher als Frage gemeint.« Claverhouse wiederholte die tippende Bewegung der Finger. »Du weißt doch zumindest, aus welchem Grund du hier bist, oder?«

»Wieso erzählen Sie's mir nicht?«

»Du bist hier, weil du eine Website hast, Teri. Und weil dich jedermann Tag und Nacht in deinem Zimmer beobachten kann. Unser Mr. Rebus scheint einer deiner Fans zu sein.« Claverhouse wies mit dem Kopf auf Rebus. »Lee Herdman offenbar auch.« Claverhouse machte eine Pause und betrachtete ihre Miene. »Du bist anscheinend nicht sehr überrascht.«

Sie zuckte die Achseln.

»Mr. Herdman scheint ein kleiner Voyeur gewesen zu sein.« Claverhouse warf einen Blick auf Rebus, als frage er sich, ob er wohl auch in diese Kategorie gehörte. »Er hat ziemlich viele einschlägige Websites besucht, und für die meisten musste er per Kreditkarte bezahlen…«

»Und?«

»Und bei dir gibt's alles umsonst, Teri.«

»Meine Website ist ganz anders!«, stieß sie wütend hervor.

»Inwiefern?«

Sie wollte offenbar etwas sagen, überlegte es sich dann aber doch anders.

»Du magst es, wenn man dir zuschaut?«, vermutete Claverhouse. »Und Herdman hat gern zugeschaut. Wie es scheint, habt ihr beide euch prima ergänzt.«

»Er hat mich ein paar Mal gepoppt, falls Sie darauf anspielen wollten«, sagte sie kühl.

»Ich hätte vielleicht nicht diesen Ausdruck verwendet.«

»Teri«, sagte Rebus, »Lee hat sich einen Computer gekauft, den wir nirgends finden können... Liegt das vielleicht daran, dass er in deinem Schlafzimmer steht?«

»Schon möglich.«

»Er hat ihn für dich gekauft und bei dir aufgebaut?«

»Hat er das?«

»Und dir gezeigt, wie man eine Website einrichtet und wie eine Webcam funktioniert?«

»Warum fragen Sie mich, wenn Sie sowieso schon alles wissen?« Ihre Stimme hatte einen trotzigen Unterton angenommen.

»Was haben deine Eltern dazu gesagt?«

Sie schaute ihn an. »Ich habe mein eigenes Geld.«

»Sie glauben, du hast den Computer selbst bezahlt? Sie wussten gar nichts von dir und Lee?«

Ihr Blick verriet ihm, wie dämlich seine Fragen waren.

»Er hat dir also gern zugeschaut«, stellte Claverhouse fest. »Wollte wissen, wo du bist, was du tust. War das der Grund, warum du diese Website eingerichtet hast?«

Sie schüttelte den Kopf. »Das Tor zur Finsternis ist für jeden gedacht, der zugucken will.«

»War das alles deine Idee oder seine?«, fragte Hogan.

Sie lachte schrill auf. »Soll ich jetzt so tun, als wäre ich das unschuldige Rotkäppchen, oder was? Und Lee war der große böse Wolf?« Sie holte tief Luft. »Lee hat mir den Computer geschenkt und vorgeschlagen, wir könnten per Webcam in Kontakt bleiben. Das Tor zur Finsternis war meine Idee. Einzig und allein *meine*.« Sie zeigte mit dem Finger auf sich selbst und berührte dabei die Haut zwischen ihren Brüsten. Ihr schwarzseidenes Top war tief ausgeschnitten. Ihr Finger berührte den Diamanten an der goldenen Kette, und sie spielte geistesabwesend damit herum.

»Ist das auch ein Geschenk von ihm?«, fragte Rebus.

Sie linste auf die Kette hinunter, nickte und verschränkte wieder die Arme.

»Teri«, sagte Rebus ruhig, »weißt du vielleicht, wer sonst noch deine Website besucht hat?«

Sie schüttelte den Kopf. »Die Anonymität ist ja gerade der Reiz an der Sache.«

»Du selbst bist aber wohl kaum anonym geblieben. Jeder hätte herausfinden können, wer du bist.«

Sie dachte darüber nach und zuckte dann die Achseln.

»Wusste einer deiner Mitschüler von deiner Homepage?«, fragte Rebus.

Erneutes Achselzucken.

»Ich kenne zumindest einen, der davon wusste… Derek Renshaw.«

Ihre Augen weiteten sich, und ihr Mund formte ein stummes O.

»Und Derek hat vermutlich seinem Freund Anthony Jarvies davon erzählt«, fuhr Rebus fort.

Claverhouse hatte sich in seinem Stuhl aufgesetzt und hob die Hand. »Moment mal…« Er sah zu Hogan hinüber, der nur die Achseln zuckte, dann wieder auf Rebus. »Das höre ich jetzt zum ersten Mal.«

»Teris Homepage war auf Dereks Computer als Favorit gespeichert«, erklärte ihm Rebus.

»Und der andere Junge kannte die Homepage auch? Der, den Herdman ebenfalls erschossen hat?«

Rebus zuckte die Achseln. »Das halte ich für wahrscheinlich.«

Claverhouse sprang auf und rieb sich das Kinn. »Teri«, fragte er, »neigte Lee Herdman zur Eifersucht?«

»Keine Ahnung.«

»Er wusste von deiner Homepage... ich nehme an, du selbst hast ihm von ihr erzählt?« Er stand jetzt direkt vor ihr.

»Ja«, sagte sie.

»Wie fand er das? Ich meine, wie fand er es, dass jeder – wirklich *jeder* – dich nachts in deinem Schlafzimmer beobachten konnte?«

Ihre Stimme war nur noch ein Flüstern. »Glauben Sie, das ist der Grund, weshalb er die beiden erschossen hat?«

Claverhouse beugte sich über sie, bis sein Gesicht nur noch wenige Zentimeter von dem ihren entfernt war. »Was glaubst du, Teri? Hältst du das für möglich?« Er wartete ihre Antwort nicht ab, sondern wirbelte auf dem Absatz herum und klatschte in die Hände. Rebus war klar, was er dachte: dass er persönlich, Detective Inspector Charlie Claverhouse, den Fall soeben gelöst hatte, und zwar noch am selben Tag, an dem er die Leitung der Ermittlungen übernommen hatte. Und bestimmt überlegte er, wie rasch er seinen Vorgesetzten persönlich seinen Triumph verkünden konnte. Er lief zur Tür, riss sie auf und sah nach rechts und links, der Gang war jedoch zu seiner Enttäuschung menschenleer. Rebus nutzte die Gelegenheit, aufzustehen und sich auf Claverhouse' Stuhl zu setzen. Teri starrte auf ihren Schoß hinunter und spielte wieder mit den Fingern an ihrer Kette herum.

»Teri«, sagte er leise, um sie auf ihn aufmerksam zu machen. Sie schaute ihn an, ihre Augen hinter dem Eyeliner und der Wimperntusche waren rot gerändert. »Alles in Ordnung?« Sie nickte langsam. »Bist du sicher? Kann ich dir irgendetwas bringen?«

»Mir geht's gut.«

Er nickte, als versuche er, sich selbst einzureden, dass es stimmte. Hogan saß ebenfalls nicht mehr auf seinem Stuhl. Er stand neben Claverhouse an der Tür und hatte ihm beruhigend die Hand auf die Schulter gelegt. Rebus konnte nicht verstehen, was sie sagten, aber es interessierte ihn auch nicht besonders.

»Ich fasse es nicht, dass dieses Arschloch mich beobachtet hat.«

»Wer? Lee?«

»Derek Renshaw«, stieß sie hervor. »Er hatte die meiste Schuld am Tod meines Bruders!« Ihre Stimme wurde lauter. Rebus senkte die seine noch weiter, als er jetzt sprach.

»Soweit ich weiß, hat er mit deinem Bruder zusammen im Auto gesessen, aber das heißt noch lange nicht, dass er für den Unfall verantwortlich war.« Unwillkürlich sah Rebus im Geiste Dereks Vater: als kleinen Jungen, der einsam am Bordstein sitzt und sich verzweifelt an seinem neuen Ball festklammert, während das Leben an ihm vorbeiwirbelt, so dass ihm ganz schwindelig wird. »Glaubst du wirklich, Lee wäre in eine Schule marschiert und hätte zwei Schüler erschossen, nur weil er eifersüchtig war?«

Sie dachte nach und schüttelte dann den Kopf.

»Ich auch nicht«, sagte Rebus. Sie sah ihn an. »Wie zum Beispiel«, fuhr er fort, »soll er davon erfahren haben? Unseres Wissens hat er keines der beiden Opfer gekannt. Wie hätte er die beiden denn überhaupt ausfindig machen sollen?« Er beobachtete sie, während sie das verarbeitete. »Zwei Menschen zu erschießen scheint mir ein bisschen übertrieben, meinst du nicht auch? Und dann noch quasi in der Öffentlichkeit… da hätte er schon verrückt vor Eifersucht sein müssen. Völlig von Sinnen.«

»Was… was ist dann also passiert?«, fragte sie.

Rebus schaute zur Tür. Ormiston war aus der Cafeteria zurückgekommen und wurde gerade von Claverhouse umarmt, der den massigen Mann vermutlich sogar hochgehoben hätte, wenn er dazu in der Lage gewesen wäre. Rebus schnappte ein gezischtes »*Wir haben's geschafft*« auf, begleitet von Hogans zögerndem Gemurmel.

»Ich bin mir noch nicht sicher«, antwortete Rebus auf Teris Frage. »Eifersucht ist ein ziemlich gutes Motiv, deshalb hast du Claverhouse ja auch so glücklich gemacht.«

»Sie können ihn nicht leiden, stimmt's?« Ein Lächeln huschte über ihr Gesicht.

»Keine Sorge: Das beruht auf Gegenseitigkeit.«

»Als Sie das Tor zur Finsternis angeklickt haben…« Sie senkte die Augen wieder. »Hab ich da irgendwas Bestimmtes getan?«

Rebus schüttelte den Kopf. »Das Zimmer war leer.« Sie sollte nicht erfahren, dass er sie beim Schlafen beobachtet hatte. »Darf ich dich mal was fragen?« Er warf wieder einen Blick zur Tür, um sicherzugehen, dass niemand zuhörte. »Doug Brimson behauptet, ein Freund eurer Familie zu sein, aber ich hatte den Eindruck, dass er auf deiner Hitliste nicht gerade besonders weit oben steht.«

Sie verzog den Mund. »Meine Mutter hat eine Affäre mit ihm«, sagte sie abfällig.

»Bist du sicher?« Sie nickte, ohne ihn anzusehen. »Weiß dein Vater Bescheid?«

Jetzt schaute sie entsetzt auf. »Das braucht er doch nicht zu erfahren, oder?«

Rebus dachte darüber nach. »Nein, ich glaube nicht«, sagte er schließlich. »Wie hast du es herausgefunden?«

»Weibliche Intuition«, sagte sie, ohne jede Spur von Ironie. Rebus lehnte sich zurück, tief in Gedanken versunken. Er dachte an Teri und Lee Herdman und das Tor zur Finsternis und fragte sich, ob dahinter auch oder sogar ausschließlich die Absicht steckte, sich an der Mutter zu rächen.

»Teri, hattest du wirklich keine Ahnung, wer dich alles mit

der Webcam beobachtet hat? Hat keiner deiner Mitschüler je eine Andeutung gemacht...?«

Sie schüttelte den Kopf. »Ab und zu trägt sich jemand in mein Gästebuch ein, aber bisher war niemand dabei, den ich kenne.«

»Sind diese Einträge manchmal auch... wie soll ich sagen... ein bisschen absonderlich?«

»Auf solche stehe ich am meisten.« Sie legte den Kopf schief und versuchte, wieder in die Rolle der Miss Teri zu schlüpfen, aber zu spät: Rebus hatte sie als die ganz normale Teri Cotter gesehen, und das würde sie für ihn auch bleiben. Er streckte Nacken und Rücken. »Weißt du, wen ich gestern Abend getroffen habe?«, fragte er beiläufig.

»Wen?«

»James Bell.«

»Und?« Sie musterte ihre schwarz lackierten Fingernägel.

»Und dabei fiel mir ein... dieses Foto von dir... weißt du noch? Das du heimlich eingesteckt hast, als wir in dem Pub in der Cockburn Street saßen.«

»Es gehört mir.«

»Mag sein. Soweit ich mich erinnere, hast du mir, während du es geklaut hast, erzählt, dass James regelmäßig bei den Partys von Lee aufgetaucht ist.«

»Bestreitet er das?«

»Im Gegenteil, die beiden scheinen sich ziemlich gut gekannt zu haben, habe ich Recht?«

Die drei Detectives – Claverhouse, Hogan und Ormiston – kamen ins Zimmer zurück. Ormiston tätschelte Claverhouse die Schulter und auf diese Weise auch sein eigenes Ego.

»Er mochte Lee«, sagte Teri, »daran gibt's keinen Zweifel.«

»Aber wurde dieses Gefühl auch erwidert?«

Ihre Augen verengten sich. »James Bell... er könnte Lee auf Renshaw und Jarvies aufmerksam gemacht haben, oder?«

»Das würde aber nicht erklären, warum er dann auch

auf ihn geschossen hat. Worauf ich hinauswollte...« Rebus wusste, dass ihm nur noch Sekunden blieben, bis ihm das Verhör wieder aus der Hand genommen wurde. »Dieses Foto von dir.... du hast gesagt, es sei in der Cockburn Street aufgenommen worden. Ich wüsste gerne von wem.«

Sie schien nach dem Hintergedanken bei dieser Frage zu suchen. Claverhouse stand vor ihnen und schnipste mit den Fingern, um Rebus deutlich zu machen, dass es Zeit war, den Stuhl zu räumen. Rebus stand langsam auf, ohne Teri aus den Augen zu lassen.

»James Bell?«, fragte er. »War er es?«

Und sie nickte, weil ihr wohl kein Grund einfiel, es ihm nicht zu erzählen.

»Ist er extra zu euch in die Cockburn Street gekommen?«

»Er hat von uns allen Fotos gemacht – das war ein Schulprojekt...«

»Worum geht's?«, fragte Claverhouse und plumpste grinsend auf den Stuhl.

»Er hat mich nach James Bell gefragt«, erklärte Teri in sachlichem Ton.

»Ach ja? Was ist mit ihm?«

»Nichts«, sagte sie und zwinkerte Rebus zu, der sich gerade verzog. Claverhouse stutzte und drehte sich zu ihm um, aber Rebus zuckte bloß lächelnd die Achseln. Als Claverhouse wieder geradeaus blickte, malte Rebus mit dem Zeigefinger einen senkrechten Strich in die Luft, um Teri zu signalisieren, dass sie bei ihm etwas gut hatte. Ihm war klar, was Claverhouse aus der Information gemacht hätte: James Bell leiht Lee Herdman ein Buch, ohne zu bemerken, dass ein Foto von Teri darin steckt, das er vielleicht als Lesezeichen verwendet hat... Herdman findet es und ist eifersüchtig... Damit hat er einen Grund, James anzuschießen, auch wenn die Kränkung nicht schwer genug wog, um ihn umzubringen, und außerdem war er ja mit James befreundet...

Nach Lage der Dinge würde Claverhouse die Ermittlungen noch heute abschließen. Und danach schnurstracks zum Assistant Chief Constable laufen, um sich seine Belobigung abzuholen. Der Bürocontainer an der Port Edgar Academy würde abtransportiert werden und die Beamten sich wieder ihren gewöhnlichen Pflichten widmen.

Und Rebus würde weiterhin vom Dienst suspendiert sein.

Trotzdem passte das alles nicht richtig zusammen. Das war Rebus jetzt klar. Ihm war ebenfalls klar, dass er etwas übersah, was ihm förmlich in die Augen sprang. Dann schaute er Teri Cotter an, die wieder mit ihrer Kette spielte, und plötzlich wusste er, was es war. Drogen und Pornos waren nicht das Einzige, womit in Rotterdam gehandelt wurde...

Rebus erreichte Siobhan in ihrem Wagen.

»Wo sind Sie?«, fragte er.

»Auf der A90, auf dem Weg nach South Queensferry. Und Sie?«

»Ich stehe auf der Queensferry Road vor einer roten Ampel.«

»Sie können Auto fahren *und* telefonieren? Dann sind Ihre Hände bald wieder in Ordnung.«

»Ja, sieht so aus. Womit haben Sie sich heute beschäftigt?«

»Mit Fairstones Freundin.«

»Hat's was gebracht?«

»Wie man's nimmt. Und was haben Sie getan?«

»Ich war bei Teri Cotters Vernehmung dabei. Claverhouse glaubt, dass er jetzt das Motiv kennt.«

»Ach?«

»Herdman war eifersüchtig, weil die beiden Jungen Teris Website besucht haben.«

»Und James Bell war nur eine Art Zufallsopfer?«

»Ich bin mir sicher, dass Claverhouse dieser Ansicht ist.«

»Was hat das zur Folge?«

»Mit den Ermittlungen ist Schluss.«

»Und Whiteread und Simms?«

»Stimmt. Die beiden werden nicht begeistert sein.« Die Ampel vor ihm wurde grün.

»Weil sie unverrichteter Dinge abziehen müssen?«

»Genau.« Rebus dachte einen Moment lang nach und klemmte dabei das Handy zwischen Kinn und Schulter, um hochzuschalten. Dann: »Was steht bei Ihnen als Nächstes auf dem Programm?«

»Das Boatsman's. Der Barkeeper ist der Bruder von Rachel Fox.«

»Rachel Fox?«

»Fairstones Freundin.«

»Was erklären würde, warum sie in dem Pub war...«

»Ja.«

»Sie haben also mit ihr gesprochen?«

»Wir haben ein paar Höflichkeiten ausgetauscht.«

»Hat sie irgendetwas über Peacock Johnson gesagt – ob der Streit zwischen ihm und Fairstone etwas mit ihr zu tun hatte?«

»Hab ich zu fragen vergessen.«

»Vergessen...?«

»Die Situation wurde etwas brenzlig. Ich habe sowieso vor, ihren Bruder danach zu fragen.«

»Glauben Sie, er weiß, ob sie was mit Peacock hatte?«

»Das weiß ich erst, wenn ich ihn gefragt habe.«

»Wie wär's, wenn wir uns zusammentun. Ich bin gerade auf dem Weg zum Yachthafen.«

»Wollen Sie erst dorthin?«

»Ja, und anschließend lassen wir den Arbeitstag gemütlich im Boatman's ausklingen.«

»Dann treffen wir uns also auf dem Parkplatz des Yachthafens.«

Sie beendete das Gespräch und verließ die Schnellstraße

bei der letzten Ausfahrt vor der Forth Road Bridge. Fuhr den Hang hinunter und nach South Queensferry hinein und bog an der Shore Road links ab. Erneut klingelte ihr Handy.

»Haben Sie's sich anders überlegt?«, fragte sie den Anrufer.

»Nein, denn dazu müssten wir etwas verabredet haben. Was übrigens der Grund meines Anrufs ist.«

Sie erkannte die Stimme: Doug Brimson. »Entschuldigung, ich dachte, jemand anderes sei dran. Was kann ich für Sie tun?«

»Ich wollte nur wissen, ob Sie Lust haben, sich wieder einmal in die Lüfte emporzuschwingen.«

Sie lächelte. »Schon möglich.«

»Prima. Wie wär's mit morgen?«

Sie überlegte einen Augenblick. »Für ein Stündchen könnte ich mich bestimmt loseisen.«

»Am Nachmittag? Kurz vor Sonnenuntergang?«

»In Ordnung.«

»Und diesmal übernehmen Sie das Steuer?«

»Womöglich könnte ich mich dazu überreden lassen.«

»Prima. Was sagen Sie zu sechzehn Uhr?«

»Das dürfte vier Uhr nachmittags sein.«

Er lachte. »Dann also bis morgen, Siobhan.«

»Wiederhören, Doug.«

Sie legte das Handy zurück auf den Beifahrersitz und blickte durch die Windschutzscheibe in den Himmel. Stellte sich vor, wie sie ein Flugzeug flog… Stellte sich vor, wie sie plötzlich in Panik geriet. Aber wieso sollte sie in Panik geraten? Außerdem würde ja Doug Brimson dabei sein. Also kein Grund zur Sorge.

Sie stellte den Wagen vor der Cafeteria des Yachthafens ab, ging hinein und kam mit einem Mars in der Hand wieder heraus. Sie warf gerade die Verpackung in den Mülleimer, als Rebus in seinem Saab eintraf. Er fuhr an ihr vorbei und hielt am anderen Ende des Parkplatzes an, fünfzig Meter näher an Herdmans Bootsschuppen. Als er ausgestiegen war und den Wagen abgeschlossen hatte, war sie bei ihm.

»Was tun wir hier eigentlich?«, fragte sie und schluckte den letzten klebrigen Bissen hinunter.

»Außer uns die Zähne zu ruinieren, meinen Sie?«, sagte er. »Ich möchte noch einen letzten Blick in den Schuppen werfen.«

»Warum?«

»Darum.«

Das Tor des Bootshauses war geschlossen, aber nicht verriegelt. Rebus schob es zur Seite. Simms machte sich in dem abgestellten Dingi zu schaffen. Er hielt inne und schaute hoch. Rebus deutete mit dem Kopf auf das Brecheisen in seiner Hand.

»Wollen Sie hier alles auseinander nehmen?«, fragte er.

»Wer weiß, was wir noch finden werden«, sagte Simms. »Immerhin ist unsere Erfolgsquote in dieser Hinsicht um einiges höher als Ihre.«

Whiteread kam aus dem Büro, in der Hand einen Stapel Papiere.

»Langsam werden wir ein bisschen hektisch, was?«, meinte Rebus und ging auf sie zu. »Claverhouse bläst das Spiel ab, und das ist nicht unbedingt Musik in Ihren Ohren, stimmt's?«

Whiteread verzog den Mund zu einem dünnen, eisigen Lächeln. Rebus fragte sich, was man tun musste, um sie aus der Fassung zu bringen; er glaubte, einen ziemlich guten Plan zu haben.

»Ich nehme an, dass Sie uns diesen Journalisten auf den Hals gehetzt haben«, sagte sie. »Er wollte etwas über einen Hubschrauber-Absturz auf Jura wissen. Das hat mir zu denken gegeben…«

»Soso«, bemerkte Rebus.

»Ich hatte heute Morgen ein interessantes Gespräch«, sagte sie betont langsam, »mit einem Mann namens Doug Brimson. Offenbar haben Sie zu dritt einen kleinen Ausflug unternommen.« Ihr Blick schweifte zu Siobhan hinüber.

»Ach ja?«, sagte Rebus. Er war stehen geblieben, aber Whiteread ging weiter, bis ihr Gesicht nur noch etwa zehn Zentimeter von seinem entfernt war.

»Er hat Sie nach Jura geflogen. Dort haben Sie sich die Absturzstelle angesehen.« Sie schien in seiner Miene nach irgendeinem Zeichen von Schwäche zu suchen. Rebus warf Siobhan einen kurzen Blick zu. *Das hätte der Idiot ihnen nicht zu erzählen brauchen!* Ihre Wangen waren rötlich angelaufen.

»Ach ja?« Ein anderer Kommentar fiel Rebus nicht ein.

Whiteread hatte sich auf die Zehenspitzen gestellt, so dass sie auf gleicher Augenhöhe mit ihm war. »Übrigens frage ich mich, DI Rebus, wieso Sie überhaupt davon gewusst haben.«

»Wovon?«

»Sie können nämlich nur dann davon gewusst haben, wenn Sie Zugang zu Geheimakten hatten.«

»Tatsächlich?« Rebus beobachtete, wie Simms von dem Boot herunterkletterte, das Brecheisen immer noch in der Hand. Er zuckte die Achseln. »Aber wenn diese Akten, von denen Sie sprechen, geheim sind, kann ich sie mir doch nicht angesehen haben, oder?«

»Nicht ohne einen kleinen Einbruch begangen zu haben…« Whiteread nahm Siobhan ins Visier. »Und nicht ohne die Benutzung eines Fotokopierers.« Sie neigte den Kopf zur Seite und tat so, als mustere sie das Gesicht der jüngeren Frau. »Sind Sie zu lange in der Sonne gewesen, DS Clarke? Ihre Wangen glühen ja förmlich.« Siobhan rührte sich nicht, sagte kein Wort. »Hat es Ihnen die Sprache verschlagen?«

Simms betrachtete mit schadenfrohem Grinsen die beiden verlegenen Polizisten.

»Es geht das Gerücht«, sagte Rebus zu ihm, »dass Sie sich im Dunkeln fürchten.«

»Häh?« Simms runzelte die Stirn.

»Vielleicht lassen Sie ja deshalb Ihre Tür immer einen Spalt offen.« Rebus zwinkerte ihm zu und wandte sich dann wieder an Whiteread. »Ich kann mir nicht vorstellen, dass Sie diese Sache irgendwem melden werden. Es sei denn, Sie wollen, dass alle Beteiligten den wahren Grund dafür erfahren, wieso Sie hier sind.«

»Soweit ich weiß, sind Sie vom Dienst suspendiert. Und womöglich werden Sie schon bald wegen Mordes angeklagt.« Whitereads Augen glichen dunkel glühenden Punkten. »Hinzu kommt noch, dass die Psychiaterin in Carbrae sagt, Sie hätten sich ohne ihre Erlaubnis Informationen über einen Patienten beschafft.« Sie schwieg kurz. »Sie stecken also bereits bis zum Hals in der Scheiße, Rebus. Und ich kann mir nicht vorstellen, was Sie veranlassen könnte, sich noch mehr Ärger einzuhandeln, als Sie schon haben. Trotzdem tauchen Sie hier auf und legen sich mit mir an. Ich will versuchen, es in Ihren Kopf zu kriegen.« Sie beugte sich vor, so dass sie ihm direkt ins Ohr sprach. »Sie stehen auf verlorenem Posten.« Sie trat einen Schritt zurück, um Rebus' Reaktion zu beobachten. Er hatte eine behandschuhte Hand erhoben. Whiteread war offenbar ratlos, wie sie die Geste deuten sollte, und runzelte fragend die Stirn. Und dann sah sie plötzlich, was er zwischen Daumen und Mittelfinger hielt. Sah es im Licht glitzern und funkeln.

Ein Diamant.

»Was zum Teufel…?«, murmelte Simms.

Rebus ließ den Diamanten in seiner Faust verschwinden.

»Hab ich gefunden«, sagte er, drehte sich um und ging zur Tür. Siobhan folgte ihm und wartete, bis sie wieder im Freien waren, bevor sie sprach.

»Was sollte das denn eben?«

»Ich hab bloß einen Köder ausgelegt.«

»Aber was hat das zu bedeuten? Wo kam dieser Diamant plötzlich her?«

Rebus lächelte. »Von einem Freund von mir. Er hat ein Juweliergeschäft in der Queensferry Street.«

»Und?«

»Ich habe ihn überredet, mir das schöne Stück zu leihen.« Rebus steckte den Diamanten in die Tasche. »Das wissen die beiden natürlich nicht.«

»Aber mir werden Sie erklären, was das soll, nicht wahr?«

Rebus nickte langsam. »Sobald ein Fisch angebissen hat.«

»John…« Eine Mischung aus Warnen und Flehen.

»Wollen wir jetzt was trinken?«, fragte Rebus.

Sie antwortete nicht. Stattdessen starrte sie ihn auf dem Rückweg zu seinem Wagen herausfordernd an. Auch als er die Fahrertür aufschloss und einstieg, hörte sie nicht auf zu starren. Er ließ den Motor an, legte den Gang ein und kurbelte das Fenster hinunter.

»Dann bis gleich«, sagte er, bevor er losfuhr. Siobhan rührte sich nicht vom Fleck, doch er winkte nur kurz. Leise fluchend marschierte sie zu ihrem eigenen Wagen.

21

Rebus saß an einem Fenstertisch im Boatman's und las eine SMS von Steve Holly.

Haben Sie was für mich? Werde Feuer-Story aufwärmen, wenn n. kooperativ.

Rebus überlegte, ob er antworten sollte, und tippte dann ein:

jura absturz herdm war da hat etw mitgen armee will es wiederh fragen sie whiter nochm

Er war nicht sicher, ob Holly die Botschaft verstehen

würde, weil er immer noch nicht begriffen hatte, wie man bei SMSs Satzzeichen und Großbuchstaben einfügte. Aber es würde den Journalisten eine Weile beschäftigen, und wenn er tatsächlich bei Whiteread und Simms nachhakte, umso besser. Sollten die beiden ruhig glauben, dass die Luft für sie immer dünner wurde. Rebus griff nach seinem Bier und prostete sich gerade selber zu, als Siobhan eintraf. Er hatte überlegt, ob er ihr die Neuigkeit erzählen sollte, die er von Teri erfahren hatte: Brimsons Affäre mit Teris Mutter. Das Problem war, dass sie es wahrscheinlich nicht für sich würde behalten können. Wenn sie sich das nächste Mal mit Brimson traf, würde er es ihr ansehen, es aus ihrem Tonfall, ihrem ausweichenden Blick ablesen. Das wollte Rebus nicht, zumal er nicht fand, dass jemandem damit geholfen wäre, jedenfalls nicht zum gegenwärtigen Zeitpunkt. Siobhan warf ihre Tasche auf den Tisch und schaute zur Theke hinüber, wo eine Frau, die sie noch nie gesehen hatte, Bier zapfte.

»Keine Sorge«, sagte Rebus. »Ich habe mich schon erkundigt. McAllisters Schicht fängt in ein paar Minuten an.«

»Also gerade noch genug Zeit, mir reinen Wein einzuschenken.« Sie zog ihren Mantel aus. Rebus stand auf.

»Wo Sie schon davon sprechen. Was darf ich Ihnen zu trinken holen?«

»Limejuice Soda.«

»Nichts Stärkeres?«

Stirnrunzelnd musterte sie sein fast leeres Glas. »Manche Leute müssen noch fahren.«

»Keine Sorge. Es bleibt bei dem einen.« Er ging zur Bar und kam mit zwei Gläsern zurück: Limejuice Soda für sie, eine Cola für sich selbst. »Sehen Sie?«, sagte er. »Wenn ich will, kann auch ich ein echter Tugendbold sein.«

»Immer noch besser, als sich betrunken hinters Steuer zu setzen.« Sie nahm den Strohhalm aus ihrem Glas und deponierte ihn auf dem Aschenbecher, lehnte sich zurück und legte die Hände auf die Oberschenkel. »Also gut... von mir aus kann's losgehen.«

Im selben Moment öffnete sich knarrend die Tür.

»Na, so ein Zufall«, sagte Rebus, als Rod McAllister eintrat. McAllister spürte, dass ihn jemand anstarrte. Er schaute sich um, und Rebus winkte ihn heran. McAllister zog den Reißverschluss seiner abgewetzten Lederjacke auf. Wickelte den schwarzen Schal von seinem Hals und stopfte ihn in die Tasche.

»Ich muss arbeiten«, sagte er, als Rebus mit der Hand auf einen leeren Stuhl klopfte.

»Es dauert nur eine Minute«, erklärte Rebus lächelnd. »Susie hat bestimmt nichts dagegen.« Er nickte zu der Barfrau hinüber.

McAllister zögerte, dann setzte er sich, stützte die Ellbogen auf seine dünnen Beine und legte das Kinn in die Hände. Rebus äffte seine Haltung nach.

»Sie sind wieder wegen Herdman hier, nehme ich an«, sagte McAllister.

»Eigentlich nicht«, erwiderte Rebus. Dann warf er Siobhan einen Blick zu.

»Vielleicht kommen wir später noch auf ihn zurück«, erklärte sie dem Barkeeper. »Vorerst sind wir mehr an Ihrer Schwester interessiert.«

Sein Blick wanderte von Siobhan zu Rebus und wieder zurück. »An welcher?«

»Rachel Fox. Merkwürdig, dass Sie verschiedene Nachnamen haben.«

»Haben wir nicht.« McAllisters Blick schwenkte immer noch zwischen den beiden Polizisten hin und her, als könne er nicht entscheiden, an wen er sich wenden sollte. Siobhan schnippte als Reaktion kurz mit den Fingern. Er sah daraufhin nur noch sie an, die Augen leicht zusammengekniffen. »Rachel hat vor einiger Zeit ihren Namen geändert, als sie versucht hat, Model zu werden. Was hat sie denn mit eurem Verein zu tun?«

»Wissen Sie das denn nicht?«

Er zuckte die Achseln.

»Marty Fairstone?«, half Siobhan ihm auf die Sprünge. »Wollen Sie etwa behaupten, Rachel habe Sie einander nicht vorgestellt?«

»Klar kannte ich Marty. Ich war fix und fertig, nachdem ich davon gehört hatte.«

»Wie steht's mit einem Typ namens Johnson?«, fragte Rebus. »Sein Spitzname lautet Peacock... ein Freund von Marty...«

»Und?«

»Ist der Ihnen mal über den Weg gelaufen?«

McAllister schien nachzudenken. »Ich bin mir nicht sicher«, sagte er schließlich.

»Peacock und Rachel«, fing Siobhan an und neigte dabei den Kopf, um seine Aufmerksamkeit wieder auf sich zu lenken, »wir nehmen an, dass die beiden etwas miteinander hatten.«

»Ach ja?« McAllister hob eine Augenbraue. »Ist mir neu.«

»Sie hat ihn nie erwähnt?«

»Nein.«

»Die beiden sind kürzlich hier in der Stadt gewesen.«

»Seit letzter Woche sind jede Menge Leute hier. Sie beide zum Beispiel.« Er lehnte sich zurück, reckte sich und warf einen Blick auf die Uhr über der Bar. »Ich habe keine Lust, Susie zu vergrätzen...«

»Gerüchten zufolge hatten Fairstone und Johnson Streit, womöglich wegen Rachel.«

»Ach ja?«

»Wenn Ihnen unsere Fragen unangenehm sind, Mr. McAllister«, warf Rebus ein, »dann brauchen Sie das bloß zu sagen...«

Siobhan starrte auf McAllisters T-Shirt, das nun, da er nicht mehr vornübergebeugt saß, gut zu erkennen war. Es zeigte ein CD-Cover, ein Cover, das sie kannte.

»Sind Sie Mogwai-Fan, Rod?«

»Hauptsache laut.« McAllister sah auf sein T-Shirt hinunter.

»Das ist das *Rock-Action*-Album, stimmt's?«

»Korrekt.«

McAllister stand auf und wandte sich in Richtung Theke. Siobhan wechselte einen Blick mit Rebus und nickte langsam. »Rod«, sagte sie, »bei unserem ersten Gespräch... erinnern Sie sich noch, dass ich Ihnen meine Visitenkarte gegeben habe?«

McAllister nickte und ging weg. Aber Siobhan war schon aufgesprungen und folgte ihm. Ihre Stimme wurde lauter.

»Es stand die Anschrift von St. Leonard's drauf. Und als Sie meinen Namen sahen, da wussten Sie, wer ich bin, stimmt's, Rod? Weil Marty Ihnen von mir erzählt hatte... oder vielleicht auch Rachel. Kennen Sie das Mogwai-Album, das vor *Rock Action* erschienen ist?«

McAllister hatte die Klappe in der Theke geöffnet, um an seinen Arbeitsplatz zu gelangen, und ließ sie hinter sich zuknallen. Seine Kollegin starrte ihn an. Siobhan hob die Klappe wieder hoch.

»He, Zutritt nur für Personal«, sagte Susie. Aber Siobhan hörte gar nicht hin und nahm auch kaum wahr, dass sich Rebus von seinem Stuhl erhoben hatte und auf die Theke zukam. Sie packte McAllister am Ärmel. Er versuchte, sie abzuschütteln, aber sie drehte ihn zu sich herum.

»Wissen Sie, wie der Titel des Albums lautet, Rod? *Come On, Die Young.* C.O.D.Y. Diese Abkürzung stand auch in Ihrem zweiten Brief.«

»Lass mich gefälligst los!«, brüllte er.

»Ich weiß zwar nicht, worum's geht«, warf Susie ein, »aber könntet ihr das vielleicht draußen klären?«

»Man macht sich strafbar, Rod, wenn man solche Droh-briefe verschickt.«

»Nimm die Hände weg, du Miststück!« Er riss seinen Arm los, holte aus und traf sie an der Wange. Sie krachte in die Batterie kopfüber aufgehängter Flaschen und riss etliche davon herunter. Rebus beugte sich über die Theke vor, packte McAllister bei den Haaren und zerrte seinen Kopf nach unten, bis er gegen das Ablaufbrett knallte. McAllister schlug um sich und brüllte wie ein Wilder, aber Rebus hatte nicht vor, ihn loszulassen.

»Handschellen?«, fragte er Siobhan. Sie stolperte über knirschendes Glas hinter der Theke hervor, lief zu ihrem Tisch und leerte den Inhalt ihrer Tasche aus, bis sie die Handschellen fand. McAllister verpasste ihr mit den Absätzen seiner Cowboystiefel ein paar heftige Tritte gegen das Schienbein, aber sie drückte unbeirrt die Handschellen zu, bis sicher war, dass sie nicht wieder aufgehen würden. Dann trat sie einen Schritt zurück. Ihr war schwindelig, und sie fragte sich, ob das an einer möglichen Gehirnerschütterung lag, am Adrenalin oder an den Alkoholdämpfen, die aus dem Inhalt des halben Dutzend zertrümmerter Flaschen aufstiegen.

»Rufen Sie eine Streife«, fauchte Rebus, ohne seinen Gefangenen loszulassen. »Eine Nacht in der Zelle kann dem Arschloch nicht schaden.«

»Also, das können Sie doch nicht machen«, beschwerte sich Susie. »Wer soll denn dann seine Schicht übernehmen?«

»Nicht unser Problem, meine Liebe«, erklärte Rebus und setzte ein Lächeln auf, von dem er hoffte, dass es als Entschuldigung verstanden werden würde.

Sie hatten McAllister nach St. Leonard's gebracht und in die letzte freie Zelle gesteckt. Rebus hatte Siobhan gefragt, ob sie Anzeige gegen ihn erstatten sollten. Sie zuckte die Achseln.

»Ich glaube kaum, dass er mir noch weitere Briefe schicken wird.« Ihre Wange tat an der Stelle, wo McAllister sie mit seinem Arm getroffen hatte, immer noch weh, aber es sah nicht so aus, als würde es einen Bluterguss geben.

Auf dem Parkplatz trennten sich ihre Wege. Siobhans Abschiedsworte: Was ist denn nun mit dem Diamanten? blieben unbeantwortet, Rebus winkte nur freundlich und fuhr davon.

Er fuhr Richtung Arden Street und ignorierte das Klingeln seines Handys: garantiert Siobhan, die ihre Frage wiederholen wollte. Er konnte keinen Parkplatz finden und beschloss, dass er für einen gemütlichen Abend zu Hause ohnehin zu aufgedreht war. Also fuhr er weiter, gondelte durch die südlichen Stadtviertel, bis er schließlich in Gracemount landete, an derselben Bushaltestelle, wo – vor einer halben Ewigkeit, wie es ihm schien – sein Geplänkel mit den Lost Boys stattgefunden hatte. War das wirklich erst am vergangenen Mittwochabend gewesen? Jetzt war die Haltestelle verlassen. Rebus parkte trotzdem am Straßenrand, kurbelte das Fenster ein paar Zentimeter herunter und rauchte eine Zigarette. Er wusste nicht, was er mit Rab Fisher machen würde, wenn er ihn fände; wusste nur, dass er ein paar Fragen zum Tod von Andy Callis an ihn hatte. Der Vorfall im Pub hatte ihn auf den Geschmack gebracht. Er schaute seine Hände an. Sie brannten immer noch von dem physischen Kontakt mit McAllister, aber es war nicht unbedingt ein unangenehmes Gefühl.

Autobusse tauchten auf, hielten aber nicht an: Niemand wollte ein- oder aussteigen. Rebus drehte den Zündschlüssel herum und fuhr systematisch die schmalen Straßen der labyrinthischen Sozialsiedlungen ab, wobei er allerdings ein paarmal in Sackgassen landete, aus denen er nur rückwärts wieder herauskam. Auf einer verwahrlosten Grünfläche spielten ein paar Jungen in der Dämmerung Fußball. Andere fuhren auf Skateboards zu einer Unterführung hinunter. Das hier war ihr Revier, ihre Tageszeit. Er hätte nach den Lost Boys fragen können, aber er wusste, dass diese Jungen schon früh die ungeschriebenen Gesetze lernten. Sie würden niemals die örtliche Gang verpfeifen, allein schon deshalb nicht, da es vermutlich ihr wichtigstes Lebensziel war, später auch dazuzugehören. Rebus hielt vor einem flachen Wohnblock an und rauchte eine weitere Zigarette. Er würde sich bald einen Laden suchen müssen, in dem er sich Nachschub beschaffen konnte. Oder in einen Pub gehen, wo ihm wahrscheinlich einer der Gäste günstig eine Stange Zigaretten ohne Banderole anbieten würde. Er suchte im Radio nach einem halbwegs erträglichen Sender, es gab aber nur Rap und Disco. Im Kassettengerät steckte eine Kassette, aber es war *Jinx* von Rory Gallagher, und dazu war er momentan nicht in der Stimmung. Ihm fiel ein, dass eines der Stücke »The Devil Made Me Do It« hieß. Heutzutage keine Erfolg versprechende Rechtfertigung mehr, aber eine Menge anderer waren an die Stelle des guten alten Beelzebubs getreten. Unerklärliche Verbrechen gab es nicht mehr, stattdessen gab es Gutachter, die von Erbanlagen und Missbrauch sprachen, von Psychosen und schädlichen Einflüssen. Es fand sich immer ein Grund… offenbar immer eine Ausrede.

Warum also war Andy Callis gestorben?

Und warum war Lee Herdman in die Schule marschiert?

Rebus rauchte schweigend seine Zigarette, nahm den Diamanten aus der Tasche, schaute ihn an und steckte ihn wieder ein, als er draußen ein Geräusch hörte: Ein Junge schob einen anderen in einem Einkaufswagen vorbei. Beide starrten ihn an, als sei er derjenige, der einen merkwürdigen Anblick bot, und womöglich hatten sie Recht. Wenige Minuten später kamen sie zurück. Rebus kurbelte sein Fenster herunter.

»Suchen Sie was Bestimmtes, Mister?« Der Junge, der den

Einkaufswagen schob, war neun oder zehn, hatte einen rasierten Schädel und vorstehende Wangenknochen.

»Ich bin mit Rab Fisher verabredet.« Rebus tat so, als schaute er auf die Uhr. »Aber der Penner ist nicht gekommen.«

Die Jungen waren auf der Hut, aber noch nicht so sehr auf der Hut, wie sie es in ein, zwei Jahren sein würden.

»Hab ihm vorhin gesehen«, sagte der im Einkaufswagen. Rebus verkniff sich die fällige Grammatiklektion.

»Er kriegt noch Geld von mir«, erklärte er stattdessen. »Ich dachte, er wär hier.« Sah sich demonstrativ um, als könnte Fisher jeden Moment aus dem Nichts auftauchen.

»Wir könnten es ihm bringen«, sagte der, der den Wagen schob.

Rebus lächelte. »Seh ich aus, als sei ich gehirnamputiert?«

»Wie Sie wollen.« Der Junge zuckte die Achseln.

»Versuchen Sie's mal zwei Straßen weiter.« Sein Passagier zeigte geradeaus und dann nach rechts. »Wetten, dass wir schneller da sind?«

Rebus drehte wieder den Zündschlüssel. Er wollte kein Rennen fahren. Er fiel schon genug auf, auch ohne dass ein Einkaufswagen neben ihm herratterte. »Wie wär's, wenn ihr mir ein paar Kippen besorgt?«, fragte er und kramte eine Fünfpfundnote aus der Tasche. »Ruhig die billigsten, die ihr kriegt, das Wechselgeld ist für euch.«

Der Geldschein wurde ihm aus der Hand gerissen. »Was sollen denn die Handschuhe, Mister?«

»Keine Fingerabdrücke«, sagte Rebus zwinkernd und trat aufs Gas.

Aber zwei Straßen weiter tat sich nichts. Er kam an eine Kreuzung, schaute nach links und rechts und sah einen Wagen, der am Straßenrand parkte. Ein paar Gestalten standen dicht gedrängt an der Fahrertür und beugten sich zum Fenster hinunter. Rebus hielt beim Vorfahrt-beachten-Schild an und dachte spontan, die Kerle würden gerade den Wagen aufbrechen. Dann begriff er, dass sie mit dem Fahrer sprachen. Vier Kerle. Und nur einer im Wagen. Offenbar die Lost Boys, und als Einziger redete Rab Fisher. Der Motor des Wagens röhrte, selbst im Leerlauf. Entweder getunt, oder der Auspuff fehlte. Rebus vermutete Ersteres. Das Auto war verschönert worden: eine große Bremsleuchte vor der Heckscheibe, ein Spoiler am Kofferraum. Der Fahrer trug eine Baseballmütze. Rebus wünschte, er könnte ihn für das Opfer eines Raubüberfalls oder einer Erpressung halten... egal was, Hauptsache, er hätte einen Grund, in Aktion zu treten. Aber die Lage stellte sich völlig anders dar. Er hörte Gelächter, offenbar wurde gerade eine Anekdote zum Besten gegeben.

Einer von der Gang schaute in seine Richtung, und ihm wurde klar, dass er schon zu lange an der leeren Kreuzung stand. Er bog ab und hielt nach knapp fünfzig Metern wieder an. Tat so, als schaute er zu einem Wohnblock hinauf... nur ein Fremder, der einen Freund abholen wollte. Zweimaliges, ungeduldiges Hupen zwecks Glaubwürdigkeit, woraufhin die Lost Boys ihm tatsächlich nur noch kurz einen Blick zuwarfen und ihn anschließend nicht mehr beachteten. Rebus hielt das Handy ans Ohr, als rufe er den Menschen an, der nicht runterkam...

Und sah dabei in den Rückspiegel.

Sah, wie Rab Fisher gestikulierend eine Geschichte erzählte – anscheinend wollte er den Fahrer beeindrucken. Rebus hörte Musik, einen dröhnenden Bass, das Autoradio schien auf einen der Sender eingestellt zu sein, die Rebus verschmäht hatte. Er fragte sich, wie lange er seine Tarnung noch aufrechterhalten konnte. Und was, wenn das Einkaufswagen-Duo ihm tatsächlich die Zigaretten brachte?

Doch da richtete Fisher sich auf und trat von der Autotür zurück, um den Fahrer aussteigen zu lassen.

Und Rebus erkannte, wer es war: Evil Bob. Bob mit eigenem Auto, wie er den starken Mann spielte und mit wiegendem Gang zum Kofferraum schritt und ihn öffnete. Da drin war irgendetwas, das er der Gang zeigen wollte, und die Jungs bildeten einen Halbkreis um ihn, so dass Rebus die Sicht versperrt war.

Evil Bob... Peacocks Adlatus. Aber jetzt spielte er nicht die Rolle des Adlatus, denn auch wenn er nicht gerade die hellste Leuchte am Christbaum war, so hing er doch allemal höher als das Lametta namens Fisher.

Er spielte nicht...

Rebus fiel eine Szene im Verhörraum in St. Leonard's ein, an dem Tag, als man das Gesocks ausgequetscht hatte. Bob hatte gemurmelt, er sei noch nie im Varietee gewesen, und er hatte richtig betrübt geklungen. Bob, das große Kind, eigentlich gar kein richtiger Erwachsener. Das war auch der Grund dafür, dass Peacock sich mit ihm abgab; Peacock, der ihn fast wie ein Haustier behandelte, ein Haustier, dem er ein paar Kunststücke beigebracht hatte.

Und dann tauchte ein anderes Gesicht in Rebus' Erinnerung auf, eine andere Situation. Die Mutter von James Bell, *Der Wind in den Weiden...*

Dafür ist man nie zu alt... Sie hatte dabei mit dem Zeigefinger gewedelt. *Dafür ist man nie zu alt...*

Er warf einen letzten, scheinbar resignierten Blick aus dem Seitenfenster und fuhr los, mit heulendem Motor, als sei er von seinem unzuverlässigen Kumpel genervt. Bog an der nächsten Kreuzung ab, ging vom Gas, fuhr an den Straßenrand und rief jemanden an. Schrieb sich die Nummer auf, die man ihm durchgegeben hatte, und telefonierte ein zweites Mal. Drehte dann eine Runde – keine Spur von dem Einkaufswagen, geschweige denn von seinem Geld. Er hatte es allerdings auch nichts anders erwartet. Kam schließlich zu einem Vorfahrt-beachten-Schild, einem anderen als vorhin, keine hundert Meter vor Bobs Auto. Wartete. Sah, wie der Kofferraumdeckel zugeworfen wurde, die Lost Boys sich auf den Gehweg stellten und Bob sich hinters Steuer setzte. Er hatte eine Luftdruckhupe, aus der die ersten Takte von *Dixie* tröteten, als er die Handbremse löste und mit quietschenden Reifen losfuhr, so dass kleine Rauchwolken aufstiegen. Er war vermutlich schon fast auf achtzig, als er an Rebus vorbeiraste und erneut auf die *Dixie*-Hupe drückte. Rebus machte sich an die Verfolgung.

Er war ruhig, entschlossen. Fand, es war die passende Gelegenheit für die letzte Zigarette in der Packung. Und vielleicht auch für ein paar Minuten Rory Gallagher. Er erinnerte sich, wie er in den Siebzigern auf einem Konzert von Rory gewesen war, in der Usher Hall, und fast alle Zuschauer karierte Hemden und verwaschene Jeans getragen hatten. Rory hatte »Sinner Boy« gespielt, und »I'm Moving On«… Einen »Sinner Boy« hatte Rebus gerade im Visier, in der Hoffnung, noch zwei weitere zu schnappen.

Schließlich passierte, worauf Rebus spekuliert hatte. Nachdem Bob bei ein paar Ampeln Glück gehabt hatte, musste er vor einer roten anhalten. Rebus überholte ihn und stellte sich schräg vor ihn. Er stieg aus, während gleichzeitig ein drohendes *Dixie* ertönte. Bob sprang kampfbereit aus dem Wagen. Rebus hob beschwichtigend die Hände.

»'n Abend, Bo-Bo«, sagte er. »Erinnerst du dich noch an mich?«

Jetzt hatte Bob ihn erkannt. »Ich heiße Bob«, sagte er.

»Da hast du Recht.« Die Ampel war auf Grün gesprungen. Rebus winkte die Autos vorbei, die hinter ihnen standen.

»Was soll das?«, fragte Bob. Rebus inspizierte seinen Wagen mit dem prüfenden Blick eines potentiellen Käufers. »Ich habe nichts getan.«

Rebus war beim Kofferraum angekommen. Er klopfte mit den Knöcheln darauf. »Dürfte ich mal einen kurzen Blick ins Innere werfen?«

Bob klappte die Kinnlade hinunter. »Haben Sie einen Durchsuchungsbefehl?«

»Glaubst du, jemand wie ich hält sich mit solchen Formalitäten auf?« Bobs Gesicht wurde von dem Schirm seiner Baseballmütze verdeckt. Rebus ging in die Knie, um ihm in die Augen zu schauen. »Na, glaubst du das?« Er hielt inne. »Obwohl...« Er richtete sich wieder auf. »Eigentlich würde ich lieber mit dir einen kleinen Ausflug machen.«

»Ich hab nichts getan«, wiederholte der junge Mann.

»Keine Bange... die Zellen in St. Leonard's sind sowieso schon gerammelt voll.«

»Wo fahren wir dann hin?«

»Lass dich überraschen.« Rebus nickte zu seinem Saab hinüber. »Ich parke meinen Wagen rasch am Straßenrand. Du stellst dich dahinter und wartest auf mich. Verstanden? Und wehe, ich sehe dich mit deinem Handy hantieren.«

»Ich hab nichts –«

»Schon klar«, unterbrach ihn Rebus. »Aber jetzt werden wir zwei gemeinsam etwas tun... und es wird dir gefallen, das verspreche ich dir.« Er hob den Zeigefinger und ging zu seinem Wagen. Evil Bob parkte hinter ihm und wartete brav, bis Rebus auf dem Beifahrersitz saß und ihn aufforderte loszufahren.

»Wohin denn?«

»Nach Krötenhall«, sagte Rebus und zeigte geradeaus.

22

Sie verpassten die erste Hälfte der Vorstellung, holten aber rechtzeitig zur zweiten Hälfte die Eintrittskarten ab, die an der Kasse des Traverse Theatre für sie bereitlagen. Das Publikum bestand aus Familien, einer Busladung Rentner und mindestens einer Schulklasse, denn eine größere Gruppe

Kinder trug identische blassblaue Pullover. Rebus und Bob setzten sich auf ihre Plätze in einer der hinteren Reihen des Zuschauerraums.

»Es ist kein Varietee«, sagte Rebus zu Bob, »aber fast genauso gut.« In diesem Moment wurde es im Saal dunkel. Rebus hatte zwar als Kind *Der Wind in den Weiden* gelesen, konnte sich aber nicht mehr an die Handlung erinnern. Das war Bob jedoch völlig egal. Sein Argwohn schwand rasch, als die Scheinwerfer die Szenerie erleuchteten, und die Schauspieler auf die Bühne gerannt kamen. Kröte saß zu Beginn des zweiten Teils im Gefängnis.

»Bestimmt nur wegen falscher Anschuldigungen«, flüsterte Rebus, aber Bob hörte überhaupt nicht zu. Er klatschte und buhte gemeinsam mit den Kindern, und beim Höhepunkt des Stücks – die Wiesel werden von Kröte und seinen Gefährten in die Flucht geschlagen – sprang er auf und brüllte Anfeuerungsrufe. Er sah auf Rebus hinunter, der nach wie vor saß, und ein strahlendes Lächeln breitete sich auf seinem Gesicht aus.

»Wie ich gesagt habe«, erklärte ihm Rebus, als das Licht im Zuschauerraum anging und die Kinder aus dem Saal zu strömen begannen, »nicht ganz dasselbe wie ein Varietee, aber auch nicht schlecht.«

»Und das haben Sie nur getan, weil ich diese Bemerkung gemacht habe?« Nun, da das Stück zu Ende war, kehrte Bobs Misstrauen zum Teil zurück.

Rebus zuckte die Achseln. »Vielleicht glaube ich einfach, dass du eigentlich kein hundertprozentiges Wiesel bist.«

Bob blieb im Foyer stehen, schaute ausgiebig umher, so als wolle er möglichst lange bleiben.

»Du kannst jederzeit wiederkommen«, sagte Rebus zu ihm. »Braucht gar kein besonderer Anlass zu sein.«

Bob nickte langsam und folgte Rebus schließlich auf die belebte Straße hinaus. Er hatte bereits seine Autoschlüssel gezückt, doch Rebus rieb seine behandschuhten Hände aneinander.

»Eine Portion Fritten?«, schlug er vor. »Als netter Ausklang des Abends ...«

»Ich zahle«, stellte Bob eilig fest. »Sie haben die Eintrittskarten gekauft.«

»Also, wenn das so ist«, sagte Rebus, »nehme ich stattdessen Fish & Chips.«

Im Imbiss war wenig los: Es würde noch etwas dauern, bis die Leute aus den Pubs auf dem Heimweg vorbeischauten. Sie trugen die warmen Päckchen zum Auto und stiegen ein. Die Fenster beschlugen, während sie aßen. Plötzlich gluckste Bob mit offenem Mund.

»Dieser Kröte war ein ziemliches Arschloch, was?«

»Erinnerte mich irgendwie an deinen Kumpel Peacock«, sagte Rebus. Er hatte seine Handschuhe ausgezogen, damit sie nicht fettig wurden. Es war so dunkel, dass Bob die Wunden an seinen Händen nicht erkennen konnte. Sie hatten zwei Dosen Saft gekauft. Bob trank schlürfend aus seiner, schien nichts sagen zu wollen. Also setzte Rebus neu an.

»Ich habe dich vorhin zusammen mit Rab Fisher gesehen. Was hältst du von ihm?«

Bob kaute nachdenklich. »Rab is' okay.«

Rebus nickte. »Das findet Peacock auch, stimmt's?«

»Woher soll ich das wissen?«

»Du meinst, er sagt nichts über ihn?«

Bob konzentrierte sich auf sein Essen, und Rebus wusste, dass er den Ansatzpunkt gefunden hatte, nach dem er schon länger suchte. »Klar doch«, fuhr er fort, »Rabs Ansehen bei Peacock ist ständig am Steigen. Aber glaub mir, das ist pures Glück. Weißt du noch, als wir ihn wegen des Gewehr-Nachbaus drankriegen wollten? Das Verfahren wurde eingestellt, und deshalb sieht es für viele so aus, als hätte Rab uns überlistet.« Rebus schüttelte den Kopf, versuchte sich nicht vom

Gedanken an Andy Callis ablenken zu lassen. »Aber das stimmt nicht, er hatte einfach nur Glück. Wenn man derart viel Glück hat, bewundern einen die Leute… Sie glauben, man sei cleverer als andere.« Rebus schwieg, damit die Worte ihre Wirkung entfalteten. »Aber eines sage ich dir, Bob, es geht nicht darum, ob die Waffen echt sind oder nicht. Die Nachbauten sind zu gut gemacht, wir können sie nicht von echten unterscheiden. Und das bedeutet, früher oder später wird irgend so ein Junge dran glauben müssen. Und sein Blut klebt dann an deinen Händen.«

Bob hatte sich gerade Ketchup von den Fingern geleckt. Er erstarrte bei der Vorstellung. Rebus holte tief Luft und lehnte seufzend den Kopf gegen die Kopfstütze. »So wie sich die Dinge entwickeln«, fügte er unbekümmert hinzu, »wird die Beziehung zwischen Rab und Peacock enger und enger werden…«

»Rab is' okay«, wiederholte Bob, aber diesmal klangen die Worte hohl.

»Ist wirklich ein Goldstück, unser Rab«, erwiderte Rebus. »Kauft er auch brav alles, was du ihm anbietest?«

Bob warf ihm einen Seitenblick zu, und Rebus ruderte zurück. »Schon gut, schon gut, geht mich nichts an. Tun wir einfach so, als läge in deinem Kofferraum keine Decke, in die eine Knarre eingewickelt ist.«

Bobs Miene wurde deutlich angespannter.

»Ganz im Ernst, mein Sohn.« Rebus sprach das Wort *Sohn* mit besonderer Betonung aus und versuchte sich vorzustellen, was für einen Vater Bob gehabt haben mochte. »Mir fällt wirklich kein Grund ein, wieso du dich mir anvertrauen solltest.« Er nahm sich ein Pommes-Frites-Stäbchen und ließ es in seinen Mund fallen. Grinste zufrieden. »Gibt es was Schöneres als eine Portion gute Fish & Chips?«

»Die Pommes sind echt klasse.«

»Fast wie selbst gemacht.«

474

Bob nickte. »Peacock macht die besten Pommes, die ich je gegessen hab. Sind superknusprig.«

»Kocht Peacock öfters für euch?«

»Letztes Mal mussten wir leider weg, ehe er …«

Rebus starrte geradeaus, während der junge Mann noch mehr Pommes frites in sich hineinstopfte. Rebus nahm seine Dose und hielt sie in der Hand, nur um sich mit irgendetwas zu beschäftigen. Sein Herz pochte, es fühlte sich an, als wollte es sich in die Luftröhre quetschen. Er räusperte sich. »Das war bei Marty in der Küche, stimmt's?«, fragte er, bemüht beiläufig. Bob nickte und suchte dabei in den Ecken der Fish & Chips-Verpackung nach Panade-Krümeln. »Ich dachte, die beiden hatten sich wegen Rachel verkracht?«

»Ja, aber als Peacock den Anruf kriegte –« Bob hörte zu kauen auf, Entsetzen trat in seinen Blick, denn er begriff offenbar schlagartig, dass diese Unterhaltung keine harmlose Plauderei unter Kumpeln war.

»Was für einen Anruf?«, fragte Rebus, ohne den eisigen Unterton in seiner Stimme zu unterdrücken.

Bob schüttelte den Kopf. Rebus stieß seine Tür auf und schnappte sich den im Zündschloss steckenden Schlüssel. Sprang aus dem Auto, wobei die restlichen Pommes frites auf der Straße landeten, marschierte zum Kofferraum, öffnete den Deckel und zog so schnell es ging seine Handschuhe über.

Bob stand neben ihm. »Das können Sie nicht tun! Sie haben doch gesagt …! Verdammt noch mal, Sie haben doch gesagt …!«

Rebus schob das Reserverad zur Seite, und darunter kam eine Pistole zum Vorschein, die nicht einmal eingewickelt war. Eine Walther PPK.

»Das ist ein Nachbau«, stotterte Bob. Rebus wog die Waffe in der Hand, sah sie prüfend an. »Nein, ist es nicht«, blaffte er. »Das weißt du ebenso gut wie ich, und du weißt auch, dass du dafür in den Knast wanderst. Auf deinen nächsten Theaterabend wirst du noch fünf Jahre warten müssen. Aber du kannst dich ja schon mal drauf freuen.« In der einen Hand hielt er die Pistole, die andere legte er Bob auf die Schulter. »Was für ein Anruf?«, wiederholte er.

»Ich weiß nicht.« Bob schniefte und zitterte. »Irgend so ein Typ aus einem Pub ... wir sind hinterher sofort losgefahren.«

»Was hat der Typ aus dem Pub gesagt?«

Heftiges Kopfschütteln. »Das hat Peacock mir nicht erzählt.«

»Wirklich nicht?«

Der Kopf schnellte hin und her, in den Augen standen plötzlich Tränen. Rebus kaute auf der Unterlippe und schaute sich um. Niemand schenkte ihnen besondere Beachtung: Busse und Taxis auf der Lothian Road, ein Türsteher vor einer Disko, neun oder zehn Eingänge die Straße hinunter. Rebus nahm nichts davon richtig wahr, ihm schwirrte der Kopf.

Es konnte jeder der anderen Gäste gewesen sein, die an jenem Abend in dem Pub gewesen waren, jemand, dem aufgefallen war, dass er sich lange mit Fairstone unterhalten hatte, dass die beiden Männer dick befreundet zu sein schienen ... und der dachte, das würde Peacock vielleicht interessieren. Peacock, der früher Fairstone zu seinen Freunden gezählt hatte. Dann das Zerwürfnis wegen Rachel Fox. Und ... und was? Befürchtete Peacock, Martin Fairstone habe sich als Spitzel verdingt? Befürchtete er das, weil Fairstone etwas wusste, das für Rebus womöglich von Interesse war?

Die Frage war nur, was?

»Bob.« Rebus' Ton war jetzt butterweich, sollte besänftigend und beruhigend wirken. »Es ist alles in Ordnung, Bob.

Mach dir keine Sorgen. Gibt keinen Grund zur Sorge. Ich will bloß wissen, was Peacock von Marty wollte.«

Erneutes Kopfschütteln; nun nicht mehr so heftig wie zuvor, sondern eher resigniert. »Er bringt mich um«, sagte er leise. »Ja, das wird er tun.« Vorwurfsvoll starrte er Rebus an.

»Dann brauchst du meine Hilfe, Bob. Du solltest mich als Freund gewinnen. Denn wenn du das schaffst, muss Peacock hinter Gitter und nicht du. Du wirst ungeschoren davonkommen.«

Der junge Mann schwieg, so als müsse er das erst verarbeiten. Rebus fragte sich, was ein halbwegs gewiefter Verteidiger wohl vor Gericht mit ihm anstellen würde. Der Verteidiger würde Bobs geistige Fähigkeiten in Frage stellen, seine Glaubwürdigkeit anzweifeln.

Aber jemand Besseren als ihn hatte Rebus nicht.

Schweigend fuhren sie zurück zu Rebus' Auto. Bob parkte seinen Wagen in einer Nebenstraße und stieg dann bei Rebus ein.

»Am besten pennst du heute Nacht bei mir«, erklärte Rebus. »Auf diese Weise wissen wir, dass du in Sicherheit bist.« *Sicherheit*: ein hübscher Euphemismus. »Morgen halten wir dann ein kleines Schwätzchen, einverstanden?« *Schwätzchen*: ein weiterer Euphemismus. Bob nickte, ohne ein Wort zu sagen. Rebus fand einen Parkplatz am oberen Ende der Arden Street und ging mit Bob auf dem Bürgersteig zu seinem Haus. Öffnete die Haustür und stellte fest, dass das Treppenhauslicht nicht funktionierte. Begriff zu spät, was das möglicherweise bedeutete… jemand packte ihn an den Aufschlägen seiner Jacke und schleuderte ihn gegen die Wand. Ein Knie zielte auf seinen Unterleib, aber Rebus ahnte es voraus und machte eine Drehung in der Hüfte, so dass sein Oberschenkel den Stoß abbekam. Er versuchte, dem Angreifer seine Stirn ins Gesicht zu rammen und traf einen Wangenknochen. Eine fremde Hand war an seinem Hals, suchte offenbar nach der Halsschlagader. Würde sie zugedrückt werden, würde Rebus in Ohnmacht fallen. Er ballte die Fäuste, teilte Nierenhaken aus, aber die Lederjacke des Angreifers absorbierte einen Großteil der Wucht seiner Schläge.

»Da ist noch jemand«, zischte eine Frauenstimme.

»Was?« Der Angreifer hatte einen englischen Akzent.

»Er ist in Begleitung!«

Der Druck auf Rebus' Hals ließ nach, der Angreifer wich zurück. Eine Taschenlampe wurde eingeschaltet, und ihr Lichtstrahl fiel auf die halb geöffnete Tür, in der ein völlig fassungsloser Bob stand.

»Scheiße!«, sagte Simms.

Whiteread hielt die Taschenlampe in der Hand. Sie leuchtete Rebus ins Gesicht. »Tut mir Leid... Gavin ist gelegentlich etwas übereifrig.«

»Entschuldigung akzeptiert«, sagte Rebus, der sich bemühte, seine Atmung wieder unter Kontrolle zu bekommen. Dann setzte er zu einer kurzen Geraden an, aber Simms wich reflexartig aus und hob beide Fäuste.

»Schluss damit, Jungs«, schalt Whiteread sie. »Wir sind hier nicht auf dem Spielplatz.«

»Bob«, befahl Rebus, »mitkommen!« Er begann, die Treppe hochzugehen.

»Wir müssen reden.« Whiteread sprach in gelassenem Ton, so als sei eben überhaupt nichts vorgefallen. Bob lief an ihr vorbei, um Rebus zu folgen.

»Wir müssen wirklich reden!«, rief sie und sah, den Kopf in den Nacken gedrückt, Rebus hinterher, der sich bereits im ersten Stock befand.

»Na gut«, sagte er schließlich. »Aber erst bringen Sie das Licht wieder in Ordnung.«

Er schloss seine Wohnungstür auf, gab Bob ein Zeichen,

er solle den Flur hinuntergehen, zeigte ihm Küche, Bad und zuletzt das Gästezimmer mit dem nur selten benutzten Einzelbett. Er fasste den Heizkörper an. Kalt. Bückte sich und drehte am Thermostat.

»Dauert nicht lange, dann ist es warm.«

»Was war das eben?« Bob klang neugierig, aber nicht besonders beunruhigt. Jahrelange Routine darin, sich aus anderer Leute Angelegenheiten herauszuhalten.

»Keine Sorge, es hat nichts mit dir zu tun.« Als Rebus sich wieder erhoben hatte, spürte er, wie das Blut in seine Ohren strömte. Er bemühte sich, die Balance zu halten. »Du bleibst lieber hier, solange ich mit ihnen rede. Willst du vielleicht ein Buch?«

»Ein Buch?«

»Um drin zu lesen.«

»Ich hab mir noch nie viel aus Lesen gemacht.« Bob setzte sich auf die Bettkante. Rebus hörte, dass jemand die Wohnungstür schloss, also waren Whiteread und Simms jetzt im Flur.

»Dann warte einfach hier, in Ordnung?«, sagte er zu Bob. Der junge Mann betrachtete das Zimmer, als wäre es eine Gefängniszelle. Eher Bestrafung denn Zuflucht.

»Kein Fernseher?«, fragte er.

Rebus ging hinaus, ohne zu antworten. Bedeutete Whiteread und Simms mit einer Kopfbewegung, ihm ins Wohnzimmer zu folgen. Die Kopie von Herdmans Akte lag auf dem Esstisch, aber Rebus war es egal, ob die beiden sie sahen. Er schenkte sich einen Whisky ein, verzichtete darauf, seinen Gästen etwas anzubieten. Stellte sich ans Fenster, wo er ihr Spiegelbild sehen konnte, und trank das Glas in einem Zug leer.

»Woher haben Sie den Diamanten?«, fing Whiteread an, die Hände vor dem Körper verschränkt.

»Das steckt hinter allem, stimmt's?« Rebus lächelte. »Der

Grund, wieso Herdman so viele Vorsichtsmaßnahmen ergriffen hatte… er wusste, Sie würden eines Tages bei ihm vor der Tür stehen.«

»Sie haben ihn auf Jura gefunden?«, vermutete Simms. Er wirkte ruhig, gefasst.

Rebus schüttelte den Kopf. »Ich habe es mir bloß zusammengereimt. Mir war klar, dass Sie gewisse Schlussfolgerungen ziehen würden, wenn ich mit einem Diamanten vor Ihrer Nase herumwedeln würde.« Er hob sein leeres Glas in Simms Richtung. »Und genau das haben Sie eben getan… herzlichen Dank.«

Whiteread kniff die Augen zusammen. »Wir haben keine Ihrer Behauptungen bestätigt.«

»Sie sind prompt hier aufgekreuzt – das genügt mir vollauf als Bestätigung. Außerdem waren Sie letztes Jahr auf Jura und haben dort vergebens versucht, die Touristin zu mimen.« Rebus schenkte sich einen zweiten Whisky ein und nahm einen Schluck. Diesmal würde er langsamer trinken. »Hohe Militärs, die über ein Ende der Kämpfe in Nordirland verhandeln… logischerweise kam auch Geld ins Spiel. Die Paramilitärs mussten irgendwie abgefunden werden. Diese Typen sind gierig und wollten auf keinen Fall am Ende mit leeren Händen dastehen. Die Regierung hatte vor, sie mit Diamanten zu bezahlen. Nur leider stürzte der Hubschrauber ab, in dem sie transportiert wurden. Ein SAS-Suchtrupp sollte die Dinger finden. Die Männer waren bis an die Zähne bewaffnet, für den Fall dass auch die Terroristen Leute losschicken würden.« Rebus schwieg kurz. »Wie mache ich mich bisher?«

Whiteread hatte sich nicht von der Stelle gerührt. Simms hatte sich auf eine Armlehne des Sofas gesetzt, eine alte Sonntagsbeilage einer Zeitung in die Hand genommen und sie zusammengerollt. Rebus zeigte auf ihn.

»Wollen Sie mir die Luftröhre zerquetschen, Simms? Schon vergessen, dass nebenan ein Zeuge ist?«

»Man wird sich ja noch was wünschen dürfen«, antwortete Simms mit glühenden Augen und kalter Stimme. Rebus wandte sich wieder Whiteread zu, die inzwischen am Tisch stand und eine Hand auf Herdmans Personalakte gelegt hatte. »Glauben Sie, dass Sie Ihren übereifrigen Pinscher im Zaun halten können?«

»Sie waren gerade dabei, uns eine Geschichte über Diamanten zu erzählen«, sagte sie, offenbar nicht bereit, sich vom Thema ablenken zu lassen.

»Ich habe mir Herdman nie als Drogenschmuggler vorstellen können«, fuhr Rebus fort. »Haben *Sie* das Zeug auf seinem Boot deponiert?« Sie schüttelte langsam den Kopf. »Na ja, dann war's eben jemand anders.« Er überlegte einen Moment und trank erneut einen Schluck. »Die vielen Segeltörns nach Holland... Rotterdam eignet sich gut für Geschäfte mit Diamanten. Wenn Sie mich fragen, hat Herdman die Diamanten gefunden, wollte sie aber nicht abgeben. Entweder er hat sie sofort mitgenommen, oder er hat sie versteckt und ist dann später zurückgekommen, nach seinem überraschenden Beschluss, den Dienst zu quittieren. Die Armeeführung fragt sich natürlich, was mit den kostbaren Dingern passiert ist, und irgendwann gerät Herdman in ihr Visier. Er hat Geld, gründet eine Bootsfirma... aber man kann ihm nichts nachweisen.« Er brach ab, um einen weiteren Schluck zu trinken. »Ich vermute, es ist immer noch eine Menge übrig, oder hat er womöglich alles ausgegeben...?« Rebus dachte an die Segelyacht: bar bezahlt... in Dollar, der üblichen Währung beim Handel mit Edelsteinen. Und an den Diamanten an Teri Cotters Halskette, der für ihn wie ein Katalysator gewirkt hatte. Er hatte Whiteread Zeit zum Antworten gelassen, aber sie blieb stumm. »In diesem Fall«, sagte er, »dürfte Ihr Job hier reine Schadensbegrenzung sein. Sie sollen verhindern, dass jemand etwas herausfindet, durch das die Sache ans Tageslicht kommt. Alle Regierungen behaupten: Wir verhandeln nicht mit Terroristen. Mag sein, aber wir haben vor einer Weile versucht, diese Leute zu kaufen... das würde richtig fette Schlagzeilen in den Zeitungen geben.« Er sah Whiteread über den Rand seines Glases an. »Das ist es im Großen und Ganzen, stimmt's?«

»Und der Diamant?«, fragte sie.

»Leihgabe eines Freundes.«

Sie schwieg wieder, und fast eine Minute lang geschah gar nichts. Rebus hatte es nicht eilig, er dachte darüber nach, was passiert wäre, wäre er ohne Begleitung nach Hause gekommen... dann wäre die Sache für ihn wahrscheinlich deutlich schlechter ausgegangen... er hatte ein beklemmendes Gefühl im Hals, als er den restlichen Whisky hinunterschluckte.

»Hat Steve Holly sich noch mal bei Ihnen gemeldet?«, fragte Rebus schließlich. »Wenn mir irgendetwas zustößt, wird er alles erfahren.«

»Und Sie glauben, das schreckt uns ab?«

»Halten Sie den Mund, Gavin!«, schnauzte Whiteread ihn an. Bedächtig verschränkte sie die Arme. »Was werden Sie tun?«, fragte sie Rebus.

Er zuckte die Achseln. »Eigentlich geht mich das alles überhaupt nichts an. Ich wüsste deshalb nicht, wieso ich etwas unternehmen sollte, immer vorausgesetzt, sie behalten Ihren Pinscher unter Kontrolle.«

Simms war aufgestanden und griff in seine Jacke. Whiteread wirbelte herum und schlug ihm den Arm weg. Sie bewegte sich dabei so schnell, dass Rebus nur zu blinzeln gebraucht hätte, und schon wäre es ihm entgangen.

»Ich verlange von Ihnen«, sagte er ruhig, »dass Sie bis morgen früh von hier verschwinden. Ansonsten muss ich mir ernsthaft überlegen, ob ich mit meinem Freund von der Tagespresse rede.«

»Woher wissen wir, dass wir Ihnen trauen können?«

Rebus zuckte erneut die Achseln. »Ich glaube, niemandem von uns ist an einer schriftlichen Vereinbarung gelegen.« Er stellte sein Glas ab. »Wenn wir jetzt alles geklärt haben, würde ich mich gerne wieder um meinen Gast kümmern.«

Whiteread sah zur Tür hinüber. »Wer ist der Kerl?«

»Kein Sorge, er ist kein besonders gesprächiger Zeitgenosse.«

Sie nickte und schien dann gehen zu wollen.

»Eine Frage noch, Ms. Whiteread.« Sie drehte sich zu ihm um. »Was meinen Sie, war Herdmans Motiv?«

»Gier.«

»Nein, ich meinte, wieso hat er die Jungen erschossen?«

Ihre Augen schienen zu glimmen. »Was interessiert mich das?« Und mit diesen Worten ging sie hinaus. Simms hingegen starrte nach wie vor Rebus an, der sich daraufhin mit einem kecken Winken abwandte und wieder aufs Fenster schaute. Simms zückte seine automatische Pistole und zielte auf Rebus' Hinterkopf. Machte mit zusammengebissenen Zähnen ein leises, zischendes Geräusch und steckte dann die Pistole zurück in das Halfter unter seiner Jacke.

»Wir treffen uns wieder«, sagte er, die Stimme kaum lauter als ein Flüstern. »Ich weiß nicht wann und wo, aber ich werde der letzte Mensch sein, den Sie in Ihrem Leben sehen.«

»Na toll«, seufzte Rebus, ohne sich umzudrehen. »Dann werde ich also beim Abschied von dieser Welt ein Riesenarschloch anstarren müssen.«

Er hörte zu, wie sich die Schritte entfernten und die Wohnungstür zugeworfen wurde. Ging in den Flur, um sich zu vergewissern, dass die beiden tatsächlich verschwunden waren. Bob stand in der Küchentür.

»Hab mir einen Becher Tee gekocht. Milch ist übrigens alle.«

»Die Dienerschaft hatte heute frei. Hau dich jetzt aufs Ohr. Wird morgen ein langer Tag.« Bob nickte, verschwand im Gästezimmer und schloss die Tür hinter sich. Rebus schenkte sich einen dritten Whisky ein, den definitiv letzten. Ließ sich in seinen Sessel fallen, starrte die zusammengerollte Zeitungsbeilage auf dem Sofa an. Fast unmerklich fügte sich ein Bild zusammen. Er dachte an Lee Herdman, wie er der Versuchung erlegen war, die Diamanten vergraben hatte und mit unbeteiligter Miene aus dem Wald hinausmarschiert war. Aber vielleicht hatte er später ein schlechtes Gewissen bekommen. Und auch Angst. Denn er würde immer unter Verdacht stehen. Garantiert war er vernommen worden, womöglich sogar von Whiteread. Egal wie viele Jahre auch vergehen mochten, die Leute von der Armee würden niemals Ruhe geben. Sie konnten ungeklärte Angelegenheiten überhaupt nicht leiden, vor allem nicht solche, die sich womöglich irgendwann auf magische Weise in einen Sprengsatz verwandeln würden. Die Angst hatte an Herdman genagt, und er hatte mit kaum jemandem Freundschaft geschlossen... Jugendliche waren unproblematisch, denn Jugendliche konnten keine getarnten Ermittler sein... anscheinend war auch Brimson ungefährlich gewesen... Die vielen Schlösser, durch die er sich die Welt vom Leibe zu halten versuchte. Kein Wunder, dass er schließlich ausgerastet war.

Aber wieso war er ausgerechnet auf diese Weise ausgerastet? Rebus begriff es immer noch nicht, ihm leuchtete nicht ein, dass es eine Eifersuchtstat gewesen sein sollte.

James Bell hatte Miss Teri auf der Cockburn Street fotografiert...

Derek Renshaw und Anthony Jarvies waren auf der Homepage des Mädchens gewesen...

Teri Cotter war vom Tod fasziniert und schlief mit einem Ex-Soldaten.

Renshaw und Jarvies waren eng befreundet; waren anders als Teri, anders als James Bell. Hörten Jazz statt Heavy Metal; nahmen einmal die Woche in Uniform an einer Parade auf dem Schulgelände teil, trieben Sport. Im Gegensatz zu Teri Cotter.

Ganz im Gegensatz zu James Bell.

Und was hatten Herdman und Doug Brimson im Endeffekt gemeinsam, abgesehen davon, dass beide bei der Armee gewesen waren? Also, beispielsweise kannten beide Teri Cotter. Teri war mit Herdman zusammen, ihre Mutter hatte eine Affäre mit Brimson. Rebus stellte sich das Beziehungsgeflecht der vier als einen dieser merkwürdigen Tänze vor, bei denen man ständig den Partner wechselte. Er stützte den Kopf in die Hände, schloss die Augen und roch das Gemisch aus Handschuhleder und den Whisky-Dämpfen, die aus seinem Glas aufstiegen, während gleichzeitig die Tänzer in seinem Kopf herumwirbelten.

Als er blinzelnd die Augen wieder öffnete, sah er alles um sich herum nur verschwommen. Die Tapete war als Erstes wieder deutlich zu erkennen, aber er sah im Geiste Blutflecken, das Blut des Aufenthaltsraums.

Zwei Todesschüsse, ein Schuss in die Schulter.

Nein: *drei* Todesschüsse …

»Nein.« Er merkte, dass er das Wort laut ausgesprochen hatte. Zwei Todesschüsse, ein Schuss in die Schulter. Dann ein weiterer Todesschuss.

Blut spritzt auf Wände und Fußboden.

Überall Blut.

Blut, das eine Geschichte erzählt …

Er schenkte sich ohne nachzudenken einen vierten Whisky ein und besann sich erst, als er das Glas schon an die Lippen geführt hatte. Schüttete die Flüssigkeit vorsichtig zurück in die Flasche und verschloss sie. Stellte die Flasche sogar sicherheitshalber zurück auf den Kaminsims.

Blut, das eine Geschichte erzählte.

Er griff nach dem Telefonhörer. Bezweifelte, dass um diese Zeit noch jemand im Labor in Howdenhall war, aber er rief trotzdem dort an. Man konnte nie wissen: manche der Kriminaltechniker hatten ihre eigenen, kleinen Obsessionen, eigene kleine Rätsel, die sie unbedingt lösen wollten. Nicht etwa, weil es die Ermittlungen oder ihre Berufsehre verlangten, sondern aus anderen, persönlichen Beweggründen.

Genau wie Rebus fiel es ihnen schwer loszulassen. Er konnte nicht mehr beurteilen, ob das gut oder schlecht war; es war einfach so, wie es war. Am anderen Ende klingelte es, aber niemand hob ab.

»Faule Säcke«, murmelte er leise. Dann sah er, dass Bob den Kopf durch die Tür steckte.

»'schuldigung«, sagte der junge Mann und kam ins Zimmer geschlurft. Er hatte seine Jacke ausgezogen. Sein weites, graues T-Shirt gab den Blick auf schlaffe, unbehaarte Arme frei. »Kann irgendwie nicht einschlafen.«

»Setz dich, wenn du magst.« Rebus nickte in Richtung Sofa. Bob nahm darauf Platz, wirkte aber immer noch verlegen. »Da steht der Fernseher, wenn du Lust hast.«

Bob nickte, doch seine Augen schweiften umher. Sein Blick fiel auf das Bücherregal, und er ging hinüber. »Vielleicht werde ich doch mal ...«

»Bedien dich ruhig ...«

»Das Stück heute Abend ... Sie haben doch gesagt, dass es eigentlich ein Buch ist.«

Jetzt nickte Rebus. »Aber ich habe leider kein Exemplar.« Er lauschte noch weitere fünfzehn Sekunden lang dem Klingeln, dann gab er auf.

»Tut mir Leid, wenn ich Sie störe«, sagte Bob. Noch immer hatte er keines der Bücher aus dem Regal gezogen, sie schienen in seinen Augen eine seltene Spezies zu sein, die man zwar bestaunen, nicht aber berühren durfte.

»Tust du nicht.« Rebus stand auf. »Warte einen Moment.« Er ging in den Flur, öffnete den Wandschrank. Ganz oben standen mehrere Pappkartons, und er holte einen davon herunter. Sachen, die seiner Tochter gehört hatten… Puppen und Malkästen, Postkarten und kleine, bei Strandspaziergängen gesammelte Steine. Er musste an Allan Renshaw denken. Er dachte an die Bindung, die sie eigentlich haben sollten, eine Bindung, die sich nur allzu leicht hatte lösen lassen. Allan mit seinen Foto-Kartons, seinem Dachboden voller Erinnerungsstücke. Rebus stellte den Karton zurück, nahm sich den nächsten. Alte Bücher seiner Tochter: kleine Ladybook-Bilderbücher, einige Taschenbücher mit bekritzelten oder halb abgerissenen Umschlägen. Und ein paar hoch geschätzte Hardcover. Ja, da war es: grüner Schutzumschlag, gelber Buchrücken und eine Zeichnung von Herrn Kröte. Jemand hatte eine Sprechblase hinzugefügt, in der die Worte »puup-puup« standen. Er wusste nicht, ob es die Handschrift seiner Tocher war oder nicht. Dachte erneut an seinen Cousin Allan, daran, wie er versucht hatte, sich an die Namen längst verstorbener Verwandter auf den Fotos zu erinnern.

Rebus stellte auch diesen Karton an seinen ursprünglichen Platz zurück, machte den Schrank zu und nahm das Buch mit ins Wohnzimmer.

»Bitteschön«, sagte er zu Bob und gab es ihm. »Jetzt kannst du nachlesen, was dir vorhin entgangen ist.«

Bob schien sich zu freuen, hielt das Buch aber unsicher in den Händen, als wisse er nicht, wie man es am besten anfasste. Dann kehrte er ins Gästezimmer zurück. Rebus trat ans Fenster, starrte in die Nacht hinaus und fragte sich, ob auch ihm etwas entgangen war… nicht an diesem Abend, sondern gleich zu Beginn der Ermittlungen.

Siebter Tag

Mittwoch

23

Als Rebus aufwachte, schien die Sonne. Er schaute auf die Uhr, schwang sich aus dem Bett und zog sich an. Setzte Teewasser auf, wusch sich im Bad das Gesicht, ehe er demselben einen flüchtigen Einsatz des Elektrorasierers spendierte. Lauschte an der Tür des Gästezimmers. Nichts zu hören. Er klopfte an, wartete, zuckte dann die Achseln und ging ins Wohnzimmer. Wählte die Nummer der Kriminaltechnischen Abteilung, wo wieder keiner abnahm.

»Faule Säcke.« Apropos faul… Diesmal pochte er kräftiger an Bobs Tür und öffnete sie einen Spalt. »Los, raus aus den Federn!« Die Gardine war zurückgezogen, das Bett leer. Leise fluchend machte Rebus die Tür ganz auf und ging hinein, obwohl es im Zimmer eigentlich keine Möglichkeit gab, sich zu verstecken. *Der Wind in den Weiden* lag auf dem Kopfkissen. Rebus betastete die Matratze, sie fühlte sich noch ein wenig warm an. Zurück im Flur, stellte er fest, dass die Wohnungstür nicht richtig zu war.

»Hätte uns einschließen sollen«, murmelte er und drückte sie ins Schloss. Jetzt musste er sich also Schuhe und Jacke anziehen, um ihn draußen aufzuspüren. Garantiert würde Bob als Erstes sein Auto holen. Um sich dann, wenn er auch nur einen Funken Verstand hatte, in Richtung England zu verdrücken. Rebus bezweifelte, dass er einen Reisepass besaß. Hätte er doch bloß Bobs Autonummer aufgeschrieben. Er konnte sie natürlich herauskriegen, aber das würde dauern…

»Moment mal«, sagte er. Er ging ins Gästezimmer zurück und nahm das Buch vom Bett. Bob hatte den Schutzumschlag als Lesezeichen benutzt. Wieso hätte er das tun sollen, es sei denn…? Rebus öffnete die Wohnungstür und trat in den Hausflur. Er hörte jemanden die Treppe heraufkommen.

»Hab ich Sie etwa geweckt?«, fragte Bob. Er hielt eine Plastiktüte hoch. »Milch, Teebeutel, vier Brötchen, eine Packung Würstchen.«

»Gute Idee«, gab Rebus zurück und hoffte, dass er gelassener klang, als er war.

Nach dem Frühstück fuhren sie in Rebus' Wagen nach St. Leonard's. Rebus bemühte sich, den Eindruck zu erwecken, als sei das Ganze keine große Sache. Allerdings ließ sich schlecht verheimlichen, dass sie fast den ganzen Tag in einem Vernehmungsraum zubringen würden, in dem ein Kassettenrekorder jedes Wort und eine Videokamera jede Bewegung aufzeichnete.

»Möchtest du vorher noch einen Saft oder so?«, fragte Rebus. Bob hatte sich die aktuelle Ausgabe eines Boulevardblatts gekauft, die er nun aufgeschlagen vor sich auf dem Tisch liegen hatte und begleitet von Lippenbewegungen durchlas. Er schüttelte den Kopf. »Bin gleich wieder da«, sagte Rebus, ging hinaus und schloss die Tür hinter sich. Er marschierte hinauf ins CID-Büro. Siobhan saß an ihrem Schreibtisch.

»Viel zu tun?«, fragte er.

Sie blickte von ihrem Bildschirm auf: »Heute Nachmittag habe ich meine erste Flugstunde.«

»Auf Einladung von Doug Brimson?« Rebus betrachtete ihr Gesicht, während sie nickte. »Wie geht's Ihnen?«

»Keine sichtbaren Verletzungen.«

»Hat man McAllister schon freigelassen?«

Siobhan warf einen Blick auf die Uhr über der Tür. »Darum sollte ich mich wohl demnächst kümmern.«

»Sie werden ihn also nicht anzeigen?«

»Sollte ich?«

Rebus schüttelte den Kopf. »Aber ich fände es gut, wenn Sie ihm noch ein paar Fragen stellen, ehe Sie ihn an die frische Luft befördern.«

Sie lehnte sich auf dem Stuhl zurück und sah zu ihm hoch. »Zum Beispiel?«

»Unten sitzt Evil Bob. Er sagt, Peacock Johnson hat den Brand gelegt. Hat die Fritteuse angestellt und ist dann abgehauen.«

Sie schien verblüfft. »Hat Bob auch gesagt, warum?«

»Ich tippe, er hat angenommen, dass Fairstone gesungen hat. Sie waren sich ohnehin nicht grün, und dann ruft jemand bei Johnson an und erzählt ihm, dass Fairstone gerade gemütlich mit mir im Pub sitzt.«

»Und deswegen hat er ihn gleich umgebracht?«

Rebus zuckte die Achseln. »Muss offenbar Grund zur Sorge gehabt haben.«

»Aber wieso wissen wir nicht?«

»Noch nicht. Vielleicht wollte er Fairstone auch nur einen Denkzettel verpassen.«

»Und Sie meinen, der gute Bob wird Licht ins Dunkel bringen?«

»Ich glaube, ich kann ihn dazu überreden.«

»Und was für einen Platz hat Rod McAllister in Ihrem Szenario?«

»Das werden wir nur erfahren, wenn Sie bei ihm Ihre überragenden kriminalistischen Fähigkeiten einsetzen.«

Siobhan fuhr mit der Maus über das Mauspad, um die Datei zu speichern, an der sie gerade gearbeitet hatte. »Ich werde mein Bestes tun. Kommen Sie mit?«

Er schüttelte den Kopf. »Ich muss zurück in den Vernehmungsraum.«

»Ihr Gespräch mit Johnsons Adlatus … ist das offiziell?«

»Halboffiziell, könnte man sagen.«

»Dann sollte noch jemand dabei sein.« Sie sah ihm in die Augen. »Halten Sie sich ein einziges Mal an die Regeln.«

Er wusste, dass sie Recht hatte. »Ich könnte warten, bis Sie mit unserem Barkeeper fertig sind«, bot er ihr an.

»Danke für das Angebot.« Ihr Blick wanderte über die Schreibtische. DC Davie Hynds telefonierte gerade und machte sich dabei Notizen.

»Nehmen Sie Davie«, sagte sie. »Er ist nicht so eine Beamtenseele wie George Silvers.«

Rebus schaute zu Hynds hinüber. Er war fertig mit Telefonieren und legte mit der einen Hand den Hörer auf die Gabel, während er mit der anderen immer noch in sein Notizbuch schrieb. Er merkte, dass er beobachtet wurde, schaute hoch und hob fragend eine Augenbraue. Rebus winkte ihn mit dem Zeigefinger herüber. Er kannte Hynds nicht besonders gut, hatte kaum je mit ihm zusammengearbeitet. Aber er vertraute Siobhan.

»Davie«, sagte er und legte dem Jüngeren kumpelhaft den Arm um die Schulter, »lassen Sie uns gemeinsam ein paar Schritte gehen. Ich will Sie über den Typ ins Bild setzen, den wir gleich befragen werden.« Nach einer kurzen Pause fügte er hinzu: »Sie nehmen am besten Ihr Notizbuch gleich mit…«

Nach zwanzig Minuten im Vernehmungsraum, in deren Verlauf Bob noch nicht über allgemeine Hintergrundinformationen hinausgekommen war, klopfte es an der Tür. Rebus öffnete und stand vor einer Polizistin in Uniform.

»Ja?«

»Anruf für Sie.« Sie deutete hinter sich in Richtung Empfangstresen.

»Ich habe hier zu tun.«

»DI Hogan ist am Apparat. Er sagt, es sei dringend, und sofern Sie nicht gerade am offenen Herzen operiert werden, soll ich Sie zum Telefon zerren.«

Rebus musste unwillkürlich lächeln. »Das hat er wörtlich so gesagt?«

»Wortwörtlich«, erwiderte die Frau. Rebus drehte sich um und sagte zu Hynds, es würde nicht lange dauern. Hynds schaltete den Kassettenrekorder ab.

»Soll ich dir irgendetwas holen, Bob?«, fragte Rebus.

»Wissen Sie, Mr. Rebus, vielleicht wär's gut, wenn Sie meinen Anwalt holen würden.«

Rebus sah ihn an. »Dein Anwalt ist doch bestimmt auch Peacocks Anwalt, oder?«

Bob dachte einen Moment lang nach. »Lieber erst einmal nicht.«

»Erst einmal nicht«, wiederholte Rebus und ging hinaus. Der uniformierten Kollegin erklärte er, dass er den Weg zum Empfangsbereich auch allein finde, betrat die Kantine und lief zu dem offenen Durchgang auf der anderen Seite. Auf dem Empfangstresen lag ein Telefonhörer.

»Hallo?«

»Herrgott noch mal, John, ich dachte schon, du seist verschollen.« Bobby Hogan klang nicht besonders gut gelaunt. Rebus betrachtete die Reihe aus Überwachungsmonitoren, die direkt vor ihm standen. Sie zeigten ein halbes Dutzend verschiedene Außen- und Innenansichten von St. Leonard's, und etwa alle dreißig Sekunden wechselten die Bilder, stammten dann aus einer anderen Kamera.

»Was gibt's, Bobby?«

»Die Kriminaltechniker haben in Sachen Port Edgar endlich die Ergebnisse vorliegen.«

»Ach ja?« Rebus zuckte zusammen. Er hatte selbst noch einmal bei ihnen anrufen wollen.

»Ich bin auf dem Weg nach Howdenhall. Und zufällig liegt St. Leonard's genau auf der Strecke.«

»Man ist also auf etwas Ungewöhnliches gestoßen?«

»Sie sagen, ein paar Details sind etwas rätselhaft«, antwortete Hogan. Nach kurzem Schweigen: »Du hast es gewusst, stimmt's?«

»Nur geahnt. Es hat mit den Einschüssen zu tun, stimmt's?« Sein Blick blieb an einem der Bildschirme haften. Detective Chief Superintendent Gill Templer war darauf zu sehen, wie sie gerade das Gebäude betrat. Sie trug einen Aktenkoffer und außerdem eine schwer aussehende Umhängetasche über einer Schulter.

»Genau. Es gibt ein paar... Auffälligkeiten.«

»Auffälligkeiten – schöner Ausdruck. Und so präzise.«

»Ich frage mich, ob du vielleicht mitkommen willst.«

»Was sagt Claverhouse dazu?«

Schweigen am anderen Ende. Dann, leise: »Claverhouse weiß nichts davon. Man hat *mich* angerufen.«

»Warum hast du ihn nicht informiert, Bobby?«

Nach einer weiteren Pause: »Keine Ahnung.«

»Der verderbliche Einfluss eines gewissen Kollegen?«

»Womöglich.«

Rebus grinste. »Dann bis gleich, Bobby. Je nachdem, was die Herren uns erzählen, werde ich vielleicht ein paar Fragen an sie haben.«

Er öffnete die Tür zum Vernehmungsraum und winkte Hynds auf den Flur hinaus. »Dauert nur einen Moment, Bob«, fügte er hinzu. Er schloss die Tür wieder und wandte sich mit verschränkten Armen an Hynds: »Ich muss nach Howdenhall. Befehl von oben.«

»Soll ich ihn in eine Zelle bringen lassen, bis Sie wieder...?«

Rebus schüttelte bereits den Kopf. »Nein, machen Sie ruhig weiter. Ich bin bestimmt bald zurück. Wenn's irgendwie heikel wird, erreichen Sie mich auf meinem Handy.«

»Aber...«

»Davie«, Rebus legte ihm die Hand auf die Schulter, »Sie schaffen das. Sie kommen auch ohne mich klar.«

»Aber es müssen zwei Polizisten anwesend sein«, warf Hynds ein.

Rebus schaute ihn an. »Das hat Ihnen Siobhan eingetrichtert, was?« Er schürzte die Lippen, dachte nach und nickte dann. »Sie haben Recht. Ich schlage vor, Sie bitten DCS Templer, sich zu Ihnen zu gesellen.«

Hynds zog beide Augenbrauen so weit hoch, dass sie seine Ponyfransen berührten. »Die Chefin wird wohl kaum bereit sein...«

»Und ob sie wird. Sagen Sie ihr, es geht um Fairstone. Glauben Sie mir, sie wird Ihnen mit Freuden den Gefallen tun.«

»Sie müsste vorher gebrieft werden.«

Die Hand, die auf Hynds' Schulter gelegen hatte, tätschelte sie nun. »Das übernehmen Sie.«

»Aber, Sir...«

Rebus schüttelte bedächtig den Kopf. »Das ist *die* Chance für Sie, Davie, zu zeigen, was Sie können. Sie haben sich bestimmt viel bei Siobhan abgeguckt.« Rebus zog seine Hand zurück und ballte sie zur Faust. »Höchste Zeit, es mal anzuwenden.«

Hynds nickte und straffte dabei die Schultern ein wenig.

»Braver Junge«, sagte Rebus. Er wandte sich zum Gehen, drehte sich dann aber noch einmal um. »Ach, übrigens... Davie?«

»Ja?«

»Sagen Sie DCS Templer, sie soll es auf die mütterliche Tour probieren.«

»Auf die mütterliche Tour?«

Rebus nickte. »Sagen Sie ihr das«, wiederholte er und machte sich auf den Weg zum Ausgang.

»Den XJK können Sie vergessen. Ein Porsche, egal welcher, hängt jeden Jag ab.«

»Aber der Jaguar sieht besser aus«, beharrte Hogan, so dass Ray Duff tatsächlich von seiner Arbeit aufsah. »Stilvoller.«

»›Altmodischer‹ wollten Sie wohl sagen.« Duff war dabei, eine große Menge Fotos vom Tatort zu sortieren und überall dort aufzuhängen, wo an den Wänden Platz war. Der Raum, in dem sie sich befanden, wirkte durch die vier frei stehenden Arbeitstische in der Mitte wie ein ehemaliger Physikraum einer Schule. Auf den Fotos war der Aufenthaltsraum der Port Edgar School aus jedem erdenklichen Blickwinkel abgebildet, wobei besonderes Augenmerk den Blutflecken an den Wänden und auf dem Fußboden sowie der Position der Leichen galt.

»Dann bin ich eben konservativ.« Hogan verschränkte die Arme vor der Brust und hoffte, diese neuerliche Debatte mit Ray Duff dadurch zu beenden.

»Na los: die fünf besten englischen Autos?«

»Das ist wirklich nicht mein Spezialgebiet, Ray.«

»Ich finde meinen Saab prima«, mischte sich Rebus ein und zwinkerte dem verdrießlich dreinschauenden Hogan zu.

Duff machte ein Geräusch, als stecke ihm etwas im Hals. »Erzählen Sie mir nichts über die Schweden...«

»Okay, dann wenden wir uns doch einfach dem Thema Port Edgar zu.« Rebus musste an Doug Brimson denken, der offenbar auch eine Vorliebe für Jags hatte.

Duff schaute suchend umher, entdeckte sein Notebook und nahm es sich. Schloss es an eine Steckdose in einem der Arbeitstische an, schaltete es ein und winkte die beiden Polizisten zu sich.

»Dauert noch einen kleinen Moment«, sagte er. »Übrigens, wie geht es Siobhan?«

»Gut«, erwiderte Rebus. »Was ihr kleines Problem angeht...«

»Ja?«

»Hat sich erledigt.«

»Was für ein Problem?«, wollte Hogan wissen. Rebus ignorierte die Frage.

»Sie hat heute Nachmittag eine Flugstunde.«

»Ach ja?« Duffs eine Augenbraue ging nach oben. »Nicht gerade billig, so was.«

»Ist gratis, glaube ich. Ein Typ, dem sowohl ein Flugplatz als auch ein Jaguar gehört, hat sie eingeladen.«

»Brimson?«, tippte Hogan. Rebus nickte.

»Dagegen kann ich mit meinem Angebot auf eine Spritztour im MG natürlich nicht anstinken«, grummelte Duff.

»Mit dem Typ können Sie sowieso nicht mithalten. Ihm gehört einer dieser Geschäftsflieger.«

Duff pfiff zwischen den Zähnen. »Dann muss er wirklich viel Knete haben. So ein Ding kostet selbst secondhand locker ein paar Mios.«

»Ja, klar«, erwiderte Rebus ironisch.

»Doch, bestimmt«, sagte Duff.

»Millionen *Pfund*, meinen Sie?« Das kam von Bobby Hogan. Duff nickte. »Die Geschäfte scheinen ja gut zu laufen.«

Allerdings, dachte Rebus. So gut, dass Brimson sich einfach so einen freien Tag nehmen konnte, um nach Jura zu fliegen ...

»Auf geht's«, meldete Duff und lenkte ihre Aufmerksamkeit wieder auf das Notebook. »Im Grunde genommen ist hier alles drin, was ich brauche.« Sein Finger strich voller Verehrung über den Bildschirmrand. »Es gibt ein Simulationsprogramm ... das zeigt den jeweiligen Schusskanal, der entsteht, wenn eine Kugel aus einer bestimmten Distanz in einem bestimmten Winkel auf Rumpf oder Kopf abgefeuert wird.« Er klickte ein paar Buttons an, und Rebus hörte, wie sich das CD-Laufwerk in Gang setzte. Eine Grafik baute sich auf – die schematische Darstellung eines Menschen, der quer vor einer Wand stand. »Hier sehen Sie's«, sagte Duff.

»Die Person hat zwanzig Zentimeter Abstand zur Wand, die Kugel wird aus einer Entfernung von zwei Metern abgefeuert… Auf die Plätze… fertig… peng!« Sie sahen, wie eine Linie in den Schädel einzudringen schien und auf der anderen Seite in Form winziger Sprengsel wieder austrat. Duffs Finger bewegte sich auf dem Touchpad hin und her, um das bespritzte Stück Wand zu markieren und zu vergrößern.

»Dadurch kriegt man einen ziemlich realistischen Eindruck«, sagte er lächelnd.

»Ray«, meldete Hogan leise an, »nur, damit Sie's wissen, einer der Toten in dem Raum war ein Verwandter von DI Rebus.«

Duffs Lächeln verschwand. »Tut mir Leid, wenn ich mich irgendwie ungebührlich…«

»Wie wär's, wenn wir jetzt zum eigentlichen Thema kämen?«, erwiderte Rebus kühl. Er machte Duff keinen Vorwurf: wieso auch? Er hatte es ja nicht gewusst. Aber je schneller die Sache über die Bühne ging, desto besser.

Duff schob die Hände in die Taschen seines weißen Kittels und wandte sich den Fotos zu.

»Wir müssen uns jetzt die Aufnahmen anschauen«, sagte er, den Blick auf Rebus gerichtet.

»Kein Problem.« Rebus nickte als Zeichen seines Einverständnisses. »Bringen wir's hinter uns.«

Duffs Stimme klang, als er zu sprechen begann, deutlich weniger lebhaft als zuvor. »Das erste Opfer war die Person, die sich am dichtesten bei der Tür befand. Anthony Jarvies. Herdman kommt rein und zielt auf den, der ganz in seiner Nähe steht – daran gibt es keinen Zweifel. Die beiden dürften weniger als zwei Meter voneinander entfernt gewesen sein. Der Schusskanal verläuft fast waagerecht… Herdman und das Opfer waren ungefähr gleich groß, und die Kugel dringt quer durch den Schädel. Die Blutspritzer entsprechen in etwa denen in der Simulation. Jetzt dreht sich Herdman um. Das zweite Opfer steht ein wenig weiter weg, drei Meter vielleicht. Eventuell ist Herdman näher herangegangen, bevor er abgedrückt hat, aber nicht viel näher. Diesmal dringt die Kugel schräg durch den Schädel, und zwar von oben nach unten, was darauf hindeutet, dass Derek Renshaw versucht haben könnte, sich wegzuducken.« Er warf seinen beiden Zuhörern einen Blick zu. »So weit alles klar?« Rebus und Hogan nickten, und die drei Männer gingen einen Schritt an der Wand entlang. »Die Blutflecken auf dem Fußboden leuchten ein, alles passt zusammen.« Duff schwieg.

»Aber nur bis zu diesem Punkt?«, vermutete Rebus. Der Kriminaltechniker nickte.

»Wir haben eine Menge Daten über Schusswaffen gespeichert – welche Schäden sie am menschlichen Körper und an diversen Gegenständen anrichten...«

»Und James Bells Verletzung ist ein wenig rätselhaft?«

Duff nickte wieder. »Gewissermaßen.«

Hogans Blick schweifte von Duff zu Rebus und wieder zurück. »Wieso?«

»Bells Aussage zufolge hat er sich in dem Augenblick bewegt, in dem der Schuss ihn traf. Er hat sich gerade auf den Boden fallen lassen, um genau zu sein. Das war für ihn die Erklärung, wieso er überlebt hat. Außerdem hat er ausgesagt, dass Herdman etwa dreieinhalb Meter von ihm entfernt stand.« Er ging zurück zu seinem Computer und lud eine 3-D-Simulation des Aufenthaltsraums. Er deutete auf die Standorte von Schütze und Schüler. »Auch in diesem Fall hat das Opfer etwa dieselbe Größe wie Herdman. Aber der Schusskanal verläuft von unten nach oben.« Duff machte eine Pause, um die Bedeutung dieser Information zu unterstreichen. »Als sei die Person, die geschossen hat, diejenige gewesen, die sich näher am Boden befand.« Er hockte sich hin und zielte mit einer imaginären Pistole, dann stand er wieder auf und ging zu einem anderen Arbeitstisch hinüber.

Dort stand ein Röntgensichtgerät, und als er es einschaltete, wurde eine Reihe von Aufnahmen beleuchtet, auf denen der Weg zu sehen war, den die Kugel genommen hatte, als sie James Bells Schulter durchbohrte. »Eintrittswunde vorn, Austrittswunde hinten. Der Schusskanal ist deutlich zu erkennen.« Er zeichnete ihn für die beiden anderen mit dem Finger nach.

»Dann war Herdman eben in der Hocke«, sagte Bobby Hogan achselzuckend.

»Ich habe das Gefühl, als ob Ray gerade erst richtig anfängt«, sagte Rebus ruhig und dachte dabei, dass er wahrscheinlich kaum eine Frage würde stellen müssen.

Duff warf Rebus einen kurzen Blick zu und wandte sich wieder den aufgehängten Fotos zu. »Keine Blutspritzer«, seine Hand umkreiste auf einer der Aufnahmen die betreffende Stelle an der Wand. Dann streckte er den Zeigefinger empor. »Ganz korrekt ist das allerdings nicht. Es ist zwar Blut vorhanden, aber nur in so geringer Menge, dass es fast nicht nachweisbar war.«

»Und das bedeutet?« Hogan gab sich keine Mühe, seine Ungeduld zu verbergen.

»Es bedeutet, dass James Bell zum Zeitpunkt, als auf ihn geschossen wurde, nicht dort stand, wo er behauptet, gestanden zu haben. Er war weiter von der Wand entfernt, das heißt, näher bei Herdman.«

»Und dennoch verläuft die Flugbahn der Kugel von unten nach oben?«, fragte Rebus nach.

Duff nickte. Er zog eine Schublade auf und holte einen Plastikbeutel heraus. Er war durchsichtig und hatte einen braunen Papierrand. Ein Beutel für Beweismittel. Er enthielt ein blutbeflecktes weißes Hemd, das Einschussloch an der Schulter war nicht zu übersehen.

»Das Hemd von James Bell«, erläuterte Duff. »An dem wir auch auf etwas Interessantes gestoßen sind…«

»Einen Schmauchring«, sagte Rebus leise. Hogan drehte sich zu ihm um.

»Wieso weißt du das eigentlich alles schon?«, blaffte er.

Rebus zuckte die Achseln. »Ich habe eben kein Privatleben, Bobby. Deshalb sitz ich abends immer zu Hause rum und denke über alles Mögliche nach.« Hogans finsterer Blick verriet, dass ihn die Antwort keineswegs zufrieden stellte.

»DI Rebus liegt goldrichtig«, bestätigte Duff, womit er wieder ihre Aufmerksamkeit hatte. »Es war nicht zu erwarten, dass wir an den Körpern der ersten beiden Opfer Schmauchringe finden würden. Die beiden wurden aus einiger Entfernung erschossen. Schmauchringe entstehen nur, wenn die Waffe dicht an die Haut oder die Kleidung des Opfers gehalten wird...«

»Gab es bei Herdman einen Schmauchring?«, wollte Rebus wissen.

Duff nickte. »Einen, der bestätigt, dass er sich die Pistole an die Schläfe gehalten und abgedrückt hat.«

Rebus schritt die aufgehängten Fotos langsam ab. Sie verrieten ihm eigentlich nichts, und das war in gewisser Weise der entscheidende Punkt. Man musste es schaffen, hinter ihre Oberfläche zu schauen, um die Wahrheit zu erkennen. Hogan kratzte sich am Hinterkopf.

»Irgendwie kapier ich's nicht«, sagte er.

»Es ist rätselhaft«, stimmte Duff zu. »Fällt schwer, die Zeugenaussage und die Tatsachen miteinander in Einklang zu bringen.«

»Alles nur eine Frage des Blickwinkels, hab ich Recht, Ray?«

Duff sah Rebus in die Augen und nickte. »Es gibt für alles eine Erklärung.«

»Lasst euch ruhig Zeit.« Hogan schlug mit den Handflächen auf den Arbeitstisch. »Ich habe heute sowieso nichts Besseres vor.«

»Du musst es nur aus einer anderen Perspektive betrachten, Bobby«, erklärte ihm Rebus. »Auf James Bell wurde aus kürzester Entfernung geschossen...«

»Und zwar von jemandem, der so groß ist wie ein Gartenzwerg«, sagte Hogan sarkastisch.

Rebus schüttelte den Kopf. »Herdman kann es jedenfalls nicht gewesen sein.«

Hogans Augen weiteten sich. »Moment mal...«

»Stimmt doch, Ray?«

»Diese Schlussfolgerung bietet sich an.« Duff rieb sich das Kinn.

»Auf keinen Fall gewesen sein?«, wiederholte Hogan. »Du meinst, er hatte noch jemanden dabei? Einen Komplizen?«

Rebus schüttelte den Kopf. »Ich meine, es ist möglich – vielleicht sogar wahrscheinlich –, dass Lee Herdman in diesem Raum nur einen einzigen Menschen getötet hat.«

Hogan schaute ihn zweifelnd an. »Und wen, wenn ich fragen darf?«

Rebus wandte sich Ray Duff zu, der die Frage für ihn beantwortete.

»Sich selbst«, stellte Duff fest, als sei das die simpelste Erklärung überhaupt.

24

Rebus und Hogan saßen bei laufendem Motor in Hogans Auto. Sie schwiegen seit einer Weile. Das Fenster der Beifahrertür war offen, und Rebus rauchte, während Hogan mit den Fingern gegen das Lenkrad trommelte.

»Wie wollen wir vorgehen?«, fragte Hogan. Darauf hatte Rebus eine Antwort parat.

»Du kennst doch meine bevorzugte Methode, Bobby«, erwiderte er.

»Elefant im Porzellanladen?«

Rebus nickte langsam, nahm einen letzten Zug von der Zigarette und schnippte den Stummel auf die Straße. »Hat mir in der Vergangenheit ordentliche Dienste geleistet.«

»Aber der hier ist eine besondere Situation, John. Jack Bell ist Parlamentsabgeordneter.«

»Jack Bell ist eine Lachnummer.«

»Unterschätz ihn nicht.«

Rebus schaute seinen Kollegen an. »Hast du es dir anders überlegt, Bobby?«

»Ich frage mich bloß, ob wir uns nicht vielleicht…«

»Rückendeckung holen sollten?«

»Im Gegensatz zu dir hatte ich nie eine Vorliebe für Porzellanläden.«

Rebus starrte durch die Windschutzscheibe. »Ich geh da jetzt auf jeden Fall rein, Bobby. Das weißt du genau. Ob du mitkommst, musst du selbst entscheiden. Ruf von mir aus Claverhouse und Ormiston an und erzähl ihnen, was Sache ist. Aber ich will es mit eigenen Ohren hören.« Erneut sah er Hogan an. »Kann ich dich wirklich nicht überreden?«

Bobby Hogan fuhr sich mit der Zunge über die Lippen, erst im Uhrzeigersinn, dann gegen den Uhrzeigersinn. Seine Finger umschlossen das Lenkrad.

»Ach, zum Teufel«, sagte er. »Was macht schon ein bisschen zerdeppertes Geschirr unter Freunden?«

Die Haustür in Barnton wurde von Kate Renshaw geöffnet.

»Hallo, Kate«, sagte Rebus mit steinerner Miene, »wie geht's deinem Vater?«

»Geht so.«

»Meinst du nicht, es würde auch dir gut tun, wenn du mehr Zeit mit ihm verbrächtest?«

Sie machte die Tür ganz auf, um die beiden hereinzulassen. Hogan hatte ihr Kommen telefonisch angekündigt.

»Ich tue hier etwas Sinnvolles«, erklärte Kate.

»Indem du die Karriere eines Straßenstrich-Kunden an-
kurbelst?«

Ihre Augen funkelten wütend, aber Rebus achtete gar
nicht darauf. In der Diele sah man rechts durch eine Glastür das Esszimmer, dessen Tisch völlig mit Material für Jack
Bells Kampagne bedeckt war. Bell selbst kam soeben die
Treppe herunter, er rieb sich die Hände, als hätte er sie sich
gerade gewaschen.

»Meine Herren«, sagte er, ohne sich um einen freund-
lichen Ton zu bemühen. »Ich hoffe, es wird nicht allzu lange
dauern.«

»Dito«, erwiderte Hogan.

Rebus schaute umher. »Ist Mrs. Bell zu Hause?«

»Sie besucht jemanden. Gibt es einen besonderen Grund,
wieso ...?«

»Ich wollte ihr nur erzählen, dass ich gestern Abend in *Der
Wind in den Weiden* war. Tolle Inszenierung.«

Der Abgeordnete zog eine Augenbraue hoch. »Ich werde
es ausrichten.«

»Haben Sie Ihrem Sohn gesagt, dass wir mit ihm reden
wollen?«, fragte Hogan.

Bell nickte. »Er sieht fern.« Er deutete auf die Wohnzimmertür. Ohne auf eine Aufforderung zu warten, marschierte Hogan zu der Tür und öffnete sie. James Bell lag ohne
Schuhe auf einem cremefarbenen Ledersofa, den Kopf in
die Hand seines unverletzten Arms gestützt.

»James«, sagte sein Vater, »die Polizei ist da.«

»Das sehe ich.« James schwang die Füße auf den Boden.

»Guten Tag, James«, sagte Hogan. »DI Rebus kennen Sie
ja bereits ...«

James nickte.

»Dürfen wir uns setzen?«, fragte Hogan, nicht an den
Vater, sondern an den Sohn gewandt. Allerdings wartete er

die Antwort gar nicht erst ab. Er nahm in einem Sessel Platz, Rebus hingegen stellte sich an den Kamin. Jack Bell setzte sich neben seinen Sohn und legte ihm die Hand aufs Knie, die der Junge jedoch sofort wegschob. James beugte sich vor und griff nach einem auf dem Boden stehenden Glas und trank einen Schluck.

»Sie haben mir noch nicht verraten, worum es eigentlich geht«, sagte Jack Bell ungeduldig: ein viel beschäftigter Mann, der Besseres mit seiner Zeit anfangen konnte. Rebus' Handy klingelte, und er bat um Entschuldigung, als er es aus der Tasche holte. Er schaute auf das Display und sah, wer anrief. Bat noch einmal um Entschuldigung und ging hinaus.

»Gill?«, sagte er. »Wie läuft's mit Bob?«

»Danke der Nachfrage, er ist eine wahre Fundgrube an Geschichten.«

Rebus warf einen Blick ins Esszimmer. Keine Spur von Kate. »Er hatte keine Ahnung, dass die Fritteuse die Wohnung in Brand setzen würde.«

»Richtig.«

»Und was hat er noch so erzählt?«

»Er kann offenbar Rab Fisher nicht leiden und schwärzt ihn kräftig an, merkt aber nicht, dass er dadurch auch seinen Freund Peacock belastet.«

Rebus kniff die Augen zusammen. »Inwiefern?«

»Also, der Grund dafür, dass Fisher an der Warteschlange vor der Disko entlangmarschiert ist und die Leute einen Blick auf seine Pistole hat werfen lassen...«

»Ja?«

»Er wollte Drogen verkaufen.«

»Drogen?«

»Im Auftrag deines Freundes Johnson.«

»Peacock hat früher mal mit Hasch gedealt, aber nicht in so großem Stil, dass er einen Helfershelfer gebraucht hätte.«

507

»Bob hat es noch nicht wortwörtlich gesagt, aber ich glaube, es dreht sich um Crack.«

»Ach herrje... Und wer ist Peacocks Lieferant?«

»Das dürfte doch wohl klar sein.« Sie lachte kurz auf. »Dein anderer Freund, der Bootsbesitzer.«

»Das bezweifele ich«, erklärte Rebus.

»Irre ich mich, oder haben wir auf seiner Yacht Koks gefunden?«

»Trotzdem...«

»Na schön, dann war's eben jemand anders.« Sie holte tief Luft. »Aber für den Anfang ist das gar nicht schlecht, oder?«

»Muss an deinem weiblichen Einfluss liegen.«

»Er scheint wirklich jemanden zu brauchen, der ihn ein bisschen bemuttert. Danke für den Tipp.«

»Heißt dass, ich bin raus aus der Bredouille?«

»Das heißt, dass ich Mullen hinzuziehen werde, damit er erfährt, was wir herausgekriegt haben.«

»Aber du glaubst nicht mehr, dass ich Martin Fairstone umgebracht habe?«

»Sagen wir mal so: Ich schwanke noch.«

»Besten Dank für die Unterstützung, Frau Chefin. Meldest du dich, wenn es Neuigkeiten gibt?«

»Ich werd's versuchen. Was treibst du gerade? Muss ich mir deinetwegen etwa schon wieder Sorgen machen?«

»Ja, vielleicht... Könnte sein, dass die Nachrichten in den nächsten Stunden von einem lauten Knall in Barnton berichten.« Er beendete das Gespräch, schaltete das Handy ab und ging zurück ins Wohnzimmer.

»Glauben Sie mir, wir werden Ihre Zeit nicht über Gebühr beanspruchen«, sagte Hogan gerade. Dann blickte er zu Rebus auf. »Mein Kollege möchte James ein paar Fragen stellen.« Rebus tat einen Moment so, als müsse er über die erste Frage noch nachdenken, dann fixierte er James Bell.

»Warum hast du es getan, James?«

»Was getan?«

Jack Bell beugte sich vor. »Ich dulde nicht, dass Sie in diesem Ton mit meinem Sohn reden…«

»Tut mir Leid, Sir. Aber ich werde manchmal etwas wütend, wenn ich feststelle, dass mich jemand angelogen hat. Und in diesem Fall betrifft es nicht nur mich, sondern alle möglichen anderen Leute: meine Kollegen, die Eltern der betreffenden Person, Journalisten… *jeden* Einzelnen.« James hielt seinem Blick stand. Rebus verschränkte die Arme vor der Brust. »Weißt du, James, inzwischen haben wir rekonstruiert, was in eurem Aufenthaltsraum tatsächlich passiert ist, und ich muss dir etwas mitteilen: Wenn man eine Schusswaffe abfeuert, bleiben Spuren auf der Haut zurück. Diese Spuren sind noch Wochen später nachzuweisen, egal wie oft man sich wäscht oder abschrubbt. Und dasselbe wie für die Haut gilt auch für die Manschette eines Hemdes. Vergiss nicht, dass wir das Hemd mitgenommen haben, das du an dem Vormittag getragen hast.«

»Worauf wollen Sie hinaus, verdammt noch mal?«, fauchte Jack Bell mit rot anlaufendem Gesicht. »Glauben Sie etwa, ich sehe tatenlos zu, wie Sie versuchen, einem Achtzehnjährigen ein Verbrechen anzuhängen? Sind das die Methoden, mit denen unsere Polizei heutzutage arbeitet?«

»Dad…«

»Es geht Ihnen doch in Wirklichkeit nur um mich, stimmt's? Sie benutzen meinen Sohn, um mir zu schaden. Nur weil Ihre Leute einen Riesenfehler begangen haben, der mich fast meine Karriere und meine Ehe gekostet hätte…«

»Dad…«, sagte James erneut, dieses Mal ein klein wenig lauter.

»Und jetzt, da diese furchtbare Tragödie geschehen ist, fällt Ihnen nichts Besseres ein…«

Hogan unterbrach ihn: »Es handelt sich keineswegs um eine Racheaktion, Sir.«

»Obwohl der Beamte, der Sie damals festgenommen hat, schwört, dass Sie schuldig waren«, fügte Rebus hinzu, der sich diesen Kommentar nicht verkneifen konnte.

»John…«, ermahnte ihn Hogan.

»Hören Sie's?« Jack Bells Stimme zitterte vor Zorn. »Jetzt hören Sie selbst, wie es ist. Und daran wird sich auch nichts ändern, denn Ihre Leute sind zu selbstgerecht, um…«

James sprang auf. »*Halt doch endlich mal die Fresse! Kannst du nicht wenigstens einmal im Leben deine verdammte Fresse halten?*«

Stille herrschte im Zimmer, obwohl die Worte noch in der Luft zu schweben und widerzuhallen schienen. James Bell setzte sich langsam wieder hin.

»Vielleicht«, bemerkte Hogan ruhig, »sollten wir uns anhören, was James zu sagen hat.« Er hatte sich dabei an den Abgeordneten gewandt, der wie betäubt dasaß und seinen Sohn anschaute, als sähe er ihn zum ersten Mal, als wäre ihm die Existenz dieses Jungen überraschend offenbart worden.

»So kannst du nicht mit mir reden.« Sein Blick war weiterhin auf James gerichtet, seine Stimme kaum hörbar.

»Aber ich habe es doch eben gerade getan«, erwiderte James seinem Vater. Dann sah er Rebus an: »Bringen wir's hinter uns.«

Rebus fuhr sich mit der Zunge über die Lippen. »Momentan steht nur fest, dass du aus kürzester Entfernung angeschossen worden bist – was im Widerspruch zu der Geschichte steht, die du uns bislang aufgetischt hast –, und dass der Schusskanal die Vermutung nahe legt, dass du dir die Wunde selbst beigebracht hast. Da du außerdem zugegeben hast, zumindest über eine von Lee Herdmans Waffen Bescheid zu wissen, halte ich es für möglich, dass du die Brocock mit der Absicht an dich genommen hast, Anthony Jarvies und Derek Renshaw zu erschießen.«

»Es waren blöde Wichser, alle beide.«

»Und das reichte als Grund, sie umzubringen?«

»James«, mischte Jack Bell sich in warnendem Ton ein, »ich will nicht, dass du mit diesen Männern redest.«

Sein Sohn beachtete ihn gar nicht. »Sie mussten sterben.«

Bell senior machte den Mund auf, aber es kam kein Laut heraus. James war mit seinem Wasserglas beschäftigt, drehte es wieder und wieder herum.

»Warum mussten sie sterben?«, fragte Rebus leise.

James zuckte die Achseln. »Hab ich doch schon gesagt.«

»Du konntest sie also nicht leiden«, stellte Rebus fest. »Und das ist alles?«

»Vielen meiner Vorbilder hat ein noch geringerer Anlass genügt, um zu töten. Sehen Sie denn keine Nachrichten? Amerika, Deutschland, Jemen… Manchmal reicht es jemandem schon, dass wieder einmal Montag ist.«

»Du musst mir ein bisschen auf die Sprünge helfen, James. Ich weiß, dass dein Musikgeschmack anders ist als der von den beiden.«

»Nicht nur mein Musikgeschmack: Wir waren völlig verschieden!«

»Verschiedene Lebensauffassungen?«, warf Hogan ein.

»Könnte es vielleicht sein«, fuhr Rebus fort, »dass du Teri Cotter beeindrucken wolltest?«

James funkelte ihn an. »Lassen Sie Teri aus dem Spiel.«

»Das geht leider nicht, James. Immerhin dürfte sie dir erzählt haben, dass sie vom Tod fasziniert ist. Habe ich Recht?« James gab keine Antwort. »Ich glaube, du hast dich ein bisschen in sie verguckt.«

»Was wissen Sie denn schon?«, schnaubte der Teenager.

»Zum Beispiel, dass du in die Cockburn Street gefahren bist, um sie zu fotografieren.«

»Ich habe eine Menge Leute fotografiert.«

»Aber *ihr* Bild lag in dem Buch, das du Lee geliehen hast. Es hat dir nicht gepasst, dass sie mit ihm schlief, oder? Es hat dir nicht gepasst, als Jarvies und Renshaw dir erzählten, sie hätten Teris Website entdeckt und könnten sie in ihrem Schlafzimmer beobachten.« Rebus schwieg kurz. »Wie mache ich mich bisher?«

»Sie wissen ziemlich viel, Inspector.«

Rebus schüttelte den Kopf. »Aber es gibt noch eine Menge Dinge, die ich nicht weiß, James. Und ich hoffe, dass du meine Wissenslücken schließt.«

»Du brauchst nicht mit ihnen zu reden, James«, stieß sein Vater krächzend hervor. »Du bist noch minderjährig... es gibt Gesetze, die dich schützen. Du hast ein traumatisches Erlebnis hinter dir. Kein Gericht würde dich...« Er sah die beiden Polizisten an. »Zumindest sollte ein Anwalt dabei sein.«

»Ich will keinen«, schnaubte James.

»Aber das muss sein!« Der Vater klang entsetzt.

Der Sohn grinste höhnisch. »Hör zu, es geht hier nicht um dich, Dad. Es geht einzig und allein um mich. Meinetwegen wirst du wieder auf die Titelseiten kommen, aber dummerweise aus einem Grund, der dir überhaupt nicht gefallen wird.« Er schien auf eine Reaktion zu warten, aber sie blieb aus. Also wandte er sich wieder an Rebus. »Was wollen Sie noch wissen?«

»Habe ich in Bezug auf Teri Recht?«

»Ich wusste, dass sie mit Lee geschlafen hat.«

»Als du ihm das Buch gegeben hast... hast du das Foto absichtlich vorher hineingelegt?«

»Glaub schon.«

»Damit er es findet – und *was* genau tun sollte?« Rebus ließ die Augen nicht von James. Der zuckte die Achseln. »Vielleicht wolltest du ihm bloß zu verstehen geben, dass auch du etwas für Teri übrig hattest.« Nach kurzem Schweigen fragte er: »Aber warum ausgerechnet dieses Buch?«

James schaute hoch. »Lee wollte es lesen. Er wusste, worum es ging und dass der Typ sich aus einem Flugzeug gestürzt hatte. Er war kein…« James suchte nach dem richtigen Wort. Er holte tief Luft. »Er war zutiefst unglücklich, das sollten Sie bedenken.«

»Unglücklich? Inwiefern?«

James hatte das Wort gefunden. »Getrieben«, sagte er. »Den Eindruck hat er immer auf mich gemacht. Ein Getriebener.«

Einen Moment lang herrschte Stille, dann fragte Rebus: »Du hast die Waffe aus Lees Wohnung mitgenommen?«

»Genau.«

»Und er hat es nicht gemerkt?«

Kopfschütteln.

»Du wusstest von der Brocock?«, fragte Bobby Hogan nach, der sichtlich um Fassung rang. James nickte.

»Und warum ist er dann in der Schule aufgekreuzt?«, bohrte Rebus.

»Ich hatte ihm eine Nachricht dagelassen. Ich hatte nicht erwartet, dass er sie so schnell finden würde.«

»Sondern? Wie sah dein Plan denn aus?«

»In den Gemeinschaftsraum spazieren – normalerweise waren die beiden die Einzigen dort drin – und sie erschießen.«

»Kaltblütig?«

»Genau.«

»Zwei Jungen, die dir nicht das Geringste getan hatten?«

»Zwei mehr oder weniger auf der Erde.« Der Teenager zuckte die Achseln. »Ich betrachte Taifune, Orkane, Erdbeben und Hungersnöte auch nicht als…«

»Darum hast du es also getan – weil es keine Rolle spielen würde?«

James schien nachzudenken. »Kann sein.«

Rebus heftete den Blick auf den Teppich, bemühte sich, die Wut im Zaum zu halten, die in ihm emporstieg. *Mein Verwandter… ein Mensch von meinem Blut…*

»Es ging blitzschnell«, erzählte James. »Ich war erstaunt, wie gelassen ich war. Peng, peng: zwei Tote… Lee kam zur

Tür rein, als ich gerade den zweiten erschossen hatte. Eine Weile stand er einfach da und ich auch. Wir wussten wohl nicht genau, was wir als Nächstes tun sollten.« Die Erinnerung daran ließ ihn lächeln. »Dann hat er seine Hand nach der Pistole ausgestreckt, und ich habe sie ihm gegeben.« Das Lächeln erlosch. »Woher hätte ich wissen sollen, dass der Blödmann sie auf sich selber richten würde.«

»Was glaubst du, warum er das getan hat?«

James schüttelte bedächtig den Kopf. »Darüber denke ich seitdem andauernd nach... Wissen Sie es?« Die Frage hatte etwas Flehendes; das Verlangen nach einer Antwort. Rebus hatte verschiedene Theorien: Weil die Waffe ihm gehörte und er sich für die Morde verantwortlich fühlte... Weil ein solcher Vorfall Scharen von Ermittlern auf den Plan rufen würde, Militärermittler eingeschlossen... Weil es für ihn ein Ausweg war...

Weil er sich dann nicht mehr getrieben fühlen würde.

»Du hast ihm die Waffe abgenommen und dir in die Schulter geschossen«, sagte Rebus leise. »Und dann hast du sie ihm wieder in die Hand gedrückt?«

»Ja. In der anderen Hand hielt er meine Nachricht. Die hab ich auch an mich genommen.«

»Und deine Fingerabdrücke?«

»Ich habe die Pistole mit meinem Hemd abgewischt, genau wie man das immer in Filmen sieht.«

»Aber als du in den Raum marschiert bist... da war dir doch sicher bewusst, dass klar sein würde, wer es getan hat. Wieso hast du es dann zu vertuschen versucht?«

Der Teenager zuckte die Achseln. »Vielleicht, weil sich plötzlich die Gelegenheit dazu bot. Wenn wir unter extremem Stress stehen... dann wissen wir hinterher doch häufig nicht, warum wir etwas Bestimmtes getan haben, oder?« Er sah seinen Vater an. »Manchmal handeln wir einfach instinktiv. Und die düsteren Gedanken...«

514

In diesem Moment stürzte sich sein Vater auf ihn, und beide zusammen fielen vom Sofa auf den Boden.

»Du mieses Dreckstück!«, brüllte Jack Bell. »Weißt du eigentlich, was du angerichtet hast? Ich bin erledigt! Meine Karriere ist im Arsch! Völlig im Arsch!«

Rebus und Hogan zerrten sie auseinander. Der Vater schimpfte und fluchte weiter vor sich hin, der Sohn dagegen war vergleichsweise ruhig und gelassen, er schien den wirren väterlichen Zornausbruch genau zu beobachten, so als wollte er die Erinnerung daran für zukünftige Jahre bewahren. Die Tür war aufgegangen, und Kate stand auf der Schwelle. Rebus hätte James am liebsten gezwungen, vor ihr niederzuknien und sie um Verzeihung zu bitten. Ihr Blick schweifte hin und her, offenbar versuchte sie zu begreifen, was sie sah.

»Jack?«, fragte sie leise.

Jack Bell schaute sie an, als hätte er sie nie zuvor gesehen. Rebus hielt den Abgeordneten immer noch von hinten umklammert.

»Verschwinde von hier, Kate«, bat er sie. »Geh nach Hause.«

»Was ist denn?«

James Bell, der sich widerstandslos von Hogan festhalten ließ, blickte zum Türrahmen, dann schaute er zu der Stelle hinüber, wo sein Vater und Rebus standen. Langsam breitete sich ein Lächeln auf seinem Gesicht aus.

»Sagst du es ihr, oder soll ich das tun…?«

25

»Ich fasse es nicht«, sagte Siobhan zum wiederholten Mal. Rebus hatte sie, kurz nachdem sie in St. Leonard's losgefahren war, auf dem Handy erreicht, und inzwischen war sie schon fast beim Flugplatz angekommen.

»Auch ich kann es noch immer nicht ganz begreifen.«

Sie befand sich auf der Schnellstraße. Sah in den Rückspiegel, blinkte und wechselte die Spur, um ein Taxi zu überholen. Im Fond ein Geschäftsmann, der auf dem Weg zu seinem Flug in aller Ruhe Zeitung las. Siobhan überkam das Bedürfnis, auf dem Standstreifen anzuhalten, aus dem Wagen zu springen und laut zu schreien, nur um ihren Gefühlen Luft zu machen, wie auch immer sie aussehen mochten. Empfand sie Begeisterung über den Ermittlungserfolg? Zwei Ermittlungserfolge, genau genommen: Der Fall Herdman und der Mord an Fairstone. Oder Enttäuschung, weil sie in den entscheidenden Momenten nicht dabei gewesen war?

»Er könnte auch Herdman erschossen haben, oder?«, fragte sie.

»Wer? Bell junior?« Sie hörte, wie Rebus sich vom Handy abwandte, um ihre Frage an Bobby Hogan weiterzugeben.

»James hinterlässt die Nachricht, denn er weiß, dass Herdman sofort zu ihm kommen wird«, sagte Siobhan, die hastig nachdachte. »Bringt alle drei um und richtet dann die Waffe auf sich selbst.«

»Das wäre theoretisch möglich.« Rebus, der nicht überzeugt klang, wurde von einem Knistern übertönt. »Was ist das für ein Geräusch?«

»Mein Handy. Es teilt mir mit, dass ich den Akku aufladen muss.« Sie nahm die Flughafen-Abfahrt, das Taxi war noch im Rückspiegel zu sehen. »Ich könnte absagen.« Damit meinte sie die Flugstunde.

»Wozu? Hier ist nichts für Sie zu tun.«

»Sind Sie unterwegs nach Queensferry?«

»Schon da. Wir biegen in diesem Augenblick aufs Schulgelände ein.« Er drehte sich erneut vom Handy weg. Siobhan hörte undeutlich, wie er zu Hogan sagte, dass er unbedingt dabei sein wolle, wenn Claverhouse und Ormiston die Neuigkeiten erfuhren. »Vor allem, wenn du ihnen erzählst, dass die Sache mit dem Drogenhandel blanker Unsinn ist.«

»Wer hat denn die Drogen auf der Yacht deponiert?«, fragte sie.

»Ich habe Sie nicht verstanden, Siobhan.«

Sie wiederholte die Frage. »Glauben Sie, dass Whiteread es getan hat, um die Ermittlungen in Gang zu halten?«

»Wer weiß, ob sie zu so etwas überhaupt die Befugnis hatte. Wir werden sicher bald die letzten Details klären. Die Suche nach Rab Fisher und Peacock Johnson läuft auf Hochtouren. Bobby wird gleich Claverhouse die frohe Botschaft überbringen.«

»Ich wünschte, ich könnte dabei sein.«

»Wie wär's, wenn wir uns nachher treffen? Bobby und ich gehen anschließend einen heben.«

»Aber wahrscheinlich nicht im Boatman's?«

»Ich glaube, wir werden den Laden nebenan ausprobieren... nur so zur Abwechslung.«

»Ich bin in einer guten Stunde dort.«

»Lassen Sie sich Zeit. Wir werden bestimmt nicht sofort wieder aufbrechen. Und Sie können ruhig Brimson mitbringen.«

»Soll ich ihm erzählen, dass James Bell es war?«

»Wenn Sie wollen... es wird schon bald in einer bestimmten Zeitung stehen.«

»In der von Steve Holly?«

»Ich finde, das bin ich dem Mistkerl schuldig. Und auf diese Weise vermassele ich Claverhouse das Vergnügen, als Erster die Presse zu unterrichten.« Er schwieg kurz. »Haben Sie bei Rod McAllister ein bisschen die Daumenschrauben angelegt?«

»Er streitet nach wie vor ab, die Briefe geschrieben zu haben.«

»Hauptsache, Sie wissen, dass er es war... und er weiß, dass Sie es wissen. Angst vor der Flugstunde?«

»Nein, eigentlich nicht.«

»Vielleicht sollte ich die Flugsicherung benachrichtigen.«

Sie hörte, wie Hogan im Hintergrund etwas sagte und Rebus kurz auflachte.

»Was hat er gemeint?«, fragte sie.

»Bobby ist der Ansicht, wir sollten vielleicht lieber die Küstenwache vorwarnen.«

»Damit hat sich die Verabredung zum Abendessen mit ihm erledigt.«

Sie lauschte, während Rebus es Hogan ausrichtete. Dann: »Okay, Siobhan, wir sind jetzt auf dem Parkplatz angekommen. Müssen Claverhouse die Neuigkeiten überbringen.«

»Besteht die Chance, dass Sie nicht aus der Rolle fallen?«

»Keine Bange, ich werde ein Musterbeispiel an Selbstbeherrschung sein.«

»Wirklich?«

»Sobald ich ihn mit der Nase in die Scheiße gestoßen habe, die er gebaut hat.«

Sie lächelte und beendete das Gespräch. Beschloss, ihr Handy auszuschalten. In fünfzehnhundert Meter Höhe würde sie garantiert nicht telefonieren… Schaute auf die Uhr im Armaturenbrett und stellte fest, dass sie etwas zu früh war. Doug Brimson würde das aber sicher nicht stören. Sie versuchte, all das, was sie eben gehört hatte, aus ihren Gedanken zu verscheuchen.

Lee Herdman hatte die beiden Jungen nicht umgebracht.

John Rebus hatte Martin Fairstones Küche nicht angezündet.

Sie schämte sich ein wenig, weil sie Rebus verdächtigt hatte, aber er war selbst schuld… ein echter Geheimniskrämer. Dasselbe galt für Herdman mit seinem Doppelleben und seiner beständigen Furcht. Die Presse war blamiert und würde ihren Zorn auf den richten, der sich am ehesten als Sündenbock anbot: Jack Bell.

Was man fast als Happy End bezeichnen konnte…

Als sie am Tor zum Flugplatz ankam, fuhr gerade ein anderes Auto weg. Brimson stieg auf der Beifahrerseite aus, lächelte zögernd, als er das Schloss öffnete und das Tor aufschob. Sah zu, wie der Fahrer, der eine missmutige Miene zog, Gas gab und an Siobhan vorbeibrauste. Winkte Siobhan, die daraufhin durchs Tor fuhr und anschließend wartete, während er wieder abschloss. Dann öffnete er die Beifahrertür und stieg ein.

»Hab Sie noch nicht erwartet«, sagte Brimson.

Siobhan nahm den Fuß vom Kupplungspedal. »Tut mir Leid«, sagte sie ruhig, den Blick geradeaus durch die Windschutzscheibe gerichtet. »Wer war das eben?«

Brimson verzog das Gesicht. »Jemand, der vielleicht Flugunterricht nehmen will.«

»Schien irgendwie nicht der passende Typ dafür zu sein.«

»Meinen Sie sein Hemd?« Brimson lachte. »Bisschen schrill, was?«

»Ein bisschen.« Siobhan hielt vor dem Büro und zog die Handbremse an. Brimson stieg aus. Sie blieb sitzen, beobachtete ihn. Er kam zur Fahrerseite herüber und öffnete ihre Tür, so als würde sie das von ihm erwarten. Vermied es, ihr in die Augen zu sehen.

»Sie müssen erst noch was unterschreiben«, sagte er. »Wegen der Versicherung…« Er ging auf die offene Tür zu.

»Hat Ihr zukünftiger Schüler auch einen Namen?«, fragte sie, während sie ihm folgte.

»Jackson… Jobson… oder so ähnlich.« Er war inzwischen in seinem Büro, ließ sich auf seinen Stuhl fallen und kramte in einem Papierstapel herum. Siobhan blieb stehen.

»Müsste doch irgendwo notiert sein«, sagte sie.

»Was?«

»Wenn er wegen Flugunterricht hier war, haben Sie doch vermutlich seinen Namen aufgeschrieben.«

»Ach so… ja… auf einem dieser Zettel.« Er blätterte den

Stapel durch. »Höchste Zeit, dass ich eine Sekretärin engagiere«, sagte er, angestrengt lächelnd.

»Er heißt Peacock Johnson«, sagte Siobhan ruhig.

»Sind Sie sicher?«

»Und er war nicht wegen Flugstunden hier. Wollte er, dass Sie ihn außer Landes fliegen?«

»Sie kennen ihn also?«

»Er wird von uns gesucht, denn er ist für den Tod eines Kleinkriminellen namens Martin Fairstone verantwortlich. Ich nehme an, Peacock ist in Panik, weil seine rechte Hand verschwunden ist und ihm wahrscheinlich inzwischen schwant, dass wir uns den Mann geschnappt haben.«

»Das alles ist mir völlig neu.«

»Aber Sie wissen, wer Johnson ist ... und *was* er ist.«

»Nein, ich sagte Ihnen doch schon ... er hat sich bloß nach Flugunterricht erkundigt.« Brimson beschäftigte sich noch eifriger als zuvor mit den Zetteln.

»Ich verrate Ihnen ein Geheimnis«, sagte Siobhan. »Wir haben den Port-Edgar-Fall aufgeklärt. Lee Herdman hat die beiden Schüler nicht umgebracht; es war der Sohn des Abgeordneten.«

»Was?« Brimson schien gar nicht zugehört zu haben.

»James Bell hat es getan und sich selbst angeschossen, nachdem Lee sich umgebracht hatte.«

»Tatsächlich?«

»Suchen Sie eigentlich nach etwas Bestimmtem, Doug, oder versuchen Sie, einen Flucht-Tunnel durch den Tisch zu graben?«

Er schaute grinsend zu ihr hoch.

»Ich habe Ihnen soeben mitgeteilt«, fuhr sie fort, »dass Lee nicht der Mörder der beiden Jungen ist.«

»Genau.«

»Was bedeutet, dass jetzt nur noch die Frage ungeklärt ist, was es mit den Drogen auf dem Boot für eine Bewandtnis hat. Ich nehme an, Sie wussten über die Yacht Bescheid, die im Sportboothafen liegt.«

Er hielt ihrem Blick nicht länger stand. »Wieso sollte ich das gewusst haben?«

»Wieso nicht?«

»Hören Sie, Siobhan…« Brimson sah demonstrativ auf die Uhr. »Vielleicht verzichten wir einfach auf die Formalitäten. Es wäre Unsinn, deswegen unseren Slot zu verpassen…«

Sie ging nicht darauf ein. »Die Yacht war verlockend, weil Lee öfters nach Holland gesegelt ist, aber wir wissen inzwischen, dass er dort Diamanten verkauft hat.«

»Und bei Gelegenheit Drogen besorgt?«

Sie schüttelte den Kopf. »Sie wussten von dem Boot und wussten wahrscheinlich auch von den Fahrten nach Holland.« Sie war einen Schritt auf den Schreibtisch zugegangen. »Es sind die Firmenflüge, habe ich Recht, Doug? Ihre Kurztrips aufs Festland, mit Geschäftsleuten, die zu einer Konferenz oder einer Sause wollen… bei diesen Gelegenheiten haben Sie sich mit Drogen eingedeckt.«

»Es ist jetzt sowieso alles egal«, sagte er, fast zu gelassen. Er hatte sich zurückgelehnt, starrte an die Decke und strich sich mit beiden Händen die Haare glatt. »Ich habe dem blöden Arschloch gesagt, er soll niemals herkommen.«

»Sie meinen Peacock.«

Er nickte langsam.

»Warum haben Sie die Drogen auf dem Boot deponiert?«

»Es bot sich an.« Erneut lachte er kurz auf. »Lee war tot. Ich dachte mir, ich würde dadurch die Aufmerksamkeit Ihrer Leute ausschließlich auf ihn lenken.«

»Und von Ihnen *ab*lenken?« Siobhan beschloss, sich hinzusetzen. »Aber wir hatten Sie doch überhaupt nicht im Visier.«

»Charlotte war da anderer Ansicht. Sie und Ihre Kollegen haben überall herumgeschnüffelt, haben mit Teri gesprochen, mit mir…«

»Charlotte Cotter ist in die Sache verwickelt?«

Brimson sah sie an, als wäre sie geistig minderbemittelt. »In diesem Geschäft wird mit Bargeld bezahlt ... Geld, das gewaschen werden muss.«

»Mit Hilfe der Sonnenstudios?« Siobhan nickte, damit er wusste, dass sie begriffen hatte. Brimson und Teris Mutter: Geschäftspartner.

»Übrigens war Lee ganz entschieden kein Unschuldsengel«, sagte Brimson nun. »Er war derjenige, der die Verbindung zwischen Peacock Johnson und mir hergestellt hat.«

»Lee kannte Peacock Johnson? Stammten von ihm die Waffen?«

»Das wollte ich Ihnen irgendwie stecken, ich hatte nur noch keine Ahnung wie ...«

»Was?«

»Johnson besaß eine Menge ausgemusterter Waffen und brauchte jemanden, der zum Beispiel neue Schlagbolzen einsetzte.«

»Und das hat Herdman getan?« Ihr fiel die gut ausgestattete Werkstatt in dem Bootsschuppen ein. Ja, wenn jemand die nötigen Werkzeuge und das nötige Know-how besaß, war das kein Problem. Herdman hatte über beides verfügt.

Brimson schwieg einen Moment lang. »Wir könnten trotzdem den Flug unternehmen. Wäre zu schade, den Slot nicht zu nutzen.«

»Ich habe meinen Reisepass nicht dabei.« Sie griff nach dem Hörer seines Telefons. »Ich muss jetzt telefonieren, Doug.«

»Ich hab für uns die Startbahn freigemacht ... hab das mit dem Tower geregelt. Ich wollte Ihnen alles Mögliche zeigen ...« Sie war aufgestanden und hob den Hörer ab.

»Ein andermal, okay?«

Beide wussten, dass es kein anderes Mal geben würde. Brimsons Hände lagen flach auf dem Schreibtisch. Siobhan hielt den Hörer ans Ohr, hatte schon die Hälfte der Ziffern eingetippt. »Tut mir Leid, Doug«, sagte sie.

»Mir auch, Siobhan. Glauben Sie mir, es tut mir verdammt Leid.«

Er schnellte in die Höhe, sprang über den Tisch und fegte dabei alle Zettel hinunter. Siobhan ließ den Hörer fallen, wich einen Schritt zurück, stieß gegen den Stuhl hinter ihr, verlor das Gleichgewicht und stürzte zu Boden, wobei sie instinktiv versuchte, den Aufprall mit den Händen abzufedern.

Doug Brimson landete mit voller Wucht auf ihr, drückte sie zu Boden, quetschte alle Luft aus ihrer Brust.

»Der Flug wird nicht ausfallen, Siobhan«, fauchte er und packte ihre Handgelenke. »Nein, das wird er nicht.«

26

»Zufrieden, Bobby?«, fragte Rebus.

»Hellauf begeistert«, antwortete Bobby Hogan. Sie betraten gerade den Pub an der Wasserseite der Hauptstraße von South Queensferry. Ihre Ankunft in der Schule hätten sie zeitlich kaum besser abpassen können. Sie waren in ein Gespräch zwischen Claverhouse und dem Assistant Chief Constable Colin Carswell geplatzt, und Hogan hatte tief durchgeatmet, um dann zuerst zu verkünden, dass alles, was Claverhouse bisher von sich gegeben hatte, blanker Unsinn war, um anschließend zu erläutern, wieso.

Am Ende der Zusammenkunft war Claverhouse wortlos hinausgegangen und hatte es seinem Kollegen Ormiston überlassen, Hogan die Hand zu schütteln und ihm zu versichern, dass er sich eine Auszeichnung redlich verdient hätte.

»Was nicht heißt, dass du sie auch bekommst, Bobby«, hatte Rebus gemeint. Aber er hatte Ormiston den Arm getätschelt, um ihn wissen zu lassen, dass er den guten Willen zu würdi-

gen wusste. Er hatte ihn sogar gefragt, ob er in den Pub mitkommen wolle, aber Ormiston hatte den Kopf geschüttelt.

»Ich glaube, es gibt da jemanden, den ich Ihretwegen kräftig trösten muss«, sagte er.

Also waren Rebus und Hogan allein in den Pub gefahren.
Als sie darauf warteten, ihre Bestellung aufgeben zu können,
schien Hogans Stimmung ein wenig zu sinken. Normalerweise versammelte sich am Ende einer Ermittlung das ganze
Team im Mordbüro, und mehrere Kisten Bier wurden he-
rangeschafft. Manchmal auch eine Flasche Schampus von
den Vorgesetzten. Und Whisky für die eher konservativen
Kollegen. Das hier war irgendwie nicht dasselbe, nur sie
zwei, das ursprüngliche Team bereits aufgelöst…

»Was nimmst du?«, fragte Hogan in bemüht munterem
Tonfall.

»Vielleicht einen Laphroaig, Bobby.«

»Besonders großzügig wird in diesem Laden offenbar
nicht ausgeschenkt.« Hogan hatte einen routinierten Blick
auf die Portionierer an den kopfüber aufgehängten Flaschen
geworfen.

»Am besten wir nehmen gleich einen Doppelten.«

»Und legen bei der Gelegenheit auch gleich fest, wer fahren muss.«

Hogan verzog den Mund. »Hast du nicht gesagt, dass
Siobhan später zu uns stoßen wird?«

»Das ist gemein, Bobby.« Rebus legte eine Kunstpause
ein. »Gemein, aber gerecht.«

Der Barkeeper hatte jetzt Zeit für sie. Hogan bestellte für
Rebus den Whisky und für sich ein großes Lagerbier. »Und
zwei Zigarren«, fügte er hinzu, drehte sich zu Rebus um und
schien ihn zu mustern. Er stützte sich mit den Unterarmen
auf die Theke. »Nach so einem Fall packt mich der Wunsch
aufzuhören, solange ich noch Erfolg habe.«

»Meine Güte, Bobby, du bist doch voll auf der Höhe.«

Hogan schnaubte. »Vor fünf Jahren hätte ich dir zuge-stimmt.« Er zückte ein Bündel Geldscheine und zog einen Zehner heraus. »Aber das vorhin war eindeutig zu viel für mich.«

»Was hat sich denn geändert?«

Hogan zuckte die Achseln. »Ein Junge, der einfach her-geht und zwei Mitschüler erschießt, ohne Motiv oder jeden-falls ohne eines, das ich irgendwie begreifen könnte... Die heutige Welt ist ganz anders als die Welt, die ich von früher kenne.«

»Das bedeutet bloß, dass wir mehr denn je gebraucht wer-den.«

Hogan schnaubte erneut. »Glaubst du wirklich? Hast du etwa das Gefühl, besonders erwünscht zu sein?«

»Ich habe nicht davon gesprochen, dass wir ›erwünscht‹ sind, sondern *gebraucht* werden.«

»Und wer braucht uns? Jemand wie Carswell, weil wir ihn in ein gutes Licht rücken? Oder Claverhouse, damit er nicht noch größeren Mist baut als ohnehin schon?«

»Die beiden reichen mir fürs Erste«, sagte Rebus lächelnd. Inzwischen stand sein Drink vor ihm auf der Theke, und er goss ein wenig Wasser hinzu, gerade genug, um dem Whisky die Schärfe zu nehmen. Der Barkeeper brachte zwei schlanke Zigarren, und Hogan wickelte seine aus.

»Eigentlich wissen wir's noch immer nicht, oder?«

»Wissen was nicht?«

»Wieso Herdman es getan hat... wieso er sich umgebracht hat.«

»Hast du das je erwartet? Ich hatte von Anfang an das Ge-fühl, dass du mich nur deshalb dazu gebeten hast, weil dir die vielen jungen Leute um dich herum Angst einjagten. Du wolltest noch einen Dinosaurier wie dich in der Nähe haben.«

»Du bist kein Dinosaurier, John.« Hogan hob sein Glas und stieß mit Rebus an. »Auf uns beide.«

»Vergiss Jack Bell nicht, denn wenn er heute nicht dabei gewesen wäre, dann hätte James vielleicht kapiert, dass er nur seinen Mund hätte halten müssen, um ungeschoren davonzukommen.«

»Haargenau«, sagte Hogan mit breitem Grinsen. »Die liebe Familie, was John?« Er schüttelte den Kopf.

»Die Familie«, wiederholte Rebus zustimmend und trank einen Schluck.

Als sein Handy klingelte, meinte Hogan, er solle nicht drangehen. Rebus schaute aufs Display, denn er dachte, es wäre vielleicht Siobhan. Aber sie war es nicht. Rebus bedeutete Hogan mit einer Handbewegung, dass er draußen telefonieren wolle, weil er dort ungestört sei. Vor dem Pub gab es einen kleinen asphaltierten Vorplatz, auf dem ein paar Tische und Stühle standen. Es war allerdings zu kalt, um dort zu sitzen. Rebus hielt sich das Handy ans Ohr.

»Gill?«, sagte er.

»Du wolltest, dass ich dich auf dem Laufenden halte.«

»Der kleine Bob singt also immer noch?«

»Ich wünschte fast, er würde aufhören«, erwiderte Gill Templer seufzend. »Wir hatten schon seine ganze Kindheit, die Prügel in der Schule, die Probleme mit dem Bettnässen… er redet furchtbar sprunghaft, ich weiß nie, ob das, was er gerade erzählt, letzte Woche oder vor zehn Jahren passiert ist. Übrigens möchte er sich *Wind in den Weiden* ausleihen…«

Rebus lächelte. »Das Buch liegt bei mir zu Hause. Ich werd's ihm bringen.« Aus der Ferne drang das Summen eines Sportflugzeugs herüber. Rebus spähte nach oben, beschattete die Augen mit der freien Hand. Da sich das Flugzeug über der Forth Road Bridge befand, konnte er nicht beurteilen, ob es dasselbe war, mit dem sie nach Jura geflogen waren. Es war etwa genauso groß und schien beinahe träge durch die Luft zu kriechen.

»Was fällt dir bei dem Wort ›Sonnenstudio‹ ein?«

»Wieso?«

»Es ist schon ein paar Mal aufgetaucht. Jedes Mal im Zusammenhang mit Johnsons Dealerei...«

Rebus beobachtete weiterhin das Flugzeug. Es verlor plötzlich an Höhe, und das Motorengeräusch änderte sich. Dann flog es wieder geradeaus, allerdings wackelte es hin und her. Sollte Siobhan da oben drinsitzen, war das für sie eine äußerst ungemütliche Unterrichtsstunde.

»Teri Cotters Mutter gehören zwei solcher Läden«, sagte Rebus zu Templer. »Aber ich weiß keine näheren Einzelheiten.«

»Hältst du es für möglich, dass sie zur Geldwäsche dienen?«

»Kann ich mir eigentlich nicht vorstellen. Denn woher sollte das...?« Rebus verstummte. Brimsons Wagen hatte in der Cockburn Street geparkt, wo Teris Mutter eines ihrer Studios hatte. Teri zufolge hatte ihre Mutter eine Affäre mit Brimson...

Doug Brimson, ein Freund von Lee Herdman. Brimson, der Flugzeugbesitzer. Woher hatte er das Geld für die Maschinen, verdammt noch mal? So ein Geschäftsflieger kostete mehrere Millionen, hatte Ray Duff gesagt. Die Bemerkung hatte ihn stutzig gemacht, aber er war in dem Moment zu sehr mit James Bell beschäftigt gewesen. Mehrere Millionen... eine Summe, die man mit einigen, wenigen legalen Geschäften verdienen konnte, und mit Dutzenden von illegalen...

Rebus fiel wieder ein, was Brimson auf dem Rückflug von Jura gesagt hatte, als sie über dem Firth of Forth und Rosyth schwebten: *Ich habe schon oft überlegt, was für einen Schaden jemand anrichten könnte... selbst mit so einer kleinen Cessna... Werftgelände... Fähre... Straßen- und Eisenbahnbrücke ... Flughafen...* Rebus' Hand sackte hinunter. Er blinzelte ins Sonnenlicht.

»Scheiße«, murmelte er.

»John? Bist du noch da?«

Als sie das letzte Wort ausgesprochen hatte, war er es bereits nicht mehr.

Er rannte zurück in den Pub und zerrte Hogan nach draußen. »Wir müssen sofort zum Flugplatz!«

»Weshalb?«

»Erklär ich später!«

Hogan entriegelte die Wagentüren. Rebus setzte sich ans Steuer. »Ich fahre!« Hogan widersprach lieber nicht. Rebus bog mit quietschenden Reifen vom Parkplatz auf die Straße ein, machte dann aber eine Vollbremsung und starrte durch sein Seitenfenster.

»Um Himmels willen...« Er stieg hektisch aus dem Auto, stellte sich mitten auf die Fahrbahn und schaute nach oben. Das Flugzeug war in den Sturzflug gegangen, fing sich aber kurz darauf.

»Was ist da los?«, rief Hogan vom Beifahrersitz.

Rebus setzte sich wieder hinters Lenkrad und fuhr weiter. Sein Blick verfolgte das Flugzeug, das die Eisenbahnbrücke überquerte, nahe des Nordufers der Bucht eine scharfe Wende vollführte und wieder auf die Brücken zuflog.

»Der Pilot scheint irgendwelche Probleme zu haben«, stellte Hogan fest.

Rebus hielt erneut an, um zu sehen, was als Nächstes passierte. »Es ist Brimson«, fauchte er. »Siobhan ist bei ihm.«

»Anscheinend steuert er direkt auf die Brücke zu!« Beide Männer waren ausgestiegen. Und sie waren nicht die Einzigen. Auch andere Fahrer hatten angehalten, um zuzuschauen. Fußgänger zeigten murmelnd mit dem Finger nach oben. Das Summen des Motors war lauter geworden und schriller.

»Herrje«, rief Hogan atemlos, als das Flugzeug unter der Eisenbahnbrücke hindurchflog, kaum mehr als einen Meter über dem Wasser. Es stieg fast senkrecht empor, flog dann kurze Zeit geradeaus, ehe es wieder in den Sturzflug ging. Diesmal tauchte es unter der Mitte der Autobrücke hindurch.

»Will er ihr imponieren oder eine Todesangst einjagen?«, fragte Hogan.

Rebus schüttelte den Kopf. Er dachte daran, dass Lee Herdman versucht hatte, seinen jugendlichen Schülern Angst einzujagen... um sie auf die Probe zu stellen.

»Brimson hat die Drogen auf der Yacht versteckt. Er schmuggelt sie mit seinem Flugzeug ins Land, Bobby, und ich habe das Gefühl, Siobhan weiß es.«

»Was zum Teufel hat er vor?«

»Vielleicht will er sie bloß einschüchtern. Ich hoffe es jedenfalls.« Er sah Lee Herdman vor sich, wie er sich eine Pistole an den Kopf hielt, und den ehemaligen SAS-Soldaten, der sich aus einem Flugzeug in den Tod gestürzt hatte...

»Sind an Bord Fallschirme?«, fragte Hogan. »Ob sie da wohl rauskann?«

Rebus antwortete nicht. Sein Mund war wie zugeschweißt.

Das Flugzeug drehte jetzt einen Looping, war aber zu dicht an der Brücke. Einer der Flügel durchtrennte ein Tragseil, und die Maschine geriet dadurch ins Trudeln.

Rebus trat unwillkürlich einen Schritt nach vorn und stieß ein so lang gezogenes »Nein!« aus, dass er erst verstummte, als die Maschine auf dem Wasser auftraf.

»Gottverdammte Scheiße«, rief Hogan. Rebus starrte auf die Absturzstelle... das Flugzeug war bereits nur noch ein Wrack, Rauchwolken stiegen daraus empor, während die einzelnen Trümmer langsam untergingen.

»Wir müssen da hin!«, brüllte Rebus.

»Wie?«

»Keine Ahnung... wir brauchen ein Boot... In Port Edgar

liegen jede Menge Boote!« Sie stiegen wieder ein, wendeten in Windeseile und fuhren zum Yachthafen, wo eine Sirene heulte und einige Leute schon mit ihren Booten in Richtung Absturzstelle ausgelaufen waren. Rebus hielt an, und sie rannten zum Steg, und als sie gerade an Herdmans Bootshaus vorbei waren, nahm Rebus aus den Augenwinkeln eine Bewegung wahr, ein kurzes Aufblitzen von etwas Buntem. Er schenkte dem keine Beachtung, hatte es zu eilig, zum Wasser zu gelangen. Kurz darauf präsentierten Rebus und Hogan ihre Dienstausweise einem Mann, der dabei war, sein Motorboot loszubinden.

»Sie müssen uns mitnehmen.«

Der Mann war Ende fünfzig, glatzköpfig, mit silbergrauem Bart. Er musterte sie von Kopf bis Fuß. »Sie brauchen Schwimmwesten«, wandte er ein.

»Nein, brauchen wir nicht. Los, bringen Sie uns hin.« Rebus schwieg kurz. »Bitte.«

Der Mann musterte sie erneut, dann nickte er. Rebus und Hogan kletterten an Bord und hielten sich fest, während der Mann das Boot rasch aus dem Hafen hinauslenkte. Andere Sportboote hatten sich bereits um den Ölfleck versammelt, und das Rettungsboot aus Queensferry war ebenfalls unterwegs. Rebus ließ den Blick über die Wasseroberfläche schweifen und wusste sofort, dass sie nichts ausrichten konnten.

»Vielleicht war es ja eine andere Maschine«, sagte Hogan. »Vielleicht ist Siobhan gar nicht mitgeflogen.«

Rebus nickte, in der Hoffnung, sein Freund möge die Klappe halten. Die wenigen Überreste des Flugzeugs wurden bereits von der Strömung und den Bug- und Heckwellen der verschiedenen Boote auseinander getrieben. »Taucher müssen her, Bobby. Froschmänner… alles, was nötig ist.«

»Darum wird sich jemand kümmern, John. Das ist nicht unsere Aufgabe.« Rebus merkte, dass Hogan ihn energisch am Arm festhielt. »Mein Gott, und ich habe diesen blöden Spruch über die Küstenwache gemacht...«

»Du bist doch nicht schuld daran, Bobby.«

Hogan dachte nach. »Hier können wir nichts mehr tun, oder?«

Rebus musste sich geschlagen geben: Sie konnten tatsächlich nichts tun. Sie baten ihren Skipper, sie zurückzubringen, und das tat er.

»Furchtbarer Unfall«, brüllte er, um den Außenborder zu übertönen.

»Ja, furchtbar«, meinte Hogan zustimmend. Rebus starrte bloß die kabbelige Wasseroberfläche an. »Wollen wir trotzdem zum Flugplatz?«, fragte Hogan, als sie wieder festen Boden unter den Füßen hatten. Rebus nickte und marschierte los, in Richtung des Passats. Aber dann blieb er vor Herdmans Bootshaus stehen, drehte sich um und schaute den sehr viel kleineren Schuppen daneben an, vor dem ein Auto stand. Es war ein 7er-BMW, älteres Modell, mattschwarz. Er hatte ihn hier nie zuvor gesehen. Was hatte es mit dem Aufblitzen der bunten Farbe auf sich gehabt? Er betrachtete den Schuppen. Die Tür war zu. War sie vorhin offen gewesen? War etwas Buntes durch den Türrahmen gehuscht? Rebus ging zur Tür, drückte dagegen. Sie federte zurück. Jemand stand dahinter und hielt sie zu. Rebus ging einen Schritt zurück, versetzte der Tür mit aller Kraft einen Tritt und warf sich dann mit der Schulter dagegen. Die Tür flog auf und warf den Mann um, der dahinter gestanden hatte.

Rotes kurzärmeliges Hemd, mit Palmen bedruckt.

Ein Gesicht drehte sich Rebus entgegen.

»Heiliger Strohsack«, murmelte Bobby, als er auf dem Boden eine Wolldecke sah, auf der das reinste Waffenarsenal ausgebreitet war. Zwei Schränke standen offen, deren Inhalt offenbar gerade heimlich weggeschafft werden sollte. Pistolen, Revolver, halbautomatische Gewehre...

»Haben Sie vor, einen Krieg anzuzetteln, Peacock?«, fragte Rebus. Und als Peacock Johnson sich aufrichtete und nach der nächstgelegenen Waffe zu greifen versuchte, holte Rebus mit einem Bein aus und trat ihm direkt ins Gesicht, woraufhin er zurück auf den Boden fiel.

Johnson lag bewusstlos da, alle viere von sich gestreckt. Hogan schüttelte den Kopf.

»Wie konnte es uns nur passieren, dass wir dieses Waffenlager nicht entdeckt haben?«, fragte er, wie es schien, sich selbst.

»Vielleicht, weil es sich direkt vor unserer Nase befand, genau wie alles andere bei diesem verfluchten Fall.«

»Aber was hat dieses Versteck zu bedeuten?«

»Ich schlage vor, du fragst unseren Freund hier«, sagte Rebus, »das heißt, sobald er aufgewacht ist.« Er wandte sich zum Gehen.

»Wo willst du hin?«

»Zum Flugplatz. Bleib du bei ihm, und ruf in der Zentrale an.«

»John … was hat das für einen Zweck?«

Rebus hielt inne. Er wusste, was Hogan meinte: Was hatte es für einen Zweck, zum Flugplatz zu fahren? Aber dann marschierte er los; etwas anderes kam für ihn nicht in Frage. Er wählte auf dem Handy Siobhans Nummer, aber eine Stimme vom Band teilte ihm mit, der gewünschte Teilnehmer sei nicht erreichbar, und er möge es bitte zu einem späteren Zeitpunkt noch einmal versuchen. Er drückte dieselben Ziffern noch einmal und bekam dieselbe Reaktion. Da warf er den kleinen, silbernen Apparat auf den Boden und zertrat ihn mit der Hacke.

Es dämmerte, als Rebus bei dem verschlossenen Tor ankam.

Er stieg aus dem Auto und probierte es mit dem Telefon am Eingang, aber niemand ging dran. Durch den Zaun sah er Siobhans Auto, das neben dem Büro geparkt war. Die Tür zum Büro stand offen, so als sei jemand übereilt aufgebrochen.

Oder als habe jemand eine andere Person mit Gewalt weggeschleppt... und sich nicht darum gekümmert, sie zu schließen.

Rebus rüttelte am Tor, versetzte ihm einen Stoß mit der Schulter. Die Kette klapperte, machte aber keine Anstalten aufzugehen. Er ging einen Schritt zurück und trat gegen das Tor. Dann noch einmal und noch einmal. Warf sich dagegen, schlug mit den Fäusten dagegen. Presste den Kopf dagegen, die Augen fest zusammengekniffen.

»Siobhan...« Seine Stimme erstarb.

Er wusste, was er brauchte: einen Bolzenschneider. Ein Streifenwagen könnte ihm einen bringen, aber dafür müsste er in der Lage sein, die Einsatzzentrale anzurufen.

Brimson... inzwischen war ihm alles klar. Brimson war Drogenschmuggler, hatte das Ecstasy auf dem Boot seines toten Freundes deponiert. Er hatte zwar noch nicht begriffen warum, aber das würde er herausfinden. Siobhan hatte auf irgendeine Weise Brimsons Geheimnis entdeckt und deshalb sterben müssen. Vielleicht hatte sie mit ihm gekämpft, das würde die merkwürdige Flugbahn der Cessna erklären. Er schlug die Augen auf, blinzelte die Tränen weg.

Starrte durch das Tor.

Blinzelte schneller, um wieder klar sehen zu können.

Denn beim Büro stand jemand... Eine Gestalt in der Tür, die eine Hand am Kopf, die andere auf dem Bauch. Rebus blinzelte erneut, um ganz sicherzugehen.

»Siobhan!«, schrie er. Sie hob eine Hand und winkte ihm. Rebus packte den Zaun und schleuderte sich dagegen, brüllte erneut ihren Namen. Sie verschwand im Gebäude.

Ihm versagte die Stimme. Litt er jetzt unter Visionen? Nein: Die Gestalt tauchte wieder aus dem Gebäude auf, stieg ins Auto und fuhr die kurze Strecke zum Tor. Als sie näher kam, sah Rebus, dass es tatsächlich Siobhan war. Und dass sie unverletzt zu sein schien.

Sie hielt an und stieg aus. »Brimson«, sagte sie. »Er hat die Drogen aufs Boot gebracht... steckt mit Johnson und Teris Mutter unter einer Decke...« Sie hatte ein fremdes Schlüsselbund mitgebracht und suchte nach dem passenden Schlüssel für das Vorhängeschloss.

»Das wissen wir schon«, sagte Rebus zu ihr, aber sie hörte ihm nicht zu.

»Ist bestimmt geflohen... hat mich außer Gefecht gesetzt. Bin erst wieder zu mir gekommen, als das Telefon klingelte.« Sie öffnete das Schloss und zerrte an der Kette. Zog das Tor auf.

Und wurde von Rebus umarmt und hochgehoben.

»Aua, aua, aua«, sagte sie, woraufhin er sie losließ. »Ein paar blaue Flecken«, erläuterte sie, und ihre Blicke trafen sich. Unwillkürlich küsste er sie auf den Mund. Ein paar Sekunden lang lagen seine Lippen auf ihren, seine Augen waren dabei geschlossen, ihre weit geöffnet. Sie machte sich von ihm los, ging einen Schritt zurück, holte Atem.

»Also, ich bin natürlich schier überwältigt, aber was hat das alles zu bedeuten?«

27

Dieses Mal war es Rebus, der Siobhan einen Krankenhausbesuch abstattete. Sie war wegen Verdacht auf Gehirnerschütterung eingeliefert worden und sollte sicherheitshalber über Nacht dableiben.

»Das ist wirklich lächerlich«, beschwerte sie sich. »Es geht mir gut, wirklich.«

»Sie rühren sich nicht vom Fleck, junge Dame.«

»Ach ja? Etwa genau wie Sie neulich?«

Wie um ihre Frage zu unterstreichen, erschien die Krankenschwester, die bei Rebus den Verband gewechselt hatte, und schob einen leeren Rollwagen vorbei.

Rebus holte sich einen Stuhl und setzte sich.

»Haben Sie mir denn gar nichts mitgebracht?«, fragte sie.

Rebus zuckte die Achseln. »War ein bisschen in Eile. Sie wissen ja, wie das ist.«

»Was tut sich in Sachen Peacock?«

»Er ist verschlossen wie eine Auster. Das wird ihm aber nichts nützen. Gill Templer meint, Herdman habe nicht gewollt, dass die Waffen in seinem Bootshaus herumlagen, deshalb hat Peacock den Schuppen nebenan gemietet. Dort hat Herdman sie in ihren ursprünglichen Zustand versetzt, und anschließend wurden sie in den Schränken gelagert. Nachdem er sich die Kugel durch den Kopf gejagt hatte, wurde die Lage für Peacock brenzlig, er konnte die Dinger unmöglich wegschaffen…«

»Aber dann hat er Panik gekriegt?«

»Kann sein, oder er wollte sich für das, was unweigerlich bevorstand, mit der nötigen Ausrüstung versorgen.«

Siobhan schloss die Augen. »Gott sei Dank ist es dazu nicht gekommen.«

Eine Weile schwiegen beide. Dann fragte sie: »Und Brimson?«

»Was meinen Sie?«

»Die Art und Weise, wie er Schluss gemacht hat…«

»Ich glaube, er war am Ende nicht abgebrüht genug.«

Sie schlug die Augen wieder auf. »Oder er ist zur Besinnung gekommen und hat es nicht über sich gebracht, jemand anders mit in den Tod zu nehmen.«

Rebus zuckte die Achseln. »Wie auch immer… ein weiterer Fall, an dem die Leute vom Militär zu knabbern haben.«

»Vielleicht wird man behaupten, es sei ein Unfall gewesen.«

»Vielleicht war's das ja auch. Könnte sein, dass er vorhatte, sich nach dem Looping auf die Autobrücke zu stürzen.«

»Mir ist meine Version lieber.«

»Dann bleiben Sie doch einfach dabei.«

»Und was ist mit James Bell?«

»Was soll mit ihm sein?«

»Glauben Sie, wir werden je begreifen, wieso er so etwas tun konnte?«

Rebus zuckte erneut die Achseln. »Ich weiß bloß, dass die Zeitungen seinem Vater ordentlich einheizen werden.«

»Und das reicht Ihnen.«

»Ein Grund zur Freude ist es allemal.«

»James und Lee Herdman ... irgendwie kapier ich's nicht.«

Rebus dachte einen Moment lang nach. »Vielleicht hatte James ihn zu seinem Held erkoren, sah in ihm jemanden, der ganz anders war als sein Vater, jemanden, für den er alles tun würde, nur um seine Achtung zu gewinnen.«

»Sogar töten?«

Rebus lächelte, stand auf und tätschelte ihren Arm.

»Müssen Sie schon los?«, fragte sie.

Er zuckte die Achseln. »Hab noch eine Menge zu tun; bei uns auf der Wache ist eine Kollegin ausgefallen.«

»Kann das alles nicht auch bis morgen warten?«

»Die Gerechtigkeit ruht nie, Siobhan. *Sie* hingegen sollten das jetzt tun. Kann ich Ihnen noch etwas bringen, ehe ich gehe?«

»Vielleicht das Gefühl, dass wir wenigstens irgendetwas erreicht haben.«

»Ich bin mir nicht sicher, ob so was in den Automaten drin ist, aber ich schau mal nach.«

Wieder einmal war es passiert.

Er hatte zu viel getrunken ... saß zusammengesackt auf der Klobrille in seiner Wohnung, hatte die Jacke im Flur ausgezogen und fallen lassen. Beugte sich vor, stützte den Kopf in die Hände.

Das letzte Mal... das letzte Mal war es in der Nacht von Martin Fairstones Tod so gewesen. Rebus hatte auf der Pirsch nach seiner Beute in zu vielen Pubs zu viel Zeit verbracht. Dann noch ein paar Whiskys in Fairstones Wohnung und per Taxi nach Hause. Der Fahrer musste ihn aufwecken, als sie in der Arden Street angekommen waren. Rebus hatte nach Zigaretten gestunken, hatte den Wunsch verspürt, alles abzuwaschen. Hatte daraufhin Badewasser einlaufen lassen, nur heißes, er wollte es später mit kaltem mischen. Saß auf der Toilette, halb ausgezogen, den Kopf in den Händen, die Augen geschlossen.

Um ihn herum drehte sich alles, schwankte hin und her, und er kippte vornüber, bis sein Kopf gegen den Badewannenrand stieß.... er erwachte auf den Knien hockend, mit brennenden Händen.

Die Hände hingen in der Wanne, vom kochend heißen Wasser verbrüht...

Verbrüht.

Nichts Mysteriöses.

Ein Missgeschick, das jedem passieren konnte.

Oder?

Aber nicht heute Abend. Er stand auf, stützte sich an der Wand ab, ging dann mühsam ins Wohnzimmer und schob dort seinen Sessel mit den Füßen ans Fenster. Draußen war es ruhig und friedlich, in den Fenstern der gegenüberliegenden Wohnungen brannte Licht. Paare genossen den Feierabend, sahen nach den Kindern. Singles warteten auf den Pizzaboten oder guckten sich einen Film aus der Videothek an. Studenten diskutierten, ob sie schon wieder in den Pub gehen sollten, machten sich Sorgen wegen noch nicht einmal angefangener Referate.

Wenn überhaupt, so führten nur wenige ein Leben, das

Geheimnisse barg; Ängste – ja, Zweifel – höchstwahrscheinlich. Vielleicht sogar ein schlechtes Gewissen wegen kleiner Fehler und Missetaten.

Aber nichts davon bereitete jemandem wie Rebus Sorgen. Nicht heute Abend. Seine Finger tappten auf der Suche nach dem Telefon auf dem Boden entlang. Er stellte sich den Apparat auf den Schoß, erwog, Allan Renshaw anzurufen. Es gab ein paar Dinge, die er ihm sagen musste.

Er hatte über Familien nachgedacht: nicht nur über seine eigene, aber über all jene, die irgendwie mit dem Port-Edgar-Fall in Verbindung standen. Lee Herdman hatte seine Familie im Stich gelassen. James und Jack Bell verband offenbar nichts als ihre Blutsverwandtschaft. Teri Cotter und ihre Mutter … und Rebus selbst, der seine eigene Familie durch Kollegen wie Siobhan und Andy Callis ersetzt und dadurch Verbindungen geschaffen hatte, die häufig stärker als die Bande des Blutes zu sein schienen.

Er starrte das Telefon auf seinem Schoß an und kam zu dem Schluss, dass es etwas zu spät für einen Anruf bei seinem Cousin war. Zuckte die Achseln, sagte lautlos »morgen«. Lächelte bei der Erinnerung daran, wie er Siobhan hochgehoben hatte.

Beschloss, festzustellen, ob er es bis ins Bett schaffen würde. Das Notebook befand sich im »Ruhezustand«. Er machte sich nicht die Mühe, es aufzuwecken; er zog einfach den Stecker raus. Morgen würde er es zurück zur Wache bringen.

Im Flur hielt er inne, ging ins Gästezimmer und nahm sich das Exemplar von *Der Wind in den Weiden*. Er würde es in seiner Nähe behalten, damit er es nicht vergaß. Morgen würde Bob ein Geschenk von ihm bekommen.

Morgen, so Gott und der Teufel wollten.

Epilog

Jack Bell scheute bei der Vorbereitung auf den Prozess gegen seinen Sohn keine Kosten. James schien das jedoch egal zu sein. Er hatte betont, dass er alles zugeben werde. Er war schuldig, und das würde er vor Gericht auch sagen.

Trotzdem hatte Jack Bell den Anwalt engagiert, der als der beste in ganz Schottland galt.

Seine Kanzlei befand sich in Glasgow, und er stellte die Fahrtzeit nach Edinburgh mit seinem üblichen Stundensatz in Rechnung. Er war makellos gekleidet, trug einen Nadelstreifen-Anzug mit weinroter Fliege, rauchte, wenn es erlaubt war, Pfeife, und wenn nicht, hielt er die Pfeife zumeist in der linken Hand.

Er saß jetzt Jack Bell gegenüber, die Beine gekreuzt, und starrte eine Stelle an der Wand dicht über dem Kopf des Abgeordneten an. Bell hatte sich an die Eigenarten des Mannes gewöhnt, und er wusste, es war keinesfalls ein Anzeichen dafür, dass er abgelenkt war, sondern vielmehr dafür, dass er sich mit voller Konzentration dem anstehenden Thema widmete.

»Wir haben Chancen«, sagte der Anwalt. »Und zwar ziemlich gute, würde ich sagen.«

»Tatsächlich?«

»Oh ja.« Der Anwalt musterte das Mundstück seiner Pfeife, als überprüfe er es auf mögliche Makel. »Wissen Sie, der entscheidende Punkt ist folgender: Dieser Detective Inspector Rebus ist mit den Renshaws verwandt... ein Cousin des Vaters, um genau zu sein. Als Folge davon hätte er niemals auch nur ansatzweise mit den Ermittlungen befasst sein dürfen.«

»Interessenkonflikt?«, vermutete Jack Bell.

»Selbstredend. Es kann nicht angehen, dass ein Verwandter eines Opfers Verdächtige verhört. Außerdem ist da noch die Sache mit seiner Suspendierung. Sie wissen es womöglich nicht, aber unmittelbar nach dem Vorkommnis in der Schule wurde von seiner eigenen Behörde ein internes Ermittlungsverfahren gegen ihn eröffnet.« Der Anwalt hatte seine Aufmerksamkeit inzwischen dem Pfeifenkopf zugewandt, und er inspizierte dessen Inhalt. »Es ging um den Verdacht auf Täterschaft in einem Mordfall...«

»Das wird ja immer besser.«

»Es ist nichts dabei herausgekommen, aber man muss sich doch über die hiesige Polizei wundern. Ich erinnere mich nicht, je davon gehört zu haben, dass ein suspendierter Beamter die Freiheit hatte, sich derart ungehindert mit einem anderen Kriminalfall zu befassen.«

»Das ist also ungesetzlich?«

»Beispiellos ist es auf jeden Fall. Aus diesem Grund dürften sehr große Zweifel an der Stichhaltigkeit von Teilen der Anklage angebracht sein.« Der Anwalt schwieg einen Moment, schob probehalber die Pfeife zwischen die Zähne und verzog dabei die Lippen so, dass man meinen konnte, er grinse. »Die Vielzahl möglicher Einsprüche und Formfehler könnte die Staatsanwaltschaft zwingen, bereits nach der Vorverhandlung den Rückzug anzutreten.«

»Mit anderen Worten, die Anklage würde fallen gelassen?«

»Durchaus denkbar. Unsere Chancen stehen, wie gesagt, sehr gut.« Der Anwalt legte eine Kunstpause ein. »Aber nur, sofern James auf ›nicht schuldig‹ plädiert.«

Jack Bell nickte, dann trafen sich die Blicke der zwei Männer zum ersten Mal, und beide wandten das Gesicht James zu, der mit ihnen am Tisch saß.

»Also, James?«, fragte der Anwalt. »Was meinst du?«

Der Teenager schien über das Gesagte nachzudenken. Er erwiderte den Blick seines Vaters, als fände er darin alle Nahrung, die er brauchte, und als verspüre er einen Hunger, der niemals gestillt werden würde.

Ian Rankin hat Ihnen gefallen? Dann könnte Sie Robert Wilson ebenfalls begeistern.

Robert Wilson, Jahrgang 1957, gilt spätestens seit seinem Roman „Tod in Lissabon", für das er den Golden Dagger Award und den Deutschen Krimi-Preis erhielt, als neuer Star unter den Krimiautoren.

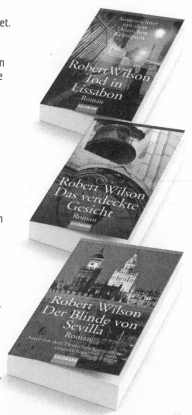

Tod in Lissabon:
In Lissabon wird ein junges Mädchen ermordet. Die Spuren führen weit in die Vergangenheit zu einem deutschen SS-Offizier, der auf der Jagd nach einem kriegswichtigen Metall einen Teufelskreis aus Mord und Erpressung, Rache und Gier auslöst ...

576 Seiten | € 9,95 [D]
ISBN-10: 3-442-45218-X | ISBN-13: 978-3-442-45218-7

Das verdeckte Gesicht:
Lissabon im Juli 1944: Die Mathematikerin Andrea Aspinall, englische Spionin, und der deutsche Militärattaché Karl Voss verlieben sich leidenschaftlich. Doch der Krieg reißt beide auseinander – bis sie sich im Ost-Berlin des Kalten Krieges wieder begegnen ...

576 Seiten | € 9,90 [D]
ISBN-10: 3-442-45219-8 | ISBN-13: 978-3-442-45219-4

Der Blinde von Sevilla:
Während man in Sevilla die Prozessionen der Semana Santa zelebriert, ist Chefinspektor Javier Falcón mit einem äußerst grausamen Mordfall beschäftigt. Vielleicht kann bei den Ermittlungen ein Blinder helfen, der angeblich über prophetische Gaben verfügt ...

640 Seiten | € 9,90 [D]
ISBN-10: 3-442-45637-1 | ISBN-13: 978-3-442-45637-6

GOLDMANN. Aus gutem Grund Ihre Nr. 1 im Taschenbuch.

Danke, dass Sie sich für ein Taschenbuch aus unserem Verlag entschieden haben. Seit vielen Jahren ist Goldmann die erste Wahl für Taschenbuch-Käufer im deutschsprachigen Raum. Ihre Nr. 1! Für uns und unsere Autoren ist das Ansporn, Ihnen auch in Zukunft ein anspruchsvolles Programm zu bieten, mit dem Sie Buch für Buch erstklassige Unterhaltung und kompetente Information in Händen halten. Garantiert.

● *Topautoren der Spannungsliteratur*
Elizabeth George, Patricia Cornwell, Joy Fielding, Martha Grimes, Batya Gur, Mo Hayder, Nicci French, Ruth Rendell, Deborah Crombie, Thea Dorn, Tom Clancy, Michael Crichton, Ian Rankin, Jonathan Kellerman, James Patterson, Robert Wilson, Harlan Coben, Martin Cruz Smith u.v.a.

● *Die witzigsten Autorinnen der jungen Frauenliteratur*
Helen Fielding, Sophie Kinsella, Sarah Harvey, Janet Evanovich, Lauren Weisberger, Plum Sykes u.v.a.

● *Die Stars unter den deutschsprachigen Autoren*
Charlotte Link, Frank Schätzing, Walter Moers, Sven Regener, Wladimir Kaminer, Karen Duve, Benjamin Lebert, Tanja Kinkel, Janosch, Akif Pirinçci, Dietrich Schwanitz u.v.a.

● *Weltbestsellerautoren*
Noah Gordon, Nicholas Evans, Terry Pratchett, Bill Bryson, Mitch Albom, Peter Mayle, Donna Tartt, Amy Tan, Melissa P. u.v.a.

● *Topautoren im Sachbuch / Ratgeber*
Stefan Aust, Kurt G. Blüchel, Axel Brauns, Dan Burstein, Allen Carr, Ruediger Dahlke, Thorwald Dethlefsen, Diamond (Fit for Life), Donata Elschenbroich, Daniel Goldhagen, John Gray, Bert Hellinger, Samuel Huntington, Michael Jürgs, Naomi Klein, Guido Knopp, Harald Lesch, Dieter Markert, Günter Ogger, Lou Paget, Johanna Paungger, Dave Pelzer, Thomas Poppe, Helmut Schmidt, Peter Scholl-Latour, Dietrich Schwanitz, Neale Donald Walsch, Anton Zeilinger u.v.a.

GOLDMANN – IHRE NR. 1

Der Goldmann Verlag wurde 1922 von Wilhelm Goldmann in Leipzig gegründet. Bekannt wurde er zunächst durch die Kriminalromane von Edgar Wallace, die in Deutschland exklusiv bei Goldmann erschienen. Nach dem Zweiten Weltkrieg siedelte Wilhelm Goldmann nach München über, wo er 1950 den Verlag neu begründete und wo 1952 die ersten Taschenbücher erschienen. Heute ist Goldmann einer der großen Publikumsverlage Deutschlands.